下

B.H. LIDDELL HART

李德哈特——著　鈕先鍾——譯

第二次世界大戰戰史

WWII

HISTORY OF THE SECOND WORLD WAR

目次

上

第三篇　狂瀾（一九四〇）

第四篇　蔓延（一九四一）

第五篇　轉向（一九四二）

下

第六篇 退潮（一九四三）

第七篇 低潮（一九四四）

第八篇　終結（一九四五）

第九篇　結論

第六篇

退潮（一九四三）

第二十五章 非洲的肅清

聯軍的原始戰略觀念是一方面由追擊的英國第八軍團西進，另一方面由在突尼西亞的第一軍團向東推進，把隆美爾包圍在兩大軍團之間。由於一九四二年十二月聯軍未能攻占突尼斯，於是這個觀念也就只好放棄。[1]現在聯軍的這兩個軍團必須分別同時來應付兩支德國部隊：在的黎波里坦尼的隆美爾和在突尼西亞的阿爾寧。另一方面，由於隆美爾的部隊正逐漸靠近阿爾寧的部隊，於是也就使他們得以享有中央位置的戰略利益——即他們可以集中全力來打擊任何一個對手。

由於在聖誕節時被阻於突尼斯城之前，並且雨季尚未結束，地面的泥濘情況也仍將繼續不會改善，所以艾森豪就想發起一個更偏向南方的攻擊，以在斯法克斯（Sfax）附近到達海岸線為目

1 原註：參看第二十章的地圖。

的，這樣即可以切斷隆美爾的補給線和退路。對於這個代字為「沙丁」（Satin）的作戰，計畫使用美國部隊為主，把他們集中在提貝沙附近，給這支部隊定名為美國第二軍，由弗里登達少將指揮。

在一月中旬，羅斯福和邱吉爾都來到非洲，準備在卡薩布蘭加舉行一次新的同盟會議，以討論未來的目標，兩國的參謀首長們也都隨同前往。於是艾森豪就把他的這個新計畫向他們當面提出報告。當他們在開會討論時，有人認為隆美爾的百戰精兵不久即將達到這個地區，如果以毫無經驗的新編部隊去作這樣的進攻，似乎是未免過分冒險。尤其是英國陸軍參謀總長布羅克反對得最為激烈，他力主打消這個計畫。

這樣的決定遂把次一行動留給蒙哥馬利，十二月中旬他仍在羅費里亞（Noflia）附近徘徊，想等其兵力增強之後，再來攻擊西面一百四十哩遠的布拉特陣地——自從退出埃及之後，隆美爾即率領他的殘軍在那裡整頓。

一月中旬，蒙哥馬利才發動他的新攻勢。其計畫又還是採取過去同樣的典型——對敵正面發動一個牽制攻擊，另從沙漠的內陸作一個迂迴運動以切斷敵人的退路。不過這一次他沒有採取任何試探性的準備行動，以免洩露他的企圖和事先把敵人嚇跑。此外，他也只用一個由裝甲車所構成的搜索幕來監視敵軍陣地，其主力則控制在這後方的位置上。直到攻擊發動的前一天，他們才開始作長距離的接敵前進，並在一月十五日上午直接投入戰鬥。第五十一師在裝甲兵支援之下沿著海岸道路進攻，而第七裝甲師和紐西蘭師則執行計畫中的迂迴行動。但一開始即不曾遭遇德軍抵抗，等到在布拉特以西遭遇德軍時，那已經是敵人的後衛了。隆美爾又已經從布拉特陣地溜走，使蒙哥馬利的企圖又再度落空。德軍的溜走似乎很容易，因為紐西蘭師和第七裝甲師的行動過於謹慎和遲緩。

隆美爾的主要敵人不是蒙哥馬利而是軸心的最高當局。墨索里尼回到安全遙遠的羅馬之後，又再度和現實脫節，在聖誕節前的那個星期內，他已經下了一道命令要求隆美爾在布拉特陣地上抵抗到底。於是隆美爾用無線電向義大利最高統部參謀長卡伐里羅元帥提出詢問：如果英國人不理會這個陣地，因為那是非常容易繞過的，而直接向西進發，那麼又應怎樣應付呢？卡伐里羅避免直接作答，但他卻強調表示義大利部隊不可再像在艾拉敏會戰時那樣的被留在口袋之內。

隆美爾遂向巴斯提科指出，在墨索里尼的命令和卡伐里羅的指示之間，有顯明的矛盾存在。像專制王朝的大多數臣僕一樣，對於任何與其主上的希望和夢想不符合的路線，他都力求避免選擇和負責。但是經過苦苦糾纏之後，隆美爾終於獲得他的同意，並下了一個命令允許非摩托化的義大利部隊撤到塔胡拉—何門斯之線（Tarhuna-Homs Line），即比布拉特要退後一百三十哩，並非常接近的黎波里城。於是，在一月的第二個星期裡，卡伐里羅又要求把一個德國師調回加貝斯隘道，俾預防美軍在那方面的威脅—上文中早已說過，那個威脅並未成熟。隆美爾對於這樣的要求當然欣然同意，因為那恰好和他構想中的計畫相配合，所以他立即派第二十一裝甲師前往。於是他手裡所留下的就只有第十五裝甲師的三十六輛戰車，以及義大利森陶羅師的五十七輛舊式戰車，以對抗蒙哥馬利的在新攻勢中的四百五十輛戰車。面對著如此壓倒性的優勢，隆美爾自然無意去作一次毫無希望的戰鬥，所以當他透過其無線電監聽單位獲知英軍將在一月十五日發動攻擊的消息之後，他馬上就不客氣地自動溜走了。

把英軍滯留了兩天之後，隆美爾遂於一月十七日將其摩托化部隊撤回到塔胡拉—何門斯之線，並立即命令本來留在那裡的義大利步兵再退往的黎波里。而在那兩天戰鬥中，英軍由於受到分散極廣的雷區所阻，並且損失了五十輛戰車，所以行動也就變得過去更為謹慎。塔胡拉—何門斯之線已經有比較堅強的設防，應該是可以比布拉特陣地多守幾天，但隆美爾知道蒙哥馬利擁有強大的裝甲部隊，隨時都可以從內陸方面採取迂迴運動，所以他若在這一線上長期據守，結果必然會使自己的退路被切斷，而被迫處於毫無希望的態勢。因此他在十九日的夜間，即開始撤退其剩餘部隊，而的黎波里的港埠設施也在此時加以破壞。

次日清晨，卡伐里羅有急電來說明墨索里尼絕不准許撤退，並堅持這條防線至少應守三個星期。當天下午卡伐里羅親自趕到前線來監督隆美爾執行這個命令。隆美爾很不客氣的指出，由於根本上已無適當的增援，所以任何這一類的時限只好由敵人的行動來決定。最後他就把責任加在卡伐里羅的頭上，他這樣的說：「你可以在的黎波里多守幾天但結果卻是全軍覆沒；或者是提早幾天喪失的黎波里，卻可以保留這一點部隊以供防守突尼斯之用。現在就請你下決心。」卡伐里羅避免作具體的決定，但他卻間接的暗示隆美爾說，這個軍團的實力必須保存，不過的黎波里應盡可能的堅守。隆美爾遂立即開始撤退非摩托化的義大利部隊，以及大部分可以移動的補給物資。於是在二十二日的夜間，他就率領其剩餘的部隊從塔胡拉—何門斯之線撤退，一直退到的黎波里以西一百哩以外的突尼西亞的邊境上，然後又再退後八十哩，達到了馬內斯防線（Mareth Line）。

越過布拉特之線以後，英軍的追隨行動誠如蒙哥馬利所形容的，已經呈「黏著」（sticky）狀態。這不僅是由於地雷和道路被爆破之故，而更是由於英軍在對付敵人的後衛戒幕時總是過分慎重。蒙哥馬利在他的回憶錄中，曾經強調在沿海公路上的前進「一般都缺乏主動和衝力」，為了加重這種評論，他又引述在其日記中一月二十日所記錄的一份手令，表示他曾經如何催促第五十一師迅速前進。但事實上，隆美爾早已退到塔胡拉—何門斯之線，而他在二十二日之所以迅速放棄該線，而繼續退往突尼西亞邊境上的主因，又並非由於沿著海岸公路線方面壓力的加強，而是害怕英軍強大裝甲部隊從內陸方面以迂迴行動來切斷他的退路。當第五十一師在月光之下前進——其領先的步兵則坐在戰車上——他們發現敵人已經撤退。到一月二十三日拂曉時，英軍縱隊的矛頭已經在無抵抗的情況下進入的黎波里。

自從一九四一年以來，這個城即為英軍累次攻擊的目標。從艾拉敏開始追擊隆美爾起，一路上已經前進了一千四百哩。這個目標的到達也就是這一段里程的終點。那是在攻勢發動之後整整三個月才到達的。對於蒙哥馬利和他的部隊而言，這是一項令人感到興奮的成就，但就他本人而言，也有如釋重負之感——因為他在日記中曾這樣的寫著：「自從我接管第八軍團指揮權以來，這是我第一次真正感到焦急。」在一月初，有一場風暴使班加西港口受到極大的破壞，使那裡補給物資的接收量從每日三千噸減到一千噸以下，於是也就迫使他必須利用遠在後方的多布魯克港，從那兒到的黎波里的距離約為八百哩，換言之，也就是要把那條已經夠長的公路線更拉長不少。為了想獲得較多的補給，他已經把第十軍留在原地不動，以便利用它的運輸車輛。當他發動這次新攻勢時，他認為必須在十天之內到達的黎波里，否則他也許就必須中止他的前進。

不過對於蒙哥馬利而言，又算是相當的僥倖，因為敵人對於他的時間和補給問題並不太清楚，他們所知道的僅以為他是挾著一種在戰車數量上的優勢來向他們進逼——他們所能使用的戰車就只有第十五裝甲師的那三十六輛，所以蒙哥馬利享有的優勢為十四對一。假使第二十一裝甲師不被召回去應付美軍對加貝斯瓶頸地區所可能形成的威脅——在這個師被派往該地區之後的兩天，即十三日，美軍的那個攻擊計畫即已撤消——那麼德軍在塔胡拉—何門斯防線上也就比較有堅守的可能。假使是那樣，蒙哥馬利也許即將自動停止前進，而退回到布拉特陣地去等候解決其補給問題，因為誠如他自己所說的，他這次進入的黎波里是在他自定的時限尚差兩天滿期之前。

蒙哥馬利又在的黎波里逗留了好幾個星期，以清理和修補該地被破壞的港口。直到二月三日才有第一艘船進入該港，到了二月九日，才有第一支運輸船團開到。蒙哥馬利只派了少許輕裝部隊去追蹤敵軍的撤退，而其領先的一個師是直到二月十六日才越過突尼西亞的邊境線——隆美爾的後衛則已於前一夜撤入馬內斯防線的前進陣地，那一條防線本是法國人所建築的，其目的是阻止義大利人從的黎波里侵入突尼西亞。該防線係由一連串舊式的碉堡所組成，隆美爾認為還是在它們之間的空間中新近所挖掘的野戰工事比較可靠。的確如此，當他視察了馬內斯防線之後，他建議最好是退守阿卡里特乾河（Wadi Akarit）之線，該線還要退後四十哩，恰好在加貝斯以西十五哩，它不僅可以掩護通往突尼斯的進路，而且由於在內陸方面有傑里德鹽湖（Chott el Jerid）的掩護，可以不必害怕受到迂迴的威脅——因為那種鹽質沼澤地是裝甲部隊所不易通過的。但他的建議並不曾被遙遠的獨裁者所採納，他們雖已明知毫無希望，但卻仍不肯放棄其空中樓閣的幻想。至於隆美爾自己的資本也已經降到最低點了。

由於的黎波里的失守，墨索里尼遂遷怒於他的部下，把巴斯提科召回，把卡伐里羅免職——後者則由安布羅希奧將軍（General Ambrosio）來接替。同時，隆美爾在一月二十六日也接到一份電報，其內容是說由於其健康欠佳，所以已被解除指揮權，並應在馬內斯新陣地鞏固之後即辦理移交，其軍團將改名為第一義大利軍團，由梅希將軍（General Giovanni Messe）接任司令。不過，他卻仍被允許有權自行選擇移交和離去的日期——對於這一點權利，隆美爾曾加以充分的利用以使聯軍受到很大的損害。

隆美爾早已是一個病人，而最近三個月的憂勞緊張生活，當然不會使他的情況有所改善。但在二月間他仍然表現出他還是具有強大的活力。

當美軍透過突尼西亞南部逐漸接近隆美爾的退卻線時，他不但不感到憂慮，反而認為那是一個良好的機會，可以讓他在蒙哥馬利再度進逼之前先在那方面打一個勝仗。雖然馬內斯防線的防禦力量非常有限，但對於戰車的攻擊仍可構成一種阻礙，而至少能把蒙哥馬利的前進延遲一段時間。此外，隆美爾的實力也已經略有增加。當他向西撤退時，他也就日益靠近其補給基地的港口，所以也就獲得了一些補充，足以抵補其在長程撤退過程中的損失。以部隊的人數而言，他現在所有的與去年秋季艾拉敏會戰開始時差不多。當他進入突尼西亞境內時，他的軍團差不多有三萬名德國人（約為其編制人數的一半，但卻與艾拉敏會戰開始時的數字相等），和大約四萬八千名義大利人——不過其中又包括已經派往加貝斯和斯法克斯地區的第二十一裝甲師，以及正要派往防守艾古塔爾（El Guettar）隘道的義大利森陶羅裝甲師在內。後述的隘道正面對著美軍在加弗沙的陣地。不過在裝備方面，情況卻似乎並不那樣良好——德軍部隊的戰車只約相當於編制數的三分之一，戰防砲為編制數的四分之一，而一般火砲則僅及六分之一。此外，在大約一百三十輛戰車中，能夠合於戰鬥之用的又還不及半數。儘管如此，但在蒙哥馬利尚未能充分利用的黎波里港，和在突尼西亞邊境上集中優勢兵力之前，一般情況的確可說是已獲相當的改善。所以隆美爾對於這樣一個空隙是急欲加以利用的。

他現在就計畫發動一個拿破崙式的兩面攻擊，以發揮戰略家所謂的「內線」理論——即利用處於兩支向心前進的敵軍兵力之間的中央位置，趁其中有一方面尚來不及救援之前，即首先擊敗另一方面。假使他能夠擊敗在其後方的美國部隊，那麼隆美爾也就可以空出一雙手來對付蒙哥馬利的第八軍團，而後者又因為補給線的拉長，所以其實力也已經相當的減弱。

這是一個卓越的計畫，但隆美爾的最大困難卻是在執行此項計畫時，他大部分都必須依賴並非他自己所能控制的部隊。他從馬內斯防線所能抽出的兵力，只夠組成一個大型的戰鬥群，尚不及一個師的一半，由李本斯坦上校（Colonel von Liebenstein）負責指揮。他手下著名的和可靠的第二十裝甲師早已調回突尼西亞，現在也正位於他所要想打擊的地點上，但這個師卻已經改受阿爾寧軍團的指揮。所以從開始起，就變得要由阿爾寧來決定主要打擊的目標和所應使用的兵力，而隆美爾的任務卻只限於從旁協助而已。

美國第二軍（其中包括一個法國師）被預定為此次反擊的目標。其戰線長達九十哩，但實際上其兵力是集中在從山地通過海岸的三條道路之上，其先頭則在加弗沙、費德（Faid）和芳道克（Fondouk）等地附近的隘道上——在那裡又與柯爾茲將軍所指揮的法國第十九軍連接在一起。這些隘道都是如此的狹窄，所以占領它們的部隊感到相當的安全，而聯軍較高指揮部的注意力，則被軸心軍在芳道克以北地區中所作的一連串試探性攻擊所吸引。

但在一月底，身經百戰的第二十一裝甲師突然躍進在費德隘道上，在美軍遲來的援兵趕到之前，就已經在那裡擊潰了裝備惡劣的法國守軍，於是也獲得了一個作為下次較大攻擊的立足點。

這次突擊使聯軍較高級指揮官可以猜到敵人是在計畫發動怎樣的一種攻擊，但他們卻仍然沒有猜到即將來臨之攻擊的地點。因為他們把這個在費德隘道上的攻擊，當作是一種分散聯軍注意力的行動來看待，所以他們相信主要的攻擊將會在芳道克的附近。誠如布萊德雷將軍（General Omar Bradley）在其回憶錄中所說：「這種想法幾乎變成了一種致命的假定。」不僅在艾森豪總部中是如此，在安德森的英國第一軍團司令部中亦復如此——在亞歷山大尚未來到之前，突尼西亞境內全部聯軍的作戰現在還是由安德森負責指揮。在卡薩布蘭加會議時，亞歷山大已被指派為新成立的第十八集團軍總司令，其位置是在艾森豪之下。等到第八軍團進入突尼西亞之後，它就要和第一軍團聯合組成這個新的集團軍。為了防守這一條期待中的攻擊路線，安德森遂把美國裝甲部隊的一半，即其第一裝甲師的「B」戰鬥群，保留在芳道克的後方充當預備隊。這一個錯誤的計算也就幫助減輕德軍在前進時的困難。

到二月初，突尼西亞的軸心兵力總數已經增加到十萬人——其中七萬四千人為德軍，二萬六千人為義軍——比在十二月間對聯軍的兵力是占有一種較良好的比例。約有百分之三十為行政人員，至於在裝甲兵力方面則幾乎是完全依賴德國人的貢獻，其戰車數量剛剛超過二百八十輛——第十裝甲師一百一十輛，第二十一裝甲師九十一輛（以現有的編制而言恰好為足額的一半），另有十二輛虎式戰車編成一個特種單位，而隆美爾也在李本斯坦戰鬥群內增加一個營的二十六輛戰車，以增強在加弗沙公路上的森陶羅師，它還有殘餘的義大利戰車二十三輛。這個總數還是比聯軍的實力差得很遠，即令全部都集中在突尼西亞南部企圖的攻擊正面上，也仍不足以構成數量上的優勢。因為支援這個地段的美國第一裝甲師，雖然也並未足額，但卻約有三百輛戰車可供作戰之用——不過其中有九十輛為「斯圖亞將」輕型戰車——此外還有三十六輛驅逐戰車（Tank Destroyer），而在火砲方面則更比德國裝甲師要強大得多。不過使隆美爾深感失望的是阿爾寧還是只派了第十裝甲師的一部分（一個中型戰車營和一個四輛虎式戰車的連），來幫助第二十一裝甲師，而且還只限於攻擊開始的階段，因為阿爾寧正計畫使用第十裝甲師在遠較北面的地區去作一次攻擊。[2]

二月十四日，德軍真正的攻勢開始，第二十一裝甲師再度從費德躍出，連同第十裝甲師所派

2　原註：以上這些數字都是引自原始的記錄，可以非常有意義的顯示，若以「師」的數目為標準來比較同盟和軸心兩方面的實力，其錯誤將是如何的巨大——但聯軍的指揮官，以及許多官方的史學家卻正是這樣計算的。在這個階段，一個美國裝甲師的編制戰車數量為三百九十輛，而一個正常的德國裝甲師則為一百八十輛，所以前者的數量要比後者多一倍而有餘。但實際的差距還要更大，因為德國人對於缺額的補充比較困難。如上文中所說，即令是一個已經殘缺不全的美國第一裝甲師，其所擁有的戰車數量仍然還是要比德國裝甲師的平均數量幾乎大了三倍，一個英國裝甲師的編制最近已經減為二百七十輛，但特種戰車例外；而美國裝甲師，除了某些例外，在這一年內也改組成為類似的型態。但在一九四四年，英國裝甲師的戰車數量又升到三百一十輛，因為其搜索單位的裝甲車也換裝為戰車。總而言之，一個聯軍裝甲師所能實際用來作戰的戰車數量，通常要比德國裝甲師多出兩倍到三倍。要想維持平衡，則德國人必須依賴其在素質方面的優勢。

來的援兵在內。直接負責指揮攻擊的是阿爾寧的副手齊格勒將軍（General Ziegler）。由第十裝甲師所派出的兩個小型戰鬥群從費德隘道中衝出，像鉗臂一樣的張開，把美國第一裝甲師的先頭部隊——「A」戰鬥群——緊緊地夾住；於是第二十一裝甲師也派出兩支兵力（每支都是以一個戰鬥營為基幹），乘著黑夜向南面作較大的迂迴以包圍美軍。雖然當德軍在細第包齊德（Sidi Bou Zid）合圍之前，還是有許多美軍化整為零的逃走了，但裝備的損失卻極為慘重。戰場上到處都是起火燃燒的美國戰車，在這一次戰鬥中一共損失了四十輛。次日上午，美軍的「C」戰鬥群匆匆趕上前線發動一個逆襲，結果卻恰好中了敵人的埋伏，一共只有四輛戰車逃回。因為德軍擅長從動勢資源中集中優勢兵力的技巧，所以兩個精銳的美國中型戰車營，就在這樣連續的戰鬥中被擊滅了。不過對於聯軍而言，卻又算是很僥倖，因為德軍在追擊時行動頗為遲緩。

在十四日那一天，隆美爾即已力促齊格勒趁著黑夜奔馳，對於這個成功的開端作盡量的擴張。隆美爾告訴他說：「美國人尚無實際戰鬥的經驗，所以我們必須一開始就給他們一個下馬威，好讓他們產生一種深入的自卑感。」但齊格勒卻認為他必須獲得阿爾寧的批准才可以前進。所以直到二月十七日他才開始向前推進二十五哩到達了希拜特拉（Sbeitla），而美軍已在那裡集結。因此，德國人遂遭遇較頑強的抵抗，因為現在由羅比內特准將（Brigadier-General Paul Robinett）所率領的「B」戰鬥群也已經匆匆南調。直到下午快要結束時為止，這個戰鬥群尚能擋住德軍的前進，並幫助掩護其他兩個戰鬥群的殘部退卻之後才自己開始撤退——這也是聯軍左翼全面退卻的一部分，在安德森命令之下，該部隊要撤到西多沙爾山脈（Western Dorsal）之線。雖然德軍進入希拜特拉的時間曾遭延遲，但他們的全部收穫卻增到一百輛以上的戰車和近三千名的俘虜。

此時，隆美爾所帶來的戰鬥群，直向聯軍在加弗沙的南面側翼頂點進攻，當美軍於十五日撤出後，即早已進入那條道路的中心。現在遂加快速度並轉向西北，到十七日又前進了五十哩，穿過費里亞拉（Feriana），並攻占美軍在提里普特（Thelepte）的機場。所以現在其到達的位置幾乎和第二十一裝甲師平行，不過要更向西偏三十五哩，因此也更接近聯軍的交通線。亞歷山大也正在那一天到達現場，並在十九日接管這兩個軍團的指揮權。在他的通報中曾經這樣的指出：「在退卻的混亂中，美國、法國和英國的部隊都已經混在一起，糟不可言，既缺乏有協調的防禦計畫，又無堅定確實的指揮。」隆美爾聽說聯軍已經放火焚燒在提貝沙的補給倉庫——那是在四十哩以外，而且還隔了一道山脈——所以照他看來，那是他們已經喪失鬥志的證明。

現在就到了真正的轉向點——雖然聯軍的指揮以為那是三天以後。隆美爾希望能集中所有一切可以動用的機械化兵力，作一個透過提貝沙的全面追擊來擴張此種混亂和恐怖的效果。他感覺到這樣深入的一刀若切在聯軍的主要交通線上，則一定可以強迫聯軍把他們的主力撤回到阿爾及利亞——這也正是那些內心焦急不堪的聯軍指揮官們所想到的前途。

但隆美爾卻發現阿爾寧不願發動這樣一個冒險——他也早已把第十裝甲師收回。所以隆美爾就只好把他的建議呈送給墨索里尼——他相信墨索里尼迫切希望能獲得一次勝利，以增強其在國內的政治地位。同時，拜爾林（隆美爾最親信的參謀長）也說服了在突尼西亞的空軍指揮官，使他們同意支援這個計畫。

時間一個小時又一個小時溜過去，直到十八日的午夜，羅馬才來覆電准許繼續進攻，並指派隆美爾負責全面指揮，把兩個裝甲師都交給他，以求達到此種目的。不過這個命令卻規定應向北進攻塔拉（Thala）和李克弗（Le Kef），而不應向西北穿過提貝沙。照隆美爾看來，這樣的改變是代表一種「驚人和令人難以置信的近視」——因為這樣的攻擊與正面太接近，也必然會遭到敵方強大預備隊的阻擋。

所以攻擊的地點完全合於亞歷山大的料想，因為他早已命令安德森應集中其裝甲部隊防守塔拉——不過亞歷山大所根據的卻是一種錯誤的計算，因為他以為隆美爾寧願追求「戰術性的勝利」，而並不想追求較間接性的戰略目標。這種錯誤的假定結果卻又變得對聯軍有利，那實在是很僥倖，主要的應歸功於墨索里尼的命令——但隆美爾若能被允許隨心所欲的去追求其理想中的目的，則聯軍就一定會受到他的奇襲而變得極為狼狽。因為聯軍援兵的大部分（包括英美兩國的部隊在內）都集中在塔拉和塔拉以東的斯比巴（Sbiba）地區內，至於在提貝沙卻只有美國第一裝甲師的殘部擔負掩護的任務。

英國援兵的主力為第六裝甲師。其裝甲部分的第二十六裝甲旅即駐在塔拉，而剛剛到達的美國第九步兵師的步兵和砲兵，也都被送往該地充作支援。第一近衛旅，即第六裝甲師的摩托化步兵部分，則駐守希拜特拉北面的斯比巴缺口，和他們在一起的還有從美國第一和第三十四兩個步兵師中所抽出的三個戰鬥群。

在接獲墨索里尼的准批之後的幾個小時內，隆美爾即在二月十九日的清晨發動攻擊。但由於一再的延誤，和阿爾寧召回第十裝甲師的行動，已使其成功的機會大為減低——這個師已經北上，現在再把它調回來，在時間上也就無法趕上新攻擊的第一階段，而這正是最重要的階段。於是隆美爾決定只好使用其非洲軍的戰鬥群，來領導穿過塔拉向李克弗的進攻，而第二十一裝甲師則從斯比巴方面也趨向於同一目標，所以這兩路兵力之間遂又可以互相呼應支援。

指向塔拉的路線必須經過凱撒林隘道（Kasserine Pass），該隘道位於希拜特拉與費里亞拉之間的中點上，這個陣地現在是由一支美國的混合兵力據守，其指揮官為斯塔克上校（Colonel Stark）。德軍最初的企圖是想用奇襲的方式衝過這個隘道，但未能如願；而到下午由於各種不同的援兵到達，遂使斯塔克的兵力遠超過非洲軍戰鬥群的兵力（它一共只有三個小型的營——一營戰車和兩營步兵）。但由於防禦方面缺乏良好的協調，所以到黃昏時德軍已在某些點上滲入，而到了天黑之後，滲入的人數也就更多。此時向斯比巴前進的第二十一裝甲師也為一道雷陣所阻，在雷陣之後聯軍又部署著重兵——十一個步兵營對抗攻擊者的兩個營，而在火炮和戰車兩方面也都享有數量的優勢（因為第二十一裝甲師現在用於作戰的戰車已經不到四十輛）。所以在夜間隆

隆美爾企圖迂迴第一軍團（1943年2月14日～22日）

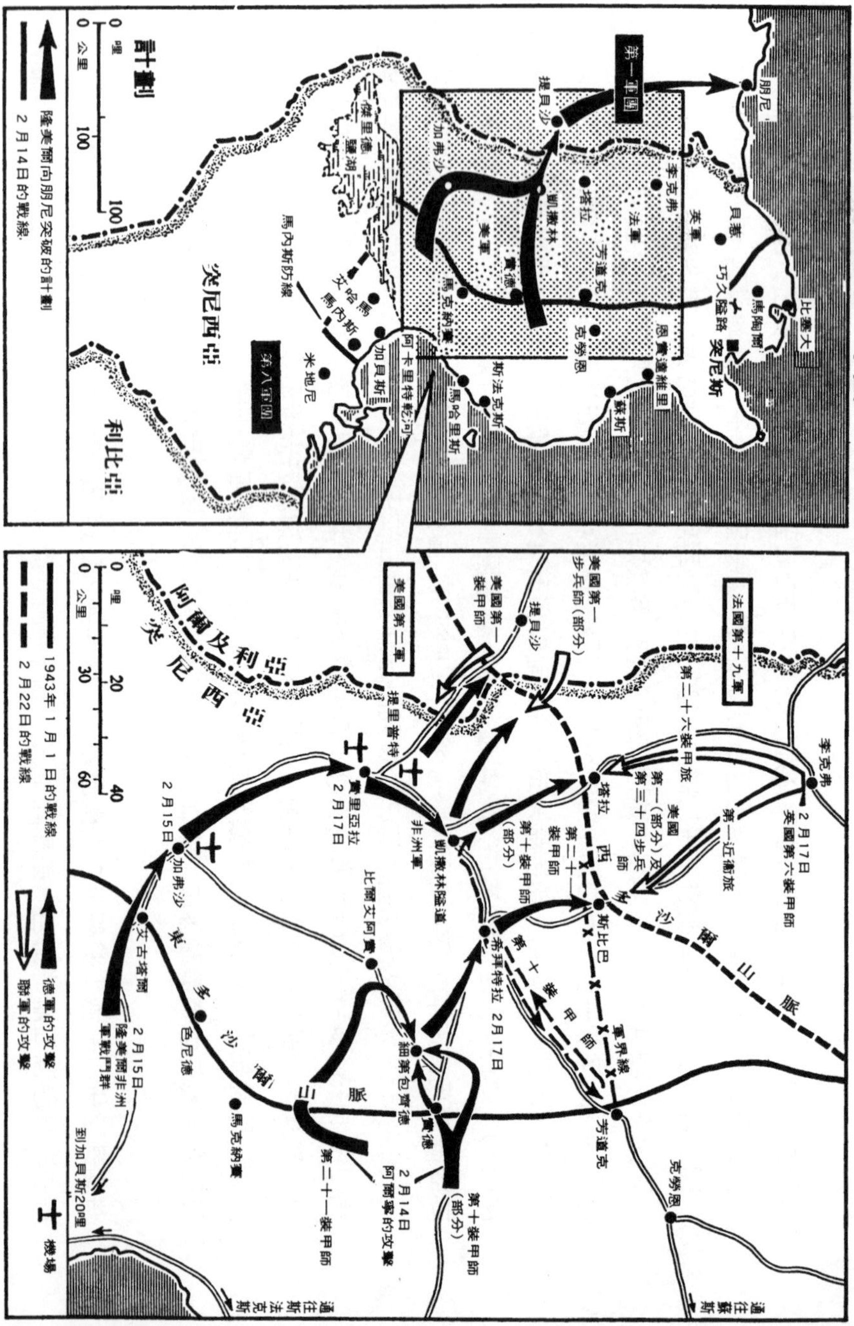

美爾遂決定集中兵力來突破凱撒林隘道，因為那裡的防禦似乎已經動搖，同時也把遲到的第十裝甲師用在那一方面。但因為第十裝甲師所趕到的兵力只有一個戰車營、兩個步兵營和一個機車營，所以成功的希望遂又隨之而減低。阿爾寧所扣留的兵力幾乎還有半個師，並連同配屬的虎式戰車營在內，而隆美爾卻正想把這種戰車當作他手裡的王牌。

直到二十日的下午，他才能對凱撒林隘道發動集中的攻擊，因為第十裝甲師的單位直到那個時候才勉強趕到——這樣的延誤使他非常的憤怒。上午的一次攻擊已被守軍的火力所擊退，但到了下午四時三十分，隆美爾親冒矢石，率領著所有一切可用的步兵——共五個營，包括一個義大利營在內——發動全面的突擊，並迅速的突破敵方陣地。但是一支兵力非常小的英國支隊，卻又對攻擊者展開極頑強的抵抗。那一共只有一個裝甲連、一個步兵連和一個野砲連，由高爾中校（Lieutenant-Colonel A. C. Gore）所率領，本是派來支援這個隘道的防禦。結果德軍使用了一個戰車營才把這個支隊壓倒，而它自己的戰車也被擊毀了十一輛。美國官方的戰史是比任何國家都要較忠實和公正，它不僅強調這個支隊的抵抗特別頑強而且非常有意義的指出德軍在其他地方的突破卻是相當容易。它說：「敵軍對於所俘虜的美軍裝備的數量和素質深感驚異，那些裝備幾乎都是完整無缺的。」

隆美爾在攻占這個隘道之後，即派出搜索支隊，一方面沿著塔拉的路線前進，另一方面也抵達前往提貝沙的叉路上，其目的是要使聯軍在其預備隊的調動上感到困難，而同時還想奪取在提貝沙的美軍巨大補給倉庫——這本是他自己原定的目標。隆美爾節節勝利的消息早已產生第一種效果。因為弗里登達在上午命令羅比內特「B」戰鬥群從極右翼調向塔拉之後，又已經再度命令它去掩護從凱撒林到提貝沙的叉路。此時，英軍的第二十六裝甲旅群在鄧費准將（Brigadier-General Charles Dunphie）率領之下——共有兩個裝甲團和兩個步兵營——已經從塔拉向南移動，在距離凱撒林隘道約十哩的地方占領陣地，並期待「B」戰鬥群前來支援。對於聯軍而言總可以說是很僥倖，因為攻擊者的實力遠比他們所想像的要弱得多。

次日（二月二十一日）上午，隆美爾首先站在原地不動以等候聯軍的逆襲。他這樣按兵不動反而使對方大感驚異，因為他們並不知道隆美爾的兵力比他們所集中的數量差得太多。但是隆美爾發現敵人也靜止不動並不企圖發動逆襲時，遂率領第十裝甲師的一部分兵力向通往塔拉的道路挺進——其數量不過是相當於一個戰鬥群，包括三十輛戰車、二十輛自走砲和兩營裝甲榴彈兵（panzer-grenadier，即摩托化步兵）。鄧費的旅群在德軍的前面逐步後退，在連續的山脊上留著不走，直到受到迂迴和側擊為止。但當它的戰車在黃昏退入在塔拉既設陣地時，一連串的德國戰車就緊跟在後面——德軍使用巧計以一輛俘獲的英國「法蘭亭」式戰車領先前進，遂使英國還以為他們是英軍方面的落伍單位。於是德軍衝入陣地，擊潰一部分步兵，並向許多車輛射擊，遂使到處都發生混亂。雖然經過三個小時的混戰之後才被阻止，但德軍在撤退時卻已帶走七百名戰俘。從凱撒林隘道出發，在這一連串的戰鬥中德軍也已損失十二輛戰車，但他們所擊毀的英軍戰車則已接近四十輛，包括一個迷失方向而衝入敵陣的戰車連在內。

因為預計將會遭遇較大的逆襲，隆美爾遂決定等待，以便在擊敗敵人的逆襲後再乘勢追擊。但在上午，空中偵察卻指明聯軍的增援已經到達現場，而且還有更多的部隊正在不斷的前來。所以想透過塔拉作更進一步擴張的機會似乎已經不大，而軸心軍左翼方面的危險也正在不斷的增加。在前一天的下午，非洲戰鬥團曾經推進到提貝沙叉路上，占領了那方面的隘道並掩護對塔拉攻擊的側翼，但由於美軍在高地上已建立砲兵陣地，並集中強大的火力，所以未能得逞。二十二日上午，德軍又再度進攻，結果所得甚微，而損失的嚴重則已經使他們有吃不消之感——因為在這個地區中，美軍所集中的兵力遠比他們強大，除了羅比內特的「B」戰鬥群以外，還有艾倫（Terry Allen）所指揮第一步兵師的一部分。

那天下午，隆美爾與飛來視察的凱賽林獲得一致的結論，認為再繼續作向西的反擊已無利可圖，所以應迅速擺脫這一方面的戰鬥，而把攻擊部隊轉向東方以對付英國第八軍團。根據這個決定，軸心部隊遂奉命在黃昏時開始撤退——第一步先退到凱撒林隘道。

在另一方面，艾倫從一清早起就想對軸心軍的側翼發動一次逆襲，但由於通信上的困難，始終和羅比內特聯絡不上，所以直到下午很晚的時候才能開始行動。它促使非洲戰鬥群匆匆地向凱撒林隘道撤退，而義大利部隊在撤退中遂變成了潰退。隆美爾對於這個地區中的美軍頗有好評，他們的戰術技巧日有進步，砲兵火力的精確，以及裝備的豐富都使隆美爾獲得深刻印象，假使一旦發展成為較大規模的反擊，則他那支比較微弱的兵力也就會遭遇到嚴重的危險。

但是隆美爾的弱點和已經改變的情況，卻仍然不曾為聯軍高級指揮層所認識。誠如美國官方戰史所記載的，弗里登達面對撤退中的敵軍，對地面作戰的指揮已經變得極端猶豫不決，而在這個時候敵人卻正是最易被摧毀的。安德森也同樣的只是在考慮防禦的問題。事實上，在斯比巴的大量聯軍兵力，那一天夜間曾向北撤退約十哩的距離，因為他害怕隆美爾會從塔拉突破並威脅他們的後方。在類似的恐懼之下，另一個側翼上的提貝沙也曾有撤出的考慮。甚至於在二十三日上午已經發現德軍從塔拉地區撤退之後，也不曾採取任何追擊的步驟，直到那天夜間才下達發動總攻擊的命令——而預定發動的日期則為二十五日。到那個時候，敵軍早已撤走並安全通過凱撒林瓶頸地帶，聯軍計畫「殲滅」敵軍和「奪回」隘道的努力完全變成馬後砲，他們所遇到的只不過是敵人所留下來的爆破和地雷而已。

由於雙方兵力的懸殊，和聯軍抵抗的日益增強，軸心軍結束攻勢的決定可以說是非常恰當。面對著聯軍方面現已集中的巨大優勢兵力，若再堅持不退實為一種愚行，從物質方面來說，這次攻擊的收穫若與成本相比較，可以說是很大——俘虜的敵軍超過四千人，而德軍的損失卻不過一千多人，聯軍被擊毀的戰車在二百輛左右，而德軍的損失幾乎不成比例。但卻未能達到迫使聯軍退出突尼西亞的戰略目標，儘管其危險已經間不容髮。如果第十裝甲師的全部兵力都能投入戰鬥，而從開始就由隆美爾統一指揮，並且還一切都由他自由決定而不加干涉（例如照他的想法應傾全力直趨提貝沙），則這個戰略目標也許可以達成。若是能夠迅速奪占美軍的主要基地和機場中心，連同其累積的大量補給物質在內，則聯軍將不可能繼續保持他們在突尼西亞的地位。

最足以表現命運的諷刺者，是二月二十三日從羅馬發來的一道命令，指派隆美爾為新成立的「非洲集團軍」總司令，並給予指揮突尼西亞境內所有一切軸心部隊的全權。這可以反證這次反擊的心理效果是多麼巨大，它又暫時恢復了墨索里尼和希特勒對隆美爾的信心。但對於隆美爾而言，這種滋味實在不好受，因為當命令來到時，德軍已經在開始撤退——而且也實在太遲，無法挽救已經喪失的機會。

同時它也來得太遲，已經來不及打消阿爾寧在北面所想要發動的攻擊，因為他一心想要獨建奇功，所以才扣留預備隊不放手，那些兵力若早日交給隆美爾運用，則對軸心方面的貢獻也將遠為巨大。照原定的計畫，是以攻占梅傑茲艾巴布（Medjez el Bab）為一個有限性的目標，這個攻擊是預定在二十六日發動，所使用的兵力為兩個裝甲營和六個其他的營。但在二十四日拂曉，當阿爾寧派了一位參謀軍官把這個有限性的計畫送給隆美爾看了以後，自己卻飛往羅馬去晉見凱賽林，並在他們的討論中產生一個更為雄心勃勃的新計畫。在這個新計畫中，德軍要沿著從北海岸到法斯橋（Pont-du-Fahs）之間七十哩長的戰線上分別在八個點上進攻。其對手為英國第五軍（包括第四十六師、第七十八師、Y師，加上海岸附近的一個法國團級戰鬥群）。德軍的主攻部隊為一個裝甲群，其目標為貝惹（Beja）的道路中心（在突尼斯以西約六十哩），與其配合的則為一個較短程的鉗形攻擊，以攻占梅傑茲艾巴布為目的。雖然把所有一切能用的兵力均已用盡，但由於攻擊的範圍太大所以仍然不夠支配。為了對貝惹的攻擊，該裝甲群的兩個戰車營的戰車總數已經增強到七十七輛，並包括十四輛虎式戰車在內。但為了湊足這個並不太大的數量，德軍即已經感到羅掘俱窮，甚至剛剛運到突尼斯預定補充第二十一裝甲師的十五輛戰車也都被截留下來充數。等到隆美爾獲知這個新計畫的內容時，他不禁駭了一跳，他形容該計畫是「完全不切實際的」。他以為那是墨索里尼的過錯，殊不知當墨索里尼獲知這個計畫的內容時，所感到的震驚也不亞於隆美爾本人。

阿爾寧的作戰計畫是在二十五日發出，而攻擊則定在次日發動——所以還是保留著較小型原始計畫中所規定的時間。德國人在計畫作為上所表現的速度和彈性是素有定評的，但對於如此巨大的改變還是不免感到太匆忙。即令如此，曼陶菲爾（Manteuffel）所率領的一個師在最北端地區所作的（新加的）助攻，仍然還是能夠作成最佳的表現，它幾乎在傑貝爾艾波德（Djebel Abiod）到達聯軍的主要橫路，並從據守該地區的英法兩國部隊中俘虜了一千六百人之多。但是由德軍裝甲戰鬥群所發動的主攻，在細第思爾（Sidi Nsir）衝過英軍前進陣地之後，就在距離貝惹還不到十哩遠的一個狹窄的沼澤隘道中鑽入了英軍的陷阱，於是英軍的野戰砲和戰防砲遂發揮了巨大的威力。除了六輛以外，所有德軍的戰車全部被擊毀，這個攻擊也就自然的熄滅。以梅傑茲艾巴布為目標的助攻，也是以失敗為結束，雖然最初曾獲得少許的成功，其他在較南面的攻擊也都莫不如此。總結計算，阿爾寧的攻勢俘虜了敵軍二千五百人，而所付出的代價則只剛剛超過一千人，但遠較嚴重的事實，卻是其戰車已有七十一輛被擊毀或喪失行動能力，而英軍的損失尚不及二十輛。因為德軍對於戰車早已感到極端缺乏，所以損失的戰車也極難迅速獲得補充。

更壞的是，這次夭折的攻勢又耽擱了隆美爾第二次攻勢所需的兵力調度——那是準備打擊蒙哥馬利在米地尼（Medenine）面對馬內斯防線的陣地，因為凱賽林曾要求隆美爾應讓第十和第二十一兩個裝甲師留在美軍側面附近夠長的時間，以牽制他們使其不能調遣預備隊去幫助應付阿爾寧的攻勢。這種延遲對於隆美爾東向反擊的成敗，也就足以產生重大的差異。直到二月二十六日為止，蒙哥馬利還只有一個師的兵力進入米地尼陣地。他自己承認那時他很感到憂慮，而其幕僚也正在加緊工作以求能在隆美爾發動攻擊之前重新建立平衡態勢。等到三月六日隆美爾發動攻擊時，蒙哥馬利的兵力即已增加四倍——即相當於四個師的兵力，戰車接近四百輛，火砲三百五十門，和戰防砲四百七十門。

所以，在這一段時間之內，隆美爾也就喪失以優勢兵力進行攻擊的機會，他的三個裝甲師（第十、第十五和第二十一）一共只能集給一百六十輛戰車——尚不及一個足額的師——而支援這個攻擊的火砲又不及二百門及步兵一萬人，但駐在馬內斯防線沿線的脆弱義大利部隊則並未列入。此外，蒙哥馬利現在又有三個戰鬥機聯隊從前進機場起飛作戰，可以確保空中優勢，於是隆美爾想要獲致奇襲效果的機會也從此喪失。三月四日，即在發動攻擊的前兩天，英國飛機即已發現德國裝甲師的前進行動。

在這樣的情況之下，蒙哥馬利也就自然能夠發揮其一切的能力，來計畫一個有良好組織的防禦，所以其效力也比六個月之前的阿蘭哈法會戰時還要更高。前進中的德軍不久即被釘牢，接著英軍的集中火力就使他們受到重大的損失。隆美爾知道已無獲勝的可能，遂於黃昏擺脫英軍的攻擊。但到了那時，他已經損失四十多輛戰車，雖然人員的傷亡卻不過六百四十五人。英軍的損失則遠較輕微。

這一次的失敗也證明了數量和兵器均居於劣勢的軸心軍隊，是絕無希望擊敗聯軍兩個軍團中的任何一個。換言之，只能坐視他們會合並發展一種聯合的壓力。早在一個星期以前，隆美爾曾經把一份鄭重和冷靜的情況判斷呈送給凱賽林，那不僅代表他個人的意見，而且也是他的兩位軍團司令，阿爾寧和梅希所一致同意的看法。在這份文件中，他指出軸心兵力現在是據守著一條長約四百哩的戰線，而且面對著遠較強大的敵軍——他估計敵軍的兵力多過兩倍，而戰車數量則多過六倍——所以防禦的單薄已經到了非常危險的程度。他主張把防線縮短為一條長僅九十哩的弧線，僅以掩護突尼斯和比塞大兩城為限，但他又說若想守住這樣一道防線，則每個月的補給量必須要增加到十四萬噸。於是他直率的要求高級指揮部，對突尼西亞戰役的長程計畫有加以解釋的必要。經過了幾次的催問，他所獲得的是很簡單的答覆：「元首完全不同意他所作的情況判斷。」並且還附列一張表，其中只列出雙方部隊的數字，但完全不曾考慮到實際的兵力和裝備——這與聯軍指揮官們所常犯的錯誤如出一轍。[3]

隆美爾在米地尼遭遇失敗之後，遂獲得一個結論，認為德義兩國的兵力若再留在非洲，則實在無異於「明顯的自殺」。所以在三月九日，他請准了拖延已久的病假，把集團軍的指揮權交給阿爾寧代理，然後飛返歐洲，想親自努力使他的上級了解實際的情況，結果卻結束了他個人與非洲戰役的關係。

到羅馬一下飛機之後，他就去見墨索里尼。據隆美爾的記載，墨索里尼似乎已經完全喪失了現實感，把整個時間都花在找理由來替他自己的觀點作辯護。於是隆美爾又去見希特勒，希特勒對隆美爾的要求感到不耐煩，並坦白的認為隆美爾已經變成一個悲觀主義者。他不讓隆美爾在此時返回非洲，要他安心養病，俾康復之後還可以來得及去指揮對卡薩布蘭加的作戰。由於卡薩布蘭加位於遙遠的大西洋海岸，所以可以反證希特勒仍在幻想著以為他可以把聯軍趕出非洲——這也可以表示他是如何的沉醉在自我催眠的狀態之中。

此時，聯軍正欲以巨大優勢的兵力來發動一個向心的攻勢，以求攻占進入突尼西亞的南面門

3　原註：隆美爾估計聯軍兵力為二十一萬人，擁有戰車一千六百輛，火砲八百五十門，和戰防砲一千一百門。這個估計還是偏低。在三月間聯軍的實際人數已經超過五十萬人，雖然其中僅有半數為戰鬥部隊。戰車總數約近一千八百輛，火砲超過一千二百門，戰防砲則超過一千五百門。而軸心方面的戰鬥部隊約為十二萬人，堪用的戰車則僅為二百輛。

戶，好讓第八軍團和第一軍團會師，並粉碎梅希的「第一義大利軍團」——即前隆美爾的「非洲軍團」。（拜爾林雖然在名義上是梅希的德國參謀長，但該軍團的一切德國部隊卻都由他作直接的和完全的控制。）

蒙哥馬利在米地尼擊退德軍的反擊之後，並不嘗試利用他這次防禦的成功，和乘著敵軍在混亂中的情況，來立即跟蹤追擊。他仍然有耐性的去繼續增建其兵力和補給，以準備對馬內斯防線發動一次有計畫的攻擊。這個攻擊是計畫在三月二十日發動，換言之，也就是在米地尼戰鬥之後的兩個星期。

駐在突尼西亞南部的美國第二軍，為了幫助蒙哥馬利並打擊敵軍的背面，在三天之前（即三月十七日）也要發動一個攻擊。其目的是由安德森所指定並已獲得亞歷山大的讚許——可分為三方面：（一）牽制敵方兵力使其不能用於阻塞蒙哥馬利的前進；（二）收復在提里普特附近的前進機場，以便利用它來幫助蒙哥馬利的前進；（三）在加弗沙附近建立一個前進補給中心，以便在蒙哥馬利前進之後可以幫助獲得給養。但攻擊部隊卻並未允許繼續向海岸公路挺進去切斷敵軍的退路。此種對目標的限制，乃由於安德森和亞歷山大對美軍有無此種深入攻擊的能力（從攻擊發起線到海岸的距離為一百六十哩）感到懷疑所致，同時也不願意再讓美軍像二月間那樣再暴露在另一次德軍反擊之下。但是這種限制卻令具有進取精神的巴頓深感不滿，他已經被指派為軍長代替那位懦弱無能的弗里登達。美國第二軍現在轄有四個師，共有兵力八萬八千人，那比對抗他們的軸心兵力大概多出了四倍。此外在目標地區內，據估計只有八百名德國人，和七千八百五十名義大利人，後者主要是屬於在加弗沙附近的森陶羅師。[4]

美國人的攻擊準時開始。三月十七日，艾侖的第一步兵師未經一戰即占領了加弗沙，義大利部隊撤退了二十哩左右改守艾古塔爾以東的一個隘道陣地，該陣地橫跨在通向沿海城鎮加貝斯和馬哈里斯（Mahares）的叉路上。二十日，華德（Ward）的第一裝甲師從凱撒林隘道南下，直趨加弗沙到海岸之間第三條路的側面，第二天上午占領了色尼德站（Station de Sened），然後再向東通過馬克納賽（Maknassy）以達前面的隘道。

在那一天，亞歷山大也放鬆對巴頓的控制，要他準備作一個強力的裝甲突擊以切斷海岸公路，並認為這大大地有助於蒙哥馬利對馬內斯防線所剛剛發動的攻勢。但一支極小兵力的德軍支隊，在朗格上校（Colonel Rudolf Lang）指揮之下，對這個隘道和周圍的高地卻作了極頑強的防禦，所以使巴頓一時無法前進。三月二十三日，美軍為了想占領三二二高地，曾作了一連串的攻擊但都被擊退，而守軍卻只有八十餘人，他們過去都是隆美爾的衛士。次日美軍再度攻擊——用了三營步兵，而支援他們的又有四個營的砲兵和兩個連的戰車——但卻仍被逐退，而守軍的兵力也只不過增到三百五十人而已。二十五日，由華德師長親自率領，再作新的企圖——事先巴頓曾

4　原註：甚至於這個數字也還是估計過高——在二月戰鬥以前，森陶羅師就只有五千人的實力，現在當然只有更少了。

有嚴厲的電話命令，要求這次攻擊必須成功。但結果仍未成功，而且面對著敵方援軍益形增多的情勢下非放棄不可。巴頓早已抱怨認為這個師是領導無力，所以華德遂被免職。巴頓本人雖有強烈的攻擊精神，但他卻不了解防禦的內在優點——甚至於對抗遠較強大的兵力也一樣能夠成功，尤其是當防禦是由具有高度技巧的部隊來擔任，而攻擊者又缺乏經驗時，則更是如此。

此時在艾古塔爾地區，這種優點又獲得另一次表現的機會。這次負責防禦的部隊雖然比較缺乏經驗，但卻有極良好的訓練——那就是美國的第一步兵師。在這一方面，艾侖的部隊於二十一日突入了義大利部隊的陣地，次日又作了一些新的進展，但到了二十三日卻受到德軍的強烈反擊。這是由非洲集團軍的主要預備隊——已經殘缺的第十裝甲師來執行的。該師從海岸匆匆調來，一共只有兩個戰車營、兩個步兵營、一個機車營和一砲兵營。攻擊者衝過美軍的前進陣地，但卻為一個雷陣所阻，然後就受到艾侖的砲兵和驅逐戰車的痛擊。在攻勢頓挫之後，下午又再作一次攻擊，但仍然未獲成功——如一位美軍步兵所報導的：「我們的砲兵用高爆彈猛轟，而他們就像蒼蠅一樣的落下。」雖然德軍的損失並不像所形容的那樣重大，但在這一天之內，毀於火力和地雷的德軍戰車卻有四十輛左右。

美軍把敵方主要預備隊吸進這樣一個代價高昂的反擊之中，使這個有限性的進攻替他們自己在馬克納賽的失敗獲得可供補償的成就。它不僅減輕對蒙哥馬利前進的重要抗力，而且更把敵軍最珍貴的戰車實力消耗掉不少。對於聯軍的最後勝利而言，敵軍三次不成功的反擊，對於聯軍實在可以說是貢獻良多，那比聯軍自己的攻擊更有價值。只有當敵軍把他們的實力過度消耗之後，聯軍才有獲得勝利的可能。此後，敵人雖然仍能把戰爭再拖長，但不過是把剩餘的實力都消耗完畢而已。

蒙哥馬利對馬內斯防線的攻擊，是在三月二十日夜間發動的。對於這個攻勢他使用第十和第三十兩個軍，大約有兵員十六萬人，戰車六百一十輛，和火砲一千四百一十門。雖然在名義上梅希的軍團有九個師，而蒙哥馬利卻只有六個，但梅希所能集中的人數還不到八萬人，一共只有戰車一百五十輛（連同在加弗沙附近的第十裝甲師所有的戰車在內）和火砲六百八十門。所以攻擊者在人員和火砲兩方面所享有的優勢已超過二比一——在飛機方面也是一樣——而在戰車方面則更高達四比一。

此外，馬內斯防線長達二十二哩，從海岸起到馬特馬塔丘陵（Matmata Hills）止，而超過那道山脈之後又還有一個開放的沙漠側翼。在當前的環境中，對於相當微弱的軸心兵力而言，比較聰明的部署是在馬內斯防線上僅使用機動部隊來作一種遲滯防禦，而把主力放在加貝斯以北的阿卡里特乾河陣地上——那是一個寬度僅為十四哩的瓶頸地帶，夾在海岸和鹽水沼澤（即所謂鹽湖）之間。自從隆美爾在十月間從艾拉敏撤退之後，就一直主張防守這一道防線。當他在三月十日晉見希特勒時，也已經成功的獲得希特勒的同意，並已指示凱賽林把馬內斯防線上的非機動性義大利部隊，調回到阿卡里特乾河上去建立一個防禦陣地。但義大利將領們卻寧願據守馬內斯防線，而凱賽林贊成他們的意見，遂又說服了希特勒收回成命。

蒙哥馬利的原始計畫是以「拳師急馳」（Pugilist Gallop）為其代字。在這個計畫之下，主力攻擊指向正面，由李斯（Oliver Leese）第三十軍的三個步兵師來擔任，其目的想在靠近海岸的地段造成一個突破口，好讓何洛克斯（Brian Horrocks）的第十軍可以從缺口中衝出去擴張戰果。同時，臨時組成的紐西蘭軍由弗里堡（Bernard Freyberg）指揮，將作一個大迂迴運動直趨艾哈馬（El Hamma），該城在內陸方面距離加貝斯二十五哩，以擾亂敵人的後方並牽制敵人的預備隊。

這次正面攻擊又告失敗。所使用的一個步兵旅和一個五十輛步兵戰車的裝甲團，在接近海岸的一個狹窄地段內，對敵軍陣地曾作一個很淺的突入——該地區前面受到二百呎寬和二十呎深的齊格曹乾河（Wadi Zigzaou）的掩護，而在乾河的前方還有一道戰防溝。乾河中鬆軟的河床，加上河床中所布置的地雷，阻止了戰車和支援砲兵的前進，而在乾河彼岸的敵軍陣地中為英軍步兵所已攻占的少數立足點，遂變成德軍側射火力的集中目標。次日夜間，英軍再增兵繼續進攻，使這個橋頭陣地獲得少許的擴大，而也有許多義大利部隊乘機向英軍投降。但由於受到沼澤地形的障礙，英軍的戰防砲始終遲遲未能送到第一線，於是在下午，由於仍然缺乏適當的支援，這些前進的英國步兵遂為德軍的一次逆襲所擊潰，於是在黑暗掩護之下退過了乾河。到二十二日的夜間，英軍的正面攻擊不僅未能造成一個適當的突破口，而且也放棄其在敵方防線上所已獲得的立足點。[5]

此時，迂迴運動雖然開始頗為順利，但也已經停滯下來。紐西蘭軍在二十日的夜間（即正面攻擊開始之時）從第八軍團後方地區出發，率領著其二萬七千名人員和二百輛戰車，經過長距離的行軍，越過一片困難的沙漠，推進到一個名叫「梅子」（Plum）峽谷的前面——該峽谷在加貝斯西方約三十哩，在艾哈馬西南方約十五哩。他們在掃清了進路之後，即在這個峽谷中遭受到長期的阻滯。那裡的義大利守軍曾不斷的獲得增援，首先是從總預備隊中派來的第二十一裝甲師，接著又有從馬內斯防線右端抽出的第一六四輕型非洲師的四個營。

到了三月二十三日的清晨，蒙哥馬利認清沿海岸的攻擊已無成功的希望，遂決定改變他的計畫，準備把全部的戰力都集中在內陸側翼方面，因為在那裡似乎是比較有希望，若用較大的兵力再度發動攻擊，則也許能達到突破艾哈馬的目的。他命令何洛克斯率領其第十軍的軍隊，以及由布里格斯少將（Major-General Raymond Briggs）所指揮的第一裝甲師（有一百六十輛戰車），在當天夜裡開始向內陸方面前進，通過沙漠作一個大迂迴以增援紐西蘭。同時，第四印度師在屠克爾少將（Major-General Francis Tuker）指揮之下，也從米地尼向內陸斜跨一步，以肅清通過馬特馬塔丘陵中的哈勞弗隘道（Hallouf Pass）。因為若能利用這個隘道，則對從沙漠側翼前進的大軍來說，至少可以使其補給線縮短一百餘哩。在肅清了隘道之後，屠克爾又應沿著山脊向北推進，

5 原註：德軍逆襲兵力為第十五裝甲師所屬不到三十輛的戰車和兩個步兵營。

並越過馬內斯防線的近側翼，這樣又可以對敵軍側翼構成一個額外的新威脅，而且一旦穿過「梅子」峽谷的迂迴運動被阻時，又可以從這一方面開闢一條新的預備進攻路線。

這個新計畫算得上是一個傑作，其構想很高明，其變化也很適當。這可以充分表現蒙哥馬利思想的彈性。他一向是善於改變其攻擊點，並且在攻擊受阻時善於創造新的路線，他這一次的表現似乎比在艾拉敏時更好——儘管一如他的老習慣，他在事後總是說一切的情況都和其「原始計畫」符合，而不肯歸功於彈性，實際上這卻正是將道的表徵。就許多方面來看，馬內斯防線之戰要算是他在第二次世界大戰中的最佳戰鬥表現，儘管其原始計畫尚具有下述兩大弱點：（一）試圖在靠近海岸的狹窄沼澤地段作勉強的突破；（二）洩露了沙漠迂迴行動的潛在價值，未能一開始就用足夠強大的兵力使其迅速成功。

此種過早的洩露對於新的計畫也變成一種主要的障礙。這個新的作戰現在所用的代字為「超重二號」（Supercharge II）——這個代名足以令人回憶起艾拉敏最後獲致成功的計畫。由於在二十日注意到紐西蘭人接近「梅子」的動向，當丘陵地的觀察人員在二十三日傍晚以及二十四日先後發現英軍的行蹤時，軸心軍的指揮官們也就立即認清了蒙哥馬利的計畫已經改變，其主力已經移向沙漠側翼方面。因此，第十五裝甲師遂從馬內斯方面抽回，調到艾哈馬附近，以準備支援第二十一裝甲師和第一六四輕裝師。這要比英軍援兵到達該地區的時間早了兩天——英軍照計畫是要在三月二十六日下午發動攻擊，第十軍的到達就時間而言只是剛剛趕上。

因為喪失了奇襲的機會，所以「超重二號」的成功希望也隨之降低，但由於其他四個因素的結合，遂又使這種損失獲得了補償。第一個重要的因素是，阿爾寧已在二十四日決定把梅希軍團撤回到阿卡里特乾河陣地上，儘管梅希本人仍然希望留在馬內斯防線上不走——所以在「梅子」峽谷方面的守軍只要支持夠長的時間，足以容許在馬內斯防線上的非機動化師安全撤退。第二個因素是英國空軍發動了連續的低空攻擊，在前進的道路上構成一個「空中彈幕」（air barrage）；一共有十六個中隊的戰鬥轟炸機，每次由兩個中隊以炸彈和砲火來執行攻擊，每隔十五分鐘換一班。這是模仿德國人的「閃擊」方法，那是由沙漠空軍指揮官，布羅霍斯特少將（Air Vice-Marshal Harry Broadhurst）所組成的，並且發揮了非常良好的效果——不過英國空軍高級將領們對於他的這種方法卻頗不滿意，認為那是破壞了英國空軍的傳統思想。第三個因素是一種勇敢的決定，即強迫英軍裝甲師部隊在夜晚繼續前進——對於德國人而言這是一種常例，並且也使他們獲益匪淺，而英軍卻一向不願意作這樣的嘗試。第四個因素是一股好運氣——恰好吹起了一陣沙暴（sandstorm），使英國裝甲部隊在集結時和行動的第一階段（正要通過兩側都布滿敵人戰防砲的峽谷），都能獲得天然的掩蔽。

英軍在二十六日下午四時發動攻擊，此時太陽正落在他們的後方，所以也就足以幫助影響對方的視線。第八裝甲旅和紐西蘭步兵領先前進。於是布里格斯的第一裝甲師大約在下午六時，從他們中間通過，在塵霧和黑暗的掩護下突入了五哩遠，於是當七時三十分天已完全黑暗時，他們也就暫停不動，到了午夜將至月光出現時，遂又以一個「實心方陣」的態勢繼續前進。到三月二十七日拂曉，這個師已經安全通過瓶頸地段，並到達艾哈馬的邊緣。

但英軍在這裡卻滯留了兩天之久，因為前方有德軍所設的戰防屏障，而第十五裝甲師也曾用三十輛左右的戰車向其側面作了一次攻擊。這個耽擱的時間已經夠長，足以容許馬內斯防線守軍的大部分，即令以徒步行軍的方式，也都能夠安全撤到阿卡里特陣地，而不致有被切斷的危險。大約有五千名義大利人做了戰俘，那主要是在作戰的較早階段中，另有一千名德軍在艾哈馬附近的戰鬥中被俘——但是他們的犧牲卻具有很大的價值，因為他們掩護沿海岸的退路不至於被切斷，使大部分軸心部隊都能安全撤退，而且在裝備方面也只有輕微的損失。假使英軍能迅速轉換攻擊線，則也許能夠衝到海岸切斷敵軍，不過這種機會已經錯過了。蒙哥馬利休息整頓一個多星期後，才開始準備進攻敵軍的新陣地。

此時，巴頓又已再度發動趨向海岸和敵軍後方的攻擊，並且已獲得美國第九和第三十四兩個步兵師的增援。主力的進攻方向是從艾古塔爾直趨加貝斯，由第一和第九兩個步兵師來替第一裝甲師開路。此外，第三十四步兵師則攻占北面一百哩以外的芳道克隘道，並從那裡另闢一條進路以進入沿海平原。但是對芳道克的攻擊於三月二十七日發動之後，不久即為一道單薄的防線所阻，並且在次日就放棄了這個企圖。於是第三十四師遂向西退卻四哩，因此使敵方在戰鬥報告中獲得一個結論說：「美國人只要一受到攻擊，馬上就會自動放棄戰鬥。」

從艾古塔爾所發動的主攻是從二十八日開始的，但在經過較激烈的戰鬥和向前推進了一點之後，也同樣遭到阻擋。此時，蒙哥馬利已經在艾哈馬實行突破並到達加貝斯，所以亞歷山大乃指示巴頓不必等候其步兵掃清進路，即可放出他的裝甲縱隊直向海岸奔馳。因為敵人的戰防砲已經構成有良好組織的防禦陣地，所以這種企圖頗難得逞，經過三天的徒勞無功之後，仍然只好再派步兵去擔當開路的工作——但儘管有巴頓的督促，成績也還是不太好。不過由於在敵人的後方已經形成這樣一個突破的威脅，遂使敵軍當局把第二十一裝甲師調到這個地區中來支援第十裝甲師，因為敵方的裝甲預備隊本來就很單薄，這種額外的牽制，對於蒙哥馬利將在阿卡里特乾河所作的正面攻擊也就有很大的幫助——為了這次攻擊，有五百七十輛戰車，一千四百七十門火砲可供蒙哥馬利任意使用。

就天然形勢而言，這個陣地是很堅強的，因為平坦的沿海地帶只有四哩寬，而其前方尚有阿卡里特乾河的深谷作為掩護，當過了某點之後，雖然乾河變得逐漸淺窄，但在平原上卻有斜度頗徒的丘陵起伏，一直延伸到鹽水沼澤地帶的邊緣為止。不過由於軸心部隊撤出馬內斯防線的決定太遲，所以已經沒有充分時間來增強工事和擴展陣地的縱深。而更糟的是守軍極端缺乏彈藥——因為他們在過早的和太前進的馬內斯防線戰鬥中，已經把有限的補給消耗了大部分。

蒙哥馬利的最初構想，也只是和在馬內斯一樣，準備先從靠近海岸的一個狹窄地段突入敵軍的陣地，然後再把裝甲部隊投入這個缺口以擴張戰果。第五十一（高地）師負責打開缺口，而層

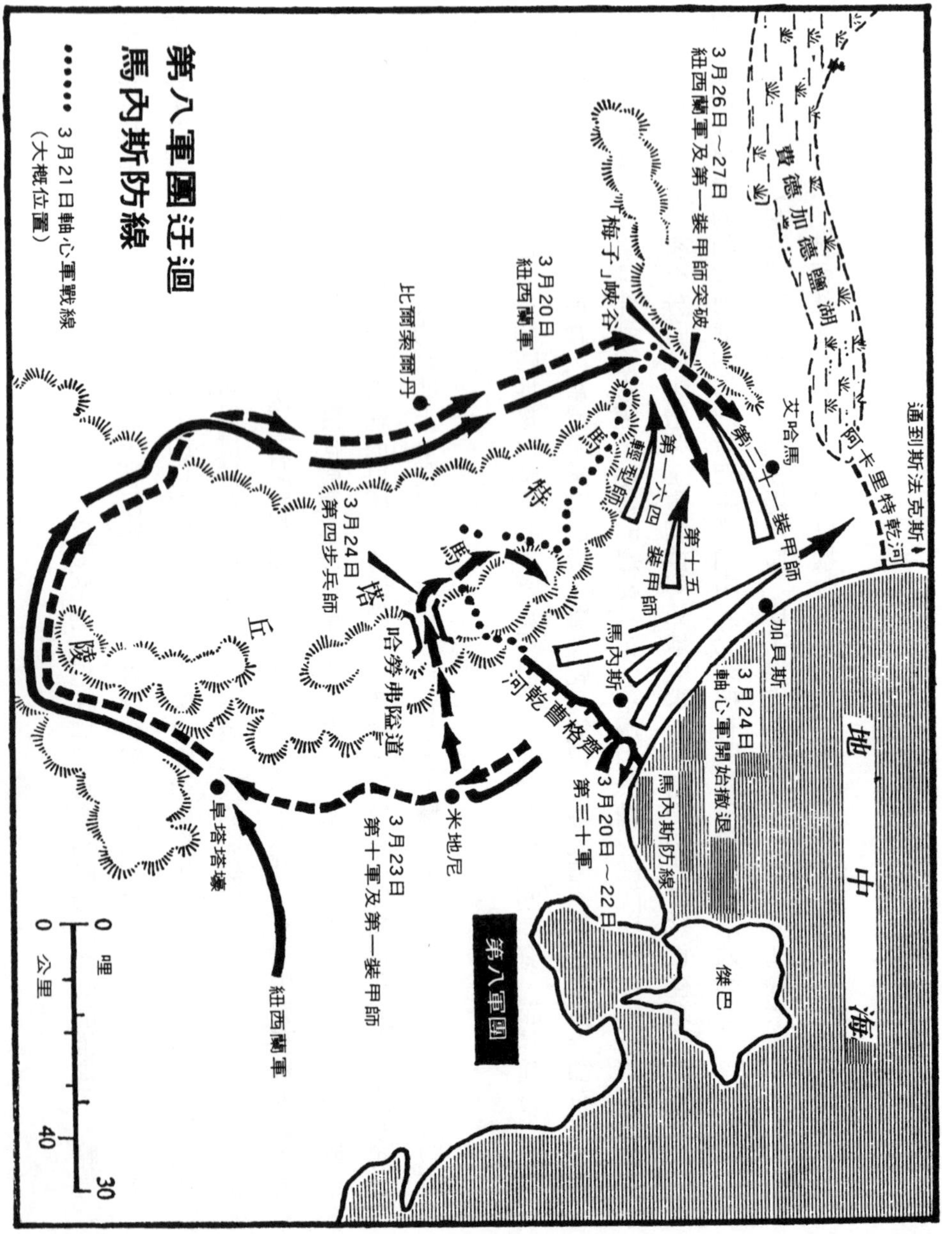
第八軍團迂迴馬內斯防線
3月21日軸心軍戰線（大概位置）
地中海
傑巴
第八軍團
紐西蘭軍
3月23日第十軍及第一裝甲師
米地尼
阜塔塔壞
哈勞弗隘道
3月24日第四步兵師
馬
特
馬
塔
丘
陵
比爾索爾丹
3月20日紐西蘭軍
「梅子」峽谷
3月26日～27日紐西蘭軍及第一裝甲師突破
費德加德鹽湖
艾哈馬
第二十一裝甲師
第一六四輕型師
第十五裝甲師
加貝斯
通到斯法克斯
阿卡里特乾河
馬內斯
3月24日軸心軍開始撤退
馬內斯防線
齊格曹乾河
3月20日～22日第三十軍
哩
公里
0
30
0
40

克爾所指揮的第四印度師，則攻占丘陵地帶的東端以掩護其側翼。但屠克爾卻主張攻擊正面再予以放寬，並向西延伸以占領中央的最高主峰為目的——因為根據山地戰的原則：「次高峰並無價值。」他深信他的部隊對山地戰和夜戰都已有高度訓練，能夠解決這樣一個困難的障礙物。蒙哥馬利採納了此項建議放寬攻擊的正面，並同時使用第三十軍的三個步兵師來打開缺口。此外，他也決定不再配合月光的周期再等待一個星期，而作了一個勇敢的決定，即在黑暗中發動此次攻擊，並相信隱蔽的利益可以抵得過混亂的危險。

四月五日入夜以後，第四印度師開始前進，在四月六日拂曉以前他們早已深入丘陵地，俘獲四千多名敵軍，大部分都是義大利人。上午四時三十分，在約近四百門火砲的支援之下，第五十和第五十一兩個師同時發動他們的攻擊。雖然第五十師為一道戰防壕所阻，但第五十一師不久即在敵軍防線上打開了一個缺口，不過卻沒有第四印度師所開的那樣大。這樣兩方面的突破，遂使何洛克斯第十軍的裝甲部隊有了迅速擴張的機會，他們的位置是緊跟在步兵的後面。

上午八時四十五分，何洛克斯來到屠克爾的司令部，一份官方的文件曾經這樣的記載著：

第四印度師的師長向第十軍的軍長指出，我們已經突破敵軍，已經替第十軍打通了出路；只要立即進攻即能結束北非戰役。現在時機已經來到，所以應該不惜一切的把人力和機器都投注下去。第十軍的軍長用電話向軍團司令要求允許立即使用第十軍來維持攻擊的力量。

但是在行動開始時即發生不幸的延誤，而在擴張戰果時又耽擱得更久。亞歷山大的通報上說：「蒙哥馬利在十二時投入第十軍。」到那個時候，德軍第九十輕裝師的反擊，已經從英軍第五十一師手裡收復了一些失地，並把缺口封閉了一部分。於是到了下午，當第十軍的先頭裝甲部隊開始向缺口推進時，遂立即受到德軍第十五裝甲師的阻擋和反擊，這也是敵軍現在所僅有的一支預備隊。而此時，對於第四印度師所打開的缺口，根本上就始終不曾加以擴張。

蒙哥馬利還是保持著他那種好整以暇的老習慣，慢吞吞地計畫在次日上午再來作他的突破，並擬依賴大量的砲兵和空軍的火力來幫助其順利通過。但等到第二天上午，敵人卻早已遁去，他所計畫的決定性打擊遂又變成另一次替敵人送行的馬後砲。

但儘管蒙哥馬利已經喪失一次決定性勝利的機會，但是他的對手也已經喪失封鎖缺口和維持在阿卡里特乾河陣地的機會，因為他們那三個裝甲師中的兩個（第十和第二十一），已經調回去應付美軍對其後方的威脅。所以在前一天的黃昏，梅希即曾告訴阿爾寧想在阿卡里特陣地多守一天已不可能，因為沒有援兵可派，所以阿爾寧乃同意他撤退到北面一百五十哩以外的恩費達維里（Enfidaville）陣地——因為只有在此一線上沿海平原才比較狹窄，而且也有丘陵障礙的掩護。

在四月六日天黑之後不久，軸心部隊即開始撤退，於十一日安全到達恩費達維里陣地，儘管他們中間大多數人都是徒步行軍的。可是第八軍團的領先部隊，採取兩個軍平頭並進的形式，又隔了兩天才到達那裡——他們完全是摩托化的，而且保有壓倒性的優勢足以一路掃開那些微弱的德軍後衛部隊。

為了要想切斷敵軍的退路，亞歷山大遂命令第一軍團的第九軍去攻占芳道克隘道，並由那裡向東前進五十哩，通過克勞恩（Kairouan），直趨海岸的蘇斯（Sousse）鎮，該鎮在恩費達維里以南約二十哩。這個新組成的軍由克羅克（John Crocker）擔任軍長，轄有英國第六裝甲師、第四十六師的一個步兵旅和美國第三十四步兵師，共有戰車二百五十輛。步兵的任務為攻占芳道克隘道兩側的高地，以便掃清進路好讓裝甲部隊順利前進。這個攻擊匆匆地在四月七日的夜間發動。但第三十四步兵師的部隊在發動攻擊時卻差不多延誤了三個小時，所以不久即喪失了黑暗的掩蔽而為敵方火力所阻止。因為僅僅在十天之前，他們在這同一地區內的攻擊中曾經有過失敗的經驗，所以士兵們都顯得很害怕，只想躲在掩蔽物的後面不動。因為他們不敢前進，遂使敵人可以集中其火力向北面去阻止第四十六師的那個旅——它在對隘道北面高地的攻擊中已有較佳的進展。於是克羅克乃決定驅使其裝甲部隊強行衝過隘道，而不再等候步兵掃清進路，因為整個攻擊的要點即為迅速突破並到達沿海的平原。

次日（四月九日），在凱特萊少將（Major-General Keightley）指揮之下，第六裝甲師開始執行此項突破任務。他損失了三十四輛戰車（但卻只損失六十七名人員）——這個損失雖然似乎很重，但若與該師所克服的困難相比較，則實在可以說是異常的輕微。他們除了要通過雷陣以外，還要在狹窄的隘道中，一路闖過十五道戰防砲防線，那都是必須要予以擊毀的。一直到下午，裝甲師才全部通過，於是克羅克決定暫停前進，把部隊集合在一起，就在隘道口上結成一個有掩護的車陣過夜。此種決定的過度慎重與他在衝過隘道時的勇敢，恰好形成強烈的對比。但是雷陣仍然使輪型運輸車輛的行動感到困難——同時情報也已經指出，在拜爾林控制之下，從南面撤回的德軍裝甲部隊已經接近克勞恩。四月十日拂曉，第六裝甲師又繼續東進，但等它到達克勞恩時，敵軍的縱隊早已安全的通過此一道路的中心。堅守芳道克地區的小型德軍支隊（兩個步兵營加上一個戰防砲連），同時也已經溜走，他們已經達成拜爾林的命令，遲滯第九軍到四月十日的上午為止，並掩護梅希軍團的撤退。在前後都受到巨大優勢兵力的威脅下，他們仍能從如此危險的情況中安全撤出，實在應該讚譽為一種驚人的成就。

現在軸心方面的兩個軍團已經會合在一起，共同防禦一條一百哩長的弧線，從北海岸直達恩費達維里。雖然他們的情況暫時得到改善，但由於所受的損失太重，尤其是在裝備方面更是如此，所以儘管戰線已經縮短，但就他們的實力來說仍嫌太長。同時其面臨的聯軍，在數量和兵器方面的優勢更有增無已，現在也都集中在一起，來進攻這一條弧形防線。此外，阿爾寧二月間反擊時在梅傑茲艾巴布附近和北面所獲得的地區，當英國第五軍在軍長阿弗里中將（Lieutnent-General Allfrey）指揮之下，於三月底和四月初發動反擊時，也大部分為英軍所收復——所以聯軍現在是居於一種有利的態勢，可以對突尼斯和比塞大發動一次新的東向攻擊。

聯軍應在哪一方面作決定性的攻擊以結束北非戰役，這個地區的選擇是受到政治和心理考慮的強烈影響。艾森豪在三月二日曾有一封信給亞歷山大，主張主攻應在北面，即屬於第一軍團的地區，而巴頓的軍應轉移到那裡參加決定性的攻擊，因為對提高美國人的士氣而言，這是一種必要的措施——以後他又曾一再的寫件給亞歷山大堅持此項要求。所以當亞歷山大草擬計畫時，也就接受了此種建議，並於四月十日指示安德森準備在四月二十二日左右發動主力攻擊。亞歷山大同時也向巴頓屈服，由於巴頓強烈抗議再把他置於第一軍團的指揮系統之下，所以現在就安排讓美國第二軍僅在其本人指導之下繼續獨立作戰。同時他也拒絕蒙哥馬利的要求，把剛剛已經與第八軍團銜接在一起的第六裝甲師，撥給他指揮——並且也告訴蒙哥馬利，第八軍團現在的任務是擔任助攻，所以他應抽出其兩個裝甲師中的一個（第一裝甲師）來增援第一軍團。

在這裡，政策和戰略的利益又合而為一，北面地區是一個比較可以發揮聯軍優勢兵力的地區，因為在這一方面的攻擊道路比較寬廣，補給線也比較短，而取道恩費達維里的南面路線，則比較不利於展開有效的行動，尤其是妨礙裝甲部隊的運用。

現在美國第二軍的部隊必須按計畫從突尼斯的南區調到北區，包括每天有二千四百輛左右的車輛從英軍的後方越過——這是一種很複雜的參謀作業，也很值得欣賞。此時布萊德雷已經接任這個軍的軍長，至於巴頓則已升任第七軍團司令，專門負責計畫美軍在西西里島的登陸作戰。英國第九軍同時也要北調，不過其行動距離比較短，它將插在英國第五軍和法國第十九軍之間的中心偏右點上——它現在是與聯軍右翼的第八軍團銜接在一起。

根據亞歷山大於四月十六日所頒發的「最後計畫」，這個攻擊將由四個向心的攻擊分別組成。第八軍團預定在四月十九日的夜間發動攻擊，以何洛克斯的第十軍為先頭，穿過恩費達維里向北直趨哈馬米特（Hammamet）和突尼斯，並以切斷朋角（Cape Bon）半島的頸部為目的，以阻止其餘的軸心軍隊退入這個半島去作長期的抵抗。這項任務必須通過一個非常困難的瓶頸地區，作至少五十哩遠的行軍。其次為法國第十九軍，它應保持一種威脅的姿態，並準備擴張其鄰軍前進時所造成的任何有利機會。再向北就是英國第九軍，它有一個步兵師和兩個裝甲師，預定在四月二十二日清晨從高貝拉特（Goubellat）與法斯橋之間發動攻擊，其目的為開闢一條可供裝甲部隊突破的道路。其左面為英國第五軍，有三個步兵師和一個戰車旅，應在二十二日夜間在梅傑茲艾巴布附近發動一個主力的攻擊，其目標為德軍第三三四師的兩個團所據守的一個十五哩長的地段。美國第二軍應遲一天在北區發動攻擊，這個四十五哩長的地段是由曼陶菲爾師的三個團和第三三四師的一個團所據守——但他們的實力尚不足八千人，而美國第二軍則有九萬五千人之多。

這樣一個幾乎是同時從各方面發動的全面攻勢，看起來是非常有利的。聯軍方面現在一共是二十個師，擁有超過三十萬人的戰鬥部隊和一千四百輛戰車。沿著一百哩長的弧線，構成防禦骨幹的為九個德國師，根據聯軍情報的正確估計，一共只有六萬人，而所有戰車的總數尚不及一百輛——有一份德國的報導說，適合戰鬥用的僅有四十五輛。此外，在四月二十日的夜間，阿爾寧在梅傑茲艾巴布以南又發動了一個不成熟的攻擊，雖然在黑暗中曾突入差不多五哩遠的距離，但天亮之後即被逐退，而且也未能阻止英軍在該地區準時發動計畫中的攻擊。

聯軍的總攻勢雖能準時發動，但卻並未能依照計畫進行。德國人在防禦上仍然是極端的頑強，並且善於利用困難的地形來阻擋優勢的聯軍。所以亞歷山大的「最後」計畫，實際上並非真正是最後的，而必須重新加以修改。

第八軍團在恩費達維土的攻擊是用三個步兵師來執行的，在沿著海岸地帶邊緣的丘陵中遇到堅強的抵抗，並遭受嚴重的損失——最初蒙哥馬利和何洛克斯都存著樂觀的想法，以為可以一鼓破敵，現在才知道這種幻想又已落空。在這裡義大利人也和德國人一樣的奮戰不屈。在內陸較遠的地方，英國第九軍所集中的大量裝甲部隊，雖然在法斯橋西北的考齊亞（Kourzia）地區對敵方的戰線突入八哩的深度，但由於阿爾寧把其唯一尚具實力的機動預備隊第十裝甲師用來反擊，所以使得第九軍進到這裡就不能再越過雷池一步。第十裝甲師早已殘破不堪，其戰車實力尚不及英國第九軍的十分之一（該軍可用的戰車有三百六十輛）。英國第五軍所發動的主攻也同樣進展極慢，負責防守中央地區的兩個德國步兵團所作的抵抗非常頑強，經過四天的苦戰，英軍只超過梅傑茲艾巴布六七哩而已。爾後由於敵人把非洲集團軍殘餘的戰車又臨時編成一個裝甲旅用來反擊，結果使英軍不能再前進，甚至在某些地方還被迫後退。在北面地區，美國第二軍越過非常崎嶇的地形進攻，在最初兩天內也是殊少進展。到四月二十五日，德軍卻早已偷偷地撤到幾哩路以外的另一道防線上，繼續堅守不屈。總而言之，聯軍的攻勢是到處碰壁，未能達成任何實質上的突破。

不過為了對抗此種全面的攻勢，軸心軍隊也已經把他們的殘餘力量用到最後的極限。到了四月二十五日，兩個軍團的燃料補充量只剩下一次補給單位的四分之一——換言之，僅夠行駛二十五公里之用——而剩下的彈藥估計也只夠再戰三日之用。現在幾乎已經沒有任何補給送來，所以他們已經是彈盡援絕毫無希望。這也就是聯軍下一次攻勢中的決定因素。甚至於糧食也已經日感缺乏——以後阿爾寧曾經這樣說過：「即使聯軍不再進攻，我至遲到六月一日也還是非投降不可，因為我們已經沒有什麼東西可吃了。」

二月底，隆美爾和阿爾寧早已提出報告說，假使最高當局決定要死守突尼西亞，則為了維持軸心軍的戰鬥力，每月至少需要補給十四萬噸。羅馬當局是深知船舶運輸的困難，所以把這個數字暫定為十二萬噸，並估計其中又有三分之一會在海運途中沉沒。但實際上，在三月間運到的補給僅二萬九千噸，其中又有四分一是空運的。對比之下，僅只是美國人，在那一個月內就已經把大約四十萬噸的補給安全的送入北非港口。四月間，軸心方面的補給減至二萬三千噸，而在五月的第一個星期內更降到只有二千噸了。這是同盟國空權和海權（主要是英國的）的貢獻，而對於敵方船隻行動的優良情報研判，也居很大的功勞。以上的數字即可充分說明軸心軍隊的抵抗突然崩潰的原因——較同盟國領袖們所作的任何解釋都還要清楚。

亞歷山大的新「最後計畫」，是從恩費達維里瓶塞中間接產生出來的。四月二十一日，三個師的攻擊失敗已成無可掩飾的事實，由於損失的不斷增加，遂迫使蒙哥馬利不得不暫停攻擊——這個暫停也就幫助阿爾寧得以把其所有殘餘的裝甲部隊北調，以阻止英軍在梅傑茲艾布巴以東的主力突破，其經過已如前述。蒙哥馬利則已經計畫在四月二十九日再度發動攻擊，其構想是把部隊集中在狹窄的海岸地帶內，而不再企圖攻占內陸方面的高地。這個計畫雖然已為何洛克斯所接受，但卻遭到最前線兩個師長，屠克爾和弗里堡的強烈反對。當新攻勢發動之後，很快就受到阻擋，所以也就更增強他們兩人反對的氣焰。次日，四月三十日，亞歷山大親自到這方面來和蒙哥馬利討論情況，終於決定把第八軍團的兩師精兵轉用到第一軍團方面去，俾在梅傑茲艾巴布地區發動一個新的強力攻勢。在恩費達維里的夭折攻擊尚未發動之前，屠克爾即早已作過這樣的建議。這項建議的確早就應該採納的，因為在恩費達維里的攻擊，甚至於連牽制敵方兵力使其不能向中央地區增援的有限目標也都不曾達到。

這種兵力的轉移一經決定之後，也就立即迅速的付諸實施。這兩個精銳的師，第四印度師和第七裝甲師，在當天斷黑之前，即已開始其長距離的西北行軍。因為第七裝甲師位於後方充任預備隊，所以必須經過惡劣的道路，繞行約三百哩的路程，但是卻在兩天之內就完成其轉進——戰車都是用汽車來載運的。這兩個師被移交給第九軍，並準備用於決定性的攻擊，而第九軍本身則應向北斜跨一步，以便在第五軍據守地段的後方去集中兵力。何洛克斯本人也跟著過去接任第九軍的軍長，原來的軍長克羅克則因為在參觀一種新迫擊砲的表演時意外負傷，已不能行動——在如此偉大的機會即將來臨之際，對他個人而言，實在是極大的不幸。

四月二十六日的夜間，美國第二軍又已經在北面地區再度發動攻擊。經過四天的苦戰，其通過丘陵地區的前進還是為敵軍的頑抗所阻。但此種不斷的壓迫已使敵人的實力消耗殆盡，由於德軍感到嚴重的缺乏彈藥，遂不得不撤退到馬陶爾（Mateur）以東一道比較易於防守的新戰線上。這次撤退是在五月一日和二日夜間進行的，其經過是非常的技巧，而且完全沒有受到美軍的干擾。但新防線距離比塞大港僅五十哩，所以防禦也就極端缺乏縱深——正與面對突尼斯的梅傑茲艾巴布地區的情形一樣。

此種缺乏縱深的防禦，對防禦者而言是一種致命傷，並且也保證了聯軍新攻勢的決定性——那是預定在五月六日發動。因為一旦防線的外殼被突破之後，即不可能使用彈性防禦的手段來延長抵抗。雖然軸心軍隊過去曾經累次頓挫聯軍的攻勢，但所付出的代價就是使儲存的資源愈用愈少。現在所剩的彈藥只夠對聯軍壓倒性的火力作短時間的對抗；所剩的燃料只夠部隊作極短距離的調動。此外，他們現在已經沒有空中的掩護，因為突尼西亞的機場已無法再維持，剩餘的飛機均已撤往西西里。

新攻擊的來臨對於軸心軍在這方面的指揮官並未能產生奇襲的效果，因為他們早已從無線電竊聽中知道有大量部隊從第八軍團調到第一軍團。但是對於他們而言，事先知道攻擊將要來到已經毫無意義，因為他們根本沒有可以應付的工具。

在亞歷山大號稱「火神」（Vulcan）的新計畫中，突破是由第九軍充任主力，通過第五軍的陣地，在梅德傑達河（Medjerda River）南面的河谷中，攻擊一個非常狹窄的正面——還不到兩哩寬。突擊主力是由第四英國師和第四印度師共同擔任，他們聯合組成一個巨大的方陣，支援他們的有四個「步兵」戰車營，緊跟在後面的即為第六和第七兩個裝甲師，裝甲師的實力約有戰車四百七十輛。當兩個步兵師已突入敵軍防線約達三哩的深度時，兩個裝甲師即開始從缺口中衝入，在其第一次躍進之下，即應到達聖西普林（St. Cyprien）地區，距離攻擊發起線約為十二哩，而到突尼斯則還有一半的路程。亞歷山大在其訓令中特別強調說：「主要目標為攻占突尼斯」，所以裝甲部隊一路不准停留，至於尚在負隅頑抗的局部性殘敵，可以留待以後再去掃蕩。

作為第九軍突擊的前奏，第五軍奉命應於五月五日夜間攻占在傑貝爾包奧卡茲（Djebel Bou Aoukaz）側面的高地——經過一番激戰之後，這個任務終於達成。此後，第五軍的主要任務即為保持「通道」的暢通，以便第九軍可以順利的通過。事實證明那是毫無問題的，因為敵人已經沒有能力來作有效的反擊。

在原定計畫中，由於第一軍團缺乏夜間攻擊的經驗，所以第九軍的突擊準備在白天發動。假使是這樣，則保持「通道」的暢通也就比較困難。但由於屠克爾的堅持，原計畫遂被修改，攻擊零時改定為上午三時，以便可以利用無月之夜所提供的黑暗作為掩護，對他的主張，習慣性的彈

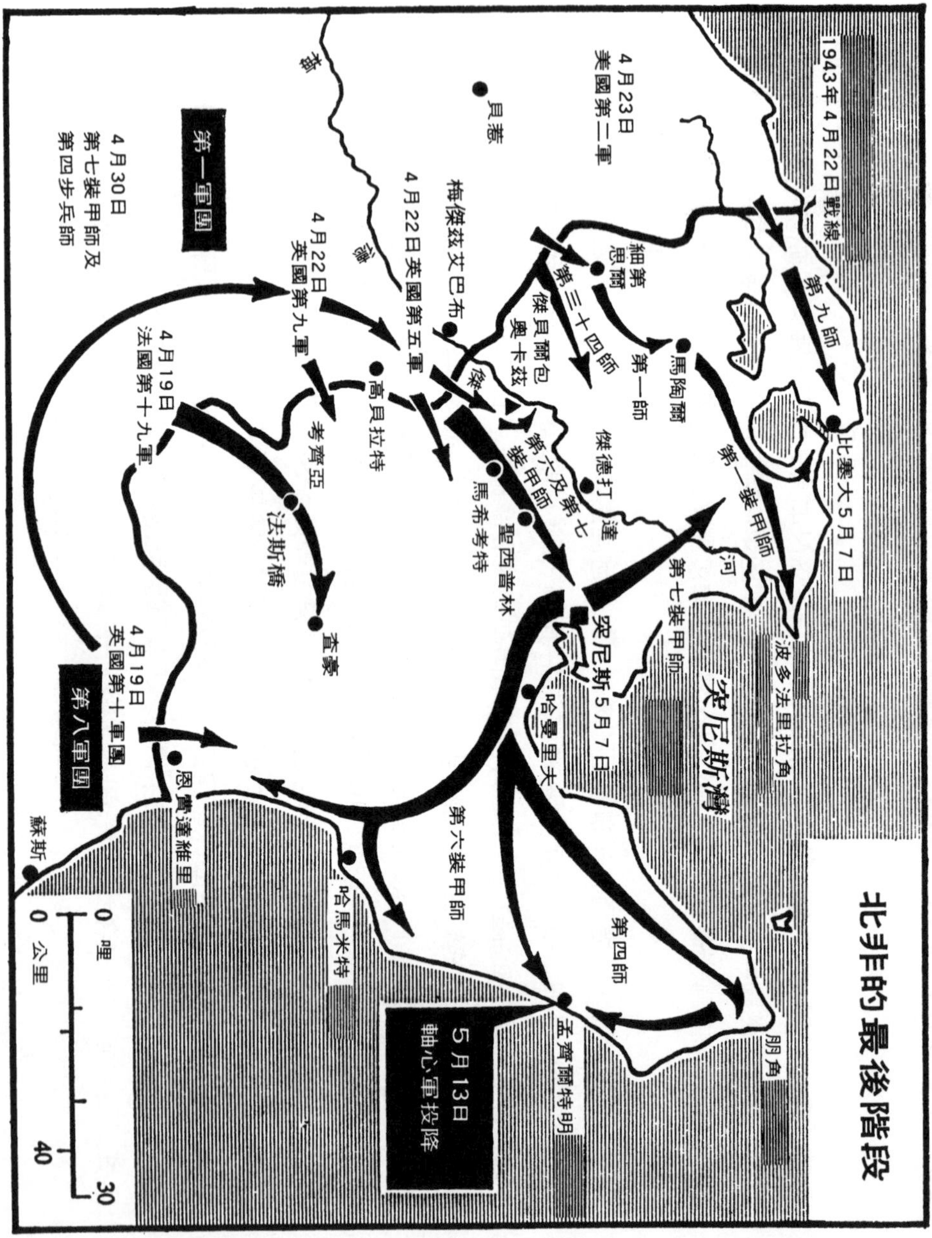
北非的最後階段
1943年4月22日戰線
第九師
比塞大5月7日
波多法里拉角
突尼斯灣
朋角
孟齊爾特明
5月13日
軸心軍投降
第四師
第六裝甲師
哈曼里夫
突尼斯5月7日
第七裝甲師
河
第一裝甲師
馬陶爾
第一師
第三十四師
傑貝爾包奧卡茲
傑德打達
梅傑茲艾巴布
4月22日英國第五軍
4月23日
美國第二軍
4月22日
英國第九軍
高貝拉特
考齊亞
第六及第七裝甲師
馬希考特
聖西普林
法斯橋
查豪
4月19日
法國第十九軍
第一軍團
4月30日
第七裝甲師及
第四步兵師
4月19日
英國第十軍團
第八軍團
恩費達維里
哈馬米特
蘇斯
0 哩 30
0 公里 40

幕射擊也不再使用，代替的卻是一種中央控制的連續集中射擊，對所有已知的敵方據點予以打擊，而砲兵的彈藥補給量也已加倍，達到每門砲一千發的標準。這樣的集中射擊使每兩碼的正面就要攤到一顆砲彈，所以火力的密度比前年秋季艾拉敏會戰時高出五倍。除了用四百門火砲來支援這次攻擊以外，從拂曉起又輔以猛烈的空中攻擊，總共出動了二百架次以上，使此種集中火力的癱瘓效力更形增強。

到上午九時三十分，第四印度師已經打開了一個深洞，所付出的代價僅為一百餘人的傷亡，並報告在前面已無任何嚴重抵抗的跡象——它告訴軍部說：「裝甲部隊現在已經可以前進，無論多快和多遠都不成問題。」在上午十時以前，第七裝甲師的先頭部隊已經開始通過步兵所占領的一線向前奔馳。在右翼方面，第四英國師的攻擊發動較遲，而前進也較慢，但由於受到左翼鄰軍的幫助，所以在正午以前也達到其目標。於是裝甲師才終於可以全面的前進。不過到入暮以前，他們即在馬希考特（Massicault）附近停下來過夜——但距離攻擊發起線還只有六哩，而距離步兵所攻占之線則只有三哩，就到達突尼斯的全部距離而言，則僅及四分之一而已。這種過分小心謹慎的態度，在第七裝甲師的隊史中曾有所解釋：該師師長認為最好是把每個旅控制得緊緊地而不要放鬆他們，以免使補給的問題變得過分複雜——這種解釋可以證明他們完全不了解擴張戰果的基本原則，也缺乏必要的勇邁精神。正像在阿卡里特乾河時一樣，何洛克斯和各裝甲師的師長們，對於機會的召喚都是遲遲不敢答應，並且始終是以步兵行動的速度前進，而對機械化部隊機動性的潛力完全沒有充分的發揮。

這樣的慎重實在大可不必。在梅德傑達河南岸八哩長的地區中，敵人在兩哩長的攻擊正面上的守軍，只有兩個脆弱的步兵營和第十五裝甲師的一個戰防砲營，支援他們的則為一支擁有不到六十輛戰車拼湊起來的部隊——那也正是所有軸心裝甲部隊的剩餘部分。巨大的集中火力把這樣單薄的防線打得千瘡百孔。而燃料的缺乏使阿爾寧不能依照計畫把第十和第二十一裝甲師非裝甲的殘餘部隊北調助戰。這種燃料的致命缺乏使德軍完全喪失了機動性，那比英國人所設計的偉大欺敵計畫更足以發揮牽制德軍的效力。

五月七日拂曉，第六和第七兩個裝甲師再繼續前進，但又還是過分的謹慎。駐在聖西普林為數極小的德軍，使用十輛戰車和少數火砲，把他們一直遲滯到下午為止。直到午後三時十五分，才發出向突尼斯前進的命令。半小時之後，第十一驃騎兵團的裝甲車才進入該城——在北非戰役中，三年來這個團曾多次擔負領先的任務，而這時也就達到其功業的最高峰。第六裝甲師的裝甲車團也幾乎同時到達。接著即由戰車和摩托化步兵完成對該城的占領。當地的居民歡欣欲狂，用鮮花和香吻來歡迎聯軍，使他們感到手足無措，這比殘餘德軍的零星抵抗還要難以應付。當天夜裡已經收容相當數量的戰俘，次日上午又俘獲不少，但卻有更多的敵軍紛紛自該城向南北兩方逃命。而在外圍周邊上的殘餘敵軍，也在突尼斯陷落後開始向不同的方向落荒而逃。

此時，美國第二軍也已在北區繼續進攻，以配合英軍的行動。五月六日的進展很慢，敵軍的抵抗似乎很頑強，但到次日下午，第九步兵師的搜索部隊發現道路已經開放，遂於下午四時十五分衝入比塞大。此時敵軍已經自動撤出該城向東南方撤退。正式的入城式保留給法國的非洲軍，他們在五月八日才到達。美軍第一裝甲師從馬陶爾前進，在最初的兩天內曾受到阻擋，殊少進展。在南端的第一和第三十四兩個步兵師也是一樣。但到了五月八日，第一裝甲師發現敵軍的防禦已經崩潰，於是進展也就非常順利，因為敵人的彈藥和燃料都已耗盡，而英軍第七裝甲師又已經從突尼斯北上，沿著海岸到達德軍的後方。

軸心軍夾在美英兩軍之間，此時已無抵抗和撤退的工具，於是開始集體投降。在黃昏前，第十一驃騎兵團的先頭部隊已經收容一萬多名戰俘。次日（九日）上午，部分英軍進至比塞大東方二十哩處的波多法里拉角（Cape Porto Farina）附近的波多法里拉港，並接受九千多人的投降。這些人都擠在海灘上，有些人甚至於正在嘗試建造木筏。不久之後，美國裝甲部隊到達，英國人把眾多的俘虜交給美軍接管，真有如釋重負之感。上午九時三十分，指揮德國第五裝甲軍團和北部地區的法斯特將軍（General von Vaerst）致電給阿爾寧說：「我們的裝甲部隊和砲兵均已毀滅，彈藥和燃料都已用完，我們仍將戰鬥到底。」最後一句話實為荒謬的壯語，因為部隊若無彈藥當然也就不可能繼續戰鬥。法斯特不久即知道他的部隊早已認清此種英雄主義的命令是如何的毫無意識，並紛紛自動放棄抵抗。所以到中午時，他也同意其殘餘部隊正式投降，遂使這個地區的戰俘人數差不多增到四萬人之眾。

軸心軍隊的大部分都退至突尼斯以南的地區。這個地區有較易防禦的天然地形，所以聯軍當局以為敵人會在那裡作較長久的抵抗。但事實上，由於彈藥和燃料都已用盡，所以經過短促的抵抗之後，即迅速的崩潰。因為敵軍都已自知絕望，所以也就使其崩潰加速——他們不可能再獲得補充和增援，而且也不可能逃走。

現在亞歷山大的目的就是要阻止梅希軍團——即軸心軍隊的南面部分——退入較大的朋角半島，並在那裡建立一個堅強的最後堡壘。所以在突尼斯被攻占之後，第六裝甲師即奉命轉向東南方，迅速攻取哈曼里夫（Hamman Lif）——即半島底線的左角，而第一裝甲師也向這一方向集中。哈曼里夫山地非常接近海岸，所以沿岸平坦地帶只有三百碼的寬度。這個隘道由一個德軍支隊所據守，並得到機場中撤出的八八砲的支援。聯軍雖曾努力攻擊，卻被他們阻止達兩天之久。但是這個障礙物也終於還是被聯軍克服。第六裝甲師的步兵首先攻占可以俯瞰該鎮的高地，砲兵則依次沿著街道掃射，而一個縱隊的戰車則沿著海灘在懸岩掩護之下前進（因為德軍還有一門砲仍在繼續發射）。到五月十日入夜時，聯軍即已完全封鎖半島的底線，並到達哈馬米特，於是也就切斷了敵軍的殘餘部隊。由於缺乏燃料，他們早已不能向半島撤退。次日第六裝甲師向南推進，到達曾在恩費達維里附近阻止第八軍團北上的敵軍後方。雖然那些敵軍手中還保有若干彈藥，但因為他們已經知道前後都是聯軍，絕無逃出的希望，所以也就很快的投降了。

到五月十三日，所有剩餘的軸心軍官兵都已投降。只有少數幾百人曾從海上或空中逃往西西里——不過其九千名傷患卻從四月初即開始後送。至於最後的戰俘總數則缺乏確實的計算。五月十二日，亞歷山大總部向艾森豪的報告中說：從五月五日起已增到十萬人，並估計將達十三萬人。以後一份報告又說總數約為十五萬人。但在其戰後的報告中，亞歷山大卻說總數為二十五萬人。邱吉爾在其回憶錄中也持此同一概數，不過加上一個「接近」的形容詞。艾森豪則說是二十四萬人，其中約有十二萬五千人為德軍。但非洲集團軍在五月二日對羅馬的報告中指出，在該月內的配給口糧份數介於十七萬份到十八萬份之間——這也就是在戰役最後一個星期前的數字。所以很難令人相信戰俘的總數會比這個數字多出百分之五十左右。一般說來負責給養的行政機構對於人數是絕不可能以多報少的。這裡值得一提的是，到了戰爭的最後階段，聯軍所宣稱的俘虜人數與最後已知的德軍口糧配給人數，其間的差異還要更大。

但不管正確的數字如何，聯軍在突尼斯所俘虜的人數總是非常巨大的。其最重要的效果即為使軸心方面在地中海戰場已再無可用之兵。這些在非洲喪失的百戰精兵，本可用來阻止聯軍侵入西西里——這是他們重返歐洲的第一階段，同時也正是最重要的階段。

第二十六章　再度進入歐洲

在非洲肅清軸心軍之後，一九四三年聯軍征服西西里島似乎是輕而易舉。但實際上，這一次的重返歐洲是一個危險的躍進，充滿了許多不確定的因素。它之所以能夠成功，大部分應歸功於一連串長期潛伏的原因。第一是希特勒和墨索里尼兩人的盲目驕傲心理，他們聯合起來嘗試在非洲挽救他們的面子。第二是墨索里尼對其德國盟友存有一種妬嫉的害怕心理，不願意讓他在義大利領土的防禦中居於領導的地位。第三是希特勒的想法和墨索里尼不一樣，他不相信西西里島是聯軍的真正目標——英國人所使用的一項欺敵巧計，對於這種錯誤的判斷也頗有貢獻。

最重要的還是第一個因素。在整個戰爭中最大的諷刺之一，就是希特勒和德國的參謀本部經常因為害怕英國的海權，遂不願作海外的遠征行動，所以始終不肯給予隆美爾以充足的兵力使其有擴張勝利的機會；但是到了最後的階段卻又不惜把大量的部隊送往非洲，結果反而斷送了他們的防守歐洲的前途。

尤其更諷刺的是，因為在一九四二年十一月，當艾森豪首次向突尼斯進攻時，他們意想不到的將其擊退，遂更增長了他們的驕氣，以為可以守住北非的最後據點。當聯軍的矛頭非常謹慎的從阿爾及利亞指向東方時，德國人卻迅速的採取行動，把部隊空運越過地中海，以求阻止突尼斯和比塞大兩個港口落入聯軍的手中。他們終於守住了山地中的隘道，而產生了一種長期的僵局。

但是這個成功卻鼓勵希特勒和墨索里尼以為他們可以永久據守突尼西亞，遂決定投入大量的援軍，使其足以對抗艾森豪手中日益增大的實力。他們投下的賭注愈多，也就愈感到不能撤退，否則即將使他們的威望受到嚴重的損失。同時，由於同盟國的優勢海空軍兵力，開始對西西里與突尼西亞之間的海峽構成嚴密的封鎖。於是無論據守或撤退，也都同樣變得日益困難。

德義軍在突尼西亞所建立的橋頭陣地，曾使聯軍在整個冬季裡無法前進，同時也對從艾拉敏越過二千哩距離撤退回來的隆美爾殘軍提供了掩護。儘管如此，聯軍之未能早日攻克突尼西亞，從長期的觀點來看，對於他們還是因禍得福。因為希特勒和墨索里尼再也不聽信任何主張把德義兩國部隊撤出突尼西亞的意見，儘管當初還是有時間和機會來把他們撤走。

為了想作一次最後的努力，隆美爾於一九四三年三月十日飛往東普魯士的希特勒大本營，企圖說服他使其明瞭撤退的必要，他在自己的日記上曾經記載這次努力是如何的徒勞無功。他說：「我曾盡量的強調主張這些『非洲』部隊應在義大利加以再裝備，使他們可以用來保衛我們在南歐的側翼。我甚至還當面向他保證——那是我通常所不願意做的事情——假使有這樣的部隊，則我可以負責擊敗聯軍在南歐的任何侵入行動。但結果卻是一切都毫無希望。」

當聯軍逐漸逼近這個橋頭陣地準備作最後的一擊時，軸心部隊卻懷著絕望的心情在那裡坐以待斃——假使他們能獲准撤退的話，則四月間多霧的天氣也許還能幫助掩護他們的上船和運輸。在四月二十日到二十二日之間，他們勉強的擊退了聯軍第一次進攻的企圖，但到五月六日，當聯軍再度大舉進攻並突穿他們的防線之後，接著就全面崩潰了。造成全面崩潰的原因有二：（一）橋頭陣地太淺，兵力運用無迴旋的餘地；（二）守軍自知是背水作戰，感到希望已經斷絕。

軸心軍在突尼西亞的八個師完全被俘，包括隆美爾老兵的大部分和義大利陸軍的精華在內，遂使義大利及其附近的島嶼幾乎完全暴露在無防禦的狀況之下。這些部隊本可以對從義大利進入歐洲的門戶提供非常堅強的防禦，則聯軍侵入的成功機會也就會隨之減低。不過，同盟國當局並不曾立即利用這種大好機會——雖然在一月間他們即已決定在西西里的登陸應為次一步驟，而突尼斯的攻占也和預定的時間十分接近。對於軸心方面而言，可以說是很僥倖，因為聯軍各個司令部的意見分歧和爭論不休，遂使時間日益拖長。

在這裡我要提到另一項證據，那是由魏斯特伐將軍（General Westphal）所提供的。他當時的義大利南方總司令，凱賽林元帥的參謀長。由於義大利已經沒有機動的機械化部隊，所有的軍事首長遂要求德軍增援強大的裝甲部隊。在那個時候，希特勒認為應滿足這種緊急需要，所以他致墨索里尼一份私人函件，表示願意提供五個師。但墨索里尼卻並未事先告訴凱賽林，即回答希特勒說他只需要三個師——那也就是除了把那些已在義大利的零星部隊拼湊編成兩個師以外（那些德國部隊本是準備經過義大利送往非洲增援的），再從德國調一個師的生力軍而已。他甚至於還表示不再需要更多的德國部隊。

這是五月中旬的事情，墨索里尼之所以不願意接受希特勒提供的援助，其原因是驕傲和恐懼兼而有之。他不願讓全世界以及他自己的人民，認為他是依賴德國人的援助。誠如魏斯特伐所說：「他希望由義大利人來保衛義大利，但事實上他的兵力已經殘破不堪，然而此種觀念已無現實的可能。他並非不知道此項事實，但卻閉起眼睛不敢正視現實。」此外還有一個更進一步的原因，那就是他不想讓德國人在義大利獲得一種支配的地位。他固然希望能夠不讓同盟國進入他的領土，但也同樣希望不讓德國人進來。

新任的義大利陸軍參謀總長羅塔將軍（General Roatta），曾經出任西西里的指揮官，終於說服了墨索里尼使其了解必須有較大的德國援助，然後義大利及其島嶼前哨始有防禦成功的機會。於是他才同意讓更多的德軍入境——不過條件卻是必須接受義大利指揮官的戰術控制。

義大利在西西里的守軍只有四個野戰師和六個靜態的海岸防禦師，其裝備和士氣都極為低劣。在非洲作戰崩潰之後，那些準備前往增援的德國部隊就在西西里編成一個師，雖然被稱為「第十五裝甲步兵師」，但它卻只有一個戰車單位。用同樣方式所編成的「戈林」裝甲師也在將近六月底時開往西西里。墨索里尼卻不允許讓這兩個師在一個德國將領指揮之下組成一個師。他們被置於義大利軍團司令古左尼將軍（General Guzzoni）的直接控制之下，並被分為五個群，沿著該島一百五十哩長的直徑展開，作為機動預備隊。資深的德國聯絡官辛格爾中將（Lieutenant-General von Senger und Etterlin）只有一個小型的幕僚單位和一個通信連，以便他可以行使緊急的控制。

等到墨索里尼願意接受較多的德國援助時，希特勒對此種援助的提供又開始感到狐疑不決，而同時對於危險點的位置也具有不同的意見。一方面他懷疑義大利人將會推翻墨索里尼，並單獨和聯軍媾和——這種懷疑不久也獲得事實的證明——因為這個原因，他就不希望讓更多的德軍陷入義大利境內，以免一旦該國崩潰或轉向時，會受到被切斷的危險。另一方面，墨索里尼與義大利統帥部，以及凱賽林都一直認為聯軍在非洲的次一行動將是向西西里島躍進；但希特勒卻不以為然，認為他們的看法是錯誤的。就這一點而言，事實證明希特勒還是錯了。

在應付聯軍的重返歐洲時，希特勒最大的戰略弱點即為他已征服的地區實在太大——西起大西洋方面的法國海岸，東達愛琴海方面的希臘海岸。所以他要想推測聯軍將在何處發動攻勢，實在是非常困難。反之，聯軍方面的最大戰略優點，就是透過海權，他們對於任何一個目標都能作廣泛的選擇，同時也享有牽制分散的能力。希特勒一方面必須經常提防從英倫海峽而來的渡海攻擊，另一方面又害怕在北非的英美聯軍將在從西班牙到希臘之間的南側翼上選取任何一點登陸。[1]

1　原註：參看第二十章的地圖。

希特勒相信聯軍在薩丁尼亞（Sardinia）登陸的機會要比在西西里島為大。薩丁尼亞可對進攻科西嘉島（Corsica）提供一塊容易的踏腳石，同時對於躍上法義兩國的大陸也是一塊位置良好的跳板。此外，聯軍在希臘的登陸也是另一種期待，希特勒希望能保留一些預備隊，以便在緊急情況時可以趕往那個方向。

希特勒的這種想法，又受到下述事故而予以增強：駐西班牙的納粹情報人員，曾經在被海浪沖到西班牙海岸的一位「英國軍官」的屍體上找到一批文件。除了身分證件和私人信件外，其中有一封由這個死者傳送的親啟密件——那是由英國陸軍副參謀總長奈伊中將（Lieutenant-General Sir Archibald Nye）寫給亞歷山大將軍的。這封信件中提到最近有關未來作戰的電報，並暗示聯軍意圖在薩丁尼亞和希臘登陸，卻想欺騙敵人使他們相信登陸的地點為西西里。

這具屍體和這封密信都是假造的，為英國情報機構某一小組所設計的欺敵計畫中的一部分。這種設計非常的精密，所以使得德國情報組織的首長們都深信不疑。雖然它並未能改變義大利領袖們和凱賽林的看法——他們仍堅信西西里將為聯軍的次一目標——但對希特勒卻似乎已經產生了強烈的印象。

根據希特勒的命令，第一裝甲師已經從法國調往希臘——去支援那裡的三個德國步兵師和義大利第十一軍團——而新成立的第九十裝甲步兵師，則用來增強在薩丁尼亞島上的四個義大利師。由於補給上的困難，使對該島進一步的增援受到阻礙，因為那裡只有極少數的幾個港口，而大部分碼頭均已被轟炸所毀。但為了作額外的保證起見，希特勒又把司徒登將軍的第十一空降軍（包括兩個傘兵師）移駐到法國的南部，以便準備對聯軍在薩丁尼亞的登陸執行空降的反擊。

此時，聯軍方面的計畫作為卻以一種較緩的步調推進。在西西里登陸的決定是以折衷的方式來作成，而對進一步的目標並無任何結論。當美英兩國的參謀首長在一九四三年一月的卡薩布蘭加會議中碰頭時，他們在意見上的分歧恰好和他們的共同名稱——「聯合參謀首長會議」（Combined Chiefs of Staff）成一強烈對比。美國人（金恩、馬歇爾和阿諾德〔General Arnold〕）是希望把地中海這一幕插曲趕緊結束，以便早日回到對德國的直接行動路線。而英國人（布羅克、龐德〔Admiral Pound〕和波塔爾〔Air Chief Marshal Portal〕）則認為直接越過海峽的侵入作戰，時機尚未成熟；假使在一九四三年內作這樣的企圖，其結果不僅是徒勞無功，甚至於還要招致嚴重的災難——今天從歷史性的回顧中看來，這種研判似乎是殊少疑問的。但是大家卻一致同意必須採取某種進一步的行動，以便保持壓力和牽制德軍使其離開俄國戰場。在英國方面，雖然聯合計畫參謀主張在薩丁尼亞登陸，但英美兩國的參謀首長都寧願選擇西西里，同時這也是邱吉爾所贊成的，於是很快的就達成了協議。最有力的理由是，占領西西里可以有效的肅清通過地中海的航路，也就可以節省許多的航運成本——因為自從一九四〇年以來，大部分前往埃及和印度的運輸船團，都被迫必須繞過南非行駛。

在決定進攻西西里之後，一月十九日，聯合參謀首長會議遂確定其目標如下：（一）使地中海的交通線變得更安全；（二）分散德軍在俄國方面的壓力；（三）增強對義大利的壓力。至於如何擴張戰果的問題則暫且不論。因為任何決定次一目標的企圖，必然會再度引起意見上的分歧——但是在這一類問題上若採取此種避重就輕的手段，其結果又將引起戰略上的遲緩。

在攻擊西西里的計畫作為過程中，也缺乏緊迫感。雖然對突尼西亞的征服假定可以在四月底完成，但是兩國參謀首長們卻把七月裡滿月的一天，定為登陸西西里的目標日。對於這個代字為「哈士奇」作戰（Operation Husky）的行動，英國人在一月二十日曾提出了一項大綱——聯軍兵力將分別來自東西地中海，並作集中的海上前進和侵入。他們同意由艾森豪出任統帥，而亞歷山大則為其副手。（這是一件值得重視的大事：儘管英軍的總司令比較資深，而且經驗也豐富得多，同時在這個戰役中英國也提供較大部分的兵力，但卻仍承認美國為同盟中的首席夥伴。）二月初成立了一個特種計畫參謀群，其總部設在阿爾及耳，但其分支機構卻分散得很遠。而在空軍方面，不僅在空間上，而且在思想上也都有很大的距離——其後果即為在西西里戰役中，空軍的行動並不能密切配合陸軍的需要。當這些計畫還在公文旅行時，時間已過去了不少。艾森豪、亞歷山大，以及兩個被選定的軍團司令蒙哥馬利和巴頓，也都在忙於結束北非的戰役，所以對於次一行動也都未能給以適當的注意。一直到四月底，蒙哥馬利才有時間來研究這個計畫草案。他對計畫作了許多的修改，並於五月三日修改定稿，到五月十三日才獲得英美參謀首長的聯合批准——這也就是在突尼斯軸心防線崩潰後的一個星期，和最後敵軍殘部投降的那一天。

這種在計畫階段的延誤實在是非常的可惜，因為準備用來進攻西西里的十個師，其中只有一個曾參加北非戰役的最後階段作戰，而另外七個師都是新加入的生力軍。假使能在非洲軸心軍崩潰之後，即緊接著在西西里登陸，那麼就會發現該島幾乎是處於毫無防禦的狀況下。而且，若非邱吉爾在卡薩布蘭加會議期間和以後，一直要求應在六月間登陸，否則容許敵人在西西里增強防禦的時間可能就會拖得更長。他的主張雖曾獲得兩國參謀首長的支持，但在地中海地區的指揮官們，卻在七月十日以前無法完成發動登陸作戰的一切準備。

計畫中的主要改變，就是預定要在西西里西端巴勒摩（Palermo）附近登陸的巴頓的軍團（西面任務部隊），現在改在靠近蒙哥馬利軍團的東南海岸登陸，而後者的登陸地點也變得遠較集中，由於拖延的時間已經很長，所以敵人的增援也可能已經加強，此種把入侵部隊比較密集在一起的辦法，對於敵方發動強大反擊的危險，不失為一種合理的預防措施——儘管以後的事實證明無此必要。但這樣卻犧牲在登陸開始時即攻占巴勒摩港的機會——若非新型的兩棲車輛（DUKW）與戰車登陸艦（LST）的合併使用，解決了維持灘頭補給的問題，則此種機會的喪失可能就會引起嚴重的後果。修改後的計畫也喪失了原有計畫所具有的分散敵人注意力的效果，所以也就幫助敵人在聯軍登陸之後，可以集中其分散的預備隊，來阻擋聯軍越過該島中央山地的前進。假使巴頓仍在西北岸的巴勒摩附近登陸，那麼他也許很快就可以到達墨西拿海峽（Strait of Messina）——不僅切斷敵軍的增援或退卻線，而且實際上也使在西西里島上的全部敵軍都被關入陷阱之內。事實證明那些德國部隊的逃出，對於聯軍進一步的行動曾經產生遠大的不利影響。

不過，因為這是聯軍第一次重返歐洲，而且也是對敵軍據守的海岸第一次作龐大的突擊，所以過分謹慎也是一種很自然的趨勢。此處值得一提的是八個師的同時登陸，其規模甚至於比十一個月後的諾曼第登陸還要大。在第一天和以後的兩天內，差不多有十五萬人的部隊已經登陸，而最後的總數則約為四十七萬八千人——英軍二十五萬人，美軍二十二萬八千人。英軍登陸的地點是在該島的東南角上，海岸線長達四十哩。美軍則在南岸登陸，所占的海岸線也是四十哩。在英軍左翼與美軍右翼之間相隔僅為二十哩。

參加這次作戰的海軍，是在康寧漢海軍上將（Admiral Sir Andrew Cunningham）指揮之下計畫和執行的。其中包括非常複雜的行動典型，並以夜間登陸為其終結，但一切進行自始至終卻異常的順利，這應該歸功於計畫和執行人員的稱職。作為一個兩棲作戰，這一次遠比「火炬」作戰進行得高明，換言之，在那一次作戰中已經獲得不少的教訓。

東面的海軍特遣部隊（英國）是由雷姆賽海軍中將（Vice-Admiral Sir Bertram Ramsay）指揮，共有船隻七百九十五艘，另有登陸艇七百一十五艘供灘頭登陸轉運之用。英軍第五和第五十兩個師（以及第二三一步兵旅）是從地中海的東端乘船前來——即來自蘇彝士、亞歷山大和海法等港口。他們預定的登陸點是在西西里東岸上，夾在敘拉古（Syracuse）與巴塞羅角（Cape

Passero）之間的南端地段。第五十一師乘坐登陸艇從突尼西亞出發，其中一部分來自馬爾他島，預定在西西里的東南角登陸。預定在該角西面登陸的第一加拿大師，則直接從英國分用兩個船團運來。其第二個船團（也是較快速的一個）載運著部隊的主力，在D-12日（即六月二十八日）從克萊德（Clyde）灣出發。它在美軍船團之前通過比塞大附近有水雷保護的水道。

西面的海軍特遣部隊（美國）由希維特海軍中將（Vice-Admiral H. Kent Hewitt）指揮，包括船隻五百八十艘和登陸艦一千一百二十四艘。右翼方面準備在斯科格里提（Scoglitti）登陸的第四十五步兵師，是分載於兩個船團越過大西洋從美國直達奧蘭港，略為休息一下，再在比賽大附近接收它的戰車登陸艦和其他小艇，然後駛往西西里。第一步兵師和第二裝甲師預定在吉拉（Gela）登陸，分別從阿爾及耳和奧蘭上船。充任左翼的第三步兵師預定在利卡塔（Licata）登陸，它從比塞大出發，並完全用登陸艦艇載運的。

在海空軍掩護之下，如此巨大的船團在通過和集結的過程中，都不曾受到任何嚴重的干擾。由於遭受潛艇之攻擊，一共損失了四艘運輸船和兩艘戰車登陸艦。在接近西西里時也不曾因空中的攻擊而受到任何損失，敵軍的飛機都被阻於戰場之外，所以有許多船團根本就不曾被敵機發現。在這個戰區中，聯軍的空中優勢是如此的巨大——共有作戰飛機四千架以上，而軸心方面則僅有一千五百架左右——所以敵軍轟炸機在六月間即已撤退到義大利北中部的基地上。從七月二日起，在西西里島上的機場即不斷的受到猛烈攻擊，所以當D日來臨時，尚堪使用的就只剩下少數幾條輔助跑道，而大多數尚未損毀的戰鬥機也都撤回大陸或薩丁尼亞。不過在整個戰役中被聯軍擊毀的敵機實際數字並未超過二百架，但是聯軍當時卻宣稱有一千一百架之多。

七月九日下午，所有的船團都到達他們在馬爾他島東西兩面的集結水域，但此時卻風浪大起，使一些較小的艦艇感到威脅，而有使登陸行動受到妨礙的危險。不過很僥倖的，到午夜時風浪開始逐漸平靜，所以延遲到達灘頭的突擊艇僅在總數中占一個很小的比例。

在海上突擊登陸前的空降作戰，卻受到最惡劣的影響——那是由英軍第一和美軍第八十二兩個空降師的一部分來執行的。這也是聯軍企圖發動的第一次大規模空降攻擊，由於缺乏經驗而且又要求在夜間執行，所以即令不受到風力的影響，也會感到非常困難。狂風增加了運輸機和拖曳機的航行困難，使其不易到達目標，並且再加上高射砲火力妨礙降落的行動，美國傘兵遂被分成許多小股，散布在一片廣達五十哩的地區內。英國滑翔機載運的部隊也被散布得很廣，在一百三十四架滑翔機中有四十七架墜落在海裡。儘管如此，這種並非故意的散布，卻幫助空降部隊在廣大的敵後地區內造成普遍的驚擾和混亂，同時也有一部分傘兵攻占了重要的橋梁和道路交叉點，因此也產生了一些較有利的效果。

突然發生的風暴雖然使攻擊者遭遇到一些困難，但同時也使防禦者疏於戒備，所以平均說來，對攻擊者而言，還是利多於害。雖然在那天下午德軍就已經發現有五個船團從馬爾他向北航行，而在天黑之前，又接獲一連串的報告，但是上級司令部所發出的警告不是未曾到達下級單位，就是未曾受到他們的重視。所有一切充任預備隊的德軍部隊，雖在接獲第一次報告後的一小時即已開始戒備，但駐在海岸的義大利部隊卻相信這樣大的風浪至少可以保證他們獲得一夜安眠——康寧漢上將在他的報告書中曾經作過下述生動的描寫：「那些義大利部隊已經戒備了許多夜晚，所以早已感到十分疲憊，當惡劣天氣來臨時，他們睡在床上高興的說：『無論如何他們今夜一定不會來。』哪知道他們就真來了。」

但是義大利人的疲憊卻是精神多於實質。他們之間大多數的人對戰爭都已極感厭倦，而更少有人對墨索里尼表示同情。此外，海防部隊大部分都是西西里人，選擇他們擔任海防任務的理由，是假定他們將會為了保衛自己的家園而努力奮戰。但這種假定卻忽視了下述的事實：他們對德國人具有傳統的厭惡心理，同時他們的現實心理也完全了解打得愈厲害，則他們的家園所受到的破壞也會愈厲害。

到七月十日天亮之後，他們就更不想再勉強抵抗，因為他們看到巨大的艦隊把眼前的海面都塞滿了，一直到海平線都看不見的盡頭，大批的登陸艇川流不息的把增援兵力向灘頭輸送，以支援在凌晨早已上岸的突擊部隊。

灘頭防線很快的即被衝破，雖然暈船病使許多突擊部隊感到頗為苦惱，但是上岸後發現敵方火力使他們所受到的損失是那樣的輕微，遂又精神大振。亞歷山大對侵入戰的第一階段曾經用兩句話來概述：「義大利海防師的價值本來就不曾為人重視，現在幾乎是未放一槍即完全潰散；至於野戰師，當他們遭遇我軍之後，也就像風掃落葉一樣的被趕跑了。集體投降已成常事。」所以自從第一天起，整個防禦擔子就完全落在那兩個臨時拼湊編成的德國師的肩膀上，以後他們才又獲得了兩個師的增援。

當聯軍尚未在岸上站穩腳步之前，德軍曾趁這個緊急的機會發動一次危險的反擊。那是由「戈林」師來執行的，該師連同一個新型五十六噸重的虎式戰車支隊，駐在卡塔吉隆（Caltagirone）的周邊地區，該城位於俯瞰吉拉平原的山岳地帶上，距離海岸線僅二十哩——而美軍第一步兵師則已在該平原登陸。所幸的是這個反擊到第二天才發動。在第一天上午，一小群義大利舊式輕戰車曾經作過一次英勇的小規模逆襲，實際上他們也曾突入吉拉鎮，但終被擊退。至於德軍的主力縱隊卻在路上耽擱了，直到次日上午才到達戰場。甚至於到那個時候，已經登陸的美軍戰車數量也還是屈指可數——因為風浪太大所以卸載困難，而且灘頭上又擁塞不堪。同時在岸上也缺乏戰防砲和一般的火砲。德國戰車三五成群的越過平原，衝過美軍的前哨，一直到達灘頭邊緣的沙丘地帶，若非指導良好的美國海軍艦砲，在此千鈞一髮的時候幫助擊退來襲的德軍，則美軍即有被驅逐下海的危險。另一支德軍縱隊，連同一連虎型戰車，也曾對第四十五步兵師的左側翼作同樣的威脅，但也同樣的被擊退。

次日，德軍第十五裝甲步兵師的兩個戰鬥群，也從西西里島的西部匆匆趕來，到達面對美軍的戰線上，但此時「戈林」師卻又被調往英軍地區，因為那邊的情況顯得更為緊急——英軍早已

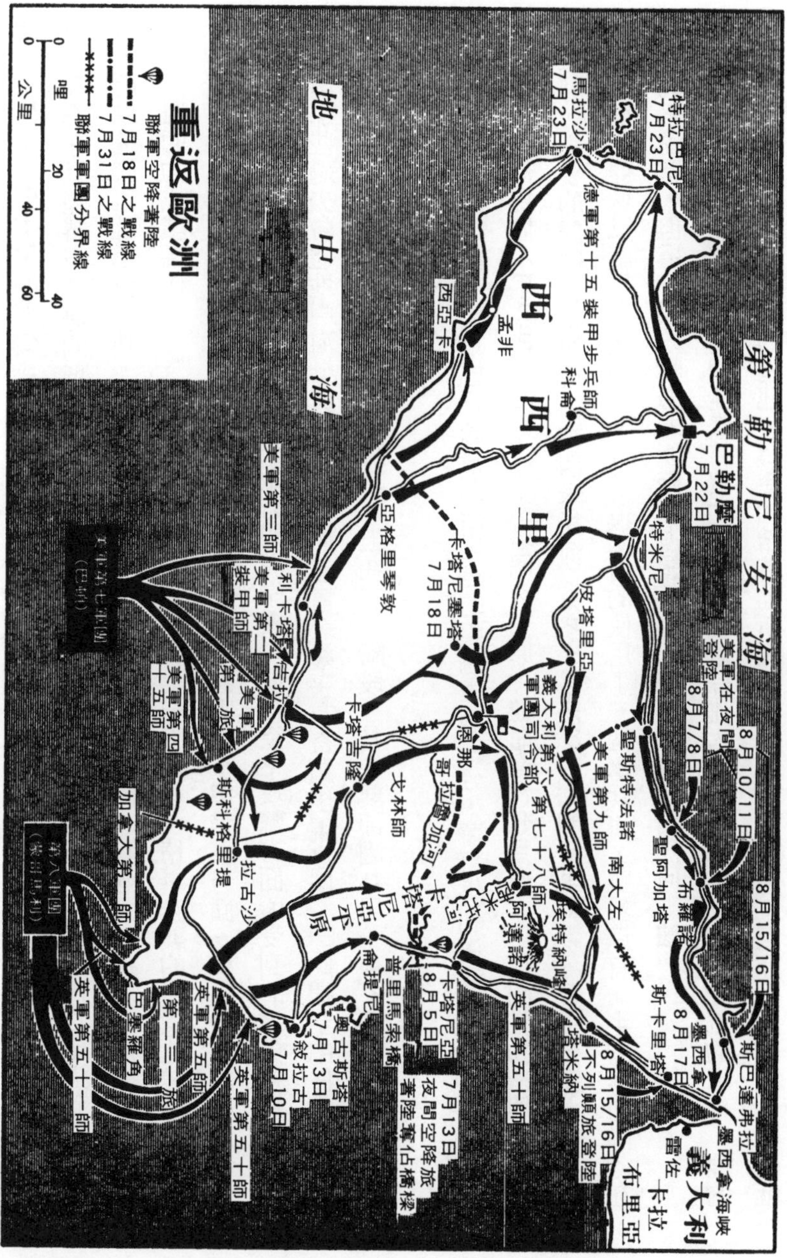
重返歐洲
聯軍空降著陸
7月18日之戰線
7月31日之戰線
聯軍軍團分界線
哩
公里
地中海
第勒尼安海
西西里
特拉巴尼 7月23日
馬拉沙 7月23日
德軍第十五裝甲步兵師
科倫
孟非
西亞卡
巴勒摩 7月22日
特米尼
亞格里琴敦
卡塔尼塞塔 7月18日
美軍第三師
利卡塔
美軍第二裝甲師
美軍第一旅
美軍第四十五師
傑拉
卡塔吉隆
戈林師
斯科格里提
拉古沙
加拿大第一師
恩那
皮塔里亞
義大利第六軍團司令部
美軍第九師
聖斯特法諾
美軍在夜間登陸 8月7/8日
8月10/11日
8月15/16日
聖阿加塔
布羅諾
南大左
第七十八師
卡塔尼亞平原
倫提尼
普里馬索橋
卡塔尼亞 8月5日
7月13日 夜間空降旅著陸奪佔橋樑
英軍第五十師
塔米納
8月15/16日 不列顛旅登陸
斯卡里塔
墨西拿 8月17日
斯巴達弗拉
墨西拿海峽
雷佐卡拉布里亞
義大利
奧古斯塔 7月13日
敘拉古 7月10日
英軍第五師
第二三一旅
巴塞羅角
英軍第五十一師

迫近東岸中點的卡塔尼亞（Catania）城，而美軍的三個灘頭陣地還是很淺，並且也尚未聯結起來。

英軍在登陸時所遭遇的抵抗，比美軍所遭遇的要輕微些，而且在最初階段也未遇到任何反擊，所以進展也就遠較順利。雖然在卸載過程中也曾發生一些困難和延遲，但就全部而言，還是比西面灘頭的成績為佳，因為那一方面較為暴露。在第一天之後，德軍空襲的次數比較頻繁，但空中掩護的效力也同樣的有了改進，所以船隻的損失幾乎完全與美軍方面一樣輕微。誠如康寧漢上將所說：「那樣巨大的船團碇泊在敵方的海岸邊，而在空中攻擊方面所受到的損失是那樣的輕微，對那些過去曾在地中海參與作戰的人們而言，幾乎有奇蹟出現之感。」此種空中保護的程度對於兩棲攻擊的成功實為一個主要因素。但在次一階段，其進展卻因為另一種不同的空中行動而遭遇到阻礙。

在最初三天之內，英軍已經肅清西西里島的整個東南部分。蒙哥馬利遂決定作一次「偉大」的努力，從倫提尼（Lentini）地區突入卡塔尼亞平原，並命令在七月十六日夜間發動一個大規模的攻勢。主要的問題就是要攻占在西米托河（River Simeto）上的普里馬索（Primasole）橋，該橋在卡塔尼亞城以南只有幾哩路。為了這個目的使用了一個傘兵旅，雖然只有一半的兵力降落在正確的著陸區，但這一部分兵力即能確實占領該橋，使其不致受到任何破壞。

次一階段的作戰可以用司徒登將軍的記載來加以綜述。他是德國第十一空降軍的軍長，他的兩個師被希特勒置於法國的南部。假使如希特勒所預料的，聯軍是在薩丁尼亞登陸的話，他們就準備立即飛往增援。但誠如司徒登的故事所顯示的，空降部隊是一種非常具有彈性的戰略預備隊，極易轉用於應付不同的情況。以下即為司徒登的記載：

當七月十日聯軍在西西里登陸時，我即建議使用我的兩個師發動一次空降反擊。但希特勒拒絕接受我的建議——而約德爾尤其表示反對，所以初次只有第一傘兵師從法國南部飛往義大利——一部分到羅馬和一部分到那不勒斯——第二傘兵師則仍和我在一起留在尼姆（Nimes）。但是第一傘兵師馬上又被送往西西里——被用作地面部隊來增援該地薄弱的德軍兵力，因為義大利部隊早已開始大批地投降了。這個師的一部分是從空中運去，分為連續的幾個梯次，降落在卡塔尼亞以南的東部地區我軍防線的後方。我原希望能把他們降落在聯軍戰線的後方。第一批傘兵是降落在我軍戰線後方約三公里的地方，可以說是一種奇怪的巧合，他們幾乎是同時和英軍傘兵降落在一個地方，後者是降落在我軍的後方，以占領西米托河上的橋梁為目的。我們的傘兵擊敗了英國傘兵，從他們的手裡奪回這座橋梁。這是七月十四日的事情。

等到英軍主力趕上，經過三天的苦鬥，才再度占領這座橋梁和打通進入卡塔尼亞平原的道路。但他們繼續北上的企圖又還是受到阻礙，德軍的預備隊現在都集中起來，作日益強烈的抵抗，以掩護直接到達墨西拿海峽的東岸道路——墨西拿海峽的位置還在六十哩以外，那是在西西里島的東北角上，緊靠著義大利半島的趾頭。

這使迅速肅清西西里的希望成為泡影。蒙哥馬利被迫只好把第八軍團的主力向西移動，採取一條通過內陸丘陵地區和繞過埃特納峰（Mount Etna）的迂迴路線，並與第七軍團的東進相呼應——後者已經到達北面海岸，並已在七月二十二日占領巴勒摩，不過還是太遲了，未能阻止敵方機動部隊向東撤退。這個新計畫使巴頓軍團的任務有了重大的改變。本來是指定由第八軍團對墨西拿作決定性進攻的，以第七軍團掩護其側翼，並分散敵人的兵力。現在七軍團卻逐漸變成了攻擊的主力。

新的挺進計畫在八月一日開始，為了這個目的又從非洲調來兩個新的步兵師（美國第九師和英國第七十八師）——使總數增到十二個師。此時，德軍也獲得第二十九裝甲步兵師的增援，和它一同前來的還有胡比將軍（General Hube）的第十四裝甲軍司令部，現在全部的戰鬥也改由他負責指揮。他的任務已經不再是維持西西里的防禦，而是要執行一種遲滯行動，以掩護軸心軍隊的撤出——在七月二十五日墨索里尼被推翻後不久，以及在聯軍再度發動攻擊之前，古左尼和凱賽林獨立的作成了此種決定。

西西里東北部的形狀和地形，對於這種遲滯行動可以給予很多的幫助——那是一個多山的三角形地區。不僅地形有利於防禦，而且每向後退一步，戰線也隨之縮短若干哩，於是所需的防禦兵力也可隨之減少很多，反之，聯軍則由於地形的侷促，無法充分發揮其兵力的優勢。巴頓為了想加速進展，曾經三次企圖作小規模的兩棲迂迴——第一次是八月七日到八日之間的夜裡在聖阿加塔（Sant' Agata）登陸；第二次是八月十日到十一日之間的夜裡在布羅諾（Brolo）登陸；第三次是八月十五日到十六日之間的夜裡在斯巴達弗拉（Spadafora）登陸——但每一次都是太遲不足以切斷敵軍的退路。蒙哥馬利在八月十五日到十六日之間，也曾嘗試作一次小規模的兩棲迂迴登陸，但那時敵軍的後衛卻早已退到其登陸點，斯卡里塔（Scaletta）的北方去了——而敵軍的大部分也都早已越過海峽退入義大利本土。

德軍這次組織良好的撤退行動，其主要部分的執行一共只花了六天七夜的時間，幾乎沒有受到任何嚴重的攔截或損失——儘管聯軍擁有強大的海空軍兵力。接近四萬人的德國部隊和超過六萬人的義大利部隊都已安全的撤出。雖然義大利人只帶走二百餘輛車輛，其餘的都丟棄了，但德軍卻帶走了差不多一萬輛車輛，以及四十七輛戰車，九十四門火砲，和一萬七千噸的補給和裝備。大約在八月十七日上午六時三十分，美國的巡邏隊先頭部隊進入了墨西拿，不久之後，一支英國的巡邏隊也隨之而來——美國人向他們高興的歡呼著說：「你們這些觀光客跑到哪裡去了？」

這個計畫良好撤退的成功，可以反映出亞歷山大的戰役結束之日向英國首相所作的報告是如何的不實在：「到本日（一九四三年八月十七日）上午十時為止，最後的德國部隊均已逃出西西里：可以假定該島上的全部義大利部隊均已被殲滅，雖然仍有少許殘部可能已經逃入大陸。」

從一切記錄上來推算，在西西里島上的德軍總數只比六萬人多一點，而義大利部隊為十九萬五千人（亞歷山大的估計為九萬名德國人和三十一萬五千名義大利人）。在德軍中有五千人被俘，一萬三千五百人負傷，他們是在撤退之前即已送回義大利本土，所以被殺死的德國人最多不過是幾千人而已（英國人估計為二萬四千人）。英軍的損失為陣亡二千七百二十一人，失蹤二千一百八十三人，負傷七千九百三十九人——總計一萬二千八百四十三人。美軍的損失為陣亡二千八百一十一人，失蹤六百八十六人，負傷六千四百七十一人——總計為九千九百六十八人。所以聯軍總共的損失約二萬二千八百人。對於這次戰役巨大的政治和戰略效果而言，並不能算是一項過分重大的成本——它促使墨索里尼被推翻和義大利投降。但假使聯軍若能對兩棲迂迴行動作較充分的利用，那麼所俘獲的德軍人數也許比較多，並且也能使進一步的行動變得更為順利。這也正是康寧漢上將的意見，在他的公報上曾經指出：

自從戰役開始之日起，第八軍團即不曾對兩棲機會加以任何的利用。為了這種目的，小型的步兵登陸艦（ＬＳＩ）經常保持備用的狀況，而其他登陸艇也可以隨呼即到。毫無疑問的，不使用這種工具也自有其理由。不過照我個人看來，海權實在是一種無價之寶，可以帶來戰略運用的彈性。即令只作極小規模的迂迴行動，都足以使敵人發生動搖，和節省很多的時間和成本。

使凱賽林感到如釋重負的，是聯軍當局並不曾企圖在卡拉布里亞（Calabria）登陸，那也就是義大利半島的「趾頭」，恰好位於西西里的背後——如果能在那裡登陸即足以使在西西里的軍隊不能退過墨西拿海峽。在整個西西里戰役中，凱賽林都在著急的等待這樣的一個攻擊，而他手中又沒有兵力可用來應付它。據他的看法：「一個在卡拉布里亞的助攻，就能使西西里的登陸發展成同盟國一次壓倒性的勝利。」直到西西里戰役結束，和四個德國師安全的逃出時為止，凱賽林一共只用了兩個德國師來掩護整個義大利南部。

第二十七章　義大利的侵入

「沒有任何東西比成功更有成就」，這是一句以法國古諺為基礎的名言。但在較深入的意識中，卻又往往證明出來，「沒有任何東西比失敗更有成就」。被當時的權威所粉碎的宗教和政治運動，就長期的觀點來看，往往在其領袖人物獲得了殉道者的聖光之後，又會復活和出頭。釘在十字架上的基督就遠比生前的活人更具威力。敗軍之將往往能獲不朽的英名——例如漢尼拔、拿破崙、李將軍和隆美爾。

在國家的歷史中也可以看到這同樣的效果，不過其形式卻更微妙。大家都知道有這樣一種說法：「在一個戰爭中英國人只贏得一次會戰——最後的一次。」這句話表示他們所具有的一種特有趨勢，以失敗為開始但以勝利為結束。這種習慣充滿了危險，而且所付出的代價也很高。但很諷刺的，事實卻往往的確如此，因為英國和它的同盟最初遭受到失敗，才會養成敵人的驕氣，使其感到過分的自信，和作過度的擴張。

此外，甚至於當戰爭的重心已經開始轉向之後，又往往由於未能獲得立即的成功反而變得更為有利，足以使成功的程度更為增大和使最後的成功更確實。令人更感到驚異的是，在第二次世界大戰的地中海戰役中，這種情形就一連出現了兩次。

因為在一九四二年十一月，聯軍從阿爾及耳向突尼斯所作的原始前進遭到挫敗，遂鼓勵希特勒和墨索里尼把大量的援軍繼續不斷的送入非洲，於是六個月之後，當聯軍發動最後攻擊時，才一下就俘虜了兩個軸心軍團——由於此種主要的障礙被掃除了，所以聯軍以後從非洲躍入南歐時，猶如進入無人之境。

第二件因禍得福的事例即為對義大利本土的侵入。在西西里迅速被攻占，和墨索里尼被推翻之後，第二個和較短的躍進也似乎是一件比較容易的工作。因為義大利已經背棄德國在與同盟國祕密的接洽投降，並準備在聯軍主力登陸的同時公開宣布，所以前途也就顯得益為光明。在那個時候，義大利南部一共只有六個微弱的德國師，在羅馬附近另有兩個師，負有雙重的任務：一方面要應付聯軍的侵入，另一方面還要控制其舊盟友義大利人。

但是凱賽林元帥卻能一方面解除了義大利人的武裝，一方面又阻止了聯軍的前進——當他們到達距離羅馬還有一百哩遠之時，就停頓不前了。八個月之後，聯軍才終於進入義大利的首都，然後又被迫停頓了八個月，才能夠從狹窄多山的半島中突入義大利北部平原。

但是這樣長久的耽擱——在一九四三年九月看來似乎是馬上就可以結束的——對於同盟國的

整個前途而言，又還是帶來了重要的補償。希特勒本來是準備把他的兵力撤出義大利南部，而只在北部建立一道山地抵抗線。但是凱賽林意外防禦的成功引誘著希特勒，遂不聽隆美爾的忠告，把資源向南面傾注，其目的是想在義大利盡量守住較大的面積，和守到最長的時間。因為作了這樣的決定，希特勒遂浪費了其珍貴的資源。不久俄軍從東面，西方同盟國從諾曼第兩路夾攻時，他也就更感到應付乏力了。

就希特勒的實力而論，在義大利的聯軍所吸住的德國資源，其比例之高超過了所有其他的戰線。而且只有在義大利戰場上，德軍是比較可以放棄土地而不至於引起太多的危險，但他們卻偏要不惜消耗實力來勉強堅守過長的戰線。這樣拖得愈久也就愈不利，終於難免最後的崩潰。在義大利境內由亞歷山大所指揮的聯軍，因為他們早日獲得勝利的希望遲遲不能實現，固然不免感到沮喪，但上述間接的收穫還是可以幫助他們獲得安慰。

儘管挫折到最後反而變得有利，但我們必須認清當發動巨大的遠征行動時，一定是相信勝利在望的。人類的天性是不希望也不會尋求失敗的。至於為什麼會失敗，以及其經過情形還是很值得研究。

造成聯軍挫敗的第一個重要因素，即為他們對義大利人推翻墨索里尼的反戰政變所提供的機會未能迅速的加以利用。這次政變是發生於七月二十五日，但過了六個多星期，聯軍才開始進入義大利。此種延遲的原因是軍事和政治兼而有之。五月底當英美兩國參謀首長在華盛頓集會時，美國人曾反對從西西里進入義大利的構想，因為他們害怕此一步驟將妨礙進攻諾曼第，和在太平洋方面擊敗日本人的計畫。一直到七月二十日，當在西西里的義大利部隊已表現出急於要投降的態度時，英國的參謀首長們才同意繼續向義大利推進。

羅斯福和邱吉爾在一月間卡薩布蘭加會議時所決定的「無條件投降」的政治要求，也構成一種障礙。在巴多格里奧元帥（Marshal Badoglio）領導下的義大利新政府，自然是希望能從對同盟國政府的談判中獲致比較有利的條件，但他發現很難與他們取得接觸。英美兩國駐梵諦岡的公使是一條明顯的途徑，而且也是最容易達到的，但是由於一種非常奇怪的官僚短視作風，使這種接觸變得毫無用處。根據巴多格里奧的記載：「英國公使告訴我們，很不幸的他所有的密碼都是非常舊的，而且也幾乎完全是德國人所知道的，所以他不能讓我們利用它去和他的政府作祕密通信之用。美國代辦則回答說他根本就沒有密碼。」所以義大利人只好等待，一直到八月中旬他們才找到一個藉口，派遣一位特使到葡萄牙去訪問，在那裡他才能和英美的代表見面。即令如此，這種迂迴的談判方式還是使問題難於獲得迅速的解決。

恰好成一強烈的對比，希特勒卻不浪費一分鐘的時間，他立即採取各種步驟來制止義大利新政府尋求和平，而放棄與德國之間的同盟關係。在七月二十五日，即羅馬發生政變之日，隆美爾已經前往希臘接掌在該國的指揮權，但剛剛在午夜之前，他接到一個電話告訴他墨索里尼已被推翻，要他立即飛回東普魯士森林中的希特勒大本營。次日正午他到達那裡，遂立即奉命在阿爾卑斯山地區集中部隊，並準備進入義大利。

此種進入的行動不久即開始，採取一部分偽裝的方式。因為他害怕義大利人會藉聯軍傘兵部隊的協助，突然的封鎖在阿爾卑斯山中的隘道，所以隆美爾於七月三十日命令領先的德軍部隊越過國界占領那些隘道。其藉口是為了保護進入義大利的補給路線，以防破壞者或傘兵的襲擊。義大利人表示抗議，曾經一度以阻止德軍通過威脅，但還是害怕和德國人發生公開的衝突，所以只是空言而並未開火。接著德國人又以替義大利人負責北部的防禦，好讓他們可以抽調兵力向南部增援為理由，而把更多的軍隊送入義大利。從戰略上來說，這種說法是很合理的，所以義大利的領袖們遂難予拒絕，否則即無異表示他們懷有異志。所以到了九月初，在隆美爾指揮之下，八個師的德軍已經在義大利阿爾卑斯邊境建立了穩定的基礎，對於凱賽林在南部的兵力，構成一種潛在的支援或增援能力。

此外，德國第二傘兵師，一支特別精銳的部隊，也已從法國飛到羅馬附近的奧斯提亞（Ostia）。德國空降部隊的最高指揮官，司徒登將軍也隨同前往。戰後他回答我的詢問時，曾經這樣的說：

> 對於該師的到達義大利，最高統帥部事先並未獲得任何消息，只被告知這個師是準備用來增援西西里或卡拉布里亞的。但希特勒給我的命令，卻是要我留在羅馬附近，同時從北部

南下的第三裝甲步兵師也由我指揮。有了這兩個師之後，我也就隨時都可以準備解除羅馬周圍義大利部隊的武裝。

聯軍本來也計畫把他們的一個傘兵師——李奇威將軍（General Matthew Ridgway）的美國第八十二空降師，投在羅馬附近以支援據守首都的義大利部隊。由於這些德軍的到達，聯軍的計畫遂自動打消。假使美軍果真照計畫實施，則凱賽林的總部可能就會首當其衝，因為它位於弗拉斯卡提（Frascati），在羅馬東南方相距十哩之處。

即令如此，司徒登的任務依然還是非常困難。巴多格里奧元帥已經把五個師的義大利部隊集中在羅馬附近，儘管德國勸他把其中的一部分送往南部增援，但他卻陽奉陰違，置之不理。除非能夠解除這些部隊的武裝，否則凱賽林所處的地位也就會十分狼狽，因為當他面對著英美的兩個侵入軍團時，這支含有敵意的義大利部隊卻早已位於補給線上，同時也足以切斷義大利南部德軍六個師的退路。那些部隊剛剛組成一個所謂第十軍團，由魏庭霍夫（Vietinghoff）指揮，其中包括從西西里逃出的四個師在內，此乃由於在該次戰役中所受到的損失已經相當殘破。

九月三日，聯軍展開侵入戰的序幕：蒙哥馬利的第八軍團，從西西里越過墨西拿海峽，在義大利的趾頭上登陸。在這同一天，義大利的代表也祕密和聯軍簽訂休戰條約。不過雙方卻又同意暫時保密，要等到聯軍作第二次主要的登陸時才公布——那是計畫以在那不勒斯以南的薩來諾

（Salerno）灣為目標。

九月八日午夜，由英美兩國軍隊混合編成的第五軍團，在克拉克將軍指揮之下，開始在薩來諾灣登陸——幾小時之後，英國廣播公司即正式宣布義大利投降。義大利的領袖們不曾料想到聯軍的登陸會來得這樣快，而且到次日下午很晚的時候，聯軍方面才告訴他們已經廣播的事實。巴多格里奧抱怨說他們的準備尚未完成，所以感到措手不及，無法與聯軍合作，他的這種說法也並非沒有理由。艾森豪曾派泰勒將軍（General Maxwell Taylor）祕密進入羅馬擔負聯絡的任務，他對於義大利人的毫無準備和倉皇失措的情況深有認識，所以他向艾森豪發出警告認為前途頗不樂觀，艾森豪在當天（九月八日）上午接到了這項警告，就立即取消李奇威在羅馬空降的計畫。原定的計畫是準備讓李奇威的部隊在那不勒斯的北面，沿著弗爾吐諾河（Volturno River）降落，以阻止敵軍從南面向薩來諾增援。現在因為時間已經太遲，所以在羅馬降落的計畫雖已取消，但原有計畫還是來不及恢復。

假使義大利人的「行動」（Action），能夠像他們的「演技」（Acting）一樣好，則結果即可能完全不同。義大利人的演技的確是不平凡，他們不僅能夠長時間隱藏其企圖，而且在前些日子當中，也已經使凱賽林的疑慮消釋了不少。凱賽林的參謀長魏斯特伐將軍所作的記載對此曾有生動如畫的描寫：

九月七日，義大利的海軍部長柯爾頓伯爵（Admiral Count de Courten）來訪，他當面告訴凱賽林元帥，義大利艦隊將於九月八日或九日從斯培西亞（Spezia）出海，以求與英國地中海艦隊決一死戰。他眼眶中含著熱淚說，義大利艦隊將寧為玉碎不願瓦全。於是他就接著敘述他企圖中的會戰計畫。

這樣慷慨激昂的態度造成一種令人深信不疑的印象。次日下午，魏斯特伐又與另外一位德軍將領陶桑特（Toussaint）一同驅車前往設在蒙特羅通多（Monterotondo）的義大利陸軍總部（在羅馬東北約十六哩之處）。

羅塔將軍對我們的接待非常友善。他和我討論義大利第七軍團和德國第十軍團，在義大利南部聯合作戰的若干細節問題。當我們正在談話之際，華登堡上校（Colonel von Waldenburg）來了一個電話，告訴我義大利投降已由英國廣播宣布的消息……羅塔將軍當時即向我保證那不過是一種惡劣的宣傳技倆。他說：雙方的聯合作戰仍將繼續，一切都照我們原有的安排進行，沒有任何改變。

魏斯特伐對於這種保證當然並不完全相信，當他在黃昏時回到設在弗拉斯卡提的德軍總部時，他發現凱賽林早已向所有下級單位發出了代字為「軸心」（Axis）的命令——這是一種事先安排好的密語，其意義即為義大利已經脫離軸心，應立即採取適當的行動解除義大利部隊的武裝。

各下級指揮部都分別依照其所面臨的情況和本身的兵力部署，採取威脅利誘兼施的手段。司徒登在羅馬地區所採用的為突襲戰術，因為他所面臨的雙方兵力眾寡之勢實在太懸殊，以下就是他的記載：

> 我企圖用空降的方式來攻占義大利陸軍總部，但只獲得部分的成功。雖然有三十位將官和一百五十位其他軍官已經被俘，但其他的人員都堅守不屈。義大利陸軍參謀總長已在前一夜隨著義大利國王和巴多格里奧元帥先行溜走了。

儘管司徒登一共只有兩個師的兵力，但義大利的指揮官們並不企圖設法去擊敗他，而只想趕緊退走，他們把部隊都撤到東面的提弗利（Tivoli），而把首都讓給德國去接管。這樣也就使談判的進行變得非常順利，凱賽林採取了一種非常寬大的勸誘措施，建議只要義大利部隊放下他們的武器，就可以立即回家。這種辦法是與希特勒的命令相抵觸的，因為他要把所有的義大利軍人都收容為戰俘，但是凱賽林的這種獨斷專行不僅被證明非常有效，而且也節省了不少時間和生命的代價。其結果可以用魏斯特伐的記載來加以綜述：

當義大利軍隊的指揮官們完全接受了德國人的投降條件之後，羅馬附近的情況也就變得非常的安靜。這也就消除了對第十軍團補給上的危險……

使我們感到更放心的是，羅馬已經不再有成為戰場的必要。在投降協定中，凱賽林元帥已經承諾視羅馬為一開放城市。他也承諾只用警察單位來占領該城，一共只有兩連的兵力，並保護電話通信署，這種承諾一直遵守到德軍結束占領之日止都不曾破壞。由於投降的結果，現在與德軍最高統帥部之間又可以恢復無線電的通信聯絡，那是從九月八日起即告中斷的。此種對義大利軍隊不流血消滅的另一後果，是可以立即使用公路把援兵從羅馬地區運送到南部的第十軍團……所以在羅馬附近的情況，儘管最初有許多令人感到憂慮的問題，而其解決後的結果卻幾乎比任何人所希望的都還要良好。

直到此時為止，希特勒和他在最高統帥部中的軍事顧問們，都早已認為凱賽林的部隊是毀定了。魏斯特伐對於這一方面曾經提供重要的證據。他說：

……自從八月以後，我們的人員補充和武器裝備的補給即已完全斷絕。所有一切的要求都被最高統帥部簽註「緩辦」而被擱置在一邊。把隆美爾的B集團軍部署在義大利北部，也是受了這種過分悲觀態度的影響。它們的任務是占領阿爾卑斯山區中的陣地，假使我們的部隊在聯軍和義大利人聯合攻擊下，尚有殘餘部分勉強逃出時，就由它們來負責收容。

同樣的，凱賽林元帥對於情況也是採取一種嚴重的看法。但他認為在某種環境之下，局勢仍有被控制的可能——若期待中的大規模登陸地點愈向南偏，則此種機會也就愈大。但假使敵人從海上和空中直接在羅馬附近登陸，那麼要想救出第十軍團使其不被切斷的希望就會變得十分渺小。我們在羅馬附近所有的兩個師，是絕對不足以擔負一方面消滅強大的義大利軍隊，而另一方面又要抵抗聯軍登陸的雙重任務——而且還要設法保持第十軍團的後方交通線不被切斷。早在九月九日，我們就聽到義大利部隊正在封鎖通往那不勒斯的公路，以期切斷第十軍團補給線的不愉快消息。在這樣的情況之下，第十軍團也就不可能支持太久。所以在九月九、十兩日，聯軍空降部隊沒有在羅馬周圍的機場上著陸，總司令這才吐了一口長氣，有如釋重負之感。在那兩天裡，我們無時不在期待這樣的情況發生。假使聯軍作了這樣的空投行動，將毫無疑問的會使義大利的部隊，以及態度對我們頗不友好的人民，在精神上受到重大的鼓勵。

凱賽林本人對於當時的情況也曾扼要的綜述如下：「一個對羅馬的空降突擊著陸，再加上一個在附近的海上突擊登陸（而不是在薩來諾），即很可能迫使我們自動撤出整個義大利南部。」

即令聯軍並未直趨羅馬，但在薩來諾登陸之後，也還是有一段時間使德國人感到非常的緊張，尤其是對於那裡的實際情況缺乏情報，所以更使他們在精神上深受刺激。所謂「戰爭之霧」從來就很少像這樣濃密的——主要的是因為德國人本來是在一個同盟國境內作戰，而現在這個同盟國卻突然的背棄了他們。此種事實的影響最好還是引述魏斯特伐的記載來說明：

總司令最初對於薩來諾的情況所知道的真是非常有限。電話通信早已中斷——因為那是依賴義大利的郵政通信網。而且那也很難恢復，因為在過去是不准我們考察義大利的電話技術。最初無線電通信也很難安排，因為在新成立的第十軍團司令部中的通信人員，對於義大利南部的特殊天候條件還不熟悉。

對於德國人來說可以說是很僥倖，因為聯軍的主要登陸地點都是他們所預料的，而且也正是凱賽林最便於集中其薄弱兵力來應付此種威脅的地方。英國第八軍團向義大利趾頭部分的前進，也完全在他的意料之內，而且那裡太遙遠，不足以對其部隊構成立即的危險。由於聯軍的指揮官們都不願意冒險超越空中掩護的極限，這一點遂使凱賽林獲得了很大的利益——而在他的計算中也可以有把握的假定他們決不會改變這種傳統的想法。結果聯軍在薩來諾的登陸，雖然是很樂觀的被定名為「雪崩作戰」（Operation Avalanche），但事實上卻遭遇到嚴重的挫敗。誠如克拉克將軍本人所說的，那簡直是一個「近似的災難」（Near Disaster）。[1] 登陸的兵力在德軍反擊之下沒有被趕下海去，那真是間不容髮。

在原始的計畫中，克拉克曾建議應在那不勒斯北面的加艾大（Gaeta）灣登陸，因為該地區比較開放，而且也不像薩來諾有山地足以妨礙從灘頭向內陸的前進。但是當聯軍的空軍總司令泰德告訴他，假使伸展到加艾大地區，則空中支援就不會那樣良好，於是克拉克乃放棄其個人的意見，而同意選擇薩來諾。

在聯軍方面，也有某些人認為要使德國人受到奇襲並喪失平衡，最有效的方法即為超越此種極限去作一次登陸。有人主張應在義大利「靴跟」方面登陸，即大蘭多（Taranto）和布林狄希（Brindisi）地區，這將是「期待最小的路線」（The Line of least expection），所以所冒的危險也會最小——而又可以提早獲得良好的港口。

到最後一分鐘，這樣的一個登陸才被列入計畫作為一種輔助行動。但進攻大蘭多的兵力卻僅有一個師，即英國第一空降師。這個師本來在突尼西亞整補，現在匆匆的集合起來，裝上海軍的船隻立即送上前線。雖然在登陸時並未遭遇任何抵抗——但他們到達時也沒有攜帶任何戰車，而

1　原註：語見克拉克所著回憶錄《有計畫的冒險》（*Calculated Risk*）一書。

砲兵和摩托化運輸工具也幾乎完全沒有。事實上，他們缺乏一切的工具，根本就無法擴張其已經獲得的戰果。

對於聯軍侵入作戰作了上述概括的檢討之後，現在就要對作戰的經過作比較精密的分析。其出發點即為蒙哥馬利的第八軍團在九月三日越過狹窄的墨西拿海峽。

這個代字為「灣鎮作戰」（Operation Baytown）的卡拉布里亞登陸，直到八月十六日才正式下達命令，那時最後的德軍後衛正從西西里撤退。甚至於那時，在命令中也並無確定的「目標」——誠如十九日蒙哥馬利在他發給亞歷山大的一份電文中所刻薄的指出的。亞歷山大終於在回電中把目標確定，他告訴蒙哥馬利說：

> 你的任務是要在義大利的趾頭上確實占領一個橋頭陣地，以利我們的海軍部隊可以通過墨西拿海峽作戰。一旦當敵軍從趾頭部分撤退時，你應盡可能集中所能運用的兵力跟從追擊，並請記住你在義大利南端所牽制的敵軍兵力愈多，則你對於雪崩作戰（在薩來諾的登陸）的幫助也就愈大。

對於身經百戰的第八軍團而言，這真是一個不夠胃口的任務，也是一個近似開玩笑的目標。蒙哥馬利在他的回憶錄中指出：「對於我的作戰與第五軍團在薩來諾登陸作戰之間的關係，並未作任何協調的企圖……。」對於給予該軍團援助的次要目標而言，第八軍團的登陸地點可以說是極不適當——距離薩來諾三百哩，一切的前進必須沿著一條非常狹窄的山路行軍，而那正是敵人設伏攔阻的理想位置。一共只有兩條良好的道路可以通行到這個趾頭地區，一條沿著西海岸，另一條沿著東海岸，所以只能同時用兩個師，而每個師又都只能以一個旅領先，並且，在兩條前進線上想要展開一個營以上的兵力都會感到困難。敵人在此一地區絕無保持龐大兵力的必要，尤其是他們明知聯軍兵力的較大部分將在其他地區登陸，所以也就更不會如此。一旦當第八軍團在卡拉布里亞半島登陸之後，第五軍團的奇襲機會也就更為減少，因為敵人所要防備的可能途徑已經只剩下更少的幾條了。為了想有效的分散敵方的兵力，這個趾頭地區也可以說是最壞的選擇。敵人可以安全地把他的部隊從那裡向後撤退，而讓侵入軍在那裡飽嘗作戰束縛之苦。

儘管遭遇強烈抵抗的機會極為渺小，蒙哥馬利對於這個「趾頭」的登陸攻擊部署，卻還是保有其習慣性的謹慎和徹底作風。集中了將近六百門砲，在第三十軍的指揮之下，從西西里的海岸越過海峽向對岸構成一道壓倒性的彈幕，以掩護鄧普賽將軍（General Miles Dempsey）所指揮的第十三軍在雷佐（Reggio）附近的灘頭登陸。為了集中如此大量的砲兵，遂又使發動突擊的日期比預定的延遲了好幾天。此外，又有一百二十門海軍艦砲也參加了轟擊的工作。

在前幾天，情報資料即已顯示德國留在「趾頭」附近的兵力不會超過兩個步兵營，甚至於這一點兵力的位置也還是在距離灘頭十哩以外，他們的任務是掩護通往該半島的道路。這些有關敵

義大利南部的登陸
聯軍的前進1943年9月3日～12月28日
英美軍攻擊
德軍反攻
9月3日德軍單位的情況
—XXX— 聯軍軍團分界線
0 哩 50 100
0 公里 50 100 150
10月3日
英軍特勤旅登陸
特木利
福查
9月27日
9月22日
第七十八師下船
巴勒塔
巴利
亞德里亞海
貝勒芬托
第十五裝甲步兵師
第一傘兵師
阿
波
利
亞
第十六裝甲師
馬特拉
布林狄西
9月10日
艾波利
奧利塔
波田沙
9月20日
波拉
大蘭多
9月14日戰線
拉哥勒格羅
卡斯列維
貝爾賁德里
卡里亞提
擊板作戰
9月9日
第一空降師
(第八軍團)登陸
第二十六裝甲師
第二十九裝甲師
第勒尼安海
卡坦查羅
9月10日
皮左
卡
拉
布
里
亞
英國
第三十軍
墨西拿
英國
第十三軍
雷佐
墨西拿海峽

薩來諾灘頭
九月九日～十六日
0 哩 10 20
特尼
第三裝甲
步兵師
義大利軍團
總部
契維塔費齊亞
蒙特羅通多
提弗利
凱賽林總部
羅馬
弗拉斯卡提
奧斯提亞
第二傘兵師
威雷特里
第七號公路
安其奧
馬委列
狄芬沙
卡米諾
加艾
加里格
阿末利諾
那不勒斯
9月14日
第三和第十五兩
師部分到達
第十八號公路
戈林師的戰鬥群
第二十六裝甲師
9月14日
諾塞拉
卡伐
摩利納
卡斯特拉馬里
久齊隘道
薩來諾
蒙特柯維諾
蒙特柯維諾機場
邁里
賓特利
巴提巴格里亞
第十六
裝甲師
蘇連多
阿馬賓
艾波利
塞爾橋
美國突擊隊
英國突擊隊
第四十六師
第五十六師
第二十九裝甲
步兵師
卡布里
皮沙諾
9月13日
英國第十軍
（麥克里）
第四十五預備師9月10日
第十九裝
甲步兵師
第三十六師
巴斯通
卡巴契奧
美國第六軍
（道萊）
亞格羅坡里
9月9日第五軍團
（克拉克）
卡斯特拉貝特
前線 9月12日 9月14日
巴勒摩
特米尼
西 西

軍已經退走的情報，使得某些刻薄的觀察家認為那樣大規模的攻擊準備實在是小題大作——所謂「殺雞焉用牛刀」。這種批評雖很恰當，但並不正確——因為當時根本就無雞可殺。那完全是浪費大量的彈藥。

九月三日上午四時三十分，執行突擊任務的兩個師，英軍第五師和加拿大第一師，在空無一物的海灘登陸，甚至於連地雷和鐵絲網都沒有。一位加拿大士兵開玩笑說：「那一天所遭遇的最激烈的抵抗，是一頭從雷佐動物園中逃脫的美洲獅，我們的旅長似乎對牠很感興趣。」突擊步兵中沒有任何的損失，到黃昏時這個舊島的趾頭部分即已完全被占領，其深度已經超過五哩，仍未遇到任何抵抗，三名德軍的落伍者和三千名義大利人已被收容為戰俘。那些義大利人很高興的志願參加替英國登陸艇做卸載的工作。在以後的幾天內，當聯軍向北推進時，也還是不曾遭遇任何嚴重的抵抗，僅只和敵軍的後衛有簡短的接觸。不過德軍在一路撤退中，沿途作了許多巧妙的爆破，使第八軍團的前進不斷的發生遲滯。到九月六日，即登陸後的第四天，距離登陸的灘頭還只有三十哩，而直到九月十日才到達半島狹窄的部分，即所謂「趾頭關節」之處。就距薩來諾的全部距離而言，尚不及三分之一。

但據蒙哥馬利的記載，當亞歷山大在九月五日訪問第八軍團時，態度卻非常樂觀，他帶來了義大利人已經在前兩天祕密簽訂休戰協定的消息。蒙哥馬利感覺到亞歷山大顯然是準備用義大利人所作的一切承諾來作為其計畫的基礎。他對於這種信心頗感懷疑，所以就對亞歷山大說：「只要德國人知道這些事情，他們馬上就會把義大利人制服住。」事實證明蒙哥馬利的看法是正確的。

亞歷山大對於「雪崩作戰」的前途所表示的信心尤其令人感到驚異，因為在兩個星期以前，筆名「沙托納」（Sertorius）的德國軍事評論家，即曾在廣播中預測聯軍的主力登陸將在那不勒斯—薩來諾地區，而在卡拉布里亞半島上將另有一個輔助性的登陸。

一個星期之前，即在八月十八日，希特勒即已下令指示如何應付此種威脅。其命令的要點如下：

（一）在敵人的壓力下，義大利遲早一定會投降，這應認為是意料中事。

（二）為了準備應變，第十軍團必須保持義大利中部退路的開放，尤其是羅馬地區，必須予以固守。

（三）從那不勒斯到薩來諾之間的海岸，是最感受威脅的地區，應從第十軍團中抽出一個強大的戰鬥群，至少應包括三個機動單位，集中在該地區內。該軍團一切非機動的單位也都應該遷入這個地區。完全機動的單位最初應留在卡坦查羅（Catanzaro）和卡斯列維（Castrovillari）之間的地區，以參加機動的作戰。第一傘兵師也將用來保護福查（Foggia）。當敵軍登陸時，那不勒斯—薩來諾地區必須固守。並應在卡斯列維隘道以南的地區中進行遲滯作戰……

凱賽林把他的八個師中的六個部署在南面，由魏庭霍夫將軍的第十軍團指揮——其司令部設在薩來諾東南方的波拉（Polla）城內。因為希特勒曾於二十二日親自告訴魏庭霍夫說，應把薩來諾當作「重心」（此語曾記在該軍團的作戰日誌上）。凱賽林的其他兩個師則保留在羅馬附近充任預備隊，準備一旦義大利叛變時，即可接管該國首都，並保持第十軍團退路的開放。在南面的六個師，其中有兩個是新來的，即第十六和第二十六裝甲師，另外四個則是從西西里逃出來的。其中損失較重的兩個師，即「戈林」師和第十五裝甲步兵師，已經撤回到那不勒斯地區中整補，第一傘兵師則撤往阿波利亞（Apulia），只有第二十九裝甲步兵師留在「趾頭」上對抗蒙哥馬利的前進。為了幫助該師阻止蒙哥馬利起見，第二十六裝甲師也暫時被送往卡拉布里亞——該師並未攜帶任何戰車即開入義大利南部。[2]第十六裝甲師為所有各師中裝備最佳者，被用來掩護薩來諾灣，那也就是聯軍最可能作大規模登陸的地區，同時它還可以迅速的獲得其他各師的增援。即令如此，該師也只有一個戰車營和四個步兵營，不過其砲兵實力卻相當強大。[3]

當聯軍方面的龐大艦隊浩浩蕩蕩的駛向薩來諾灣時，德軍用來迎擊的就只有這一點微弱的兵力。差不多共有七百多艘船隻和登陸艇，載運著第一批登陸部隊約五萬五千人，接著還有十一萬五千人跟隨而來。

這一次登陸是美國第三十六步兵師在右，英國第四十六和第五十六兩師在左，另有美國第四十五步兵師的一部分在側翼上充任預備隊。這些師分別屬於美國第六軍和英國第十軍，兩個軍的軍長分別為道萊將軍（General Dawley）和麥克里將軍（General McCreery）。英國第十軍要在薩來諾正南方灘頭上一段七哩長的海灘登陸，也就是靠近通往那不勒斯的主要道路，這條道路雖然險峻，但不很高，通過卡伐隘道（Cava），再越過多山的蘇連多（Sorrento）半島頸部。所以這個軍的登陸必須使其儘早成功，這也正是全部作戰的總關鍵，因為它一方面可以打通到北面大港那不勒斯的道路，另一方面又可以阻塞德軍從北面來的增援，為了使這個軍的任務比較易於達成，又決定使用兩個營的英國突擊隊（Commandos）和三個營的美國突擊隊，迅速攻占卡伐隘道以及在鄰近另一條道路上的久齊隘道（Chiunzi Pass）。

英軍的主力船團於九月六日從的黎波里發航，美軍的主力船團則在前一天黃昏離開奧蘭港。其他的船團則分別從阿爾及耳、比塞大和西西里北部的巴勒摩和特米尼（Termini）等港口發航。雖然他們的目的地被視為一項高度的機密，但事實上根據下述兩項因素即不難猜出這個謎底。一方面是受到空中掩護的實際限制，另一方面則為有早日攻占一個大港的需要——這兩個

2　原註：像那時候大多數的德國裝甲師一般，它一共只有兩個戰車營——一個營裝備豹式（Panther）戰車，另一個營則裝備較輕的四號戰車——前者不曾送入義大利，而後者則留在羅馬附近以便幫助鎮壓義大利人。

3　原註：該戰車營約有八十輛四號戰車。其所欠缺的一個豹式戰車營，則由一個裝突擊砲（assult-gun）營來替補，一共有四十八門自走砲——在較遠的距離會被人誤認為戰車。即令如此，我們還是很難了解克拉克將軍在其回憶錄《有計畫的冒險》一書中會認為「德軍在薩來諾可能有六百輛戰車」的計算。那比實際數量幾乎多出了八倍。

因素加在一起即能提供一種非常顯明的線索。在的黎波里一艘船上的中國籍廚師向送別的人高呼「那不勒斯再見」，曾經引起了一陣騷動。但實際上他不過是聽到一般士兵和海員的談話都是這樣說而已。另外還有一個很觸目的暗示，即南北兩支攻擊部隊分別命名為「S部隊」和「N部隊」。不過這卻又不僅是猜想而已，有一份流傳很廣的行政命令上，也公開的提到薩來諾地區附近的一些地名。

因為目標既已如此顯明，於是軍團司令克拉克希望依賴奇襲的想法也就構成一種巨大的行動障礙。儘管保護和支援登陸部隊的海軍艦隊指揮官希維特中將，曾提出強烈的反對，但克拉克仍禁止對岸上的防禦作任何攻擊準備的海軍砲擊——希維特曾經明白的指出，「認為我們可以獲致戰術奇襲的想法簡直是荒唐」。不過當然也可以這樣說，如果用海軍砲火去軟化岸上的防禦，則將會促使敵軍預備隊集中得更快，因為這將使他們更能確定聯軍企圖中的登陸地點。

船團的前進是繞過西西里的西岸和北岸，在九月八日的下午，德軍司令部即已獲得報告，於是下午三時十分，德軍就嚴加戒備，等候聯軍的到來。下午六時三十分，艾森豪在阿爾及耳無線電台宣布與義大利簽訂休戰協定的消息，到下午七時二十分，英國廣播公司的新聞節目中又將這個消息重播一次。在船上的聯軍部隊也都聽到這些廣播。很不幸的，這些廣播使他們產生過分樂觀的印象，以為這次登陸一定非常輕鬆——儘管有些軍官曾向他們提出嚴重的警告，要他們記住還有德國人要應付。不久，這種樂觀就變成嚴重的失望。對於聯軍的計畫作為人員而言也是一樣，他們事先曾樂觀的估計在第三天即可以攻占那不勒斯——結果經過三個星期的苦戰，才勉強達到這個目標，而且還幾乎遭受到慘敗。

在九月八日下午，聯軍的船團曾經數度遭受到空中攻擊，到天黑以後，德國轟炸機投下照明彈以利攻擊，但很僥倖的，聯軍的損失仍極輕微。午夜後不久，領先的運輸船已經到達距離海岸八哩至十哩的位置，乃開始放下登陸艇。在預定的上午三點三十分的H時附近，他們到達了灘頭。兩小時以前，一個已由德軍接管的海岸砲台曾向接近北面側翼的登陸艇開火，但卻被護航驅逐艦的還擊所制壓。在最後階段，海軍的砲火和「火箭艇」曾對海岸防作短時間與極猛烈的轟擊——火箭艇是一種第一次使用的新武器。但在南區灘頭卻沒有這種火力支援，因為美軍的師長堅持其軍團司令的「不射擊」指示，仍然希望靜悄悄的登陸以獲致局部性的奇襲。結果當登陸艇快要接近灘頭時，馬上就遭遇岸上火力的猛烈迎擊，使部隊受到慘重的損失。

因為能否迅速向那不勒斯前進，主要關鍵要看能否奪占從薩來諾通過山地向北走的道路，所以對於登陸經過的敘述最好是從左到右，以北翼為起點。在這一方面，美國的突擊隊在邁里（Maiori）的一個小灘頭登陸，沒有受到任何阻攔，在三小時內即已占領久齊隘道——他們在俯視薩來諾至那不勒斯主要公路的山脊上建立了陣地。英國突擊隊也很輕鬆的在費特利（Vietri）登陸。但敵人的反應卻很快，使他們未能肅清那個小鎮，就被阻止在卡伐谷口處較低的摩利納（La Molina）隘道上。

在薩來諾以南幾哩的灘頭上，英軍主力的登陸從開始即受到猛烈的抵抗，同時，第四十六師的一部分在上岸時又發生錯誤，擠入其右鄰第五十六師的灘頭，因此引起很大的混亂，於是也就使他們的進展受到更多的延誤。雖然某些領先的部隊已經向陸挺進達兩哩之深，但是卻受到重大的損失，而仍未能達到第一天頗具重要性的預定目標線——薩來諾港口至蒙特柯維諾（Montecorvino）機場，以及在貝提巴格里亞（Battipaglia）和艾波利（Eboli）的道路交叉點。尤其是到這一天結束時，在塞爾河（Sele）北岸的英軍右翼，與在該河南岸的美軍左翼之間仍然隔著一個寬達七哩的缺口。

美軍的登陸分為四個灘頭，靠近在巴斯通（Paestum）附近的著名希臘神廟。因為沒有海軍火力的支援，所以在強烈的敵火下接近海岸時受到很大的損失，搶灘之後又繼續衝入敵軍的火網，並且在灘頭上不斷的受到德國空軍的攻擊。尤其是第三十六師的部隊過去毫無戰鬥經驗，所以更感到難以忍受。不過總算是僥倖的，現在已經開始由海軍砲火給以良好的支援，那些驅逐艦奮勇的通過布雷水域來援助他們。在這裡以及在英軍地區中，這種援助可說是具有特別的價值，因為對聯軍的最大威脅即為三五成群的德國戰車所作的逆襲，而海軍的砲火卻恰好是它們的剋星。到入夜時，美軍左翼已經向內陸推進約五哩，到達卡巴契奧（Capaccio）的丘陵小鎮，但右翼仍被困在距離灘頭不遠的地方。

第二天，九月十日，在美軍方面是比較平靜的一天，德軍的第六裝甲師已經把其微弱兵力的大部分，調往北部英軍地段的方面，因為從戰略上來說，那對於他們在薩來諾地區的防禦是一個比較重大的威脅。美國人遂利用這個機會來擴大他們的灘頭陣地，並把他們的海上游動預備隊第四十五師的大部分，也都送上岸來。此時，英軍第五十六師已在清晨攻占蒙特柯維諾機場和貝提巴格里亞鎮。但德軍以兩個摩托化步兵營和一些戰車，發動了一次逆襲，遂又把英軍逐出該鎮——並且產生局部性的恐怖現象，甚至於在英軍的戰車尚未來得及救援之前，連近衛旅的一部分也都聞風潰逃。

當天夜裡，第五十六師使用三個旅的兵力發動一次攻擊，以奪占艾波利山地的最高峰，但只獲得輕微的進展，並再度進入貝提巴格里亞鎮。第四十六師占領了薩來諾城，並派遣一個旅去接替突擊隊，卻未能繼續向北推進。在美軍方面，新加入的第四十五師已向內陸挺進十餘哩，通過皮沙諾（Persano）達到塞爾河的東岸，並接近在塞爾橋（Ponte Sele）的道路中心，這也就是理想中灘頭陣地第三線的頂點。但推進到此地即開始受阻，並且終於被迫撤退，因為有一個德軍摩托化步兵營，加上八輛戰車，已經從英軍方面調回，越過塞爾河發動一次逆襲。所以到第三天結束時，聯軍的四個師都已登陸，一些額外的部隊加起來也還可以相當於一個師的兵力，但仍然還是局限在兩個很淺而又分離的灘頭上，至於周圍的高地和通向沿岸平坦地帶的通道，卻都控制在德軍的手中。聯軍想在第三天達到那不勒斯的希望已經幻滅。以戰鬥實力而言，德軍第十六裝甲師僅相當於聯軍一個師的一半，但卻已經成功的阻止了聯軍，並替德國的增援爭取到必要的時間餘裕。

第一個趕到的是第二十九裝甲步兵師，它早已在從卡拉布里亞向後撤退的途中；此外正在整補中的「戈林」師，也勉強抽出了一個戰鬥群（兩個步兵營加上二十輛左右的戰車）。這個戰鬥群來自那不勒斯地區，突破英軍設在摩利納隘道上的防線，進至費特利附近。到九月十三日，由於突擊隊再投入戰鬥，才將其擊退。儘管如此，隘道現在已經被德軍完全封鎖。非常明顯的，英軍第十軍已經被局限在薩來諾附近狹窄的沿岸地區內，而周圍的高地則都控制在德軍手中。此時，在南面地段中所發生的情況，卻更使克拉克原有的信心產生更嚴重的動搖。因為第二十九裝甲步兵師和第十六裝甲師的一部分，已經衝入英美兩軍之間的缺口。在九月十二日黃昏，英軍的右翼又再度被逐出貝提巴格里亞，並受到重大的損失，尤以被俘者為甚。九月十三日，德軍利用英美兩軍間之空隙益形擴大的機會，開始對美軍左翼發動一次反擊，將其逐出皮沙諾，並造成全面的退卻。德軍在混亂之中已在好幾個地方突入美軍戰線，其中某一點距離灘頭大約只有半哩之遙。

那天夜間的情況已經顯得如此嚴重，所以在南區的所有商船都已停止卸載的工作。此外，克拉克已向希維特發出緊急要求，要他準備接運第五軍團司令部上船，並集中一切的登陸艇以便把第六軍的部隊撤出灘頭，再將他們送往英軍地區登陸；或是把第十軍（英軍）調到南面地區來。這樣大規模的緊急調動實際上是不可能的，所以這種建議也就引起麥克里和其海軍同僚奧利佛代將（Commodore Oliver）的激烈抗議。當這個消息傳到高級司令部時，也使艾森豪和亞歷山大大為震動。但這也幫助加速增援部隊的送達，有十八艘戰車登陸艦本來是要前往印度的，現在中途被留下來參加救援的工作。第八十二空降師也已撥交克拉克指揮，在下午接到他的緊急要求之後，在當天黃昏，李奇威即已勉強使第一批傘兵降落在南面灘頭之內。九月十五日英國第七裝甲師開始在北面灘頭登陸。但到此時，危機卻早已過去，這大部分應該感謝同盟國海權和空權的迅速緊急救應。

在九月十四日那天，所有一切在地中海戰區的飛機，包括戰略和戰術空軍在內，都傾全力來攻擊德國部隊及其近後方的交通線。在這一天之內，他們總共出動一千九百架次。阻止德軍衝入灘頭更有效的手段是海軍的砲火。魏庭霍夫事後曾對此追述如下：

> 這天上午的攻擊受到強烈的抵抗，但最厲害的還是前進的部隊必須忍受他們從未經驗過的強大火力——至少有十六艘到十八艘戰鬥艦、巡洋艦和大型驅逐艦，一字排開在海上發射他們的砲火。此種火力是驚人的準確和靈活，任何目標一經發現就很難逃避毀滅的命運。

有了這種強力的支援，美國部隊終於守住其最後一道防線，那也就是他們在前一夜所退回的位置。

十五日暫時休息一天。德軍正在忙於重組其被砲彈和炸彈所擊破的單位以圖再舉，同時也有一些援兵到達。仍然沒有戰車的第二十六裝甲師已經從卡拉布里亞趕來，在聯軍登陸薩來諾的那一天，就奉到魏庭霍夫的命令要它從蒙哥馬利的正面上溜走。第三和第十五兩個裝甲步兵師的支隊，也同時分別從羅馬和加艾大地區趕來。但即令有了這些增援，德軍現有的兵力也還只是相當於四個師，和總數一百多輛的戰車。反之，至了九月十六日那一天，第五軍團在岸上的兵力已經相當於七個較大型的師，而戰車則為二百輛左右。除了在他們的優勢兵力尚未發生效力之前，其士氣即將崩潰的可能危險以外，聯軍當局似乎已經沒有什麼其他值得煩惱的。而且第八軍團現在也已經近在咫尺，所以更增強了此種優勢，並進而威脅敵人的側翼。

那天（十五日）上午，亞歷山大來到克拉克司令部視察，他是乘坐一艘驅逐艦從比塞大前來的，並巡視了各個灘頭。他使用其特有的圓滑手段，打消了撤退任何灘頭的建議。前一天下午，英國戰鬥艦「戰恨」號（Warspite）和「英勇」號（Valiant），率領著六艘驅逐艦也從馬爾他趕來助戰——並於上午十時到達，構成一個新的奧援。由於艦上和前進觀察員之間的通信聯絡發生遲誤，所以他們一直到七個小時之後才開始行動，但是艦砲一經發射之後，其十五吋口徑艦砲的重型砲彈能夠擊中深入內陸十二哩的目標，在精神和物質上都足以產生摧毀的效力。

那天上午，又有一批戰地記者從第八軍團方面趕來。他們感覺到第八軍團的前進實在是太慢，而且也沒有那樣慎重的必要，所以他們在前一天決定單獨前進，分別乘坐兩輛吉普車，利用偏僻小路以避免通過主要道路上已被破壞的橋梁，這樣在「敵方」地區中走了五十哩並未遇到任何德國人。又過了二十七個小時，第八軍團的先頭搜索部隊才和第五軍團取得連繫。

九月十六日的上午，德軍再度從英軍地區開始發動反擊，一支部隊從北指向薩來諾，另一支部隊則指向貝提巴格里亞。這些攻擊都被聯軍的砲兵、海軍和戰車的協同火力所擊退。這一次的失敗再加上第八軍團的到來，遂使凱賽林認為把聯軍趕下海去的可能性已經不再存在。所以，在那一天黃昏，他命令「擺脫海岸戰線」，並逐漸向北撤退。第一步是撤退到那不勒斯以北二十哩的弗爾吐諾河之線——他並且規定這一條防線應守到十月中旬為止。

由於在擊退德軍的反擊時，海軍的砲火提供極大的貢獻——雖然是在大型軍艦尚未到達之前即已如此——但使德國人感到安慰的，卻是在那天下午，英國戰鬥艦「戰恨」號被新型的FX 1400無線電導引滑翔炸彈直接命中，而喪失了行動能力。當德國前同盟義大利的主力艦隊於九月九日從斯培西亞駛出，準備前往加入聯軍的海軍時，他們也使用同樣的新武器作了一次送別的打擊——擊沉了義大利的旗艦「羅馬」號（Roma）。

從分析上看來，一旦當德軍想把聯軍趕下海去的努力失敗之後，其從薩來諾的撤退也就勢所必然。因為凱賽林雖然已經盡量利用他所謂的「蒙哥馬利非常謹慎的前進」所容許的一切機會，但很明顯的，當英國第八軍團已經從狹窄的卡拉布里亞半島鑽出到達現場，並且已能從內陸前進迂迴其陣地時，他也就不可能再懸掛在這一條西海岸之線上了。他的兵力太少，無法掩護如此日益加寬的正面。但是此種威脅的發展又還是不夠快，所以並不能妨礙或加速德軍的撤退。因為直到九月二十日下午，第八軍團才有一支加拿大的先頭部隊進入波田沙（Potenza）——那是義大利「腳踝」部分主要的道路中心，從薩來諾灣向內地深入約五十哩。在前一天下午，有一百名德國傘兵匆匆趕到波田沙設防，他們使加拿大部隊停頓了一夜。第二天為了要克服他們的抵抗，加拿大部隊用一旅兵力發動攻擊——即差不多超過德軍三十倍的實力，這證明在混亂情況中，有技巧的防禦是具有如何巨大的遲滯能力。這個攻擊固然迫使德軍那小型的支隊撤退，並俘虜了十六名德國兵，但在對該鎮發動攻擊前的空中攻擊中，卻冤枉殺死了將近二千名的義大利平民。在爾後的一個星期內，加拿大的搜索部隊很謹慎的推進到美爾費（Melfi），只向北前進了四十哩，並且也只與敵軍後衛有極短暫的接觸。此時第八軍團的主力則早已停止不前，因為其補給已經感到缺乏，而其補給線又正向義大利東南角的大蘭多和布林狄希兩個港口移動。

在義大利「腳跟」部分的登陸，不曾遭遇任何抵抗。在六月間，當聯合參謀首長會議已經命令艾森豪準備擬定在西西里被攻占後的計畫時，大蘭多本是列為優先考慮的目標之一。但它卻被剔除了，主要是因為它不合乎艾森豪手下那些幕僚人員所杜撰的基本原則：即在戰鬥機掩護極限外絕不可企圖作有抵抗的登陸。噴火式戰鬥機的作戰半徑為一百八十哩，若以西西里東北部的機場為基地，大蘭多和那不勒斯都恰好位於這個半徑之外，而薩來諾卻剛剛在其半徑之內。僅當九月三日同盟國已與義大利簽訂休戰條約之後，大蘭多的計畫才又舊調重彈。於是才被加在整個侵入作戰計畫之內作為一種臨時的輔助行動——其代字為「擊板作戰」（Operation Slapstick）。採取這個行動的理由係根據情報，德國在義大利「靴跟」地區只駐有極少量的部隊，以後才又認清了，即令能夠占領和利用那不勒斯港，也還是不足以同時支持在亞平寧山脈（Apennines）東西兩側的前進。

康寧漢上將曾經主動建議採取此項行動，他告訴艾森豪說，假使為了這個目的能夠籌出必要的兵力，則他願意負責提供載運他們的船隻。那時候，在突尼西亞能夠動用的兵力就只有英國第一空降師，因為缺乏足夠的運輸機來執行空降作戰，所以就決定使用該師來執行這個助攻計畫。這些部隊匆匆的裝上五艘巡洋艦和一艘布雷艇，在九月八日黃昏從比塞大發航駛往大蘭多。次日下午，當這支艦隊接近大蘭多時，它遇到以大蘭多為基地的義大利海軍支隊，該支隊正在駛往馬爾他向聯軍投降的途中。在天黑時艦隊進港口，發現大部分的設施都完整無恙。兩天之後又連續占領布林狄希（義大利國王和總理巴多格里奧元帥均已由羅馬逃至此地）和六十哩以外的巴利（Bari）——那是在義大利「腳踝」的背面上，所以在這個地區中已經獲得三個大港，足夠支持在東海岸方面的任何前進。而在西海岸方面卻還是一事無成——同時這也是至為明顯的，由於從薩來諾的進攻，遲遲未能到達那不勒斯，所以也就給德國人以充分的時間，在放棄該港之前先加以徹底的破壞。

由於事先缺乏遠見，事後又未能作適當的補救努力，所以儘管在東海岸上有這樣奇異的機會出現，而聯軍當局卻還是失之交臂。「擊板」這個代字似乎是未免太適當。因為最初所考慮到的目標就是占領港口，所以當第一空降師出發時，除了幾輛吉普車以外，並未攜帶任何其他的運輸車輛。這樣的情況一直維持到九月十四日為止。在這五天之內，少數乘坐吉普車和徵集來的車輛的搜索部隊，曾經一直向北推進到巴利，都不曾在這個廣大的海岸地帶內發現任何敵蹤。因為在這個地區中本來就只有一個已經殘破的德國第一空降師，它的一部分已經奉命開入薩來諾地區增援，而其餘的部分則奉命撤到大蘭多以北一百二十哩處的福查，以掩護凱賽林的東面縱深翼側。但甚至於當運輸工具已經運到足以恢復英國部隊的機動時，他們也還是被扣留在那裡不准自由行動，以便等待對東海岸方面作大規模前進所作的計畫和準備，可以一板一眼的慢慢地進行。堅持這種小心翼翼的老毛病，在這個時候可以說是極為不幸，因為它把一切最好的機會都錯過了。此時德國第一傘兵師的位置已經太退後，不能作有效的反擊，而其全部戰鬥實力也只有一千三百人；反之，英國人已有的兵力比他們大四倍，而且還有更多的援兵正在增援的途中。但這一切都是空話，因為上述的老看病還是改不掉。

這一方面的作戰指導，是由第五軍的軍長阿弗里將軍（General Allfrey）負責——去年十二月間對突尼斯那次太謹慎和夭折的前進就是由他指揮的——他現有的任務經亞歷山大確定如下：「在義大利腳跟上確保一個基地，以掩護大蘭多和布林狄希兩個港口，如果可能，則巴利亦應包括在內，並同時注意對爾後前進的準備。」九月十三日，第五軍又歸入第八軍團的指揮系統之內，於是任何超越此種限度的提早攻擊也就更無可能，因為蒙哥馬利更是一生謹慎，在尚未集中充分的資源前是絕不肯冒險前進的。

九月二十二日，第七十八師開始在巴利下船上岸，接著第八印度師也在布林狄希登陸，而鄧普賽的第十三軍也正開始向東海岸方面轉移。但直到九月二十七日，才有一支小型的機動部隊，奉命從巴利前進去搜索敵情。他們輕鬆的占領了福查——因為德軍知道英軍來到時就立即自動撤退——所以那個非常有價值的機場遂未發一彈即被占領。甚至於到了這時，蒙哥馬利還是堅持其原有的命令，在十月一日以前不准任何主力部隊前進。而等到他開始前進時，所用的兵力又只限於第十三軍的兩個師，而把第五軍的三個師都留在後方，以求確保一個「穩固的基地」，並保護其對內陸方面的側翼。

德國第一傘兵師現在所據守的是一條沿著比費諾河（Biferno River）的防線，並且也掩護著在特木利（Termoli）的一個小型港口——以其單薄的兵力而言，實在是一個非常寬廣的正面。蒙哥馬利對於此一線的攻擊頗有良好的計畫，他使用一支海運部隊去進襲敵軍後方。十月三日的清晨，一個特勤旅（Special Service Brigade）在特木利的北面登陸，利用黑夜的奇襲，在大雨中迅速的攻占港口和市鎮，並與正面攻擊部隊在河岸上所建立的橋頭陣地連成一氣。在此後兩天之內，又有屬於第七十八師的兩個步兵旅，陸續從巴勒塔（Barletta）以海運送達特木利，以增強橋頭陣地並支持繼續的前進。

但德國軍團司令魏庭霍夫，利用英國人行動遲緩的機會，早已在十月二日，從西海岸弗爾吐諾河防線上抽出第十六裝甲師，以增援單薄的傘兵防線。這支部隊迅速的越過義大利的中央山脈，於十月五日清晨到達特木利附近，並立即發動攻擊，把英軍趕到該鎮的邊緣上，並幾乎切斷其向南面的交通線。但當第七十八師把它從海上運來的援兵投入戰鬥，再加上英國和加拿大戰車的強大增援之後，德軍又終於被擊退。

德軍於是擺脫戰鬥，撤退到掩護次一道河川線的陣地上，那就是北面十二哩外的特里格諾河（Trigno）。德軍這一次的猛烈反擊，對蒙哥馬利產生了極深刻的印象，使他暫停了兩個星期的時間，來重新部署兵力和集中補給，然後才敢進攻特里格諾防線。

此時，克拉克的第五軍團也慢慢地從薩來諾沿著西海岸向北推進，並試圖促使魏庭霍夫的德國第十軍團加速撤退。第一階段頗為膠著，因為德軍的右翼頑強的據守著薩來諾以北的丘陵地帶，以掩護其左翼的撤退，後者則正在從貝提巴格里亞和巴斯通附近的南端海岸作車輪式的迴轉。在此種撤退開始後約一星期，英國第十軍才在九月二十三日發動攻擊，想要打通從薩來諾到那不勒斯的道路。在這次攻擊中，第十軍不僅使用了第四十六師和第五十六師，而且還有第七裝甲師，再加上一個額外的裝甲旅。至於德軍據守那些隘道的兵力則不過三、四個營而已。一直到九月二十六日，英軍還是沒有什麼進展，後來才發現德軍已於前一夜安全的撤走了——他們已經完成爭取時間以掩護其南翼友軍撤退的任務。自此以後，聯軍的前進就只有被爆破的橋梁構成主要的障礙。九月二十八日，第十軍進入諾塞拉（Nocera）附近的平原，但直到十月一日，其先頭部隊才進入那不勒斯城，其間的距離不過二十哩而已。

此時美國第六軍沿著一路為爆破所阻塞的內陸道路緩慢前進，亦已到達和第十軍平行的位置——它平均一天只前進三哩——並於十月二日進入貝勒芬托（Benevento）。這個軍現在已由一位新的軍長魯卡斯少將（Major-General John P. Lucas），接替了道萊的職務。

第五軍團自從登陸之日算起，一共花了三個星期的時間才到達其原定目標——那不勒斯城。其付出的代價為約近一萬二千人的損失——其中英軍約七千人，美軍約五千人。這也是聯軍當局所應接受的懲罰，因為他們基於薩來諾地區剛好在空軍掩護極限內的理由，遂完全犧牲奇襲，而選擇此一太明顯的攻擊路線和登陸地點。

德軍早已撤退到弗爾吐諾河防線，但第五軍團卻又過了一個星期才開始向它前進。由於雨季比往常提早了一個月，在十月初旬即已來到，泥濘的道路和浸濕的地面，對於聯軍的前進也就構成最大的阻礙。弗爾吐諾防線現在是由三個師的德軍據守著，第五軍團於十月十二日夜間開始向它發動攻擊，這又比原來的計畫行動遲了三夜。美國第六軍在加普亞（Capua）以上的地方，獲得一處橋頭陣地，但由於英國第十軍的右翼嘗試在加普亞（在從那不勒斯到羅馬的主要道路上）渡河時受到挫敗，遂使美國人也未能繼續擴張其戰果。其他兩師英軍雖然在靠近海岸的地段分別作小規模的渡河，但都為德軍迅速的逆襲所擊退。所以德軍能夠達成凱賽林所賦予他們的任務，即堅守此線到十月十六日為止，然後再撤退到十五哩以北的次一道防線上——後者為一條在匆忙中設置起來的防線，從加里格里諾（Garigliano）河口附近開始，通過一片險惡的丘陵，沿著第六號公路和通過米格納諾（Mignano）隘道，以達加里格里諾河的上游和其支流——拉皮多河（Rapido）和利里河（Liri）——的河谷。凱賽林希望利用這一條外圍防線來爭取時間，好讓他完成一道堅強的防線供長期防禦之用。這一條稍為退後的主陣地稱之為「古斯塔夫防線」（Gustav Line）或「冬季防線」（Winter Line）——那是一條有精密設計的防線，沿著加里格里諾河和拉皮多河，而以卡西諾（Cassino）隘道為其樞軸。

惡劣的天氣和爆破的橋梁使第五軍團對德國外圍防線的攻擊又再延遲了三個星期，直到十一月五日才發動。到那時德軍的抵抗已經顯得如此頑強，以至於雖然經過十天的苦鬥，除了沿海岸的側翼方面以外，幾乎是毫無進展可言。克拉克只好調回他的疲憊部隊，準備加以重組之後，再來發動一次更強大的攻勢。這樣又拖到十二月初才完成一切準備。到十一月中旬為止，第五軍團的損失已經增到二萬二千人——其中約有一萬二千人為美國人。

在這樣長久的拖延戰中，希特勒的看法也就發生非常重大的改變。由於聯軍從薩來諾和巴利的前進都非常的緩慢，於是使他受到鼓勵，而感覺到也許已沒有從義大利北部撤回部隊的必要。於是在十月四日他下了一道命令，認為「加艾大到奧托納（Ortona）之線必須堅守」——並從在義大利北部的隆美爾「B」集團軍中抽出三個師給凱賽林，以幫助他盡可能守住羅馬以南的地區，時間愈長愈好。希特勒已經逐漸偏向凱賽林所主張的長久據守的觀念，不過一直到十一月二十一日，他才確定採取這種路線，並開始把在義大利境內的全部德國軍隊都交給凱賽林指揮。隆美爾的集團軍被解散，所剩下的部隊現在都移交給凱賽林使用。儘管如此，但對於凱賽林的幫助實際上卻並不太大，因為凱賽林還是要在北部留下一部分兵力，以控制和保護那樣廣大的地區，而且四個最好的師，其中三個都是裝甲師，又已被送往俄國方面，代替他們的卻是三個已經殘破而需要整補的師。

第九十裝甲步兵師的到達雖然是一個較小的增援，但卻比較有價值。當義大利休戰時，這個師還駐在薩丁尼亞，但接著就越過狹窄的波尼法喬（Bonifacio）海峽，撤退到科西嘉島。然後再利用空運和海運撤到義大利大陸上的來亨（Leghorn）港。那是化整為零以躲避同盟國海空軍的攔截，所以一共花了兩個星期的時間——不過這種攔截的努力還是很輕微。一直又過了六個星期，這個師才撥交給凱賽林指揮，凱賽林立即將其南調，用來幫助阻止第八軍團在東海岸方面拖了許多才再度發動的攻勢。

在希特勒決定把義大利境內所有的德軍都交給凱賽林指揮之後，就定名為「C」集團軍。此時蒙哥馬利已經開始對沿著桑格羅河（Sangro）的德軍陣地發動一個試探性的攻擊——這個陣地是掩護奧托納以及古斯塔夫防線在亞德里亞海方面的延長段。

自從十月初在越過比賽諾河時受到頑強的抵抗以後，蒙哥馬利即已經把第五軍調到沿海的地段，而第十三軍則移向多山的內陸方面，在那一方面德軍的後衛曾一再的阻止加拿大部隊的前進。經過這次重組之後，第五軍就進向特里格諾河上（距離比費諾河不過十二哩），並於十月二十二日的夜間攻占了一個小型的橋頭陣地。在二十七日又作一次較大規模的夜間攻擊將戰果擴大。但卻受到泥濘和火力的聯合阻力，所以直到十一月三日的夜間才終於突入敵軍的主陣地。德軍乃再行撤退至北面十七哩外的桑格羅河之線。

接著又停頓了很長的時間，蒙哥馬利一方面準備攻勢，另一方面把新的紐西蘭第二師又調上前線，加上這一支強大的援軍之後，其在桑格羅攻勢中的兵力已增到五個步兵師和兩個裝甲旅。此時面對著第八軍團的德國第七十六裝甲軍已經接收了第六十五步兵師，用來接替第十六裝甲師防守沿海岸地段，而後者則正要被調往俄國方面。除此之外，它就只有第一傘兵師的殘部和第二十六裝甲師的一個戰鬥群，那是在聯軍第五軍團的壓力減輕之後，才又陸續的再調回到東海岸方面來的。

蒙哥馬利在桑格羅攻勢中的目的，是想首先擊破德國人冬季防線，然後再前進二十哩到佩斯卡拉（Pescara），切斷由東到西從那裡通往羅馬的公路，並威脅正在與第五軍團相持的德軍後背。亞歷山大則仍希望依照兩個月前他在九月二十一日所頒發的訓令行事，其中曾把聯軍所應達到的目標分為四個階段──（一）鞏固薩來諾到巴利之線；（二）攻占那不勒斯港和福查機場；（三）攻占羅馬和其機場，以及在特尼（Terni）的重要公路和鐵路中心；（四）攻占羅馬以北一百五十哩的來亨港和佛羅倫斯（Florence）及阿雷佐（Arezzo）兩個交通中心。十一月八日，亞歷山大頒發一道新的訓令，再度說明羅馬的迅速攻占實為全部作戰的關鍵，而艾森豪也曾給予類似的指示。

蒙哥馬利的攻勢計畫在十一月二十日發動，但由於天氣轉劣與河水暴漲，迫使他把最初的突擊縮小成為一種有限的努力。經過幾天的戰鬥，才獲得一個寬約六哩和深僅一哩的橋頭陣地。又經過很大的困難才勉強把這個陣地維持住，直到二十八日夜間大規模攻擊發動時為止——比預定的時間已經遲了一個星期。但蒙哥馬利對於這次攻勢的勝利似乎還是深具信心，當他在二十五日親自向其部隊訓話時，曾經這樣的宣布著說：「現在是把德國人趕到羅馬以北去的時候了……事實上，德國的一切情況正如我們所預料，我們現在可以痛擊他們。」但當他走出他的指揮車撐著一把傘站在豪雨中向部隊訓話時，似乎即已暗示不祥之兆。

攻擊的發動很順利，在巨大空軍和砲兵火力掩護之下，聯軍在數量上也享有五比一的優勢。敵方的第六十五師——一個由不同國籍人員混合編成的新部隊，而且裝備也很惡劣——在這樣的壓力之下遂自動撤退，於是到十一月三十日，在桑格羅河對岸分水嶺的德軍即被肅清。但德軍卻退而不潰，又重新集結兵力據守其主陣地防線。由於蒙哥馬利一再強調「穩固基地」的建立，所以也使德軍所感受的壓力逐漸減輕。尤其是在十二月二日和三日，英軍對於內陸側面上的奧索格納（Orsogna）更是坐失良機。於是也就使凱賽林有時間調集第二十六裝甲師的剩餘部分，和從北面來的第九十裝甲步兵師去增援東海岸方面。因此英軍的前進遂日益困難，真是「過了一道河又過一道河」。直到十二月十日，第八軍團才渡過摩羅河，那距離桑格羅河不過八哩，而又到十二月二十八日，才肅清奧托納鎮，該鎮距摩羅河岸也只有兩哩遠。然後就在利希奧河（Riccio）上被阻，那是到佩斯卡拉、佩斯卡拉河和通往羅馬的橫貫公路全程的一半。這也就是一九四三年年底僵持局面的頂點。此時蒙哥馬利已經把第八軍團的指揮權移交給李斯（Oliver Leese），而他本人則調回英國接管第二十一集團軍，並準備諾曼第的渡海攻擊戰。

此時，克拉克在亞平寧山脈以西，於十二月二日再度發動新的攻勢。此時，第五軍團的兵力已經增到相當於十個師的標準，不過其中的美國第八十二空降師和第七裝甲師，正在向英國撤回，以便參加越過海峽的攻擊。凱賽林的兵力也已經增加，現在有三個師據守亞平寧山脈以西的戰線，另有一個師充任預備隊。

在第五軍團新攻勢的第一階段，其目標為聳立在第六號公路以西的山地和米格納諾隘道。英軍第十軍和新來到的美國第二軍——軍長為凱斯少將（Major-General Geoffrey Keyes）——被用來執行此次攻擊任務，支援的火砲在九百門以上，在頭兩天內向德軍陣地一共發射了四千噸以上的砲彈。十二月三日英軍幾乎已經達到三千呎高的卡米諾峰（Monte Camino），但卻被德軍的反擊所逐退，直到十二月六日才再度確實占領該峰。這樣也就使他們進達加里格里諾河之線。此時在右翼方面的美軍已經攻占狄芬沙峰（Monte La Difensa）和馬奏列峰（Monte Maggiore），這些都是較低的山峰，但比較接近通過隘道的公路。在十二月七日開始的第二階段中，美國第二軍和英國第六軍同時以較寬廣的正面向拉皮多河進攻，希望從兩側作深入的突擊，以肅清在第六號公路以東山地中的敵軍。但他們所遇到的抵抗卻日益增強，在以後的幾個星期之內。雖然曾連續不斷的努力，但所獲得的不過是全程幾哩中的「寸進」（inching）而已。到一月的第二個星期，這個攻勢遂漸成尾聲，但仍然還是沒有到達拉皮多河與「古斯塔夫防線」的前緣。第五軍團的戰鬥損失已經增到接近四萬人之數——這個總數遠超過敵方損失的數字。此外在這兩個月冬季的山地苦戰中，專就美軍而言，其病患的損失更高達五萬人之多。

對義大利侵入戰的經過實在是非常令人感到失望。在四個月當中，聯軍以薩來諾為發起點，一共只前進了七十哩——大部分是最初幾個星期的成就——但距離羅馬還差八十哩。亞歷山大把這種情形描述為「步履艱難地走向義大利」。但在那年秋天，一般人所常用的形容詞卻是「寸進」，這個名詞那也就是一寸又一寸的向前移動。因為這個國家的地理形狀很像一條腿，所以「蠶食」也許是一種更適當的形容。

即令把地形和天候的困難都計畫在內，這個戰役仍然應該可以進展得較快。從對戰役的檢討中可以明白的顯示出來，聯軍曾經多次錯過迅速進展的有利機會。聯軍指揮官在尚未前進之前花費太多的時間去集結充足的兵力和補給，每進一步又要停下來「鞏固」其所得的地步，在「穩固的基地」尚未建立之前，又決不敢再繼續推進。一次又一次，都因為他們害怕獲得「太少」（too little）而結果終於變得「太遲」（too late）。

在評論這次戰役時，凱賽林曾經非常有意義的指出：

> 聯軍的計畫徹底表現出其高級指揮部的基本思想就是希望有必勝的把握，這種思想也就導致它使用正統的方法和物資。其結果是儘管偵察工具既不適當，而情報又極感缺乏，但我幾乎仍然能夠準確的預知對方次一步的戰略或戰術的行動——所以也就能夠在我所有的資源限度內來尋求適當的對策。

但對於聯軍來說，最大的錯誤是他們根本就不應該選擇薩來諾和義大利的「趾頭」作為登陸的地點——這種選擇是以他們的謹慎習慣為基礎，所以也就太容易被對方猜中。凱賽林和他的參謀長魏斯特伐——是那種太明顯決定的獲益人——都認為由於聯軍希望能對空中攻擊確保戰術性的安全，所以結果也就付出了嚴重的戰略代價——實際上，當時德國空軍在義大利南部的實力非常的薄弱，所以這實在是一種過慮。同時他們又感覺到，聯軍總是把攻擊的範圍局限在經常有空中掩護的極限內，這種習慣是防禦者的救星，因為它使複雜的防禦問題變得大為簡化。

關於聯軍所應採取的路線，魏斯特伐曾發表下述的意見：

假使用在薩來諾登陸的兵力能夠改用在契維塔費齊亞（Civitavecchia）——在羅馬以北三十哩——則結果將大不相同，而達具有決定性……在羅馬只有兩個師的德軍，而且……沒有其他的兵力可以迅速抽調供防禦之用。若能更進一步與在羅馬地區所駐紮的五個義大利師取得聯繫，則一個聯合性的海空登陸應在七十二小時內攻占義大利的首都。這樣的勝利除了能產生重大的政治影響外，又還可以在一擊之下切斷正在卡拉布里亞後撤的五個德國師的補給線……那也就會使在羅馬—佩斯卡拉之線以南的整個義大利都落入聯軍的手裡。

魏斯特伐同時又認為，讓蒙哥馬利第八軍團在義大利「趾頭」上登陸也是一大錯誤，從那裡必須經過「腳部」的全長，而耽誤了在義大利暴露的「腳跟」，和沿著整個亞德里亞海岸線的較大機會。他說：

英國第八軍的全部實力應該在大蘭多地區登陸，德軍在那裡只有一個傘兵師（並且僅有三個師屬砲兵連）。若能在佩斯卡拉—安科那（Ancona）地區登陸，那當然更好……因為我們缺乏可用的兵力，所以將無法從羅馬地區去對此一登陸作任何抵抗。而且這時從義大利北部波河平原也無兵可調。

同樣的，假使聯軍的主力，第五軍團不在薩來諾而改在大蘭多登陸，則凱賽林的兵力也不可能迅速的從西海岸調到東南海岸方面去加以攔截。

總而言之，自始至終聯軍對於他們自己的最大本錢，兩棲能力，也不曾好好的加以利用——而這種疏忽也就變成他們的最大障礙。凱賽林和魏斯特伐的證詞，也可以反證邱吉爾所作的結論是正確的。他曾在十二月十九日從迦太基（Carthage）發了一份電報給英國的參謀首長。其中有說：

> 義大利方面整個戰役的遲滯，簡直是可恥……完全忽視了在亞德里亞海方面採取兩棲行動，以及在西海岸也未能作任何類似的攻擊，實在是大錯而特錯。
>
> 三個月來留在地中海的所有登陸艇，都不曾作最輕微的使用（為了突擊的目的）……對於如此有價值的力量竟然如此完全浪費掉，在這個戰爭中是很難找到同樣的例子。

不過他還是不曾認清聯軍方面錯誤的根源，乃在於戰爭準則（Doctrine of War）——也就是採取了銀行家謹慎的原則：「無擔保就不得借支」（no advance without security）。

第二十八章　德國在俄國的退潮

一九四三年年初，德國在高加索的軍隊似乎將要遭遇到和在史達林格勒的軍隊一樣的命運。他們陷入重圍的程度要比後者更深。但是當史達林格勒已經被圍困之後，他們卻被留置在高加索達一個月以上，而天氣日益寒冷，危險也日益增大。所以對於組成「A」集團軍的第一裝甲軍團和第十七軍團而言，其前途實在是異常的黑暗——克萊斯特將軍已經接替李斯特元帥擔任集團軍總司令。

在一月的第一個星期內，由於受到多方包圍的威脅，「A」集團軍的情況已經顯得險象環生。最直接感受威脅的是它的頭部已經陷入高加索山脈之中。俄軍首先在摩斯多克（Mozdok）附近先打一記在它的左頰上，接著又在那契克（Nalchik）附近再打一記在它的右頰上，並且收復了這些地方。比較更危險的是，俄軍又同時越過在其左翼後方二百哩以外的卡穆克大草原（Kalmuk Steppes）前進，以打擊在該集團軍與「頓河」集團軍之間的交點上。在攻占艾利斯塔

（Elista）之後，俄軍越過馬尼赤湖（Lake Manych）的下端，直趨亞馬維爾（Armavir）——克萊斯特集團軍與羅斯托夫之間的交通線即經過該地。最危險的還是俄軍又從史達林格勒的方向，突然向南衝到頓河之線，直趨羅斯托夫城。俄軍的一支矛頭距離該「瓶頸」已在五十哩之內。

當克萊斯特獲悉這個驚人的消息的同一天，他也接到希特勒發來的嚴令，告訴他無論在何種情況之下都不得撤退。在那個時候，他的第一裝甲軍團在羅斯托夫的東面，其間相距差不多有四百哩。次日，他又接到一道新的命令——要他連同所有一切的裝備迅速撤出高加索地區。要達到這個要求，不僅要克服距離的障礙，而且還要和時間賽跑。

為了保留羅斯托夫的道路供第一裝甲軍團專用，所以第十七軍團奉命向西沿著庫班河撤回塔曼（Taman）半島，必要時可以從那裡越過克赤海峽退入克里米亞。這一步撤退不能算長，而最近在土普塞（Tuapse）附近沿海地帶中尚在圍困中的俄國部隊也不夠強大，不足以對撤退中的第十七軍團構成危險的壓力。

兩相對比，第一裝甲軍團的撤退卻是充滿了危險，包括直接的和間接的在內。最危險的階段是從一月十五日到二月一日，過了此時該軍團的主力即已到達羅斯托夫。即令如此，其繼續撤退的路線雖然已經不那麼受到限制，但在二百哩的全程上仍然到處都受到俄軍的威脅。

一月十日，在德軍拒絕最後的招降之後，羅柯索夫斯基將軍（General Rokossovsky）即開始對圍困在克萊斯特的德軍發動一個向心的攻擊。包拉斯的部隊在饑寒交迫、彈盡援絕的狀況下，根本已無能力作強烈的或長期的抵抗。要他們突圍而出則更無可能。所以俄軍可以抽出一部分圍攻的兵力前往南面增援，俾切斷德軍在高加索的部隊。而且包圍團愈縮小，則所能抽出的兵力也就愈多。

當史達林格勒開始上演最後一幕時，克萊斯特的兵力已經從插入高加索的刀尖上撤回，正停留在球馬河（Kuma River）上，位於匹提戈斯克（Pyatigorsk）和布登洛夫斯克（Budenovsk）之間。十天之後，俄軍從艾利斯塔向南攻擊，到達在球馬河之線後方一百餘哩外的某一點。但到此時，克萊斯特的縱隊已經退到亞馬維爾附近，已經通過最危險之點。

儘管如此，由於較強大的俄軍兵力已從頓河的兩岸直趨羅斯托夫，所以在遙遠的後方正發生嚴重的危機。在東面的俄軍現在已經接近馬尼赤河和沙爾斯克（Salsk）的鐵路交點。在西面他們已經進至頓內次河上，距離該河與頓河之交匯點沒有多遠。克萊斯特的後衛距羅斯托夫的距離仍然要比俄軍遠了三倍。而且，曼斯坦的部隊已經疲憊不堪，為了要想掩護克萊斯特撤退走廊的側面，已經受到嚴重的壓力，幾乎隨時都有崩潰的危險。

但是撤退的德軍終於贏得這個競賽，勉強的從陷阱中逃出。十天之後，克萊斯特的後衛已經接近羅斯托夫，而俄軍的攔截卻完全落空。對於德國人而言可以說是很僥倖，大雪遍地使俄軍的行為能力受到限制，所以當他們離開鐵路線終點之後，也就不能夠迅速集中強大的兵力來封鎖陷阱。不過這次德軍逃脫的機會也還是間不容髮。曼斯坦的部隊在那種暴露的位置上撐持得太久，以至於幾乎斷送他們自己撤退的機會——結果克萊斯特部隊中的某幾個師，又只好反轉身來去救助他們脫險。

正當在史達林格勒的部隊崩潰之際，從高加索撤回的部隊卻已安全的在羅斯托夫渡過頓河。包拉斯和其部隊的大部分則在一月三十一日投降。其最後的殘部也在二月二日投降。自從三個星期以前開始攻擊以來，俄軍收容的戰俘共為九萬二千人，但德軍損失的總數卻比這個數字幾乎大了三倍。在投降者之中有二十四位將官。雖然在東戰場上的德軍將領隨身都帶有一小管的毒藥，以便當他們一旦落入俄國人手中時可以自殺，但事實上似乎很少有人使用。僅當一九四四年七月二十日謀刺希特勒的陰謀失敗之後，德國將領才開始服毒自殺，以免遭落入「蓋世太保」（Gestapo）手裡的危險。但是「史達林格勒」本身即為一種微妙的毒藥，自此以後所有的德軍指揮官的心靈都受到毒害，使他們對最高統帥部的戰略喪失信心。精神力的損失比物質更為嚴重，第六軍團和史達林格勒所遭受到的劫難，對於整個德國陸軍所產生的傷害是永遠無法恢復的。

希特勒為了安撫起見，曾經宣稱第六軍團在史達林格勒的犧牲，已經使最高統帥部獲得時間來採取對策，這也正是整個東線命運之所繫。這種說法卻又不能說它沒有理由。假使在被圍後的頭七個星期之內，該軍團無論在任何時候投降，則其他的德國部隊也就都會因此而遭遇遠較巨大的災難。因為曼斯坦那一點微弱的兵力是不可能阻擋從頓河向羅斯托夫奔來的俄軍洪流，於是在高加索的軍隊也就必然的會被切斷。假使在史達林格勒的軍團能夠成功的突圍並向西撤退，則在高加索軍隊的命運也同樣可能會因此而斷送。此外，雖然在一月的最後兩週內其抵抗力已日趨微弱，不再能阻止俄軍抽調大量兵力南下，但卻依然能夠牽制俄軍足夠的兵力，否則高加索的德軍也許就不能夠逃過羅斯托夫「瓶頸」。

即令有這樣的幫助，德軍從高加索的撤退能夠成功也還是非常僥倖。就時間、空間、兵力和天候等條件而論，它應算是一項驚人的成就——克萊斯特因此而晉升元帥。這次作戰的技巧和堅忍，誠然是值得表揚，但其最大的意義是證明只要指揮官和部隊保有冷靜的頭腦和堅強的意志，則近代化的防禦實蘊藏有異常強大的抵抗力。

在以後的幾個星期中，又可以找到更進一步的證明。因為這些撤退中的德軍在安全通過羅斯托夫「瓶頸」之後，他們仍然還是要繼續應付在他們退路後方正在發展中的許多危險。一月中旬，范屠亭將軍的左翼已經再度從頓河中段向南推進，到達羅斯托夫後面的頓內次河上。除了使德軍在米勒羅夫（Millerovo）的兵力崩潰以外，並且在繞過那頑強的障礙物之後，又在卡曼斯克及其東面渡過頓內次河。

在此同一星期之內，俄軍又發動兩個新的攻勢。一個是在遙遠的列寧格勒地區。突破了德軍十七個月來對此一大城的包圍，並解除圍攻的壓力。雖然還不能鏟除德軍越過該城後方一直伸到拉多加湖上的突入陣地，但卻已切開一個缺口通到湖邊的希流塞堡（Schlusselburg）——而此一戰略性的氣管切開手術也就樹立了一條通風管，使該城的守軍和人民可以呼吸得比較自由一些。

另一個新攻勢則威脅到德軍在南面的呼吸空間。那是在一月十二日由高立可夫將軍（General Golikov）所發動的，從弗洛奈士以下的頓河西段前進，突破了德國第二軍團和匈牙利第二軍團的戰線。在一個星期之內，它已經突入一百哩——越過從頓河到卡爾可夫間一半的距離。范屠亭將軍的右翼，則向西對著頓河與頓內次河之間的走廊地帶發動一個集中的攻擊。

一月的最後一個星期內，俄軍又再度大舉進攻。當德國人的注意力集中在從東北方趨向卡爾可夫的攻擊時，俄軍又從弗洛奈士向西以廣正面前進，破壞了該地區德軍所作的局部性撤退，而使其變成全面的崩潰。在僅僅三天之內，俄軍已經向庫斯克前進了大約一半的路程——庫斯克即為德軍發動其夏季攻勢的跳板。

在二月的第一個星期內，他們把右肩向前推送，越過庫斯克和奧勒爾之間的鐵路和公路，造成很深的楔入。接著又越過庫斯克和貝爾哥羅之線，造成另外一個很深的楔入。從兩側迂迴庫斯克之後，俄軍逐於二月七日突然的躍進並攻占該城。同樣的，他們第二次所造成的楔入，在兩天之後又使貝爾哥羅城也隨之陷落。這個收穫又進一步對卡爾可夫的北面構成威脅。

此時，表面上向卡爾可夫的直接進攻已經發展成西南的偏向——趨向亞速海和羅斯托夫的退卻線。二月五日范屠亭的部隊攻克依茲門——在春季時德軍曾在此發動其具有決定性的側面攻擊——並由此渡過頓內次河，對德軍構成報復性的新威脅。在越過頓內次河以南的鐵路線之後，他們又向西發展，並於十一日攻占洛左伐雅（Lozovaya）重要的鐵路交點。

這些新收穫也就影響到卡爾可夫本身的情況，於是該城終於在十六日落入高立可夫的手裡。這固然是一個勝利，但對於整個德軍情況而言，其較迫切的威脅卻還是俄軍從頓內次河繼續向南直趨亞速海岸的前進。四天以前，一支俄軍的機動部隊已經到達從羅斯托夫至聶伯城之間主要道路上的克拉斯諾買斯克（Krasnoarmeisk），這樣的發展對於剛剛從高加索陷阱中逃出的德軍又構成切斷退路的威脅。

俄軍攻勢的交替型式和節奏，比之過去要變得更為明顯，對於德軍的抵抗力與其早已匱竭的資源，其所構成的壓力是很容易想見的——他們的預備部隊日益減少，而所要掩護的正面卻日益加寬。俄軍現在已經懂得如何利用德軍的弱點，這是一個顯明的證據表示他們的技術已經有了進步，而且也已經學會如何發揮他們自己的新優勢。若對他們一連串攻占許多重要地點的過程加以觀察，即可以發現一個城鎮的攻占——即令它是跟隨在鄰近地區的前進之後——都是一種間接行動的後果，此種間接行動是以這個城鎮根本無法再守，或其戰略價值至少已經減低。從其作戰的典型中，就可以明白的發現那一連串的間接威脅。紅軍的統帥部就好像是一位鋼琴家，把他的指頭在鍵盤上作上下移動一樣。

俄軍攻勢的此種交替節奏，雖然與福煦元帥在一九一八年所使用的頗為相似，但對於此種戰略方法的運用，俄國人卻比較微妙和迅速。其攻擊點每次都比較詭詐，且在整個過程中也夾帶著較短的間隔。其準備的行動從不直接指向其企圖中所欲威脅的地點，而其完成階段的行動則經常

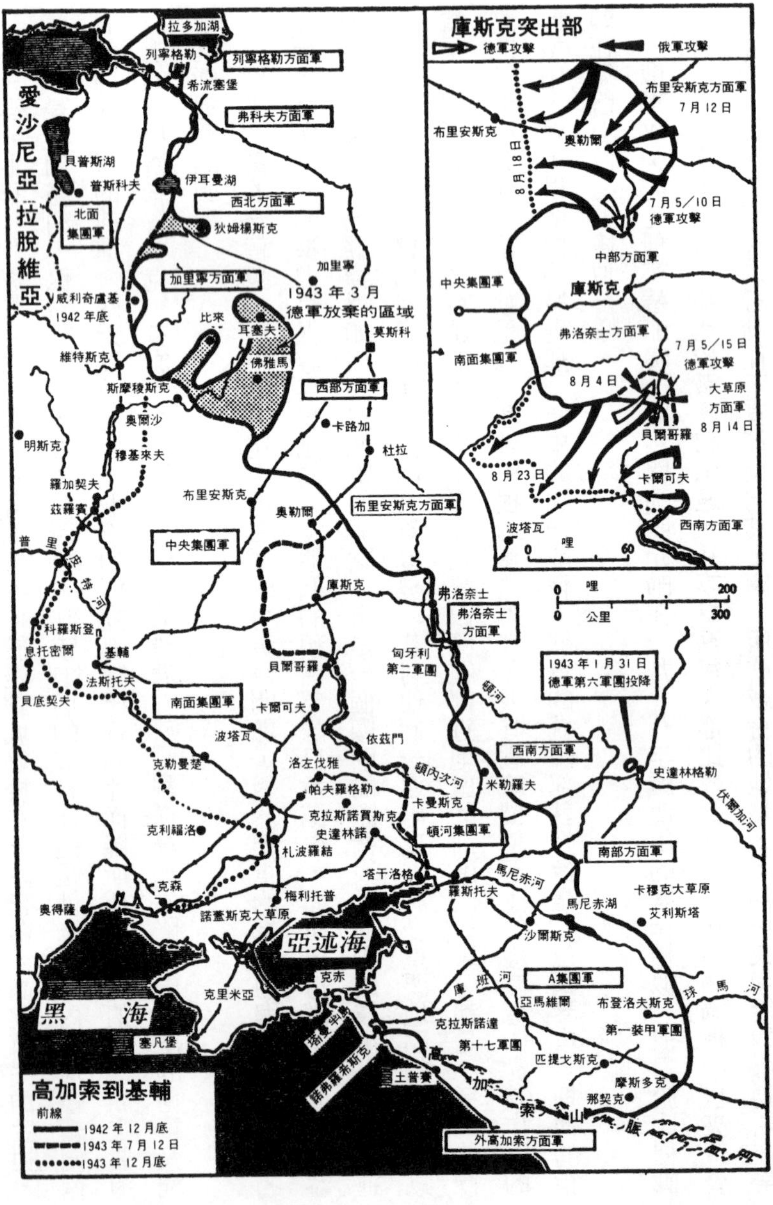
拉多加湖
列寧格勒
列寧格勒方面軍
希流塞堡
弗科夫方面軍
愛沙尼亞
拉脫維亞
貝普斯湖
普斯科夫
伊耳曼湖
西北方面軍
北面集團軍
狄姆楊斯克
加里寧方面軍
加里寧
威利奇盧基
1942 年底
1943 年 3 月
德軍放棄的區域
比來
耳塞夫
莫斯科
維特斯克
佛雅馬
斯摩稜斯克
西部方面軍
奧爾沙
卡路加
明斯克
穆基來夫
杜拉
羅加契夫
布里安斯克
奧勒爾
布里安斯克方面軍
茲羅賓
中央集團軍
普里
庇特河
庫斯克
弗洛奈士
弗洛奈士方面軍
科羅斯登
息托密爾
基輔
貝爾哥羅
匈牙利
第二軍團
法斯托夫
頓河
貝底契夫
南面集團軍
卡爾可夫
1943 年 1 月 31 日
德軍第六軍團投降
波塔瓦
依茲門
西南方面軍
克勒曼楚
洛左伐雅
頓內次河
米勒羅夫
史達林格勒
帕夫羅格勒
卡曼斯克
伏爾加河
克拉斯諾賀斯克
克利福洛
史達林諾
頓河集團軍
札波羅結
南部方面軍
馬尼赤河
克森
塔干洛格
卡穆克大草原
奧得薩
梅利托普
羅斯托夫
馬尼赤湖
艾利斯塔
諾蓋斯克大草原
亞述海
沙爾斯克
克赤
庫班河
A集團軍
克里米亞
亞馬維爾
布登洛夫斯克
球馬河
黑海
塔曼半島
克拉斯諾達
第十七軍團
第一裝甲軍團
塞凡堡
諾弗羅希斯克
匹提戈斯克
土普賽
高加索山脈
摩斯多克
那契克
外高加索方面軍
高加索到基輔
前線
1942 年 12 月底
1943 年 7 月 12 日
1943 年 12 月底
哩 0 200
公里 0 300
庫斯克突出部
德軍攻擊
俄軍攻擊
布里安斯克方面軍
7 月 12 日
布里安斯克
奧勒爾
8 月 18 日
7 月 5/10 日
德軍攻擊
中部方面軍
中央集團軍
庫斯克
弗洛奈士方面軍
7 月 5/15 日
德軍攻擊
南面集團軍
8 月 4 日
大草原
方面軍
8 月 14 日
貝爾哥羅
8 月 23 日
卡爾可夫
波塔瓦
西南方面軍
0 哩 60

受到地略的影響——所以具有一種心理上的間接性，因為它們是來自期望最低的方向。

但在二月的最後兩個星期中，戰場上卻又發生了一種激烈的變化。當俄軍向下旋轉越過頓內次河直趨亞速海岸和聶伯河灣，以圖切斷南面的德軍時，他們的優勢已超過頂點，遂開始變為強弩之末。俄軍在這裡的目標太明顯，這些目標使俄軍和德軍進向同一地區之內。於是次一階段即變成一種競賽，問題的關鍵就要看俄軍能否在德軍趕到和集中以阻止這個南下的攻擊之前，先切斷他的退路。

對於俄國人而言可以說是很不幸的，此時提早的解凍妨礙了他們的行動，再加上長久的作戰使他們早已疲憊不堪。當他們在策劃冬季攻勢時，他們即已發現計畫中的行政方面配合不上戰略方面的進展，因為他們所有的運輸車輛，對於如此長程的攻擊來說，連運送燃料、彈藥和糧食最低需要量一半的能力都沒有。但是憑著他們所特有的勇氣，卻仍然決定不改變計畫，而寧肯企圖從敵方奪取大部分的補給品！這種政策居然獲得成功，因為在每一次突破時，都曾經奪獲大量的補給品。但等到敵軍的抵抗增強時，所能虜獲的數量也就隨之減少，於是當俄軍的前進離開鐵路終點愈遠時，其運輸上的困難也就愈大。所以過分伸展的法則（the law of overstretch）又開始再度發生作用；而這一次卻變得對俄國人不利。在頓河與頓內次河之間的走廊地帶中只有極少數的鐵路線，而且是和他們的西南前進方向成直角。反之，在頓內次河以南有相當多的東西向鐵路線，足以幫助德軍把他們的兵力迅速集中在危險點上。此外，戰線的縮短也開始使德軍獲得利益

——比起秋天裡的情形已經縮短了六百餘哩。

這許多因素的結合遂阻止了俄軍的前進，並使其留在一種非常不利的陣線上。他們越過頓內次河向聶伯河方向造成一個深入八十哩的大楔形，但卻停止在帕夫羅格勒（Pavlograd），距離聶伯河尚有三十哩。從頓內次河南下，越過該河與亞速海之間的走廊到達克拉斯諾買斯克，他們也造成一個深達七十哩的狹窄楔形。德軍集中一切可用的兵力，在曼斯坦指揮之下，迅速的發動一個三鉗的反攻。其計畫是利用俄軍突出部的不規則形狀，尤其將攻勢重點指向其兩個尖端。一個左面的攻擊從聶伯河打擊在西南的頂點上；一個右面的攻擊指向東南面的頂點；一個中央的攻擊則對著兩者之間的凹入部分，而趨向洛左伐雅。兩個尖端都被擊斷，於是德軍的裝甲矛頭深入突出地區的內部。在二月的最後一個星期，由於德軍從羅斯托夫的西向撤退又帶來較多的增援，所以這次反擊遂發展成為全面的反攻。到三月初，德軍又以廣正面在依茲門附近進至頓內次河岸，俄軍的突出部幾乎已經完全被鏟除，而大部分的俄軍也被圍困在卡爾可夫以南的地區中。

假使德軍能迅速渡過頓內次河，切斷西進中俄軍的後路，則他們也許即能使俄軍受到一次與史達林格勒相當的慘敗。但他們的企圖卻受到挫折，因為已經缺乏足夠的重量，不能克服任何堅固的障礙物。經過此次挫折之後，重心遂移向西北，於是在三月十五日，德軍又再度把俄軍逐出卡爾可夫城。四天之後，德軍又向卡爾可夫以北迅速進攻並收復貝爾哥羅。但這也就是德軍成功的極限。在以後的一個星期內，他們的反攻遂消蝕在春季解凍後的泥濘中。

當德軍在南面發動反攻時，他們在北面也就不能不向後撤退。這是一年多以來第一次重要的撤退。在一九四一年到四二年之間的冬季作戰之後，德軍面對著莫斯科的戰線，在形狀上就像一個握緊的拳頭，俄軍卻纏在手腕上——那也就是斯摩稜斯克所在的位置。八月間俄軍曾經狠狠地打擊在左邊的指節上，即耳塞夫的中心要塞據點，其目的是想擊潰德軍的中央戰線以分散其注意和兵力，藉以幫助史達林格勒方面的作戰。雖然他們已經從側面切入，使這個指節留在暴露的位置上，但由於耳塞夫據點的頑強抵抗，所以他們的攻擊終未得逞。在十一月間又作新的努力，遂使耳塞夫變得像是一個半島，只有一條狹窄的地岬尚可使聯絡不斷。在一九四二年年底，俄軍從其本身在德軍北面的巨大突出地區的頂點上發動攻擊，攻占了威利奇盧基（Velikye Luki）——在從莫斯科到里加的線上，也在耳塞夫正面相距一百五十哩。結果不僅使耳塞夫受到威脅，而且顯然連整個拳頭也都處於危險的態勢之中。

一個月後，德軍在史達林格勒的投降，遂間接又使這個危險增強；同時在南面的戰線還在繼續崩潰之中，也可以顯示勉強據守過分伸展的戰線，其所付出的代價將是何等重大。在柴茲勒（Zeitzler）任陸軍參謀總長期內，他對希特勒的說服只有這一次算是獲得重大的成功。希特勒痛恨任何撤退的觀念，尤其是在莫斯科方面更是一步都不准移動，但他終於同意在那個地段內拉直戰線，以避免崩潰和抽出預備隊來。三月初，正當俄軍新攻勢開始發動時，德軍自動撤出耳塞夫，而到三月十二日，整個拳頭也都予以放棄，包括重要交通中心佛雅馬在內。德軍撤到掩護斯摩稜斯克一條較直的戰線上。位於威利奇盧基與伊耳曼湖（Lake Ilmen）之間的狄姆楊斯克（Demyansk）一個小型突出據點也於三月初放棄。[1]

雖然在北面如此的縮短戰線使德軍頗有所獲，但由於在南面反攻的成功又帶來了新的伸展和誘惑，所以也就抵消此種收穫而有餘。德軍將領們本以為希特勒也許會批准作一個長的後退，以便他們可以在俄軍所達不到的一線上去進行鞏固和重組的工作。但這種成功卻打消了一切的希望。希特勒這個人對於攻擊具有一種直覺性的愛好，他始終相信攻擊的賭博仍能使整個局勢轉敗為勝，所以他感覺到這種成功已經替他的前途帶來無限的希望。

這次反攻的成功也取消了撤離頓內次河盆地的迫切需要。希特勒守住他去年在塔干洛格附近的頓內次河以南之線，不僅可以保存工業資源，而且還可以保留向高加索捲土重來的希望。由於最近已在卡爾可夫和依茲門之間回到更西面的頓內次河岸，所以希特勒認為可以在那裡發動一次新的側面攻擊。雖然已經收復貝爾哥羅而又維持著奧勒爾，所以他對俄軍最近在庫斯克周圍所攻占的地區，實在是很便於發動一種鉗形的側面攻擊。一旦把這一塊巨大突出地切斷之後，在俄軍戰線上也就會產生一個大空洞，只要把他的裝甲師從此投入，則任何結果都可能發生。俄國人的實力固然比他原先所估計的強大，但他們的損失也非常慘重。只有那些老將們才會認為他們的資源是用之不盡。根據其天然的傾向，希特勒的思想遂朝著這條路線走，他似乎認為在庫斯克的一個突破當能轉敗為勝，並對其一切的問題提供一個總解決。他又很容易自欺欺人，以為其一切困難都是由於俄國的冬季所致，只要夏天他就有辦法。這也就變成他的仲夏夜之夢。

雖然希特勒的主要攻勢預定在庫斯克地區中發動，但其夏季計畫同時又包括對列寧格勒的攻擊，那是曾經兩次被擱置——很奇怪的，他的計畫中的一線一點都和一九四二年的典型非常近似。他現在已經組成一個下轄兩個師的傘兵軍，準備用在列寧格勒來替地面攻擊擔負開路的工作。當機會已經日益消失時，希特勒卻反而變得比過去更敢於冒險，因為在一年以前，當司徒登將軍向他建議對史達林格勒發動一次空降攻擊時，他卻猶豫未予採納。但在突尼西亞崩潰之後，這個軍遂又被調往法國南部，準備當聯軍在薩丁尼亞登陸時，好來作一次空降的反擊。以後由於庫斯克攻勢的失敗，遂完全放棄對列寧格勒的攻擊。

對於庫斯克的計畫，將軍們的意見也不一致。其中懷疑在東戰場上能否獲得勝利的人日益增多，而在這一年當中，連一向富有衝勁的克萊斯特也都投入懷疑者的陣營中。但這一次他和攻勢卻沒有直接關係。在冬季作戰的重組中，曼斯坦已被指派負責南戰線的主要部分。在一九四三年年初，第一裝甲軍團已經調入他的那個集團軍，而克萊斯特則被留下來專門負責克里米亞和庫班橋頭的防禦。對於庫斯克突出地區的攻勢，則預定由曼斯坦的左翼攻擊其南側面，和由克魯格中

1　原註：由於英美報紙把這裡的戰線畫成一條直線，而把狄姆楊斯克畫在俄軍戰線之內已經有一年多的時間，所以在這裡的撤退所具有的意義也就不為西方人所了解。

央集團軍的右翼攻擊其北側面。當這些指揮官們在事前討論時，都表現出他們對成功的機會都頗具信心。通常職業上的機會總孕育這種希望。熱衷的軍人對於他們所負責任的冒險，也都有發展信心的天然趨勢，自然也不願表示懷疑以免減弱其上級對其能力的信任。

整個軍事教育的趨勢也有助於對抗懷疑論者。雖然許多將軍現在都贊成倫德斯特在一年多以前所提倡的觀念，即作一個長距離的退卻以擺脫俄國人，但希特勒卻禁止採取此種步驟。因為在冬季結束時，德軍所站住的戰線，對於防禦而言並不能算是有良好的選擇，所以將軍們也就自然有一種趨勢，希望採取他們在教育中所學到的原則——「攻擊為最佳的防禦」。利用攻擊他們也許可以設法補救態勢上的弱點，並破壞敵方重新發動攻勢的部署。所以一切的努力都集中於如何能夠攻擊成功，而不考慮其失敗的後果——若把德國新近調集起來的預備隊這樣的用盡，則將會使任何爾後的防禦都為之破產。

儘管德國的資本已經減少，但卻有兩個因素可以用來加以掩飾：（一）是極端嚴格的對內保密政策；（二）是對於單位和部隊日益增大的缺額。師的個數仍始終維持其舊有的標準，使人不易發現其在數子上的虛實。到一九四三年的春季，平均每個師的人員和武器都只比編制數字的一半略多一點，但其中有許多師是任其降到比這個標準還要更低的程度，而另外有些師卻幾乎可以達到足額的標準。在保密政策之下，指揮官們被隔絕在他們的小天地之內，對於一般的情況幾乎是一無所知，他們被訓練成最好是少管閒事。不過缺額的政策除了偽裝的動機之外，又還有其他的原因。

希特勒對於數字不僅是著迷，而且已經是中毒。對於其詭異的心靈而言，數字的意義即為權力。因為師是衡量軍事實力的標準單位，所以他認為師的個數是愈多愈好——儘管其在一九四〇年的勝利，主要是依賴機械化部隊的素質優勢才能獲得的。那種部隊在其整個兵力中所占的比例，不過是一個零頭而已。在他入侵俄國之前，他即已堅持採取此種「稀釋」的政策以產生最大的師數，其目的是想嚇唬俄國人，以後為了使此種冒充的總數不至於縮減，遂不得不再更進一步使之稀釋，所以這種稀釋的後果即為在軍事經濟的領域中，產生一種危險的「通貨膨脹」現象。

在一九四三年，此種膨脹的程度已足以抵消德軍裝備方面一切素質上的改進，最顯著的例證即為新式虎式和豹式戰車的生產。每當一個師遭受重大損失時，其刀鋒部分也就會有縮小的趨勢，變得和其他部分簡直不成比例——因為主要的損失都是戰鬥部隊。以一個裝甲師而論，損失最重的通常都是戰車和戰車的乘員，其次則為步兵部分，而損失最輕的卻是行政單位。所以把一個師，尤其是一個裝甲師，維持在其足額編制的標準以下，就戰鬥力而言是完全不合於經濟的原則。除非是這種消耗能夠立即補充起來，否則一個師就會變得全是不能打仗的行政人員。

因為俄軍的素質和數量比起一九四二年已有所改進和增強，所以德軍的形勢也就更為不利。因為從烏拉山區新擴建的工廠，以及從西方同盟國中已有大量的裝備源源而來，所以俄軍的表現也就日益進步。至少其戰車已和任何其他國家的一樣好——大多數德國軍官都認為俄國戰車比德國的還要好。雖然在某些輔助性的裝備方面仍然感到缺乏，例如無線電通信器材，但在性能、耐力和兵器等方面卻已具有高度的效率標準。俄國的火砲素質是頗為優良的，而且還大規模的拓展火箭砲，那是一種具有顯著威力的兵器。俄國的步槍也比德國的近代化，並具有較高的射速，至於其他的步兵重兵器也都大致是一樣的精良。

俄軍的主要缺點在摩托化運輸車輛方面，現在由於已有大量的美國載重車不斷的運來，所以此種迫切需要也開始能夠滿足。此外，美國罐頭食物的大量輸入，對於俄軍的機動性同樣也是一種重要的貢獻。因為它們替俄軍解決了不少的補給問題，因為俄軍的數量是那樣龐大，而交通工具又是那樣缺乏，所以補給對其實力的發揮是一個最大的阻礙。假使不是俄國部隊慣於刻苦耐勞，則問題也許就會更為嚴重，在遠比任何西方陸軍較低的補給水準上，他們還是照樣能夠生存和戰鬥。雖然俄軍永遠不曾達到一種平等的機動水準，但以其技術工具而論，其機動性實已超出水準，因為他們可以在要求較低的情況之下作戰，其原始性是利害參半的。在其他國的軍人可能要餓死的情況下，俄國軍人卻仍能繼續生存。所以現在由於已經有了較充分的資源，其刀鋒部分也就獲得較深入的穿透力；而其大量的部隊也都可以跟上，因為他們所需要的運輸工具和食物是如此的渺小。

同時俄軍的戰術能力也已經獲得很大的改進。由於在一九四一年，其訓練最佳的部隊損失頗重，所以在一九四二年，俄軍的戰術能力有低落的趨勢，但到一九四三年，由於戰鬥經驗的累積，使這種弱點大體上都獲得改善。以戰前的訓練而言，新單位也比舊單位能有較佳的基礎。此種改進又是從上到下的。原有的將領們都徹底的予以淘汰，取而代之的是一批升遷得很快的青年將領，他們的年齡大部分都不到四十歲，具有充沛的活力，而且比起他們的前輩則是職業性較重而政治性較輕。此時俄軍較高級指揮官的平均年齡已經變得比德軍大約年輕二十歲；而此種年齡水準的降低，也就同時帶來較高度的效率和活力。從參謀作業和部隊的戰術能力上，都可以反映出此種較新銳的領導和較成熟的戰鬥經驗二者結合在一起的功效。

若非俄軍將領們由於害怕或爭寵的原因，總是有不顧一切繼續進攻的趨勢，否則此種改進也許就可以發揮更多的效力。他們經常對著具有堅強抵抗之點作顯然不利的攻擊。而且在失敗之後又還不肯認輸，所以他們的部隊時常一再的猛撞在堅硬的障礙物上，而付出重大的代價。在官僚制度與軍事紀律結合之下，這種無益的攻擊本是一種常有的現象，但由於受到蘇聯情況、俄羅斯傳統，和俄國資源的影響，其趨勢也就自然的更形加強。在這種制度之下，只有地位最穩固的指揮官才敢冒險不做那些明知不可能的事情，反之，他們有的是大量人力可供揮霍無度的浪費。無情的犧牲人命比較容易，而冒險去觸怒獨夫則比較困難。

一般說來，巨大的空間對於這種猛衝的趨勢也可以產生平衡作用，通常總是有運用的餘地。而現在，俄軍高級指揮部對於在敵方綿長的戰線上尋找弱點的工作也就要很內行。因為俄軍現在在數量上享有普遍的優勢，所以在任何決定要加以集中攻擊的地段中，其高級指揮部都可以有把握造成高於四比一的數量優勢，而一經突破之後，則更有充分發揮此種優勢的巨大空間。在北面地區上，由於德軍的防禦比較嚴密和堅固，所以俄軍作無益和浪費的重複正面攻擊的機會也就比較多。在南方，俄軍不僅有他們最好的指揮官和部隊，而且也有巨大的空間足以容許他們發揮其技巧。

儘管如此，面對著如此巨大的優勢，而德軍仍能屹立不動卻是不爭的事實——甚至於需再繼續兩年之久的苦戰來給予證明——所以俄軍要想趕上德軍那樣的技術優勢，似乎還要差一大段距離。此種對於專業優點的認識，在一九四三年春季曾使雙方的觀點都受到影響。它鼓勵著希特勒，甚至於也包括其軍事領袖們在內，希望只要不再犯過去的錯誤，則德軍仍有獲勝的可能。反之，它也使俄軍領袖們對於冬季作戰的成功，仍然保持懷疑的態度，因為他們還記得上一個冬季裡的成功，曾經受到夏季失敗的抵消。現在第一個夏季又要來臨，所以他們對前途並不那樣具有信心。

因為俄國人是這樣的感到沒有把握，所以在新的戰鬥尚未展開之前，就先有一段重要的外交插曲。六月間，莫洛托夫曾與李賓特洛甫（Ribbentrop）在基羅夫格勒（Kirovograd）會晤（此時該城還在德軍占領之下），雙方討論結束戰爭的可能性。依照當時以技術顧問身分列席的德國軍官們所提供的證據，李賓特洛甫曾提出和平條件之一即為俄國未來的國界應以聶伯河為限，而莫洛托夫則堅持必須恢復原有的界線。由於雙方意見相距頗遠，所以談判遂無結果。接著消息洩漏使西方國家也有所風聞，於是才結束了這次會晤。雙方遂又再度兵戎相見。

一九四三年夏季作戰的開始，要比前兩年遲得多。在冬季作戰結束後已經暫時休息了三個月以上的時間。此種長期的延遲，至少部分原因是由於當德國人欲重整其實力，並集結必須的預備隊以發動新攻勢，現在已經變得日益困難。同時他們現在也比較希望讓俄國人先攻，然後再乘機予以反擊。但這種想法卻落空了——這不僅是由於希特勒缺乏再繼續等待的耐性，而且也因為俄國人這一次也採取類似的釣魚戰略。

照德軍將領們事後的看法，他們的攻擊部隊若能早一點完成準備，使這次攻勢得以提早六個星期發動，那麼也許即能獲得偉大的成功。當他們的鉗形攻擊被陷在一連串縱深的雷陣之中時，他們才發現俄國人早已把主力撤到較遠的後方，他們認為這是由於在準備階段已被敵人獲得風聲，於是使俄軍能夠事先作成適當的部署，所以才有此一失。這種解釋乃忽視了庫斯克突出部在作為一個目標時所具有的明顯性。它對於德軍的鉗形攻勢具有一種明顯的吸引力，正好像奧勒爾周圍的德軍突出地之在於俄軍方面一樣。所以雙方對於打擊的位置都很少有懷疑的餘地，主要的問題不過是誰先動手而已。

在俄國方面也正在辯論之中。有人主張俄國人應該先動手攻擊，其理由是在上兩個夏季中，俄軍的防禦都曾被德軍的攻擊所破壞；同時自從史達林格勒之戰以來，俄軍已經獲得多項的攻擊勝利，所以將領們也開始對攻擊產生信心，而在這個夏季有躍躍欲試之意。在另一方面也有人表示反對的意見。他們指出在一九四二年，就是由於提摩盛科在五月發動對卡爾可夫的攻勢，結果才會使俄軍於六月間在卡爾可夫與庫斯克之間遭遇慘敗。

在一九四三年五月底，英國軍事代表團第一次和俄國參謀本部舉行會議時，該團的新任團長馬特耳中將（Lieutenant General G. Le. Q. Martel）所獲得的印象似乎是俄國人主張主動發動攻勢的意見略占優勢。他曾經很坦白的說，當德軍更新後的裝甲部隊尚未消耗之前，他們若發動攻勢實無異於自討麻煩，假使俄國人要作這樣的嘗試，則幾乎是必然會被擊敗。

幾天之後，當俄國人要求他講述英國人在北非的戰術時，馬特耳遂乘機向他們解釋：「我們在艾拉敏的成功大部分應歸功於下述的事實：我們總是設法讓德軍的裝甲部隊在我們的防禦上撞毀，或至少使其刀鋒被磨鈍，當他們已經把兵力和銳氣耗得相當厲害時，然後才是我們轉守為攻的時候。」在下一次會議時，他感覺到俄國參謀本部已經有接受這種計畫的傾向。於是他又乘機再使他們從英國人的經驗中去學習另一種教訓：當敵方戰車突入之後，堅守兩側「腰部」的重要性。並使用一切可以動用的預備隊來增強缺口兩側的防禦，而不要面對沖破隄防的洪流鬥水作壩。[2]

在追溯任何計畫的原始構想時，通常都很難斷定它的影響力究竟是些什麼因素，即令把所有的檔案都拿出來公開研究，也不會有可靠的結果，因為一切文件也都很少記載真正的原始原因。它們並不能表現某些觀念在實際計畫作為者的心中，是如何的播種和生根。而某些思想的播種者，對於他們的那一顆特殊種子的效力又往往都有估計過高的趨勢。至於接受某種觀念的人，又往往故意不肯承認，即令其影響是非常巨大，但事後卻會加以否認或掩飾。在官方的組織中更是如此，而尤以事關國家榮譽時為然。在同盟國之間，每個國家對於其所接受的援助，不管是有形的（物質）還是無形的（思想），通常都會盡量的宣傳說它沒有什麼價值；而對於其所給予他國的援助，則又會盡量的予以誇張，說它的價值是如何的重大。所以歷史對於一九四三年俄國的計畫是如何決定的，也並不能提供任何更確定可靠的結論；不過歷史卻可以顯示出，即令僅只從他們自己的作戰中，蘇俄的戰略計畫作為者也一樣可以獲得充分的經驗，使其作成必要的結論。

比較更值得重視的，為當他們採取這種攻勢防禦的方式後，其所獲得的結果是如何的具有戲劇化的決定性。

德軍的攻擊在七月五日拂曉發動，以庫斯克突出地區的兩側為目標。該突出地區的正面約近一百哩寬，其南面的深度約五十哩，而北面的深度則在一百五十哩以上，它與從反方向突出的德軍奧勒爾突出地區的側面相接合。該地區的主要部分都是由羅柯索夫斯基的部隊所據守，而范屠亭的右翼則包括在其南角內。

曼斯坦的南面鉗子與克魯格的北面鉗子在實力上是大致相等，但曼斯坦保有較大比例的裝甲

2 原註：以上所說見馬特耳的回憶錄——書名為《一個出言無忌的軍人》（*An Outspoken Soldier*）。

部隊。在這次攻勢中一共動用了十八個裝甲步兵師，他們幾乎構成全部兵力的一半——幾乎也就是東線上所能動用的德國裝甲兵力的全部。希特勒在這一場賭局中所下的賭注，實在是很大的。

南面的部隊於最初幾天內，在某些點上曾經突入約二十哩——這不能算是一種迅速的突入。因為遭遇縱深的雷陣使得進度很慢，同時也發現敵軍的主力已向後方撤退，所以他們的戰俘人數是少得可憐。此外，他們所造成的楔形由於缺口兩側「腰部」都受到頑強的抵抗，所以也就很難擴大。克魯格在北面的突入則更為有限，甚至於不曾突破俄軍的主要防禦陣地。經過一個星期的戰鬥，裝甲師的實力已大形減弱。克魯格對其側翼上已有威脅發生的徵候深感驚懼，遂開始抽出其裝甲師。

同時，在七月十二日，俄軍也對奧勒爾突出地區的北側面和前部發動攻勢，北面的攻勢在三天內突出了三十哩，直趨奧勒爾的後方，至於另一支兵力則進展緩慢，但距離該城也已在十五哩之內。因為克魯格已經從庫斯克方面抽回四個裝甲師，所以才恰好趕上並阻止俄軍的北翼切斷從奧勒爾至布里安斯克之間的鐵路線。此後俄軍的攻勢遂變成一種硬向前推的行動，完全依賴優勢的重量以壓迫德軍後退。那是一種代價很高的努力，但由羅柯索夫斯基所指揮的部隊也已經轉守為攻，從庫斯克突出地區向奧勒爾地區的南側面上進攻，所以也就有了很大的幫助。八月五日德軍遂終於被迫退出奧勒爾。自從一九四一年以來，奧勒爾不僅是德軍戰線上主要的和最堅強的堡壘之一，而且也是唯一留下來足以威脅莫斯科的據點。奧勒爾的戰略價值以及其堅強的實力，早已聯合起來使其成為一種軍事性的象徵——所以它的撤出一方面足以打擊德軍的信心，另一方面又足以鼓舞俄軍的士氣。

此時，當德軍從庫斯克突出地區南面的缺口撤退之後，范屠亭的部隊即跟蹤進至原有的戰線。八月四日范屠亭對那段已經減弱的德軍防線發動攻勢，並於次日攻占貝爾哥羅。他利用敵軍已經匱竭的機會，在次一個星期內衝入了八十哩的深度，轉向卡爾可夫的後方，並威脅卡爾可夫與基輔間的交通線。此種鐮刀式的打擊使德軍的整個南線都有崩潰的危險。十天以後，柯涅夫（Koniev）的部隊，在范屠亭的左邊，渡過卡爾可夫東南方的頓內次河，而使該城受到完全包圍的威脅，柯涅夫的行動很大膽，他故意選擇柳波亭（Liubotin）沼澤作為其渡河點。

假使這兩支部隊中有一支能夠到達波塔瓦（Poltava）的預定會師點，則不僅卡爾可夫的守軍將會闖入陷阱，而且沿著頓內次河向右伸展的全部德軍也都有崩潰之虞，到那時候則只有第三裝甲軍是唯一尚有相當實力的預備隊。它所有的三個黨軍裝甲師，剛剛才送往塔干洛格附近的米亞斯河，去應付那裡所發生的威脅，現在又立即被召回，並且恰好剛剛趕上足以解除在波塔瓦周圍的危險。這樣才使在卡爾可夫的德軍大部分得以在八月二十三日該城陷落之前安全的撤出。在其他的點上，那些已經殘破的裝甲師也都證明，儘管他們所殘留的攻擊力已經不多，但卻仍能拘束大量俄軍的前進。這個危機終於是有驚無險的度過，情況已經變得穩定下來，但卻並非靜止的。俄軍仍繼續獲有進展，但速度極慢。自從他們發動攻勢以來，在六個星期內一共只收容了二萬五千人的戰俘。對於這樣一個包括廣大地區在內的巨大會戰，實在是一個很渺小的數字，而且也表示防禦方面的任何崩潰，都不過是局部性的和有限性的而已。

在八月的下半個月內，俄軍的攻勢比較擴大。當波卜夫（Popov）的部隊正遂步從奧勒爾向布里安斯克前進時，在其右翼方面的艾門科（Eremenko）的部隊，也開始對斯摩稜斯克推進。在他們的左面，羅柯索夫斯基也正在對基輔附近的聶伯河岸作一個較深入的突擊，而范屠亭也同樣的向那裡會合。在最遠的南端，托布金（Tolbukhin）已經渡過米亞斯河，並強迫德軍放棄塔干洛格。於是在九月初，馬林諾夫斯基也渡過頓內次河，向南進攻史達林諾，這樣一個側面的威脅，使德軍向頓內次河以南伸出的「手臂」不得不迅速收回。不過值得注意的是，德軍還是勉強的守住一些據點，以掩護其長距離退卻的側翼，直到其部隊的極大部分都已安全脫險為止。「腋下」位置的鐵路交點洛左伐雅，則一直守到九月中旬才予以放棄。

俄軍作戰的典型和節奏，似乎變得更像一九一八年福煦的全面攻勢——一連串互相交替的攻勢指向不同的點上，每當敵方抵抗增強使攻擊的衝力減弱時，即暫時停頓下來，而把攻擊的重量移到另一點上去。所以每一個行動都是以替次一行動舖路為目的，彼此之間始終互相呼應，循環不斷。在一九一八年，福煦的攻勢曾使德國人在搜括預備隊去搶救受攻擊的某一點時，同時也限制其移動預備隊以應付次一個攻擊的能力。這樣一方面癱瘓其行動自由，另一方面又逐漸消耗其預備隊的儲量。在四分之一個世紀之後，俄國人重施故技，不過其條件更為有利，其形式也有了新的改進而已。

當一支軍隊的機動性比較有限，但卻享有一般性的兵力優勢時，這也就是一種非常自然的方法。尤其是當側向的交通線異常缺乏，預備隊難於從此一地區移到另一地區以擴張某一特殊戰果時，則更為適用。因為其意義是每一次都要突破一個新的正面，所以這種「橫寬」的擴張所付出的代價，要比「縱深」的擴張較高。同時它也比較難於發揮速決的效力，不過只要使用這種方法的部隊擁有適當的物質優勢，足以繼續維持這種發展不中斷，則其成功也就更確實可靠。

在攻擊的過程中，俄軍的損失自然要比德軍為重，但是德軍在他們自己的攻勢中已經受到慘重的失敗，所以現在所付出的代價，也就使他們感到吃不消。對於他們而言，消耗的意義即為崩潰。希特勒不願批准任何長距離的後退，也就更加速他們的衰竭。

在九月間，從俄軍前進步調的加速上，可以反映德軍前線兵力的減弱和預備隊的縮小。像范屠亭、柯涅夫和羅柯索夫斯基等，在俄軍將領中都要算是上駟之選，所以對德軍寬廣正面上的弱點也就都知道如何迅速的加以利用。由於美國載重車不斷的大量運入俄國，所以對於他們動量的維持具有極大的貢獻。在九月底以前，俄軍不僅又在聶伯城附近的大東灣內到達聶伯河岸，而且更沿著其河道的大部分一直進到基輔以北的普里皮特河（Pripet River為聶伯河的支流）上。俄軍分別在許多點上迅速渡河，並建立了一連串的橋頭陣地。德國軍事發言人曾經不留意的指出，這一道寬廣的河川障礙物是他們準備過冬的戰線，但現在他們想要躲在它後面休息和重組的機會卻顯然已經不太大了。俄軍指揮官現在對於空間潛在價值的利用，已經非常巧妙而勇敢，所以他們渡過這一道大河似乎並不費力。在波塔瓦西南方的克勒曼楚（Kremenchug）附近所建立的一個重要橋頭陣地，應歸功於柯涅夫的決定：他不把兵力集中在一線上，而分別在許多點作渡河的企圖——在全長六十哩的地段中，他一共選擇了十八個渡河點。又因為是在大霧掩護下實行渡河，所以更增強了此種有計算而分散的奇襲效力。范屠亭也使用類似的方法，在基輔以北獲得一連串的立足點，後來又都連成一片。

不過在此種情況中的基本因素，卻是德軍已經不再有足夠的部隊來掩護其整個戰線，甚至於不管兵力是如何的稀薄也還是不夠，所以必須依賴反擊的手段以阻止敵方立足點的擴大。因為他們自己的預備隊是那樣的稀少，而敵軍的實力又那樣雄厚，所以也就註定是一種極危險的政策。

在基輔以北三百哩，德軍於九月二十五日放棄斯摩稜斯克，而在一星期以前，又早已被擠出布里安斯克。他們緩慢的向沿著上聶伯河之線的一連串城鎮堡壘撤退——茲羅賓（Zhlobin）、羅加契夫（Rogachev）、穆基來夫（Mogilov）和奧爾沙（Orsha），直到杜味拿河（Dvina）上的維特斯克（Vitebsk）為止。

在遙遠的南方，德軍已經撤出在庫班河上的橋頭陣地，越過克赤海峽撤入克里米亞半島，但這個半島現在又已經陷入孤立的危險中。克萊斯特曾接到命令要他把兵力從庫班河上撤回，以接替在亞速海與札波羅結（Zaporozhye）聶伯河灣之間的防務。但這個決定卻已經遲了兩個星期，等到他的部隊在十月中旬到達新位置時，俄軍已經突破梅利托普（Melitopol），於是整個地段都已處於流動的狀況中。

在俄軍渡過聶伯河之後，該地區在十月的上半月中算是相當平靜無事，因為俄軍正在調集援兵，累積補給，和修建橋梁以利前進。大多數的橋梁都是利用在渡口附近所砍伐的樹木迅速趕建起來的便橋。俄國人對於這種臨時便橋的架橋技術非常高明——正好像在美國內戰時，薛曼的部隊從喬治亞州向南北卡羅來納州前進時的情形一樣。越過一條大河架座便橋平均只需四天的時間，而且還能供最重型的運輸車輛使用。

當時注意力都集中在基輔，那是大家所期待風暴將要發作的地點，但是俄軍次一階段的攻擊卻幾乎是在聶伯河灣與基輔之間的中點上。柯涅夫突然從克勒曼楚橋頭陣地衝出——那是在波塔瓦的西南方——越過這個大突出地區的底線，向南造成一個巨大的楔形。德軍在那一方面最初只有極少量的部隊，但曼斯坦卻迅速調動預備隊使其前進速度減低，以爭取時間，好讓陷在河灣內的德軍可以撤退。這些部隊又被用在克利福洛（Krivoi Rog）城外，幫助阻止俄軍的進攻——那是在他們攻擊發起線以南約七十哩。和越過突出地區的中途上。

但是在聶伯河以南的崩潰卻是所付出代價的一部分，因為在克萊斯特的部隊尚未能趕到接防之前，曼斯坦即被迫不得不抽調該地段中的兵力。俄軍利用在梅利托普的突破機會，在十一月的第一個星期內，掃過諾蓋斯克大草原（Nogaisk Steppe）到達聶伯河下游，於是切斷了克里米亞的出口，並孤立還留在那裡的敵方部隊。

不過俄軍作戰的結果，還是不能使其認為約一「百萬」人已經在聶伯河以東被關入陷阱的樂觀假想兌現。在追擊最快的兩天當中，也只俘獲六千人，而德軍的大部分——那數量遠比俄國人所想像的要少——都有充裕的時間退過聶伯河。自從作戰開始以來，在全部四個月的時間內，俄國人宣稱總共只俘獲九萬八千人，而其中半數以上是負傷的。但同時俄國人又宣稱，在這個階段內德軍死亡的人數為九十萬人，負傷的人數為十七萬人。這兩者之間有顯著的矛盾之處，但西方同盟國的評論家對此似乎很少注意。因為在任何的突破中，通常負傷者的大部分都會落入攻擊者的手中，而失敗得愈慘重，則傷患能夠撤出的比例也就愈低。更不可靠的是十一月六日史達林所發表的聲明，他說在過去一年內德軍已經損失四百萬人。假如這個數字是真的，甚至說有一半是真的，則戰爭應該早就已經結束。事實上還要拖延很久，不過是已經走向下坡而已。

在十月的下半月內，從基輔地區中沒有什麼消息傳出，但俄國人卻不斷的擴大他們在該城以北的橋頭陣地，直到它變成一塊寬廣的攻勢基地為止——其寬度足夠從那裡發動一個強大的迂迴攻擊。在十一月的第一個星期中，范屠亭開始發動這個攻擊。在目前已經過度伸展的德軍正面上，很容易找到一些弱點，俄軍從這些弱點上向西突穿，然後再向內旋轉以切斷基輔的道路，並從後方進攻該城。但德軍還是再度逃出了陷阱，只留下六千名戰俘落入俄國人的手中，不過他們已擋不住俄軍的猛衝，因為柯涅夫在聶伯河灣中的突擊，已經把德軍大多數的裝甲部隊吸引到南面去了。

在攻克基輔城後的第一天，俄軍裝甲部隊到達其西南方四十哩的法斯托夫（Fastov）。那是一次以追擊的速度來進行的攻擊。擊敗敵軍在該線的抵抗之後，他們又在以後的五天內奔馳六十哩，占領了在普里皮特沼澤以東最後一條橫行鐵路上的交點息托密爾（Zhitomir）。然後他們再向北發展，於十一月十六日攻占另一鐵路交點科羅斯登（Korosten）。那時候德軍的抵抗已達崩潰的邊緣，而且很可能使史達林在十一月六日所宣稱的「勝利已經接近」的希望提早實現。因為曼斯坦手裡已經完全沒有預備隊可用了。

在此種緊急情況之中，曼斯坦要求第七裝甲師師長曼陶菲爾（General Hasso von Manteuffel），盡可能在其自己的殘部中調集一切能用的單位，從貝底契夫（Berdichev）向上發動一個反擊。英勇無比的曼陶菲爾率領著這一點殘兵，採取曲折的路線，作了一個非常成功的閃擊，刺入俄軍的側面，並於十九日作了一個夜間攻擊奪回息托密爾城，然後又繼續向科羅斯登挺進。他把部隊分成許多小型裝甲群，在行動時分散得很開，以幫助擴大敵人對於其實力的印象。他們從俄軍縱隊之間鑽過，然後切斷他們的後方，攻擊其司令部和通信中心，因此一路鑽隙也一路造成癱瘓性的混亂。

曼斯坦為了想擴大利用曼陶菲爾所造成的這個機會，就對著基輔以西的俄軍巨大突出地區發動一個真正的反攻。從西線調來的幾個新裝甲師可以助他一臂之力。這仍然是一個鉗形的攻勢——用一支裝甲部隊從西北面進攻，以法斯托夫為目標，另有一支部隊則從南面助攻。前者由巴爾克（Balck）的一個裝甲軍來負責執行，其兵力為三個師，包括曼陶菲爾的師在內。但在范屠亭的前進部隊現在也已經獲得增援，大量的砲兵、戰防砲和預備隊，都紛紛從聶伯河的橋梁上通過。所以德軍的反攻並未能獲得像最初反擊時一樣卓越的戰果。從地圖上看來其威脅是很可怕的，但在實地卻並不如此。因為德軍已經喪失奇襲的優勢，所以也就無法抵補其數量的劣勢，而且更受到惡劣天氣的阻礙。到十二月初，這次反攻遂消蝕在泥濘之中。在以後一段沉寂的時間內，范屠亭又集結其兵力準備進一步的大舉進攻。

希特勒曾於無意中對此次情況提供了最適當的評論。為了表示論功行賞起見，希特勒邀請曼陶菲爾到安格堡（Angerburg）和他共度聖誕節。並且向他說：「作為一個聖誕禮品，我將給你五十輛戰車。」這可能是希特勒所能想到的最佳禮品，而且就他的資源來說，也可以說是一份厚賜。因為當時最強大和最得寵的裝甲師的實力也都只有一百八十輛戰車，而且很少有幾個師能夠超過此數的一半。

在秋季裡，德軍戰線的北段也陷於長久的苦戰之中。德軍自從撤出斯摩稜斯克之後，就退守聶伯河之線。俄軍雖然一再進攻，卻始終不能突破這一道防線。俄軍之所以久攻不克，其原因有二：（一）是近代化防禦所含有的內在潛力；（二）俄軍在北面沒有像在南面那樣的運動空間，而且也使他們的目標變得太顯明。

在這些會戰中，空軍只扮演一個不重要的角色，因為其活動受到冰雪的限制。此種限制使守軍可以解除頭頂上的壓力，否則將會使他們在地面的作戰更為困難。但它也使守軍不能利用空中的搜索，去發現俄軍攻擊重點的可能方向，然後再用地面的搜索來加以證實。

攻擊的重量是由黑利奇（Heinrici）的第四軍團來承受，它總共只有十個不完整的師，據守在奧爾沙到羅加契夫之間一百哩長的戰線。在十月到十二月之間，俄軍一共對它發動了五次攻勢，每次時間都長達五、六天，而每一天要進攻好幾次。他們在第一次攻勢中差不多使用了二十個師的兵力，而當時德軍剛剛占領一道趕工築成的陣地，只有一條單獨的塹壕線。在第二次攻勢中，他們用了三十個師的兵力，但此時，德軍已經完成其防禦配置。在以後的幾次攻勢中，俄軍所使用的大致都為三十六個師的兵力。

俄軍攻擊的重要為奧爾沙地段，那是一道跨越莫斯科到明斯克（Minsk）公路線的正面線，全長約十二哩。作為一個攻擊點，它具有便於補給和擴張的顯著優點。但此種顯著優點也促使德國人集中力量來應付它。他們在這裡的防禦方法是很值得研究的。黑利奇把三個半師的兵力用在這個非常狹窄的地段上，而留下其餘的六個半師掩護其他的綿長戰線。所以他在這個要點上的兵力，對於空間而言是具有相當大的密度。他的砲兵幾乎是完整無缺，於是他集中了三百八十門火砲來掩護此一緊要地段。這些砲兵由軍團部一位指揮官集中控制，所以他們可以迅速的把大量火力集中在任何感受威脅的點上。同時，這位軍團司令又發明了一種「擠牛奶」的辦法，即由駐在比較平靜地段中的師，在會戰期中，對擔負激烈戰鬥的每一個師，每天提供一個營的生力軍。這樣通常即能補充前一天的損失，並使那個師還保有一個完整的局部預備隊可供逆襲之用。又因為使用一種師內輪調的制度，所以部隊混雜的毛病也可以減到最低限度——現在德軍每一個師是三個團，而每個團為兩個營。在會戰的第二天，增援的營即為前一天的姊妹營，而且連團部也跟著過去；再過兩天，第二個完整的團已加在戰線上，而到第六天就完全換了一個師，至於原有的師則移駐在那個原來比較平靜的陣地內。

面對著六比一以上的數量優勢，此種一再的防禦成功的確要算是一種驚人的成就。假使德軍的防禦戰略與此種戰術相配合，那麼戰爭將可能無限的延長，而使俄軍的實力消耗殆盡。但由於希特勒堅持未經他的許可絕對不准撤退的原則，而同時他又總是不願意給予這樣的許可，結果遂斷送了德軍的前途。軍團司令敢於自作主張的就會受到軍法審判的威脅，即令是從一個危險的孤立據點中，只撤出一支小部隊也照樣是犯法的。這種否決權壓迫得如此的厲害，使下級幹部的行動完全癱瘓，甚至於有這樣的說法，一位營長不敢把一個哨兵從窗口移到門前。像一隻學舌的鸚鵡一樣，德國統帥部總是一再背誦著「每個人都應站在原地死戰到底」的咒語。

此種硬性的原則，在俄國的第一個冬天裡，固然曾經幫助德國陸軍度過可使神經崩潰的危機，但從遠程的觀點來看，那卻是具有致命的危險——德國部隊雖然已經克服了他們對俄國冬季的嚴重畏懼心理，但是他們的兵力卻日漸減少，不足以填滿俄國的空間。它限制了在現場上的指揮官所需彈性指揮，使他們不能脫離敵軍所能到達的範圍之外去重組部隊，並實行「退後方能跳遠」（reculer pour mieux sauter）的原則。

一九四三年在南面戰線上已經飽嘗此種硬性原則的苦果。一九四四年這種同樣的情形又將在北面戰線上重演，並且所在的地段也就正是德軍過去曾在那裡證明他們的防禦是如何難於克服的場所。

第二十九章 日本在太平洋的退潮

在太平洋戰爭的第一階段，曾經看到日本征服整個西太平洋和西南太平洋地區——包括其中所有的島嶼——以及在東南亞的濱海國家。在第二階段，日本人曾經企圖把他們的控制擴展到夏威夷群島和澳洲的美英兩國基地，於是在中途島的海空會戰中，以及在瓜達康納爾（在所羅門群島內並在向澳洲前進的途中）受到了決定性的挫敗。

在第三階段，日本人開始採取守勢——誠如其當面給予西南太平洋地區各指揮官的命令中所強調的，他們應「保持在所羅門和新幾內亞的一切陣地」。只有在緬甸他們仍繼續對西方同盟國進行攻勢作戰，但其本質還是防禦性的——阻止和擊敗英國人從印度所發動的反攻。日本人在中途島損失四艘艦隊航空母艦，在瓜達康納爾損失兩艘戰鬥艦和許多較小的軍艦，而在兩個重要的會戰中又損失了好幾百架飛機。如此巨大的損失遂打消了日本人採取有效行動的可能性。西方同盟國已經重獲優勢，現在的真正問題即為他們能否和如何利用此種優勢。

日本的地理位置所具有的戰略利益，曾經使日本人的攻勢計畫和行動大受其利。無論為攻為守，他們都享有此種基本利益，而他們的計畫對於此種基本利益也曾加以充分的利用。其迅速征服的結果，即為日本已在多層同心防禦的保護之下。當西方同盟國企圖向日本發動任何反攻時，這種防禦圈也就構成一種艱鉅的障礙。[1]

從地圖上看來，似乎是有許多不同的路線可供選擇，但若加以較深入的分析，即可發現真正能用的並不多。從地圖的頂端向下看即可看出，北太平洋的進攻路線因缺乏適當的基地，以及沿線的風暴和濃霧太多，遂使此條路線不在考慮之列。從蘇俄在遠東的基地發動反攻也是不可能的，因為史達林拒絕合作。同時當德軍的攻擊仍嚴重的威脅著它的西面時，蘇俄就不敢向日本發動戰爭。從中國大陸發動反攻也是同樣的不可能，因為在當時的環境之下，補給上的困難就無法解決。經由緬甸的道路則是更為遙遠，不但英國人早已被趕回印度，而且他們顯然也缺乏適當的資源，無法作較早的反攻。

不久即變得很明顯，任何有效的反攻都必須有賴於美國人，而所採取的路線也必須要和他們配合。於是只有兩條主要的路線——(1)沿著西南太平洋的路線，從新幾內亞到菲律賓；(2)經由中太平洋方面的路線。擔任西南太平洋總司令的麥克阿瑟將軍自然是力主採取前一條路線。他所持的理由是，這是剝奪日本人新近獲得南方地盤最迅速的方法，而其從事戰爭所必需的原料又都是來自這些地區。照他看來，由於日本已占領許多的託管島嶼，並已迅速的將它們建設為海空軍基地，所以若採取中太平洋的路線，便將暴露在那些島嶼基地的攻擊之下。此外，若採取那樣一條遙遠的反攻路線，則對澳洲的危險也不能有任何的補救。

但是美國的海軍領袖們卻主張採取中太平洋路線。他們辯論的理由是，只有在那樣海闊天空的環境中，他們才能對數量正在激增的巨型快速航空母艦作有效的運用，而不像在新幾內亞附近的狹窄水域中那樣礙手礙腳——這樣也就比較易實現他們的新理想：用航空母艦特遣部隊以孤立和控制島群。同時這也能配合一種海運補給體系的新觀念——即航空母艦可以長期留在海上，而不需要經常返回港口基地從事再補給。他們又認為，南面的路線會經常受到託管島嶼上日本軍隊側面攻擊的威脅，而且也是一條比較顯明和易於為敵人所猜中的路線，因此在一路前進時，也就可能會受到比較頑強和連續的抵抗。若採取中太平洋路線，則這些危險均可避免。此外，還有一項更強烈而不便公開的理由，那就是海軍將領們都希望他們的新航空母艦主力不受麥克阿瑟的控制——他們對他那種專橫的態度頗有反感。

最後，在一九四三年五月華盛頓「三叉戟會議」（Trident Conference）中所作的決定，是同時採取這兩條路線，以使日本人陷於一種徬徨的狀況，使他們的兵力分散，並阻止他們把預備隊集中或移轉到任何一條單獨的路線上。兩條路最後又都以菲律賓附近為會合點。這種決定是完全

1 原註：可參看第十六章及第二十三章的第二張地圖。

符合同時威脅不同目標的原則，那也是間接路線戰略觀念的一個主要優點。不過，此種折衷的決定還是不曾對歷史的教訓作夠深入的考慮，因為僅只採取一條作戰線，也同樣可以威脅不同的目標，但在資源的運用上卻可遠較經濟。

這種兩條作戰線進兵的計畫，必然的需要較巨大和較長久的準備——對於兵力、船舶、登陸艇、海軍基地和飛機等項因素而言，均莫不如此。此種較長期的準備遂又使日本人可以獲得較多的時間來完成他們自己的防禦準備，於是也就使美國人的任務較難達成，尤其是以在執行陸上作戰和登陸作戰時為然。

在這個長時間的準備階段中，唯一具有若干重要性的作戰，即為美國在北太平洋方面企圖收復阿留申群島的遠征行動。就戰略而言，這是一個太遙遠的行動，對於整個戰局毫無影響作用。它唯一的價值是在心理方面。當前年六月間，一支小型日軍登陸部隊攻占吉斯卡和阿圖兩個小島之後，曾經使美國人大感恐慌，因為在表面上那已經威脅到阿拉斯加的安全，所以這些島嶼的收回可以鼓舞美國人的士氣。不過為了購買此種精神補藥所花的成本又未免太高。當時美國的資源還比較有限，似乎是不應作如此不合於經濟原則的浪費。

在這兩小島被日軍攻占之後，美國人第一次所作的反攻為八月初海軍對吉斯卡的轟擊；然後在八月底美國部隊就在吉斯卡東方約二百哩的阿達克島登陸，並在該島修建一個機場以協助進攻被日軍占領的島嶼。一九四三年一月美軍又為了同一目的，進駐在吉斯卡東方九十哩的阿門契卡

（Amchitka）島。但到了此時，該地區的美軍指揮官們卻又決定先進攻阿圖島，該島位於阿留申群島的最西端，因為他們發現阿圖島的防禦要遠比吉斯卡脆弱，在三月底，美國海軍封鎖部隊遭遇一支稍微比較強大的日本海軍部隊——後者正護送三艘運兵船前往阿留申。經過三小時的長程砲戰之後，日本人遂自動撤退，雙方都沒有船隻被擊沉，不過增援的日本海軍運兵船卻中途折返未能到達其目的地。

五月十一日，美軍一個師利用濃霧的掩蔽，在三艘戰鬥艦的火力支援之下在阿圖島登陸。由於數量的優勢超過四比一，所以在十四天的頑強戰鬥中，美軍把日本守軍（約二千五百人）逐漸向山地壓迫。最後日軍對美軍陣地發動一次自殺的攻擊而完全被殲滅——一共只收容二十六名戰俘。此時美軍遂集中全力來進攻吉斯卡。對於這個孤立的小島，美軍從空中和海上不斷的施以壓力，終於迫使日本守軍（約五千人）在七月十五日的夜間，利用常有的濃霧安全的撤離該島。美國人又繼續對該島作了兩個半星期的轟炸，然後才派遣一支為數約三萬四千人的大軍登陸——他們花費五天的時間在島上遍處搜尋，最後才相信那已經是一個空島。

阿留申群島總算是肅清了，但在這樣一個渺小的任務中，美國人總共動用十萬人的兵力，再加上強大的海空軍支援——這對於經濟原則的忽視是一個極顯著的例證，同時也證明只要有主動的精神，則花費極小的成本，亦可以產生極大的牽制作用。

在西南太平洋方面表面僵持的局勢，一直持續到一九四三年的夏季為止。

對於美國及其同盟國而言，可以說很僥倖，因為日本陸海軍首長之間也發生嚴重的意見差異，遂使他們的設防工作受到很大的延誤。雖然雙方都同樣希望保持日本業已征服的一切地區，但在方法上雙方卻有非常激烈的爭執。陸軍將領們十分重視新幾內亞的陸上作戰，他們認為為了確保荷屬東印度和菲律賓等征服地區的安全，則新幾內亞實為一必要的前哨陣地。海軍方面則希望把防務優先放在所羅門和俾斯麥群島方面，因為那對於他們在特魯克的巨大海軍基地可以提供戰略性的掩護——特魯克位於北面一千哩外的加羅林群島之內。在最後的戰略決定中，又還是和往常的慣例一樣，陸軍略占優勢。

最後雙方同意的防線是，從瓜達康納爾以西，在所羅門群島中的聖塔依沙貝爾島（Santa Isabel）和新喬治亞島（New Georgia）起，到新幾內亞的拉意（Lae）為止——即巴布亞半島以西的地區，所羅門地區由海軍負責；新幾內亞地區由陸軍負責。

指揮全局的陸軍司令部設在拉布爾。[2]其所指揮的部隊有在所羅門群島上的第十七軍，和在新幾內亞的第十八軍——第七航空師配屬於前者，而第六航空師則配屬於後者。海軍兵力則有第八艦隊和第十一航空隊（Air Fleet），二者均接受設在拉布爾的海軍司令部之指導。這是一支輕型的海軍部隊，只包括巡洋艦和驅逐艦，但可以從特魯克派遣較大型的軍艦前來增援。

在這個戰區中的陸軍兵力頗為雄厚——在新幾內亞的第十八軍有三個師，總數約五萬五千人，在所羅門和俾斯麥群島上的第十七軍共有兩個師和一個旅，以及其他的部隊。雖然在瓜達康納爾的爭奪戰中，日本的航空兵力已經受到很大的損失，但陸軍仍有一百七十架飛機可用，而海軍則有二百四十架，據日本當局的估計，六個月之內這個戰區可獲得十個到十五個師的增援，而飛機也可以增到八百五十架，所以他們有理由覺得採取一種堅守或「牽制」（containing）的戰略是絕對可能的。

由於當初曾決定把戰場分為中太平洋和西太平洋兩個戰區，而以所羅門群島為分界線，遂使美國人的計畫作為益增其複雜性，為了使工作比較順利起見，美國參謀首長聯席會議決定麥克阿瑟對於整個新幾內亞—所羅門地區應握有戰略指揮權，但南太平洋海軍總司令海爾賽海軍上將，卻仍保有戰術控制權，至於從珍珠港派來該地區參加作戰的海軍兵力，則仍受尼米茲海軍上將的指揮。

美國人的戰略目的即為突破俾斯麥群島所構成的防線，並攻占日本人在拉布爾的主要基地。為了達到這種目的，美軍是在兩條進路上採取交替攻擊的方式——使日本人「疲於奔命」。在第一階段，海爾賽的部隊應攻占瓜達康納爾正西方的羅素群島（Russell Islands），並用它來當海空軍基地。接著應攻占在新幾內亞以東的特羅布里安德（Trobriand）群島中的兩個島，以作攻擊拉布爾時的空軍基地——同時也可以當作中繼站，以便使航空部隊可以在兩線之間移動。在

2　譯者註：即第八方面軍。

第二階段，海爾賽應進向新喬治亞（在瓜達康納爾以西的所羅門群島之內），並攻占重要的孟達（Munda）機場；而麥克阿瑟則應攻占新幾內亞北岸拉意附近的日軍立足點。此時，也希望海爾賽已經占穩所羅門群島西端的的布干維爾島（Bougainville）。在第三階段，麥克阿瑟的部隊應向北旋轉，越過窄海進向俾斯麥群島中的新不列顛島，拉布爾即位於這個大島的北端。於是在第四階段，聯軍才發動對拉布爾的攻擊。這是一種非常緩慢的程序，即令一切都能按照計畫進行——對拉布爾的攻擊根據計算也將在戰役開始後的八個月之內。

麥克阿瑟在他的西南戰區中共有七個師的兵力（其中三個師為澳洲部隊），和大約一千架飛機（四分之一是屬於澳洲的）——另有兩個美國師即將到達，和八個澳洲師正在訓練之中。海爾賽也有七個師（兩個陸戰師和一個紐西蘭師），和一千八百架飛機（其中七百架是屬於美國陸軍的）。海軍實力時有增減，當每次進攻時都將組成一支兩棲部隊，從尼米茲在珍珠港的龐大兵力中也可以短期借用大量的軍艦。在開始行動時，海爾賽所有的為六艘戰鬥艦、兩艘航空母艦，以及許多較小型的船隻。總而言之，雖然不能盡如麥克阿瑟的理想——他曾經要求二十二個師和四十五個航空大隊——但現有的兵力已經足夠保證成功。

在準備或「僵持」的階段中，海爾賽於二月二十一日曾派遣一支部隊在羅素群島登陸，但發現那裡並無敵蹤——美國人一向相信已有日軍駐在那裡。此外，海爾賽的海軍部隊也已經使日本人不敢再從「狹縫」中鑽出來從事襲擊的活動，這是他們過去所慣用的辦法。在新幾內亞，日軍曾企圖攻占胡昂灣（Huon Gulf）附近的瓦烏（Wau）機場，卻被空運趕來的一旅澳洲部隊所擊退；但是當日軍再派遣一個師的主力去增援時，其船團——由八艘驅逐艦護送八艘運輸船——立即為新幾內亞的同盟國空軍所發現並加以攻擊，結果日軍損失了全部的運輸船，和半數的驅逐艦，以及所載運的部隊三千六百餘人（約為總數的一半）。自從日本人在這次「俾斯麥海會戰」中遭到慘重的損失之後，對其在新幾內亞的部隊就只敢用潛艇或小船來運送補給。

山本五十六海軍大將企圖扭轉日軍在空中的劣勢，他把第三艦隊的艦載飛機從特魯克調往拉布爾，希望用以對聯軍基地作不斷的空襲，以消耗聯軍的空軍實力。但這個在四月一日開始的消耗作戰，在十四天的戰鬥中反而使日軍損失比防禦者幾乎多一倍的飛機——與執行攻擊的駕駛員所作的樂觀報告恰好相反。接著山本本人在前往布干維爾島視察的飛行途中，因為美國情報機構事先獲得了消息，遂遭到美國飛機的狙擊而送命。接替他出任日本聯合艦隊長官的古賀峰一海軍上將（Admiral Koga）是一位庸才，遠不如山本那樣可怕。

經過長期計畫的美軍攻勢，預定在六月三十日發動，共分三方面進攻：(1)克羅格將軍（General Krueger）的美國部隊將在特羅布里安德群島中的基里維納（Kiriwina）、吳德納克（Woodlark），或莫勞（Murua）等島嶼登陸；(2)新幾內亞的部隊，以澳洲部隊為主，在希林將軍（General Herring）指揮之下，將在胡昂灣中沙拉毛（Salamaua）附近登陸；(3)在海爾賽海軍上將指揮之下的部隊，則應在新喬治亞島登陸。

在特羅布里安德群島的登陸非常的輕鬆，完全沒有遭遇抵抗，飛機場的修建也隨之立即開始。新幾內亞的作戰開始時也非常順利，支援澳洲部隊的美軍登陸時也未遇到任何嚴重的抵抗，但在此一地區中的日軍（約六千人），直到八月中旬才被迫退至沙拉毛的郊外——於是美軍奉令暫停前進，以等待主力部隊在胡昂半島的登陸，那是為了想要進攻主要目標——拉意。至於第三方面的進攻，即海爾賽的部隊對新喬治亞島的攻擊，則比較困難。

這個號稱新喬治亞的大島，約有日本守軍一萬人，山地叢林的地形和潮濕的氣候都足以增強防禦的威力。尤其是日本帝國大本營又已命令日軍要盡可能固守下去。此外，在東北岸上有懸岩，在南面和西面又有小島所構成的障礙地帶，所以更增加美軍進攻的困難。

美國人的計畫是分別在三個不同的地點登陸。主要的一個具有師級的規模，準備首先在西岸附近的小島雲多伐（Rendova）登陸，然後再從那裡越過五哩寬的海峽，在孟達角（Munda Point）重要機場的附近登陸。一旦當這個躍進獲得成功時，一支較小的部隊即將在新喬治亞島的北岸，距離孟達十哩遠的地點登陸，以切斷日軍的海上補給線。此外，在南岸也要同時作三個助攻登陸行動。海軍掩護部隊包括有五艘航空母艦、三艘戰鬥艦、九艘巡洋艦和二十九艘驅逐艦，至於所分配的空中兵力則約為飛機五百三十架。

由於一位海岸監視者的報告指出，日軍正向新喬治亞南部運動，遂使海爾賽決定提前在六月二十一日開始在該島進行第一個登陸，而不按原定的六月三十日實施。這次登陸並未遭遇抵抗，因此其他的助攻登陸也都在三十日在該地區完成。

對雲多伐島上的主力登陸，美軍使用六千名部隊，很快地就擊敗僅有二百人的日本守軍，接著他們在七月的第一個星期即在孟達附近完成第二步的登陸。但在第一個星期和次一個星期當中，日本的小型海軍部隊，曾像在瓜達康納爾作戰中一樣，作了幾次反擊，使美軍的巡洋艦受到相當的損失，並且還把為數約三千人的日軍部隊送上了該島。

在海岸上，這個沒有經驗的美國師，從雲多伐島渡過海峽之後，在通過叢林向孟達的推進中進行得極為緩慢——儘管他們享有巨大的空中、砲兵和海軍砲火的支援。因為海爾賽接獲該師士氣極低的報告，所以又命令把另外一個半師的兵力也送往新喬治亞。不過到八月五日，孟達和其附近的地區終於還是被克服，日本守軍的大部分卻都已逃往北面鄰近的柯隆班加拉（Kolombangara）島。此外，在進一步的海上行動中，由於美國享有制空權，遂又使日本海軍受到相當重大的損失。

但是美軍在新喬治亞進展遲緩所產生的最重要的影響，乃是促使海爾賽以及其他的美軍領袖們，認清此種逐步前進方式的缺點，並且也認清此種方式可以給予敵人以充分的時間來增強其防線。同時這種方式也浪費空軍和海軍優勢所帶來的巨大利益。所以就決定對柯隆班加拉島，連同島上的一萬多名日本守軍在內，採取封鎖政策，聽他們自己去「枯萎」，而美軍則移向另一大島維拉·拉維拉（Vella Lavella），該島的防禦很脆弱，總共只有日軍二百五十人。（這是一種有計畫「繞過」的實例，也就是曾在阿留申群島所用過的方法之改進。）而且，在維拉．拉維拉島上若建立一個機場，即可以使他們的飛機到布干維爾島的航程縮短為一百哩以內，後者為所羅門群島中最西端的一個島。

對維拉．拉維拉的登陸是在八月十五日實施的，那是在完成對新喬治亞的占領之前。同時，當地的日軍指揮官佐佐木將軍，本希望能在柯隆班加拉島作長期的抵抗，但由於上級命令他放棄中所羅門而退往布干維爾，遂未能如願以償。在九月底和十月初連續幾天夜裡，在柯隆班加拉的大量日軍，和在維拉．拉維拉的少量日軍，都已全部撤走。

總之，在新喬治亞的作戰中，日軍戰死的約二千五百人，並損失十七艘軍艦；而聯軍的損失為大約一千人（不過因病而死的更多）和六艘軍艦。在空軍方面，日本人的損失則遠較重大。

聯軍在八月間對沙拉毛的壓迫，主要是為了分散日軍的注意力，以掩蔽他們自己對拉意和胡昂半島的攻擊準備——為了向北面躍上新不列顛島並掩護此種躍進的側翼，美軍都需要該島的海港和機場。

在進攻胡昂半島時，麥克阿瑟的計畫是從三個方面進行：兩棲、空降和地面。此種三面性質使它變成一種複雜的作戰，實際上他有足夠的資源可以單獨的依賴某一種方式，而不必這樣自討麻煩。九月五日，他的兩棲部隊把第九澳洲師的主力在拉意的正東方送上了岸。次日美軍第五〇三傘兵團，降落在拉意西北方一處已經廢棄不用的納查布（Nadzab）機場——這是聯軍在太平洋方面的第一次空降作戰——當這個機場恢復使用時，第七澳洲師即乘坐運輸機在該機場著陸。同時，美澳聯合部隊向沙拉毛的推進也仍在繼續進行中。

這種分進合擊的作戰並未遭遇太多的抵抗。因為日軍當局知道他們在該地區內的一個師有被切斷的危險，所以已准許該師越過多山的半島，撤往距離拉意約五十哩的克里（Kiari）。所以就在九月十一日撤出沙拉毛，並於九月十五日撤出拉意。日本人希望能守住半島頂端的芬西哈芬港（Finschhafen），但由於二十二日，有一個來自兩棲部隊的澳洲旅已在那裡登陸，遂使他們的計畫受到破壞。雖然日軍又運來一個師的援軍，但還是沿著海岸線逐步敗退。此時，第七澳洲師的前進卻比較迅速，已從拉意推進到馬克漢河（Markham River）的河谷，並於十月初達到鄧普（Dumpu），該處距離第二要點——拉意西北一百六十哩的馬當港（Madang）——僅只有五十哩。到一九四三年的年底，聯軍遂可以向馬當發動一個兩路的攻擊——一路沿著海岸，另一路經由內陸——但是他們的進度還是趕不上預定的時間表。

到一九四三年九月，日本帝國大本營才終於明白其過去對整個情況的樂觀估計和希望都必須修改。在一個太大的地區中，日本兵力的分布實在太單薄，而美國在初期失敗之後，其恢復的迅速也出人意料之外。在空中和海上，他們現在都已占了上風。所以現在很明顯的是，日本人必須要縮短他們的防線。因為除了在側面正承受著重大的壓力外，在中央方面，珍珠港也正蘊藏著巨大的潛在威脅。尼米茲現在所集中的艦艇數量，是繼第一次世界大戰英國海軍上將傑利科

（Jellicoe）的大艦隊（Grand Fleet）之後最大的數字。

日本的脆弱經濟基礎，更增強其軍事情況的危殆程度。其飛機的生產量不足以應付美國的挑戰，同時也已經不能保護海上的交通線。

九月中旬，日本帝國大本營所決定的「新作戰方針」，是以達成日本戰爭目標所需最小地區的估計為基礎。這也就是所謂「絕對國防圈」，那是起自緬甸沿著馬來半島以達新幾內亞西部，然後由此經過加羅林、馬里亞納、直到千島群島為終點。這樣的縮短防線，其意義也就是說，新幾內亞的大部分、俾斯麥群島的全部（包括拉布爾在內）、所羅門群島、吉爾貝特群島和馬紹爾群島，現在都已被認為不具必要性——但是他們還是準備再守六個月。他們希望在這六個月之內，能夠把「絕對圈」發展成一道不毀的防線，使日本飛機的生產量增加三倍，並使聯合艦隊有足夠的實力可以和美國太平洋艦隊再作一次決戰。

在這個階段之內，西南太平洋方面的日軍所奉到的命令是要他們盡量牽制聯軍，因聯軍現有的總數在二十個師左右，並獲得近三千架飛機的支援。日軍在新幾內亞東部有三個師，在新不列顛有一個師，在布干維爾也有一個師，而還有第六師尚在運輸途中。但在中國大陸上陷入泥淖的有二十六個師，而在滿洲也還保留著十五個師——防備俄軍可能的侵入——所以在陸軍方面，日本人的弱點並非在數量方面，而是在分布方面。

在聯軍方面，由於進展的遲緩遂使麥克阿瑟不得不加緊督促其部下，尤其是因為他知道美國的參謀首長聯席會議現在已經比較願意把作戰優先給予中太平洋方面，並且認為那不僅距離較短，而且時間也可能較短。他們甚至於認為拉布爾的攻占已非必要，這個防禦堅強的據點大可迂迴通過，然後聽其孤立，所以也就使麥克阿瑟更感到著急。海爾賽也希望能夠加速通過所羅門群島的前進，因為他的許多艦船以及第二陸戰師，即將被召回去幫助中太平洋方面的作戰。

布干維爾作戰

布干維爾為所羅門群島最西端的唯一大島。其守軍有陸軍近四萬人，海軍士兵約二萬人，大部分都集中在該島的南部。海爾賽現在所控制的艦船和登陸艇都已大量的減少，所以在開始時他只能送一個加強師登陸。其登陸地點的選擇頗為高明，那是防禦單薄的西海岸上的奧古斯塔皇后灣（Empress Augusta Bay）——並且也有良好的地形便於修建機場。

美軍對日軍在布干維爾島上的空軍基地加以重大轟炸，並首先占領位於向布干維爾前進路線上的若干小島之後，遂於十一月開始登陸——這也使日本人大感驚異，因為他們相信美軍的攻擊一定來自南方，因為那裡的海浪比較平靜。日本人雖用空軍及海軍發動反擊，但均被擊退，其所受到的損失遠比美軍的損失為大。美國的航空母艦部隊，以及在新幾內亞的航空部隊，都對拉布爾作不斷的空中攻擊，以牽制新近增強拉布爾的日本航空部隊，使其無法干涉布干維爾方面的作戰。對於未來而言，這也提供美軍一個重要的教訓，很顯然的，即令在某些區域日軍能獲得以陸上為基地的飛機所提供的良好掩護，美國的快速航空母艦部隊也一樣能夠作戰。

陸上的美軍獲得另一個師的增援之後，遂逐漸擴大其灘頭，使其成為一個寬達十哩以上的巨大灘頭陣地。到了十二月中旬，據守這個灘頭陣地的兵力已達四萬四千人之多。日本人的反應很遲緩，因為他們仍然相信美軍的主要攻擊將會來自其他的方面。甚至於等他們開始認清美軍在奧古斯塔皇后灣的登陸即為主要威脅時，他們的對抗行動也還是無法加速，因為他們必須通過五十哩長的叢林地帶，始能把部隊從南面的主陣地中調到西面來。所以一直到二月底他們才能開始有所作為，其間是一段長期的僵持局面。

俾斯麥和海軍群島的攻占

此時，在新幾內亞的聯軍仍在繼續前進。一九四四年一月二日，麥克阿瑟把一支約近七千人的美軍部隊送往賽多（Saidor）登陸，該島在胡昂半島與馬當間的中點上，不久，登陸的部隊即增加到一倍。島上數量大致相當的日軍殘部，本來想要據守半島正西方的息河（Sio），現在才發現其沿著海岸的退路已被封鎖。最後他們經過山地叢林的長途迂迴行軍，才勉強逃出包圍，但還是多損失了幾千人。同時，澳洲部隊又從馬克漢河谷中的鄧普向海岸挺進，並於四月十三日到達目標。四月二十四日，麥克阿瑟的部隊占領馬當，幾乎沒有遭遇任何嚴重的抵抗。因為日本人大本營已經被迫加速撤退，其在新幾內亞的殘餘部隊也奉命撤向西海岸的維華克（Wewak），該地距離馬當約二百哩。

在胡昂半島尚未肅清之前，麥克阿瑟即已發動他的下一個攻擊。十二月十五日，克羅格的部隊即已開始在新不列顛的西南海岸登陸，登陸點在阿拉維（Arawe）附近，而在聖誕節剛剛過去之後，這支部隊主力的兩個師又在西端的格勞斯特爾角（Cape Gloucester）附近登陸，並占領那裡的機場。雖然攻擊拉布爾的構想已經放棄，但麥克阿瑟仍想對海岸獲得兩面的控制，以保護其在新幾內亞繼續西進時的側翼。在美軍登陸的新不列顛島西端，是由一支剛剛從中國大陸調來的日軍部隊據守，人數約八千人，他們與拉布爾之間隔著一片荒野地帶——後者在這個新月形大島的另一端，相距約三百哩。同時他們所能獲得的空中支援也極為有限，因為第七航空師已經調往西面二千哩以外的西里伯斯地區。所以在格勞斯特爾角附近的日軍幾乎未作任何抵抗，即開始穿越叢林向拉布爾撤退。

於是在二月底，沒有馬的第一騎兵師派出一支搜索部隊在海軍群島（Admiralty Islands）登陸——該島在格勞斯特爾角以北約二百五十哩，島上有幾個機場，而且還有空間可供修建更多的機場，此外還有一個非常寬闊而有掩蔽的碇泊所。日本守軍約四千人，對美軍進行了意想不到的堅強抵抗，但是當美軍主力於三月九日登陸並從後方攻擊日軍之後，即很快的將他們擊敗。到三月中旬，美軍已經占領一切主要目標，並開始把海軍群島作為一個主要基地——日軍的殘部繼續戰鬥直到五月間才完全肅清。

於是連同十萬人以上的日本守軍在內的拉布爾，現在遂已完全居於孤立的地位——而且也可以聽其自生自滅。俾斯麥群島所構成的堡壘已經被衝破，美軍的損失遠比直接攻擊時要輕微得多。

差不多過了四個月的時間，在布干維爾島上的日軍指揮官，才開始認清美軍在西海岸的登陸始為主力所在。在一九四四年三月間，他才通過叢林把兵力集結到一萬五千人，以求對美軍的灘頭發動一次攻擊——現在美軍總數已達六萬人以上。但他估計美軍的實力為陸軍部隊約二萬人，另加空軍地勤人員一萬人。即令照他的估計，似乎也應該明白其已經反擊得太遲，少有成功的希望。他從三月八日開始攻擊，以一比四的劣勢，繼續戰鬥了兩個星期，損失八千人以上——超過其全部兵力的一半——而美軍的損失卻不到三百人。經過這次慘敗之後，日軍的殘部遂陷入毫無希望的孤立狀況，同時也被留在那裡聽其自動消滅。

中太平洋的前進

美軍在這方面的前進，也像在西太平洋方面一樣是指向菲律賓，並以收復美軍在那裡的陣地為目標——而非指向日本的本土。在這個階段，美國參謀首長聯席會議的基本戰略觀念，是在收復菲律賓之後即向中國大陸進軍，並在中國建立巨大的空軍基地，以便控制日本的上空，消耗其抵抗力，並切斷其補給路線。

基於此一戰略構想，美國就要努力援助蔣介石領導下的中國國民政府，並維持其對日本的抵抗能力。所以美國人也就希望英軍能夠早日反攻緬甸，以重新開放進入中國西南方的滇緬公路，這樣才能使中國獲得必要的物資援助。

但事實上，中太平洋的前進極為迅速，遂使尼米茲的部隊可以把他們的作戰線向北移動，並攻占馬里亞納群島；同時由於最新的長程轟炸機，號稱「超級堡壘」的B-29已經發展成功，也就使對日本的直接攻擊具有可能性，因為從馬里亞納群島到日本本土的距離是一千四百哩。此外，當馬里亞納被攻占時（即一九四四年十月），美國參謀首長們也已經認清，在不久的將來英軍還是沒有到達中國西南，或者獲得中國幫助的希望。

吉爾貝特群島的攻占

在擬定中太平洋的前進計畫時，金恩上將本想以馬紹爾群島為攻擊發起點，但因為缺乏足夠保證成功的必要艦船和有訓練的部隊，所以這個構想遂被放棄。結果才決定首先攻擊吉爾貝特群島，雖然該群島距離珍珠港基地很近，所以攻占該島似乎是一件並不太刺激的任務，但是卻可以對兩棲作戰提供一次實習的機會，並獲得轟炸機基地以供進一步攻擊馬紹爾群島之用。在這個群島中最西端的兩個小島，馬金（Makin）和塔拉瓦（Tarawa），被指定為主要目標。

尼米茲以統帥的身分選擇斯普勞恩斯中將指揮這支攻擊部隊。地面部隊定名為第五兩棲軍，其指揮官為海軍陸戰隊的史密士少將（Major-General Holland Smith），至於運兵部隊則由屠納少將（Rear-Admiral Richard Turner）負責指揮，他曾經在所羅門的作戰中獲得很豐富的經驗。全部攻擊部隊分為兩支：北面一支攻擊馬金島，由六艘運輸船載運第二十七師的部隊約七千人；南面一支攻擊塔拉瓦，由十六艘運輸船載運第二陸戰師，人數在一萬八千名以上。除了和運輸船在一起的護航航空母艦以外，整個攻擊部隊又受到包納爾少將（Rear-Admiral Charles Pownall）所率領的快速航空母艦部隊的掩護，一共有六艘艦隊航空母艦、五艘輕型航空母艦、六艘新建的戰鬥艦，以及許多其他較小型的軍艦。除了航空母艦的八百五十架飛機以外，還有陸上基地的陸軍轟炸機一百五十架。

最重要的發展是能在行動中對艦隊進行維護工作的機動勤務部隊（Mobile Service Force），除了對大型軍艦的大修以外，其他艦隊的一切需要都可以在海上獲得解決。該部隊擁有油輪、修護船、掃雷艇、彈藥船、拖船、駁船等等。以後又再加上醫院船、乾船塢、浮動起重機、測量船、浮橋結合船等等特殊性能的船隻。這種浮動「列車」使海軍在兩棲作戰中的航程和威力，都獲得極大的增加。

對吉爾貝特群島進行準備性的轟炸之後，兩棲攻擊於一九四三年十一月二十日展開序幕——其代字為「流電作戰」（Operation Galvanic），那天碰巧是一九一七年在法國康布來（Cambrai）集中大量戰車作劃時代攻擊的紀念日。吉爾貝特群島只有非常微弱的防禦，因為根據九月日本的「新作戰方針」所應給予的增援，到此時尚未能送達。在馬金島上只有守軍八百人，而在阿巴馬馬（Apamama）珊瑚礁上——一個輔助性的目標——則僅有二十五人。但塔拉瓦卻有守軍三千人以上，而且也構築有堅強的工事。

在馬金島上那一點少量的日軍，卻和美國陸軍的一個師相持達四天之久，後者因為缺乏經驗所以行動極為遲緩。行動上比較有效的是少數「兩棲履帶車輛」。這種車輛能夠克服珊瑚礁上的礁層，但是登陸部隊只有極少數這種新型車輛。

防禦和工事都較堅強的塔拉瓦，首先受到海軍猛烈的砲擊（兩個半小時內共發射三千噸砲彈）和飛機的大規模轟炸，然後才由第二陸戰隊師來登陸攻擊，該師在瓜達康納爾曾有優異的表現。即令如此，在第一天登陸的五千人之中，當他們企圖超過珊瑚礁層與灘頭之間一段六百碼的地帶時，即有三分之一的人被射倒。但那些倖存者卻並不畏縮，遂終於壓迫日軍撤到兩個內陸的據點中。日軍的撤退使美國陸戰隊能夠立即席捲全島，並把他們圍困在那兩個孤立的據點內。二十二日夜間，日軍不斷的發動逆襲，前仆後繼，死傷累累，這樣也就無異替美軍解了一道難題。在他們一再犧牲之後，全部群島也就隨之而肅清。

美國海軍損失一艘護航驅逐艦，但就整體而論，航空母艦群業已證明，不分晝夜，他們都能擊退日本人的空中攻擊，至於日本人的水面軍艦則根本不敢向斯普勞恩斯的大艦隊挑戰。

對於美軍損失的慘重，美國人民都大感震驚，所以吉爾貝特的攻擊變成一個激烈爭論的來源。但在許多細節方面所獲得的經驗卻是極有價值，並且因此而使兩棲作戰的技術獲得重要的改進。美國官方的海軍歷史學家莫里遜少將（Rear-Admiral S. E. Morison）曾稱其為「一九四五年勝利的育種溫床」。

尼米茲和他的幕僚們早在忙於計畫下一階段的行動，也就是向馬紹爾群島的躍進，但是當完成對吉爾貝特的攻擊之後，由於尼米茲的堅持，下一階段的計畫才作了一種重要的改變。美軍將不對該群島中最近的和最東面的島嶼發動直接攻擊，而準備予以繞過，下一個躍進將跳向四百哩以外的瓜加林（Kwajalein）珊瑚礁。以後，若一切進行順利，斯普勞恩斯的預備隊即將進攻恩尼維托克（Eniwetok），該島位於此七百哩長的島鏈中最遠的終點上。指揮編組與攻擊吉爾貝特群島時大致相似，但使用兩個師的生力軍來擔任突擊登陸的任務，突擊部隊共有五萬四千人，以及準備用來占領征服地區的部隊三萬一千人。在海軍方面共有四個航空母艦群，其中包括十二艘航空母艦和八艘戰鬥艦，並決定大量使用「兩棲履帶車輛」，此種車輛都是有武器和裝甲的，戰鬥機和砲艇均加裝火箭。攻擊準備的射擊火力預定要比在吉爾貝特時增強四倍。

這個計畫的成功又受到下述因素的幫助：日本人把他們所能提供的增援，都集中在該群島的東端，所以美國戰略的改變，遂使他們遭遇奇襲而感到措手不及——這也就是戰略上的間接路線和以迂為直的成功。

在回到珍珠港作了一次短時間的休息和整補之後，美國快速航空母艦部隊又於一九四四年一月回到戰場，在進攻馬紹爾群島的這一段時間內，他們用連續不斷的出擊（總共在六千架次以上），癱瘓了日軍整個空中和海上的行動——並擊毀日軍飛機約一百五十架。

攻擊的第一個行動在一月三十一日發動，攻占沒有設防的馬裘羅島（Majuro），該島位於若島鏈的東端，對於美國的支援勤務部隊可以提供一個良好的泊地。接著再攻占瓜加林側面的若干小島，然後於二月一日發動主力攻擊。瓜加林的日本守軍一再發動自殺式的反擊，在「萬歲」（banzai）聲中作了野蠻和瘋狂的犧牲。雖然日本守軍的總數在八千人以上，其中約有五千人為戰鬥部隊，但美軍僅陣亡三百七十人即獲得勝利。

由於軍預備隊（約一萬人）尚未動用，遂直接用來攻占恩尼維托克。該島距離美軍占領的馬里亞納群島尚有一千哩，但距離日本人在加羅林群島中的主要基地特魯克，卻不到七十七哩。為了掩護對恩尼維托克攻擊行動的側翼安全，美國的九艘航空母艦遂於登陸恩尼維托克的同一天，向特魯克作一次重大的空襲。當天夜間又作第二次攻擊，並利用雷達來辨識目標，次日上午又發動第三次攻擊。雖然古賀峰一很謹慎，已經把他的聯合艦隊大部分的艦艇撤離，但仍然有兩艘巡洋艦、四艘驅逐艦，以及二十六艘油輪和貨船被擊沉。在空中，日本人的損失更重，喪失飛機二百五十架以上，而美國人只損失二十五架。空中攻擊的戰略性效果尤其驚人，因為接連三次的空襲使日本人大感震驚，於是把所有的飛機都撤出俾斯麥群島，而讓拉布爾留在孤立無援的狀況下——這又可以證明在中太平洋方面的前進，不僅不曾阻礙麥克阿瑟在西南太平洋方面的行動，反而還幫助了他的進展。

尤其最重要的是，這次作戰證明航空母艦部隊可以使一個主要的敵軍基地喪失作用，但卻不需要占領它，而且也不需要陸上基地飛機的協助。

在這樣的環境之下，恩尼維托克的攻占也就變得非常容易。周圍的小島很快的被攻下，甚至於在主島上的守軍也只支持三天即被克服，而登陸作戰的兵力尚不及一個師的一半。美軍在馬紹爾群島建築新機場的工作也就隨之迅速推展。美軍攻占吉爾貝特和馬紹爾兩個群島所花的時間，只有兩個多月一點，而日本人卻希望在這個地帶固守六個月。此外，特魯克在日本人「絕對國防圈」中的重要地位，也發生了嚴重的動搖。

緬甸：一九四三年—一九四四年

在緬甸方面的季節性作戰所經過的過程，卻和所預料的大不相同，若與聯軍在太平洋方面（尤其是中太平洋）的迅速進展相比較，則實在令人感到沮喪。在緬甸方面的戰爭是以日軍的另一次攻勢為主——在整個戰爭期中，這是唯一的一次曾經看到日軍越過印度國境並進入阿薩姆的南部——而此時英軍則仍在計畫發動反攻，希望能肅清緬甸北部的敵軍，並打通到中國的路線。因為從印度出發的交通已經大有改進，而他們的兵力也正在日益增強，所以成功的希望似乎是很大。

日軍攻擊的目的，為企圖事先破壞英軍的攻勢，儘管其兵力居於劣勢，但很不幸的卻幾乎已經獲得戰術性的成功，而且甚至於在最後失敗時，其戰略性的影響仍能使英國人到一九四五年才敢繼續前進。不過由於英軍在英法爾（Imphal）和柯希馬（Kohima）——均在阿薩密疆界以內三十哩之處——能作頑強的防禦，於是日軍的攻擊在一九四四年春季遂未得逞。一經敗退之後，馬上可以發現日軍那一點薄弱的兵力，在這次最後的攻勢中消耗得太厲害，以至於對英軍立即發動的反攻，以及在一九四五年英軍接著發動的較大規模的攻勢，均不能作強烈的抵抗。

在準備作戰時，同盟國之間已經獲得協議，認為收復緬甸的北部應視為一個主要目標，因為這是和中國重建直接接觸的最短路線，只有通過穿越山地的「滇緬公路」才能使中國再度獲得補給。經過長期討論之後，其他的計畫均被擱置——例如對阿恰布、仰光或蘇門答臘的兩棲作戰。對於阿拉干地區也應再度發動攻擊，以作為英軍在緬甸大攻勢的前奏；此外「擒敵」敵後游擊部隊（Chindits）也應在北方發動一個牽制性的助攻。

一九四三年八月底，新成立一個聯盟性的「東南亞總部」（South-East Asia Command），總司令為蒙巴頓勳爵（Admiral Lord Louis Mountbatten）——前英國「聯合作戰司令」（Chief of Combined Operations）。在其下的三軍司令分別為索美維爾海軍上將（Admiral Somerville）、吉法德將軍（General Giffard）和貝爾斯空軍元師（Air Chief Marshal Peirse）。至於美國人史迪威將軍則做了掛名的副總司令。印度總部與東南亞總部是分開的，前者現在專門負責訓練而不再過問作戰事務。魏菲爾榮升有職無權的印尼總督，而奧欽烈克則接替他出任印度軍總司令的職務。

在吉法德的第十一集團軍之內，陸軍的主力為新成立的第十四軍團，其司令為史林將軍（General Slim）。轄有克里斯狄生（Christison）的第十五軍，位於阿拉干；和司空士（Scoones）的第四軍，位於北緬甸的中央戰線上，此外，在此戰區中的中國軍隊在作戰時也由他控制。海軍實力還是很小，但空軍實力則大約增至六十七個中隊，其中有十九個是美國的——堪用的飛機總數為八百五十架。

因為聯軍的實力已有如此巨大的增加，而且攻勢的企圖又已至為明顯，所以才促使日本人想對阿薩姆地區發動一個預防性的新攻擊，否則他們也許將以守住和鞏固其在一九四二年所征服的地區為滿足。溫格特曾經作的第一次遠征，已經使日本人認清更的宛江並不能算是一道安全的防線。日軍的目的只想占領英法爾平原，和控制從阿薩姆通往緬甸的山地隘道，以阻止聯軍在一九四四年乾季中將要發動的攻勢——他們並不企圖對印度作大規模的侵入，或是「向德里進軍」。

在準備階段中，日本的指揮系統也已經改組。在緬甸方面軍司令河邊中將之下，轄有三個軍

——（1）第三十三軍的司令為本田中將，共兩個師，位於緬甸東北部；（2）第二十八軍的司令為櫻井中將，共三個師，位於阿拉干邊境上；（3）第十五軍的司令為牟田口中將，三個師均位於中央戰線上，另加上一個「印度國民師」，只有九千人——僅比一個正規日本師的一半多一點。

在對阿拉干和中國雲南的初期攻擊之後，對英法爾的主力攻擊遂由牟田口的第十五軍來負責。

英日雙方的計畫都準備在中線發動較大的攻勢之前，先在阿拉干方面作一個有限度的攻擊。在英國方面，可使史林將軍有機會試驗一種新的叢林戰術：那就是是首先建立一個據點使部隊可以撤入，並利用空投來維持他們的補給，然後再調集預備隊來夾攻進犯的日軍。這和過去一受到迂迴就退卻的老辦法完全不同。

一九四四年初，克里斯狄生的第十五軍分為三個縱隊，開始逐漸向阿恰布南下。但是當二月初日軍發動其計畫中的攻擊時，英軍的前進即受阻——雖然日軍只使用其在阿拉干三個師中的一個。由於英軍的疏忽，日軍遂攻占了陶恩市場（Taung Bazar），然後向南旋轉，而使前進中的英軍陷於狼狽的情況——直到新的援軍空運到達之後才使他們獲救。不過儘管有些局部性的錯誤，但英軍新戰術的價值卻還是獲得了證明。在糧食和彈藥日漸不足的情況下，日軍終於在六月季風尚未來臨前，即被迫放棄反攻。

自從一九四三年五月，溫格特在第一次「擒敵」作戰結束並撤回印度之後，其兵力即處於安靜休止的狀態中。但在這個階段內，他們的實力卻已由兩個旅增到六個旅——大部分是由於溫格特的理想和辯論燃燒起邱吉爾的幻想；同時在一九四三年八月，當溫格特被召前往出席魁北克的「四分儀會議」（Quadrant Conference）時，也使過去表示懷疑的參謀首長們對他持以較友善的態度。於是溫格特被升為少將，而他的部隊也被賦予他們所專用的空軍番號。這個號稱「第一軍中突擊隊」（No.1 Air Commando）的兵力，遠超過其官方頭銜所具的含意，共有相於十一個中隊的兵力。它通常被人稱為「柯克蘭的馬戲班」（Cochran's Circus），此乃由於該隊的青年美國籍指揮官菲力普柯克蘭（Philip Cochran）而著名。

在一九四三年年終和一九四四年歲首，新分發來的各旅被施以特殊的訓練。雖然為了偽裝起見，它仍稱為第三印度師，但這支部隊卻早已沒有任何印度部隊，而且已經擴充到相當於兩個師的數量，其主要的單位都是由英國第七十師所提供。

溫格特的構想也已經有了新的改變和發展——從游擊隊那種「打了就跑」的戰術，改變為一種較確實和長期的長程滲透行動。他的LRP長程穿透（Long-range Penetration）部隊計畫攻占瓦城以北約一百五十哩處的印道（Indaw），以及在伊洛瓦底江周圍的地區——即夾在英國第四軍與史迪威的中國部隊（兩個師）之間的空間——並建立一連串的據點（由空投送補給），以切斷日軍的交通線。他們現在準備正式與敵人一戰，而不再只是偷偷摸摸的擾亂而已。就本質而言，溫格特的部隊將變成矛頭，而英國第四軍反而成為支援和掃蕩部隊。照溫格特的想像，其最後的目的是以幾個ＬＲＰ師遠在主力部隊的先頭作戰。

這個作戰是在三月五日黃昏開始發動，其開始似乎即為不祥之兆，當六十二架滑翔機載運第一批部隊前往印道東北五十哩一處叫作「百老匯」（Broadway）的地方著陸時，就有好幾架滑翔機失事撞毀，而另一處著陸的地點則受到被砍倒的樹幹的阻礙，第三個地點又因其他的理由而放棄。儘管如此，在「百老匯」的一條跑道還是迅速的建築完工，於是在接著的幾天夜裡，由卡費特（Mike Calvert）所率領的第七十七（ＬＲＰ）旅成功的著陸，跟著後面的即為侖擔（Lentaigne）的第一一一（ＬＲＰ）旅。到三月十三日，差不多有九千人已經深入敵後。此外，福開森（Bernard Fergusson）的第十六（ＬＲＰ）旅也從二月底自阿薩姆出發由陸路進入緬甸，雖然所經過的地區極為險阻，但在三月中旬之後，也快到達印道。

雖然日本人在最初遭遇到奇襲，但他們很快的在林將軍指揮之下，臨時組成一支相當於一個師的兵力，來應付這種空降侵入。其一部分兵力已在三月十八日到達印道，而主力也在一個師的兵力，來應付這種空降侵入。其一部分兵力已在三月十八日到達印道，而主力也在三月底以前趕來。此外，日本空軍在三月十七日發動一次反擊，把利用「百老匯」臨時機場作戰的幾架英國噴火式戰鬥機全部擊毀，於是此後對空的防禦就必須依賴從遙遠的英法爾機場起飛的巡邏戰鬥機。接著在三月二十四日，溫格特本人又因為座機在叢林中撞毀而送命。但在他本人尚未遭遇這個悲慘的意外事件之前，其大而無當和並未經過認真思考的計畫，即早已呈現脫節的現象。三月二十六日，從陸地前進的第十六旅，奉溫格特生前的命令，向印道發動一個直接的攻擊，但卻被嚴陣以待的日軍所擊退，同時他們也曾成功的對抗其他LRP旅的威脅。溫格特想把游擊行動發展成為一種較具體化的長程滲透——這種理想並未獲得成功，雖然他也不曾獲得其理想中的主力支援。

在溫格特死後，倫擔即被派接任這支特種部隊的指揮官。四月初，他與史林和蒙巴頓作了一次討論之後，而同意率領其所部北上，以幫助史迪威的前進。儘管史迪威因為害怕他們會招引日軍，並不表示歡迎，但他們卻幫助史迪威攻下了孟拱（Mogaung）——不過史迪威還是未能到達敵方在密支那（Myitkyina）的主要據點。「擒敵」部隊的北移，恰好在一個師的日本生力軍進入戰場之前。

日軍以攻占英法爾和柯希馬為目的，在三月中旬以三個師的兵力向阿薩姆發動「預防性」的攻勢。出乎意料之外，「擒敵」部隊在伊洛瓦底江谷地中的降落，卻不曾影響日軍攻勢的發動和進展——雖然那是在日軍的東面側翼上和後方，但因為距離太遠，所以並不足以威脅日軍北上的進路和交通線。

一月底，司空士曾停止其第四軍從英法爾向南面的緩慢前進，而開始進入防禦陣地，因為他已經獲得確實的情報，日軍正在更的宛江上游重組和集中，準備向英法爾發動攻擊。即令他已開始布防，但司空士的三個師還是散布得太遠。其最南段的第十七師在提丁（Tiddim）被日軍迂迴之後，即發現其至英法爾的退路已被遮斷。情況似乎是非常的緊急，於是一個從阿拉干剛剛抽回的第四英國師，遂又立即與其他增援部隊一同匆匆地空運英法爾。同時日軍從更的宛江的側進也大有進展，並加速英軍第二十師的撤退。於是在英法爾東北後方約三十哩的烏赫魯（Ukhrul）英軍陣地，也於三月十九日受到攻擊，同時更使英軍當局感到不安的是，日軍的深入突擊竟然是以柯希馬為目標，該城在英法爾以北約六十哩，控制著越過山地進入印度的道路。實際上在三月二十九日，英法爾到柯希馬之間的道路也曾一度被切斷。於是又有兩個師的英國生力軍被調往前線，以為增援和補充。總而言之，日軍的敏捷和衝力又已再度使數量優勢的英軍喪失平衡，並迫使他們居於一種非常狼狽的形勢。

雖然英軍終於勉強撤回到英法爾平原，並且已經用了四個多師的兵力作防禦配置，但在柯希馬仍只有守軍一千五百人，在李查德上校（Colonel Hugh Richards）的指揮之下。對於英國人而言可以說是很僥倖，日軍的最高指揮官河邊將軍，拒絕允許第十五軍司令牟田口將軍，派遣一支深入部隊去奪取狄馬普（Dimapur）——該地在柯希馬之後三十哩，位於山地的出口上。這樣一個突擊若能成功，則將使英軍為拯救英法爾而發動的任何反攻受到阻礙和破壞。

在這間不容髮的關頭上，斯托福中將（Lieutenant-General Montagu Stopford）及其第三十三軍的先頭部隊，已經從印度到達前線。他從四月二日起就接管了狄馬普—柯希馬地區的指揮權，儘管他那個軍的大部分還沒有到達。

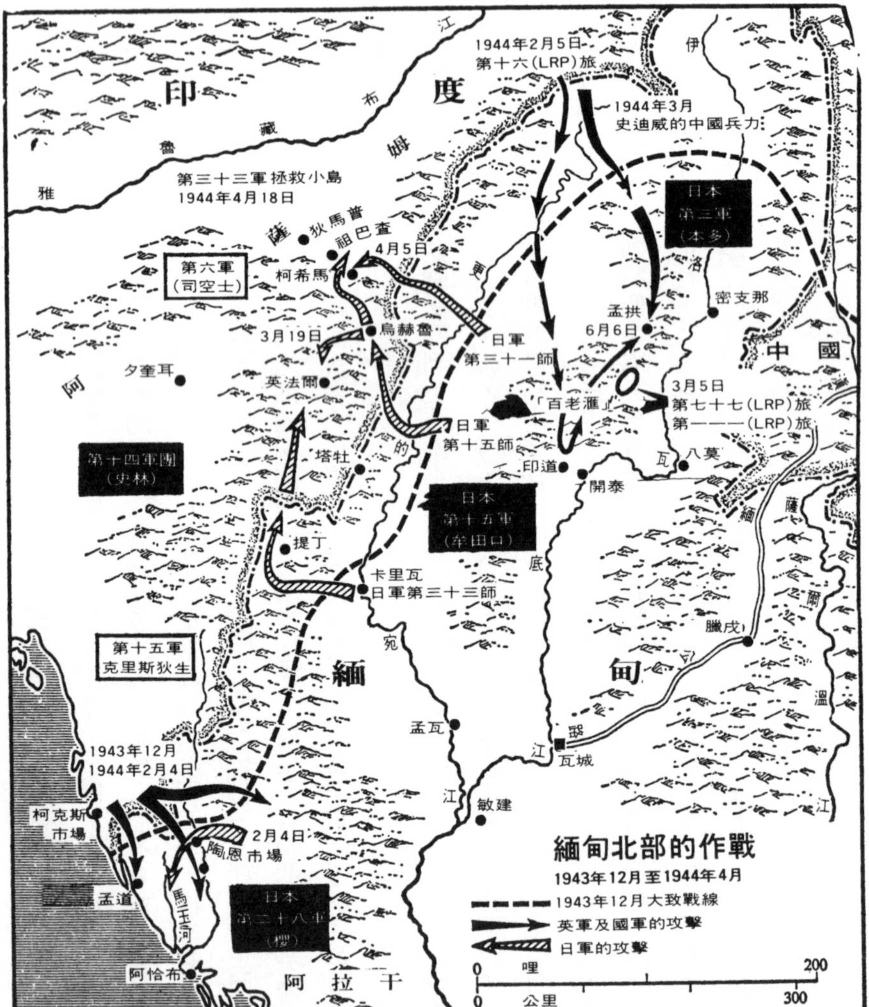
印
度
雅
魯
藏
布
江
1944年2月5日
第十六(LRP)旅
1944年3月
史迪威的中國兵力
伊
日本
第三軍
(本多)
第三十三軍拯救小島
1944年4月18日
薩
狄馬普
祖巴查
4月5日
柯希馬
第六軍
(司空士)
姆
更
洛
密支那
孟拱
6月6日
烏赫魯
3月19日
日軍
第三十一師
中
國
夕奎耳
阿
英法爾
「百老滙」
3月5日
第七十七(LRP)旅
第一一一(LRP)旅
日軍
第十五師
的
第十四軍團
(史林)
塔牡
印道
開泰
瓦
八莫
日本
第十五軍
(牟田口)
緬
薩
提丁
底
卡里瓦
日軍第三十三師
爾
臘戌
第十五軍
克里斯狄生
宛
緬
甸
孟瓦
溫
瓦城
江
1943年12月
1944年2月4日
江
敏建
江
柯克斯
市場
2月4日
陶恩市場
孟道
馬玉河
日本
第二十八軍
(櫻)
阿恰布
阿 拉 干
緬甸北部的作戰
1943年12月至1944年4月
1943年12月大致戰線
英軍及國軍的攻擊
日軍的攻擊
0 哩 200
0 公里 300

日軍第三十一師對柯希馬的攻擊是從四月四日的夜間開始，很快的就占領了瞰制的高地，使該地的小部隊守軍在四月六日即和派出增援的一個旅斷了聯絡；同時日軍又在祖巴查（Zubza）建立了一個道路阻塞陣地，切斷其與狄馬普之間的交通線。

但史林將軍在四月十日發出全面反攻的命令。到四月十四日，斯托福所派遣的一個旅的生力軍，攻克日軍設在祖巴查的道路阻塞陣地，於是在四月十八日兩個救援柯希馬的旅都衝破了日軍的包圍圈，而與城內正在作最後奮鬥的守軍相會合。接著他們也就把日軍逐出周圍的高地。

此時，在英法爾的周圍也正在激戰之中。有兩個師的英軍正在從事反擊——向北打通到柯希馬的道路，和向東北企圖收復烏赫魯以威脅日軍的後方。其他的兩個英國師則從英法爾向南攻擊。

英國人現在幾乎握有完全的制空權，這實在是一大幸事——日軍在緬甸所有的飛機總數尚不及二百架——所以在這幾個緊急的星期當中，英軍在英法爾的部隊可以完全依賴空運補給來維持。當三萬五千名傷患和非戰鬥員都經空運送出之後，英軍在英法爾仍然有十二萬人左右。

五月間，現已獲得增援的斯托福部隊，把死守在柯希馬周圍陣地中的日軍趕走之後，即進一步肅清從那裡通到英法爾的道路，而司空士的部隊則正緊逼著在英法爾以南的日軍。假使牟田口此時決定退卻，則他還可以很輕鬆的撤走，而不至於受到更大的損失。明知成功已經無希望，可是牟田口卻拒絕接受部下的建議，堅持要繼續蠻幹到底。在這種瘋狂的狀況之下，他斷送了他手下三個師長的前程——接著他自己的前程也隨之而斷送了。

在七月間，英國第十四軍團在史林將軍指揮之下仍繼續反攻，並終於到達更的宛江。在前進過程中所受到的阻礙是季風的來臨，而非日軍的抵抗——日軍現在已經是殘破不堪，無力再戰。

在他們這次過分拉長的攻勢中，日軍全部進入戰鬥的總兵力為八萬四千人，但已經損失五萬人以上。英軍因為行動比較慎重，所以損失尚不到一萬七千人——其原有兵力本已較日軍為多，而到了作戰結束時則變得更多。英軍共計展開了六個師以及許多其他的小規模部隊，並且還獲有制空權之利。反之，日軍則只用三個師，再加上一個所謂的「印度國民師」——數量不足而且素質低劣。從另一方面來看，日本人因為盲目的遵守一種不現實的軍事傳統，遂犧牲了其戰術技術所能帶來的利益——在次一階段的戰爭中，更可以明顯的看到他們為了此種愚行而付出極高的代價。

第七篇

低潮（一九四四）

第三十章　克服羅馬和在義大利第二次受阻

一九四四年開始時聯軍在義大利的情況，若與一九四三年登陸時所具有的高度希望作一比較，實在令人有失望之感。兩支侵入軍，美國的第五軍團和英國的第八軍團，由於他們一直都是沿著亞平寧山脈的左右兩側連續不斷的作正面攻擊，所以不僅損失慘重，而且也已經精疲力竭。他們這種沿著整個半島緩慢的爬行就像第一次世界大戰時聯軍在西線上的蠻攻硬打。在一九四三年九月間，由於義大利的投降和轉向，加上英美聯軍在三方面——雷佐、大蘭多和薩來諾——的先後登陸，德軍實已處於非常不利的形勢，由於他們的迅速反應，才終於轉危為安。凱賽林手下的軍隊雖然是七拼八湊的，但對於這種多方面的緊急情況，卻仍能作如此良好的應付，使希特勒不久即打消其放棄義大利半島，而退守義大利北部的原有觀念和計畫，決定在半島上作長期的防禦。

自一九四三年秋天以後，聯軍所可能希望達到的最多不過是一個消極的目標——盡可能把較多的德軍牽制在義大利境內，以便在一九四四年仲夏，當聯軍從諾曼第侵入法國時，足以減少其可能的兵力調動。

一九四三年十一月，也就是在英美開羅會議之前，英美俄三個主要同盟國曾舉行德黑蘭會議。會中曾確定下述的結論，即越過海峽在諾曼第登陸的「大君主作戰」（Operation Overlord）應列為優先，與其相配合的還有「鐵砧作戰」（Operation Anvil），即在法國南部的輔助性登陸，至於在義大利的目的將只限於克服羅馬，以及在半島腿部推進至比薩—里米尼（Pisa-Rimini）之線為止。向東北進入巴爾幹的擴張行動則根本即不在考慮之列。事實上在這個時候，它在英國政策中也似乎並非一個重要之點。

儘管對於「大君主」和「鐵砧」應占優先的問題已經達成基本的協議，但美英兩國的領袖們對於義大利作戰的重要性卻仍有許多歧見存在。以邱吉爾和艾蘭布羅克為代表的英國意見是認為聯軍投入義大利的兵力愈多，則愈能夠牽制較多的德軍使其不能用於諾曼第方面——這個觀念後來被證明是錯誤的，但因為邱吉爾希望英國人能在那個戰場上成為勝利的主角，所以予以全力支持。美國則認為法國是決定性的戰場——他們這種看法一點都不錯——所以對於義大利的任何增援，都應以不減少聯軍在法國的實力為原則。他們的態度比邱吉爾，或英國軍事首長都較為現實，他們認為地形的困難將使聯軍在義大利不可能獲得迅速的成功，對於戰果也無法作迅速的擴張。他們同時也對於英國人的用心表示深切的懷疑，他們相信英國之所以注重義大利，是為了想規避較艱鉅的任務——即對法國的侵入。

除了在義大利北部的第十四軍團另有八個師以外，凱賽林現在用來扼守所謂古斯塔夫防線的兵力是第十軍團所轄的十五個師。[1]雖然德軍的師大部分都不足額，有的人數簡直少得可憐，但他們還是能夠抵抗聯軍的任何正面攻擊——到一九四三年年底，聯軍在義大利的兵力已經增到十八個師。

解決辦法自然是在古斯塔夫防線後面進行兩棲登陸，因為聯軍同時享有空軍和海軍的優勢，所以這也似乎是一種輕而易舉的行動。假使能與一個新的正面攻擊相配合，則可以一舉突破其防線，並使德軍在羅馬以南無法再繼續撐持下去。這個被稱為「鵝卵石作戰」（Operation Shingle）的計畫早已在準備中，由於邱吉爾對於在義大利的進展遲緩深感不耐，所以對於這個計畫也就給予熱烈的支持。他在開羅—德黑蘭會議中設法獲得了必要的船隻，其方法就是把準備用於法國南部「鐵砧作戰」中的登陸船隻暫時保留在地中海內，以便可以先用在安其奧（Anzio）的兩棲登陸中，位置是在羅馬的正南方，準備在一月間發動。

亞歷山大和他的幕僚所擬的計畫就大致的輪廓而言，有很良好的設計。對於古斯塔夫防線的

1　原註：所謂德軍一個師者，其實力有很大的差異。那些經過苦戰的師人數已經減少很多，而且即令是足額的，他們平均也只相當於聯軍一個師的三分之二。

正面攻擊由克拉克的第五軍團負責，攻擊發動的時間大約定在一月二十日。首先由法國的一個軍（Franch Corps）在右，英國第十軍在左，先發起攻擊，以牽制由辛格爾將軍（General Senger）所指揮的德國第十四裝甲軍的大部分兵力，然後位置在中央的美國第二軍開始渡過拉皮多河進攻，一直向利里（Liri）河谷前進。等到這個主力攻擊已向前推動時，海運的美國第六軍就應在安其奧登陸。此時原已南下增援的德軍預備隊可能會被調回來應付在安其奧登陸的聯軍部隊——在這樣的混亂之中，第五軍團即可乘機突破古斯塔夫防線，並與在安其奧的第六軍會合。即令在二者夾擊之下，德軍的第十軍團仍不至於被擊潰，但他們將會退回羅馬地區來進行重組，應該是毫無疑問的。

但是這個計畫在實行時卻完全走了樣。並不像聯軍統帥部所希望的，德軍既未混亂又未衰竭，他們仍像以往一樣，進行著堅韌的戰鬥。反之，聯軍的準備因為太匆忙，第五軍團的攻擊一經發動即開始脫節。

一月十七日到十八日之間的夜間，一開始就很順利，麥克里所指揮的英國第十軍在左翼方面越過加里格里諾（Garigliano）河，作了一次成功的突擊。這也就促使凱賽林把他的預備隊中的大部分（第二十九和第九十裝甲步兵師，以及「戈林」師的一部分）調至這一方面。但一月二十日，美國第二軍越過拉皮多河的攻擊，卻變成一次慘重的失敗——兩個先頭團的大部分都被殲滅。利里河谷有堅強的防守，任何攻擊都是在卡西諾峰（Monte Cassino）的瞰制下，這個陣地的險要形勢聯軍估計過低。拉皮多河是以水流湍急得名，即令在無抵抗的情形之下，渡河的行動也很困難。而這一次美軍的第三十六師，是在攻下外圍的特羅齊奧峰（Monte Trocchio）之後，僅僅休息和準備了五天，就開始發動攻擊。其左面英國第四十六師的進攻也同樣遭受失敗。第五軍團的攻勢固然仍在進行中，但前途卻已顯得很暗淡，而此時海軍部隊也已於一月二十二日在安其奧登陸。

在德軍防線後方的側面上，只有安其奧地段能夠提供適合的登陸灘頭，否則聯軍當局就必須冒險選擇在羅馬以北的地點——那未免距離古斯塔夫防線太遠。即令如此，凱賽林還是受到奇襲，因為他始終認為在羅馬以北登陸，對他而言具有更大的戰略危險性，所以當聯軍登陸時，在安其奧地區只駐有一個德軍小單位——一個屬於第二十九裝甲步兵師的營正在那裡休息，對於凱賽林來說又真可以說是太僥倖了。美國第六軍的軍長魯卡斯少將不僅是過分小心，而且具有深入的悲觀心理，他甚至在作戰尚未發動之前，即已表示其悲觀的看法，而且不僅是寫在他的日記中，甚至還公開的對他的部下和盟友，包括亞歷山大本人在內，發表這種意見。（他是在薩來諾戰鬥的最後階段接充這個軍長的職務。）

第六軍的最初登陸兵力為兩個步兵師——英國第一師和美國第三師——增援他們的有英美兩國的突擊隊單位，一個傘兵團和兩個戰車營。而跟在後面的還有美國第一裝甲師和第四十五步兵師，如此強大的兵力，不僅在登陸地點上足以保證享有壓倒性的優勢，而且對於強力的擴張行動前途也是大有希望——邱吉爾希望他們能夠迅速的到達羅馬以南的亞爾班丘陵（Alban Hills），並切斷具有戰略重要性的第六號和第七號兩條公路，這樣也就切斷了在古斯塔夫防線中德國第十軍團的退路。

英軍在安其奧的北面，而美軍則在其南面，都很輕易的登陸，幾乎是完全沒有遭遇抵抗。但德軍的反應卻很迅速而堅定。在古斯塔夫防線上的部隊奉命堅守不動，而「戈林」師則奉調北上，同時在羅馬地區也抽調一切可用的部隊南下。德軍最高統帥部（OKW）告訴凱賽林他可以任意調用在義大利北部的部隊，同時允許再給他兩個師、三個獨立團和兩個重戰車營的增援。因為希特勒很希望給聯軍方面一個「下馬威」，讓他們的兩棲作戰受到一次沉重的打擊，這樣也就可以使他們不敢在義大利再作登陸的嘗試，甚至於對法國海岸的攻擊也都會變得畏縮不前。

凱賽林對於軍隊的調度可以算是一個傑出的成就。在八天之內，已經有八個師的單位被送往安其奧地區，同時指揮機構也已經改組。安其奧方面的防務由麥根森（Mackensen）的第十四軍團負責指揮，它控制著第一傘兵軍和第七十六裝甲軍。這兩個軍分別據守著聯軍灘頭的北面和南面地區。魏庭霍夫的第十軍團則留下來據守古斯塔夫防線，其所控制的兵力為第十四裝甲軍和第五十一山地軍。一共計算起來，有八師德軍集結在安其奧灘頭的周圍；在辛格爾的第十四裝甲軍之下有七個師，面對著克拉克的第五軍團；另有三個師則由第五十一山地軍指揮，以對抗英國第八軍團在亞德里亞海方面的前進——此外在義大利北部還留有六個師，由查根將軍（General von

Zangen）指揮。（英國第八軍團現在由李斯爵士指揮，蒙哥馬利已被召回英國去負責諾曼第登陸的計畫和準備。）

由於魯卡斯堅持必須在集中全力來鞏固灘頭陣地之後再向內陸推進，而他這種主張已經獲得克拉克的支持，於是邱吉爾所希望的從安其奧迅速推進至亞爾班丘陵地區的想法遂成為泡影。不過因為德軍反應的迅速和技術的高超，再加上聯軍方面官兵行動的遲鈍，所以魯卡斯的過分謹慎又未嘗不是一件好事。在那樣的環境之下，設若輕率的向內陸挺進，很可能會受到德軍的側擊，而招致慘敗的結果。

儘管計畫中的灘頭地區到第二天即已站穩，補給問題也已簡化，但真正向內陸推進的第一次企圖，卻直到一月三十日才開始——那距離登陸已經一個多星期了。這個推進不久即受到德軍的阻止，而且整個灘頭現在也都受到德軍砲兵火力的擾擊；從那不勒斯地區起飛的聯軍飛機，也不能阻止擠在安其奧附近的聯軍船隻受到德軍飛機的攻擊。所以在古斯塔夫防線上的克拉克部隊，不特不曾受到安其奧登陸的幫助，現在反而被迫再度嘗試發動直接攻擊，以救助陷在安其奧灘頭上的海運部隊脫險。

這一次美國第二軍企圖從北面向卡西諾進攻以突破古斯塔夫防線。一月二十四日，美國第三十四師領先攻擊，而由法軍在其側翼上助攻。經過一個星期的苦鬥，才占據一個橋頭陣地，而辛格爾卻早已調來更多的預備隊，使這個堅固的防線變得益為堅強。二月十一日，美軍終於自動撤回，不僅損失慘重，而且疲憊不堪。

在這次努力失敗之後，新成立的紐西蘭軍（New Zealand Corps）也被調上前線，其軍長為弗里堡中將（Lieutenant-General Bernard Freyberg），下轄的第二紐西蘭師和第四印度師都是在北非戰役中曾有過優異表現的百戰精兵——尤其是第四印度師，它是一個由英國和印度單位混合編成的部隊，曾被德國人稱讚為最好的師。弗里堡對於卡西諾所擬的攻擊計畫與過去的並無太多的區別，也是對德軍的堅強陣地作犧牲式的正面攻擊。指揮第四印度師的屠克爾（Francis Tuker）力主通過山地採大迂迴的間接路線，這也是法國人所贊成的，不過由於他生病，所以他的影響力遂隨之而減弱。他的那個師結果被預定用來攻擊卡西諾峰的本身，在他的大迂迴建議被否決之後，他遂要求首先使用集中的空軍轟炸，把雄踞山頂並具有歷史意義的修道院予以徹底炸毀。雖然並無德國部隊正在利用此一修道院，而且事後還發現充分的證明，顯示他們是確未進入——不過那座雄踞山頂的偉大建築物，對於仰攻高地的部隊來說，實足以產生一種嚴重的心理壓迫。經過弗里堡和亞歷山大的贊成，這個要求遂被批准，於是在二月十五日，聯軍對於此一著名的偉大宗教建築物作猛烈的轟炸，並將其夷為廢墟，此後德軍也就有充分的理由進入這個廢墟，而且把它變成一個防禦價值更高的障礙物。

在那一天和次一天的夜間，第四印度師曾一再發動攻擊，但並無重要的進展。所以次一夜，即二月十七日到十八日之間，紐西蘭軍終於回到原始的位置。第四印度師則成功的占領一再爭持的五九三高地，但又被德國傘兵部隊所發動的反擊所逐回。次日德國的戰車部隊也發動一次反擊，將第二紐西蘭師逐出其在拉皮多河上的橋頭陣地。

雖然OKW已經允許提供大量的增援來幫助掃除聯軍在安其奧的橋頭陣地，但麥根森卻不等待其到達，即發動反擊以阻止敵軍作擴大陣地的企圖。第一次反擊是在二月三日夜間發起，所指向的目標為英軍第一師在一月三十日對康坡侖（Campoleone）挺進不成之後所造成的突出陣地。很僥倖的，英軍第五十六師中先頭的一個旅剛剛登陸完畢，所以恰好趕上並擊退這一次的攻擊。接著在二月七日，德軍再度發動一次較大的攻擊，雖然英軍勉強守住陣地，但損失極為慘重，以致英軍第一師必須退下整補，而由剛剛開到的美軍第四十五師接替它的任務。

到二月中旬，麥根森對於他的大反擊已準備就緒，他現在有十個師包圍著在灘頭上的聯軍五個師，而且還有一支業經增強的空軍部隊對他提供良好的支援。一種號稱「哥利亞」（Goliaths）的新式遙控小型戰車也被使用，車身中裝滿炸藥，可以用來在防禦部隊中間製造混亂。德軍並未因聯軍攻擊卡西諾而影響其部署，同時聯軍的空權也不能對其產生任何嚴重的妨礙。

德國從二月十六日開始進攻，沿著聯軍橋頭陣地的四周到處試探，並加上德國飛機的頻繁襲擊。到黃昏時，已在美國第四十五師所防守的地段中打開了一個缺口。這也是德軍所期待的機會——一共十四個營的兵力，由希特勒所寵信的步兵教導團（Infantry Lehr Regiment）領先，在戰車支援之下，於十七日向前推進，以擴大這個缺口，並直趨亞爾巴諾（Albano）與安其奧之間的公路，勝利似已在望。

但是這樣大量和混雜的兵力擠在這一條路上，本身遂又構成一種阻礙，卻給聯軍的砲兵、飛機和海軍的炮火構成一種有利的目標。而那種「哥利亞」遙控戰車也未能發揮其理想的威力。儘管損失嚴重，德軍仍然迫使聯軍節節敗退。到十八日，由於第二十六裝甲師的增援，德軍再度進攻，直撲灘頭。但是英軍的第五十六師和第一師，以及美軍的第四十五師，都在作困戰之鬥，終於守住灘頭陣地的最後一道防線。當德軍的攻擊達到卡洛塞托（Carroceto）溪流之線時，已成強弩之末。二月二十日德軍裝甲步兵師再作最後一次努力，但不久又頓挫不前。防禦的成功與屈斯考特將軍（General Lucian K. Truscott）的來到有相當的關係，他首先是來充任魯卡斯的副手，接著就取而代之。在英軍方面，其第一師的師長彭雷少將（Major-General W. R. C. Penney）因為負傷之故，也改由鄧普勒少將（Major-General Gerald Templer）來接替，他對於該師和第五十六師的防禦也曾作過有力的協調。

由於攻擊受阻而大為震怒的希特勒遂命令於二月二十八日再發動一次新的攻擊，一共使用四個師的兵力向息斯特納（Cisterna）的道路進攻。但卻為美軍第三師所阻，三天之後，空中的低雲消散，聯軍的空軍遂擊毀德國的攻擊部隊。到三月四日，麥根森鑒於損失慘重，終於停止攻擊。德軍留下五個師繼續維持包圍圈，而其餘的部隊則撤回整補。

聯軍現在對卡西諾又發動一次攻擊，以替他們的春季攻勢開路。這次的攻擊要比上次更為直接化。第二紐西蘭師首先進入這個市鎮，然後由第四印度師接替，繼續向山頂的修道院攻擊。為想癱瘓在卡西諾市鎮中德軍的行動，從地面和空中又作了猛烈的轟擊——一共用了十九萬顆砲彈和一千噸炸彈。

當天氣變得晴朗以後，這個轟炸即於三月十五日開始。這個地區的守軍雖只有一個團（三個營），但都是德國第一傘兵師的百戰精兵，他們不僅能夠忍受這種空中和地面的瘋狂轟擊而不退縮，而且其所保留下來的實力，還足以繼續阻止來攻的步兵而有餘。轟炸所造成的大量瓦礫反而幫了他們的忙，因為那足以阻礙聯軍戰車的行動。雖然堡壘山（Castle Hill）終被攻克，但當第四印度師繼續向高地前進時，突然遇到驟雨，而引起山洪暴發，使防禦者坐收其利。有一連廓爾喀（Gurkhas）部隊一直推進到修道院下面的吊人山（Hangman's Hill），卻在那裡被圍困住了。[2]同時在市鎮之內的激烈戰鬥則仍在繼續進行。十九日雙方又繼續苦戰，但彼此都無進展。次日亞歷山大遂決定若在三十六小時之內仍不能獲得成功，即應自動放棄此項作戰，因為損失實在太大。到二十三日，在弗里堡同意之下，這次作戰遂告中止。所以第三次卡西諾會戰是以失望結束。此後紐西蘭軍即被解散，其所屬各單位經過一次休息之後，即分配給其他的軍，而卡西諾地區則改由英國第七十八師和第六裝甲師的第一近衛旅接防。

2　譯者註：廓爾喀即尼泊爾傭兵，以勇敢善戰著名。

阿根塔隘道
4月8日的戰線
4月9日聯軍的攻擊
0 哩
30
波
河
非拉拉
阿根塔隘道
科馬巧湖
雷諾河
4月1日 美國 突擊隊
阿根塔
巴斯提亞
桑特諾河
第
波隆那
奧
河
六十五號公路
依摩拉
塞尼
拉凡那
福利
第九號公路
巴塔吉利亞峯
布里納隘道
奧地利
山
脈
斯
阿
特倫多
柏盧諾
烏第納
第
威尼西亞
的港
5月2日
威洛納
及
帕多亞
威尼斯
4月28日
河
第十軍團
摩德拿
阿根塔
波隆那
拉凡那
哥德防線
里米尼
科利亞諾鎮
馬卡河
(福格利亞河)
聖馬利諾
佩沙洛
佛羅倫斯
梅陶諾河
安科那
7月18日
阿雷佐
亞德里亞海
南斯拉夫
西那
特拉齊門諾防線
特拉齊門諾湖
帕魯吉亞
聖貝納第托
托第
特尼
台伯河
佩斯卡拉
古斯塔夫防線(希特勒防線)
契維塔
契維塔費齊亞
6月7日
羅馬
利
法爾蒙吞
亞爾斯
里
格
桑
羅
河
第八軍團
第十五集團軍
第五軍團
塞普拉諾
卡西諾
安其奧
河
加里格里諾

通過義大利的緩慢前進
德軍主要防線
1944年5月11日的戰線
6月5日的戰線
8月25日的戰線
1945年4月8日的戰線
0 哩 100
0 公里 160
瑞　士
米蘭
5月2日
杜林
5月2日
帕維亞
亞歷山德
熱內亞
斯塔西亞
4月24日
科西嘉
薩丁尼亞
羅馬
1944年6月4日
美國第五軍團
進入羅馬
第六號公路
第七號公路
弗拉斯卡提
亞爾班丘陵
法爾蒙吞
第十四軍團
（麥根森）
亞爾巴諾
凱撒防線
威雷特里
美軍第二軍
第一傘兵軍
康坡侖
科利
2月3日
2月16/20日
息斯特納
2月28日/3月4日
卡洛賽托
天橋
拉丁納
安其奧
尼屠諾
墨索里尼運河
第七十六裝甲軍
英國第一師
彭雷
英國突擊隊
剃頭作戰
1944年1月22日
美國第六軍
（魯卡斯）
美國突擊隊
美國第三師
（屈斯考特）
安其奧灘頭 1944年1月22日至4月23日
1月24日的戰線
1月30日的戰線
德軍反攻
第五軍團攻擊（自4月23日起）
0 哩 5 10 15 20
0 公里 10 20 30

亞歷山大在二月二十二日曾建議在利里河谷發動一次代字為「王冠」(Operation Diadem)的作戰，來和安其奧灘頭陣地所發動的攻擊突破相配合。就型態而言，這大致與一月攻勢相似，但卻有較好的計畫和協調。而且其發動的時間比預定的「大君主作戰」提早三個星期，所以也可以發揮牽制德軍的功效。

由亞歷山大的參謀長約翰哈定(John Harding)所擬定的這個計畫是準備集中更多的兵力給予敵人無情的一擊，所以在亞德里亞海岸方面只準備留下一個軍，而把第八軍團的其餘部分都向西移動，好讓它來接管卡西諾—利里地區的防線。第五軍團，包括法軍在內，不僅應負責左翼方面加里格里諾河的地段，而且還包括安其奧灘頭陣地在內。另有一個附帶的建議，即在法國南部登陸的「鐵砧作戰」應予放棄。

這似乎是很自然的，英國參謀首長們對於這個計畫表示同意，而美國參謀首長們則表示反對，因為他們認為在法國南部的登陸對於諾曼第的侵入是一種有利的幫助。於是艾森豪遂提出一個折衷的建議，主張對於義大利的攻勢給予優先，但仍繼續計畫「鐵砧作戰」。假使到了三月二日，仍認為主要的兩棲作戰不能發動，則在義大利水域中的大部分船隻就應該撤回來協助「大君主作戰」。二月二十五日，英美兩國參謀首長聯席會議同意接受這個折衷方案。

當決定的時期將至時，威爾遜將軍(General Maitland Wilson)——此時他已經獲得地中海戰區統帥的新職——聽到亞歷山大說，在五月以前不可能對義大利發動春季攻勢，並且他又強調面對著古斯塔夫防線的主力尚未突破以與安其奧的兵力會合之前，任何部隊都不能撤出以供「鐵砧作戰」之用。這也就是說，假定還需要十個星期的重組和準備，則「鐵砧作戰」是絕不可能在七月底以前發動——差不多是在諾曼第登陸之後的兩個月，此絕非一個事先用來幫助它的牽制攻擊。所以威爾遜和亞歷山大都感覺到環境迫使他們不必再考慮「鐵砧作戰」，而應把全部的努力集中起來，以求能使義大利戰役獲得決定性的結束。這種觀念也與邱吉爾和英國參謀首長們的希望相符合。艾森豪也有表示同意的趨勢，但他的立場並不相同，因為他希望這樣可以把保留在地中海方面的大部分船隻都移用於「大君主作戰」方面。但是美國參謀首長們，雖然勉強同意把「鐵砧作戰」延遲到七月以後，卻反對完全放棄的建議，並且懷疑在義大利方面超過原已擬定的極限再繼續進攻的價值。他們同時也懷疑其牽制德軍兵力使其不能用於諾曼第方面的價值——就這一方而言，他們的判斷也的確是沒錯的。於是大家爭論不決，連邱吉爾與羅斯福之間也以冗長的電報頻頻交換意見。

此時，在義大利對於春季攻勢的準備仍繼續進行——這是英國人的勢力範圍。第八軍團的調動和重行部署，加上其他種種因素，包括船隻的缺乏在內，使攻勢的發動一直延遲到五月十一日。第八軍團的任務為在卡西諾突破敵軍的古斯塔夫防線。而第五軍團則以下述兩項行動予以協助：（一）在左翼方面越過加里格里諾河進攻；（二）從安其奧灘頭陣地向第六號公路上的法爾蒙吞（Valmontone）突破。在安其奧方面，聯軍以六個師面對著德軍的五個師——不過德軍在羅馬附近還有四個師充當預備隊。在古斯塔夫防線上，聯軍共有十六個師的兵力（其中有四個師集中在一起，準備從事突破後的擴張），而德軍則僅有六個師（其中一個師為預備隊）。聯軍兵力大部分都集中在從卡西諾到加里格里諾河口之間的地段中——共十二個師（兩個美國師、四個法國師、四個英國師和兩個波蘭師）。此外還有四個師則緊接著配置在他們的後方，以便在突破之後即向利里河谷方面迅速挺進，並希望能貫穿其後方約六哩處的「希特勒防線」（Hitler Line），而不讓德軍在那一線上有集結和重整的機會。

第八軍團的九個師受到一千多門火砲的支援，加以乾燥的天氣也使他們深受其利，因為戰車以及其他的摩托化車輛都可以跟著前進——與冬季攻勢中泥濘載道的情形恰好形成強烈的對比。所以三個裝甲師（英國第六、加拿大第五和南非第六師）也獲得空前所未有的適當作戰機會。

在攻擊時，波蘭軍（兩個師）負責對付卡西諾，而英國第十三軍（四個師）則在其左面前進，指向聖安吉羅（St. Angelo）。

在主戰線上聯軍的全面攻勢一共受到二千多門火砲的支援，而同盟國在這個戰區中的空軍，首先對於敵方的鐵路和公路網作廣泛的重大攻擊，直到最後階段才轉而攻擊戰場上的目標——不過這種「絞殺作戰」（Operation Strangle）對於德軍的交通和補給體系的影響，並不如希望中的那樣嚴重。同時發動的廣泛破壞活動，其結果同樣令人感到失望。作為一種欺敵之計，聯軍又公開的實施兩棲登陸演習，其目的旨在希望能使凱賽林相信他們又要來了——尤其在羅馬以北的契維塔費齊亞（Civitavecchia）附近——但是凱賽林本來就深信聯軍對他們的海運優點原本應該作如此的利用，所以這種欺敵手段實在是多餘的，似乎並無任何顯著的效果。

這次攻勢在五月十一日的夜間（下午十一時）以大規模的砲擊為開始，步兵也立即跟著進。但頭三天之內，在大多數地段中都遭遇到頑強的抵抗，所以攻擊殊少進展。在安德士將軍（General Anders）指揮之下，波蘭軍在其對卡西諾的攻擊中曾表現出極大的決心，而且對於比較間接化的路線也能妥善利用，但仍然遭受到重大的損失。英國第十三軍也進展得極為緩慢，而且若非波蘭軍轉移了敵方注意力的焦點，則他們也就會同樣的遭受極大的損失。在海岸地區方面的美國第二軍所獲得的進展也是一樣的有限。但夾在二者之間的法國軍，由余安將軍指揮，卻發現德軍只用一個師來對抗他的四個師，因此在加里格里諾河彼岸的山地區域中作了相當迅速的前進——那個地區由於地形險惡，德軍遂認為不會受到嚴重攻擊的危險。五月十四日，法軍衝入奧森特河（Ausente）谷地，而德國的第七十一師遂開始在他們的前面迅速的撤退。這樣也就幫助美國第二軍擊退德國第九十四師，並開始沿著海岸公路作較迅速的推進。尤其是在兩個師的退卻線之間，恰好又隔著一個幾乎是沒有道路的奧雲希（Aurunci）山地。余安抓住這個機會，將他的摩洛哥山地部隊——一支師級的兵力在裘勞門（Guillaume）的指揮之下——投入這個缺口之中。他們迅速的越過山地，在德軍尚未來得及部署之前，即已突穿在利里河谷中的希特勒防線。

德軍的右翼，也就是西翼，現在正在崩潰之中，又因為德軍的卓越指揮官辛格爾將軍，當聯軍的攻勢發動時正在後方受訓，所以遂使德軍恢復的機會更為減少。此外，凱賽林這一次遲遲不敢投入預備隊前往南面增援，因為他害怕北面有新的情況發生，所以直到五月十三日，他才調派一個師向南面的利里河谷增援。雖然不久又增派三個師，但他們的來到已經太遲，不能夠穩定戰線，而都被捲入了漩渦式的戰鬥之中。在卡西諾地區中的德軍又繼續堅守了幾天，儘管在五月十五日，加拿大軍即已開始採取擴張的行動。不過到十七日夜間，英勇的德國傘兵還是撤退了——次日上午波蘭部隊終於進入期待已久的修道院廢墟，在英勇的戰鬥中他們喪失了將近四千人。

因為德軍那一點稀少的預備隊已經大部分都調向南面，所以從安其奧執行計畫中的突破，其時機已經成熟——現在又增加了另一個美國師（第三十六師）。在命令中這次攻擊突破應於五月二十三日發動時，亞歷山大所希望的是一個趨向法爾蒙吞迅速而強力的攻擊，並切斷第六號公路——主要的內陸道路——這樣也就會使曾經據守古斯塔夫防線的德國第十軍團的大部分都被切斷了退路。若能如此，則羅馬也就會像一顆熟透的蘋果般自動的墜落。但由於克拉克將軍懷有不同的觀點，結果遂使這種希望落空，因為他所感到熱心的問題就是第五軍團的部隊應該首先進入羅馬城。到五月二十五日，經過十二哩的前進，美國第一裝甲師和第三步兵師已經達到科利（Cori），那是剛剛越過第七號公路，但距離第六號公路卻還有一段距離。他們已經與沿著第七號公路北上的美國第二軍會合。凱賽林所保有唯一剩餘的機動師「戈林」師，匆匆被派往這一方面去阻止美軍的進攻——但在聯軍空中攻擊之下，受到很大的損失。但在這個階段，克拉克卻把他的主力四個師送向對羅馬前進的方向上，而只留下一個師繼續向法爾蒙吞前進——當這師推進距離第六號公路尚差三哩的地方，即為三個德國師的大部分兵力所阻止。

亞歷山大雖然訴之於邱吉爾，但仍然未能改變克拉克的進攻方向，而他不久又在羅馬南面「凱撒防線」（Caesar Line）上受到德軍的抵抗而開始停滯不前。同時，第八軍團的裝甲師也發現他們向利里河谷的擴張行動，並不如想像中那樣的容易，他們並不能切斷德國第十軍團的退路。相反的，德軍從山地中的道路安全的溜走，而在安其奧方面聯軍的不合作，也幫助了他們的逃脫。

的確，在幾天之內，德國人似乎有在凱撒防線上穩住他們陣腳的機會，因為在辛格爾指導之下，他們沿著第六號公路的亞爾斯—塞普拉諾（Arce-Ceprano）地段實施頑強的抵抗，同時英勇的裝甲師由於運輸車輛的尾車太笨重，把道路擠得水洩不通而無法作快速的前進。

但是由於美國第三十六師於五月三十日在亞爾班丘陵地區中攻占第七號公路上的威雷特里（Velletri），並穿透凱撒防線，於是遂使另一次僵持的陰影一掃而空。利用這個機會，克拉克即命令第五軍團發動一次全面攻勢；其第二軍在攻克法爾蒙吞之後，即從第六號公路向羅馬前進，而其第六軍的大部分則從第七號公路前進。在十一個師的壓力之下，數量遠居劣勢的德國守軍被退撤退，於是美軍在六月四日進入羅馬。一切的橋梁都完整而未破壞，因為凱賽林是早已宣布羅馬為「開放城市」（Open City），他不願意讓這個聖城在戰火中遭受破壞。

兩天以後，即六月六日，聯軍開始在諾曼第登陸——於是義大利的戰役也就退入幕後。在整個義大利的春季攻勢中，當以羅馬的占領為其結束時，聯軍所付出的傷亡代價為美軍一萬八千人，英軍一萬四千人和法軍一萬人。德軍的死傷數字約為一萬人，但在連續的戰鬥中大約有二萬多人做了戰俘。

以兵力的吸收量來比較，則聯軍在義大利的繼續進攻，並非是有利的戰略投資——在這個戰區內聯軍共有三十個師，而德軍只有二十二個師，但以實際的部隊來計算，其數量的比例是約為二比一。對諾曼第的侵入而言，並未收到牽制德軍的效果。事實上也並不曾阻止敵人對西北歐繼續增援。他們在法國北部（即羅亞爾河以北）和低地國家的兵力，在一九四四年開始為三十五個師，但當六月初聯軍發動越過海峽的侵入作戰時，已經增至四十一個師。

對於義大利戰役的戰略效果，比較合理的解釋是說它對於諾曼第登陸的成功有所貢獻，也就是說若無義大利作戰的壓力，則在英吉利海峽戰線上的德軍兵力將會增加很多。反之，聯軍突擊兵力和立即增援的兵力是由於受到登陸艇數量的限制，所以在這個最緊急的開始階段，聯軍原來使用在義大利方面的兵力並不能用來增加諾曼第登陸的重量。而在另一方面，德軍本來用在義大利的兵力若轉到諾曼第方面，則對於聯軍登陸的前途可能會產生致命的效果。這的確是一種合理的說法，但奇怪的，許多擁護在義大利作戰的英國人對於理直氣壯的辯護理由，並不曾嘗試作太多的引用。不過即令這種說法也還是有不無可疑之處；面對著聯軍對鐵路網所作的阻絕性轟炸，德軍能否向諾曼第作大規模的兵力調動也還是很難斷言。

政治方面，在這個階段之內的第一件大事，即為義大利國王維克多伊曼紐（King Victor Emmanuel）把他的王位讓給他的兒子承繼，同時義大利的首揆一職，也由巴多格里奧元帥移交給反法西斯的波羅米先生（Signor Bonomi）接任。

對於在義大利境內的聯軍而言，儘管羅馬的克服是一個追求已久的目標，但它的後果還是令他們深感失望。一部分是由於較高階層的決定，而另一部分則由於德軍的恢復和對抗行動。

雖然威爾遜已經接受美國人的觀點，即認為「鐵砧作戰」即令發動也已經太遲，但對於地中海總部而言，仍為牽制德軍兵力並幫助諾曼第聯軍前進的最有效行動。但亞歷山大的想法卻完全不同。六月六日，即進入羅馬之後的兩天，他開始提出其擴張「王冠作戰」的計畫，他認為假使他的兵力若能保持不動，則他們到八月十五日，即能對佛羅倫斯以北，在義大利半島「股部」（Thigh）上的德軍「哥德防線」（Gothic Line）發動攻擊——這也正是威爾遜預定發動「鐵砧作戰」的同一日——除非希特勒再調八個或八個以上的師來增援，否則他們就能夠突破這一道防線。他又更進一步認為，此後他就能夠迅速的衝過義大利的東北部，並且有通過所謂「盧布拉納缺口」（Ljubliana Gap）直趨奧地利的良好機會。在義大利的威尼西亞（Venetia）與奧地利的維也納（Vienna）之間是萬山重疊，敵人到處都可以設防，所以亞歷山大的這種想法實在未免過分樂觀——在第一次大戰期中，義大利人曾經作過這樣的嘗試，但在最初階段即已一再的遭到慘重的失敗，似可引為殷鑑。

但這個計畫對於邱吉爾和英國的參謀首長們，尤其是對艾蘭布羅克（陸軍參謀總長），似乎很對胃口——因為他們害怕在諾曼第會受到重大的損失，甚至於還會遭到慘敗，所以很歡迎這樣一個可供代替的計畫。亞歷山大提倡這個計畫還有另外的苦衷，他希望使他的部隊認清義大利作戰的重要性，藉以提高士氣。

在馬歇爾的領導之下，美國參謀首長們強烈反對義大利的攻勢再作如此毫無把握的新發展，但亞歷山大卻成功的說服了威爾遜。於是艾森豪也出面干涉，他主張應發動「鐵砧作戰」。接著邱吉爾和羅斯福也再度被捲入爭辯的漩渦。到七月二日，英國人終於讓步，於是威爾遜奉令仍應在八月十五日發動「鐵砧作戰」——現在已經改名為「龍」（Dragon）了。這個決定也就要從義大利抽出美國第六軍（三個師）和法國軍（四個師）——後者的官兵當然都是希望能夠參加對於其祖國的解放作戰。所以第五軍團現在只剩下五個師，而這個集團軍也已經喪失其百分之七十的空中支援。

當此之時，凱賽林和他的部下也早已傾全力來阻止聯軍擴張其已經獲得的部分性成功。在「王冠作戰」的過程中，德軍損失頗為嚴重，其中四個步兵師已經送回後方整補，而其他七個師的戰力也都嚴重的減弱。但有四個師的生力軍正在運輸途中，此外還有一個重戰車團。這些增援的大部分都送往第十四軍團方面，因為它正掩護著最容易的進路。凱賽林的計畫是準備在夏季中用一連串的遲滯行動來延緩聯軍的前進，然後再退到堅強的哥德防線上過冬。在羅馬以北大約八十哩的地方，有一道靠近特拉齊門諾湖（Lake Trasimene）的天然防線，那正是漢尼拔的古戰場，他曾在那裡布下巧妙的陷阱以引誘羅馬人入伏，所以這也就變成凱賽林理想中的第一道防線。德軍工程人員高明的爆破工作也幫助延遲聯軍的前進。

聯軍是在六月五日即已開始前進，也就是在美軍進入羅馬城的次日。但在這個對於德軍而言是最危險的時刻，聯軍並未作太強大的壓迫。此時法軍在第三軍團方面取得領先的地位。同時，英國第十三軍則沿著第三號和第四號公路向內陸前進，但所遭遇到的抵抗卻日益堅強，終於沿著特拉齊門諾之線停頓下來。在其他地區中的前進也都停止不前。所以在從羅馬撤出之後只花了兩個星期的時間，凱賽林便使一度極為危險的情況再度穩定下來。

而且OKW已經告訴凱賽林另有四個師將要調撥給他——那本是撥給俄國戰線的——此外還有相當數量的新兵用來補充他那些損失較重的部隊。這都是新近增加的，至於以前所調撥的四個師和一個戰車團早已在到達的途中。很諷刺的，當凱賽林的兵力正在如此大量的增加時，亞歷山大卻面臨著許多喪氣的事實：不僅要抽走他的七個師，而且還把他的大部分的空中支援單位，以及集團軍在義大利的許多後勤單位調走。

凱賽林已經證明出他自己的確是一個非常卓越的指揮官，而現在他又正在獲得好運氣的激勵。當聯軍的擴張前進正在頓挫的時候，他已經決定這在一道有利的天然防線上站住他的腳跟。

在六月二十日以後的夏季兩個月中，對於亞歷山大的部隊而言，是一個挫折和失望的階段。

前進都是零零碎碎的，從來不曾具有決定性的結果。一切的戰鬥都是雙方各自以軍對軍之間的一連串個別的孤立行動。在這些戰鬥中，德國人所用的老辦法就是首先據守一個陣地，等到聯軍調集大量兵力準備大舉進攻之時，他們就乘機溜走再去繼續扼守另一個陣地。

由於凱賽林對於部隊已經加以重新編組，所以現在雙方的態勢遂有如下述：在西岸方面，德國的第十四裝甲軍面對著美國第二軍；第一傘兵軍面對著法國軍（此時尚未撤走）；第七十六裝甲軍面對著兩個英國軍（即第十三軍和第十軍）；而第五十一山地軍則單獨在亞德里亞海岸方面面對著波蘭的第二軍。

到七月初，聯軍的主力，受到惡劣天候的阻礙，還是突破了特拉齊門諾之線——但在幾天之後，又在阿雷佐之線受阻。到七月十五日，德軍從這一線溜走，而逐漸撤到亞諾河（Arno）之線，那是從比薩經過佛羅倫斯再向東延伸。在這裡聯軍又被迫作了一段長期的停頓，儘管其最後目標哥德防線已經近在咫尺。對於他們的挫折可以發生若干補償作用的是波蘭軍在七月十八日已經攻占安科那（Ancona）；而美軍也於十九日攻占來亨（Leghorn）——這樣可以縮短他們的補給路線。

由於英國希望能繼續進行在義大利的作戰，尤其是以亞歷山大和邱吉爾為首，所以儘管一再挫敗而兵力亦已減少，但準備對哥德防線發動秋季大攻勢的計畫卻仍未稍息。它具有兩點希望：（一）仍然認為它有牽制德軍兵力使其不能用在主戰場上的價值；（二）反之，假使德軍在西戰場上首先崩潰則可能會促使他們自動退出義大利，於是也就使亞歷山大的兵力仍有從義大利北部直趨的港和維也納的機會。

原來對哥德防線的進攻計畫是由亞歷山大的參謀長哈定，和集團軍總部的參謀人員所擬定，其基本觀念為對亞平寧山區中的德軍戰線中心作一個奇襲性的突擊；但到八月四日，第八軍團司令李斯，卻說服了亞歷山大使其同意採取另一種不同的計畫。其基本構想是首先把第八軍團祕密的送回亞德里亞海岸方面，讓它從那裡向里米尼（Rimini）進攻。等到凱賽林的注意力被吸引到那一方面之後，第五軍團即應在左面的中央發動攻勢，而以波隆那（Bologna）為其目標。於是，當凱賽林開始對於這一個新的攻勢採取對策時，第八軍團遂又乘機前進，而以衝入倫巴底（Lombardy）平原為目的——在那個平原上，其裝甲部隊即可享有自從在義大利登陸以來所從未遭遇過的較廣大活動空間。

儘管其所包括的行政問題可能頗為複雜，但此種新計畫仍然比較受歡迎，因為自從法軍（連同其優秀的山地部隊）被撤走之後，原有的計畫根本上就很難執行。李斯同時認為第五軍團和第八軍團若不指向同一目標，反而有較好的表現。亞歷山大很快的就對他的意見表示同意，並採取了這個新計畫——其代字定名為「橄欖作戰」（Operation Olive）。

但這個計畫卻有很多的缺點，而在作戰發動之後，也就變得更為明顯。雖然第八軍團現在不必再面對著一連串的山脊，但卻必須克服一連串的渡河難題，所以前進的速度仍然很慢。相對的，凱賽林因為有良好的橫向公路可供利用，所以在調動兵力上並不困難——第九號公路為自里米尼向西經過波隆那的幹道。英國方面的計畫作為人員對於乾燥天氣的延續也採取一種過分樂觀的估計。而且不管天氣的好壞，在里米尼以北的地區，雖然很平坦，但也很低濕——並非裝甲部隊迅速奔馳的理想場地。

八月二十五日，亞歷山大的攻勢開始發動——雖然比預定日期遲了十天，但開始還是很順利。德軍再度受到奇襲——因為英國第五軍（五個師）和加拿大第一軍（兩個師）在進入波蘭第二軍後方的準備位置時，並未被發現。英國第十軍此時仍繼續守住靠近中央的山地地段，而第十三軍則已向西移動，準備支援即將發動攻擊的第五軍團。

雖然有第一傘兵軍為後盾，但據守亞德里亞海岸地區的德軍卻只有兩個素質較差的師——德軍在此時的部隊調動大部分都是從東往西。波蘭軍的移向亞德里亞海岸幾乎不曾引起任何的注意，到了八月二十九日，德軍才開始有了反應——此時，聯軍的三個軍已經用寬廣的正面向前推進了四天，從梅陶諾河（Metauro）進至福格利亞河（Foglia），差不多前進了十哩。到了次日，德軍另有兩個師的部分兵力趕到現場來增援，以阻止聯軍的前進，但他的到達還是太遲，來不及阻止，九月二日，聯軍大約又推進了七哩，抵達康卡河（Conca）之線。

但是第八軍團的動量已正在日益降低，主要的會戰準備在九月四日發動，其目標為在奧沙河（Ausa）後方的科利亞諾（Coriano）山脊，那還隔著兩道河流。在這裡英軍的前進即開始停頓不前。同時德軍已獲得更多的增援——在九月六日，大雨也給予他們很多的幫助。

凱賽林已經下令要其他各師向哥德防線作全面的撤退，這樣可以縮短他的戰線，並抽出一些兵力來增援亞德里亞地區。這個部分的撤退也就開放了亞諾河上的渡口，於是第五軍團現在遂準備進攻。從九月十日開始，美國第二軍和英國第十三軍向兵力已經減弱但抵抗仍極頑強的德軍陣地進攻，終於在一星期之後，在佛羅倫斯以北突破吉亞加隘道（Il Gioga Pass）。凱賽林似乎又遭到奇襲，直到九月二十日（也就是攻勢發動後的第十天）他才開始認清此即為主力攻擊，於是遂立即派遣兩個師向這地區增援。但到此時，美軍的預備隊，第八十八步兵師，已經開始從東面向波隆那進攻。儘管德軍已經喪失了哥德防線，以及其後方的重要地形巴塔吉利亞峰（Monte Battaglia），但他們還是能夠遏止聯軍的攻勢。所以到九月底，克拉克對於波隆那只好再回到直接攻擊的舊路。

此時第八軍團在亞德里亞方面仍繼續陷於困難之中。到九月十七日，已經有十個德國師的單位在阻止它的前進。雖然在二十一日，加拿大軍成功的進入里米尼，於是也就達到波河流域三角洲，但德軍卻退到另一道防線烏索河（River Uso）上，那也就是歷史上著名的盧比孔河（Rubicon）。[3]在這個低濕的平原上，還要越過十三道河流，才能達到波河。在這段努力中，第

3 譯者註：凱撒在公元前四九年渡過此河進入羅馬，從龐培手中奪得政權。

八軍團差不多有五百輛輪車被擊毀、坑陷和損壞；而許多步兵師則折磨得只剩下一副骨架子。所以德軍能夠調動大部分兵力去阻止第五軍團的進攻。

十月二日，克拉克再度發動對波隆那的攻勢，這一次是沿著第六十五號公路推進。其第二軍的四個師全部都投入戰場，但德軍的抵抗卻極為頑強，在三個星期的苦戰中，美軍的進展平均每天不超過一哩，於是到十月二十七日，攻勢遂自動放棄。到十月底，第八軍團的攻勢也幾近尾聲，一共只渡過了五道河流，而波河卻尚在五十哩之外。

在這個階段中唯一值得注意的為指揮上的改變。凱賽林在一次汽車失事中負傷，他的職務由魏庭霍夫接替。麥克里（McCreery）代替李斯出任第八軍團司令，而後者則被派往緬甸。到十一月底，威爾遜被送往華盛頓工作，其遺缺由亞歷山大升任，而義大利集團總司令一職則由克拉克接任。

若與春夏兩季的高度希望作一比較，則聯軍在一九四四年結束時的情況實在可以說是非常令人失望。雖然亞歷山大對於攻入奧地利的觀念仍表樂觀，但在義大利半島上如此緩慢的爬行，卻早已使此種遙遠的希望日益變得與現實脫節。威爾遜本人在其十一月二十二日上英國參謀首長們的報告書中即已自動作此項承認。聯軍部隊的不滿情緒和信心的喪失，也可以從逃亡率日增的事實上表現出來。

一九四四年聯軍所發動的最後一次攻勢，是想占領波隆那和拉凡那（Ravenna）來作為過冬的基地。十二月四日，第八軍團的加拿大部隊攻占了拉凡那，他們的成功使得德軍派出三個師的兵力去阻止第八軍團作更進一步的前進。這也似乎給第五軍團帶來一個較好的機會。但敵軍於十二月二十六日卻在塞尼奧（Senio）河谷中發動一次反擊，於是也就把這個機會錯過了——這是墨索里尼為了模仿希特勒在阿登（Ardennes）地區的反攻而發動的，所用的兵力大部分都是繼續向他效忠的義大利人。這次攻擊不久即輕易的被擊退。但第八軍團現在卻已經疲憊，而且缺乏彈藥，同時也知道德軍在波隆那附近仍保有強大的預備隊。所以亞歷山大遂決定聯軍應轉取守勢，並準備明年春季再大舉進攻。

另一個減少義大利作戰希望的行動，是同盟國聯合參謀首長會議已決定從義大利再抽調五個師送往西線，以便使聯軍對德國的春季攻勢可以有更大的重量。結果是加拿大軍的兩個師被調走，其他的師則免於被調。

第三十一章　法國的解放

諾曼第的侵入在尚未發動之前，像是一種最危險的冒險。聯軍的部隊必須在一個已為敵人占領四年之久的海岸上登陸，後者有充分的時間來對它設防，到處設置障礙物和埋設地雷。就防禦而言，德軍在西戰場上已有五十八個師，其中十個為裝甲師，可以迅速的發動一次裝甲反攻。

儘管在英格蘭已經集結有巨大的兵力，但是對他們的運用卻受到下述事實的限制：他們必須渡海，而且可能使用的登陸艦船數量有限。在第一次的海運中他們只能裝卸六個師，而必須要有一個星期的時間，他們才能使這個數量增加一倍。

對於希特勒所號稱的「大西洋長城」（Atlantic Wall）——一個令人望而生畏的名稱——發動攻擊時的成功機會的確使人很感到焦慮，而且被趕下海去的危險更是令人擔心。

但以後的事實是，第一步的立足點很快就擴大成為一個巨大的灘頭陣地，寬達八十哩。在聯軍兵力從灘頭陣地中突出之前，敵軍始終未能發動任何具有危險性的反攻。聯軍突出的方式和地點和蒙哥馬利所原始計畫的完全一樣。於是德軍在法國的整個態勢遂迅速的崩潰。

事後回顧起來，侵入的進展似乎是相當容易而確實，但外表是可以騙人的。這個作戰固然最後是「依照計畫發展」，但卻並非依照預定的時間表推進。最初，成功與失敗可以說僅是一線之隔。最後的勝利掩蓋了下述的事實：起初聯軍是面臨著極大的危險，而其度過難關的機會也是間不容髮。

一般人之所以會感到侵入戰的過程極為平穩，此種印象乃是受到下述兩件事實的加強：

（一）蒙哥馬利在事後總是強調著說：「戰鬥的一切經過都是與侵入以前所計畫的完全一樣」；

（二）聯軍的確是在九十天之內達到塞納河（Seine）——而在四月間所繪製的預測圖上，也標示出來達到此一線的日期應為「D+90」。

那是蒙哥馬利所慣用的發言方式，總是把他自己所指導的作戰說得一切都是和他所想像的一樣，那簡直是像機器一樣的正確和精密——又或者是如有神助。這種脾氣也就時常遮掩了他對於環境的適應能力。他在將道方面的特長是能夠使彈性與決心合而為一，但很諷刺的，他這種優點和成功卻反而不為人所重視。

在原定計畫中，岡城（Caen）是在登陸的第一天，即六月六日，就應該攻占的。登陸的開始很順利，到上午九時海岸防禦即已完全克服。但蒙哥馬利的記載卻掩飾了向岡城的推進是直到下午才開始的事實。其原因有二：一部分是由於灘頭擁塞不堪，所以使交通為之癱瘓；另一部分則是由於現場指揮官的過分謹慎——而在那個時候，幾乎沒有任何東西可以阻止他們。岡城為侵入地區的關鍵，最後當他們向其前進時，德軍的一個裝甲師——那也是整個諾曼第侵入地區中唯一的裝甲師——已經趕到現場並阻止他們的進攻，次日德軍的第二個裝甲師也趕到。結果幾經苦戰，又過了一個多月的時間，才終於攻克該城。

蒙哥馬利的原始意圖是希望在英軍右翼方面，用一支裝甲部隊立即向內陸挺進，達到距離海岸二十哩的維拉叢林（Villers-Bocage），於是便切斷從岡城經西方和西南方的道路。但這一點在他的故事中卻不曾被提到。事實上，這種行動是很慢才開始的，儘管海岸防線被突破之後，在岡城以西幾乎是完全沒有抵抗力量的存在。戰俘事後透露出來，直到第三天為止，這段十哩長的戰線只由一個單獨的德軍機動小部隊來負責掩護——即一個搜索營。於是才有第三個裝甲師趕到現場，並被配置在那裡。雖然在六月十三日，英軍勉強的衝入維拉叢林，但他們卻又被逐出。接著德軍第四個裝甲師的加入更增加了阻力。兩個月之後，維拉叢林才被攻占。

原始的計畫也預定要在兩個星期之內占領整個柯騰丁（Cotentin）半島，連同瑟堡（Cherbourg）港在內；然後準備在「D+20」日，從半島西面側翼上實行突破。但是在另一方面，從美軍登陸點向內陸的推進，同樣的比預計的速度遠較遲緩——儘管誠如蒙哥馬利所計算的，德軍的較大部分，以及後來的增援兵力，都正在岡城附近的東面側翼上忙於阻止英軍的前進。

雖然最後的突破還是來自西翼上，正如蒙哥馬利所計畫的一樣，但其時間卻已經遲至七月底

——即「D+56」日。

這是事先大家明瞭的，假使聯軍能夠獲得一個縱深既寬且廣的灘頭陣地，以便讓他們在海峽的對岸逐漸增強其實力，那麼由於他們的資源總量要比敵人超出遠甚，所以遲早也就能達到從灘頭陣地突破的目的。只要聯軍能夠獲得足夠的空間來集結其巨大的兵力，則任何水壩都無法抵擋此種侵入的洪流。

事實又證明出來此種「灘頭會戰」的延長反而對聯軍有利。這也正像諺語中所說的「因禍得福」。因為在西線上德軍兵力的大部分都被吸引在那裡，而他們的到達又都是零零碎碎的，一方面是由於他們的高級指揮部中意見不一致；另一方面是由於聯軍的制空權經常給予他們以阻礙。裝甲師是最先到達並被用來填塞缺口，結果也就最先喪失其機動戰鬥能力——於是等到要在開闊地區中進行戰鬥時，敵人也就被剝奪了其最需要的機動兵力。德軍抵抗的頑強固然使聯軍的突破延誤不少時間，但當他們突破之後，卻反而使他們在法國境內的前進之路暢通無阻。

若非在空中享有完全的優勢，則聯軍也不可能有機會在海岸上建立他們的立足點。誠然，海軍砲火的支援也是功勞極大，但決定性因素還是空軍的癱瘓效力，那是由艾森豪的副手泰德空軍上將（Air Chief Marshal Tedder）所負責指導的。東面塞納河上和南面羅亞爾河（Loire）上的橋梁大部分都被炸毀之後，他們也就把諾曼第戰場變成一個戰略性的孤立地區。德軍預備隊必須作長距離的繞道，而且在行軍途中又經常受到空中狙擊，所以不僅在時間上遭到無限的延遲，而且也僅能零零碎碎的到達戰場。

但德國方面的意見不一致也幾乎是一個同等重要的因素——希特勒和他的將軍們意見不一致，而將軍們之間意見也不一致。

現在不妨從頭說起，德國人的主要困難就是他們一共有三千哩長的海岸線要加以防守——從荷蘭起環繞著法國的海岸一直到義大利的山地邊界為止。在他們的五十八個師之內，有一半是靜態的兵力，那也就是固定在綿長的海岸線上的某些地段中。但是他的一半兵力則為野戰師，而其中有十個裝甲師是高度機動化的。這也就使德軍有時間在侵入者立定腳跟之前即先行集中壓倒性的優勢兵力把他們趕下海去的可能。

在D日，諾曼第只有一個裝甲師，位置在聯軍登陸地段的附近，並且也打消了蒙哥馬利在那一天攻占岡城（這個地區的要點）的希望。這個師的一部分也的確已經透過英軍的戰線並衝到灘頭邊緣，但因為兵力太弱，所以未能產生重大的影響。

德軍十個裝甲師中的三個，若不是到第四天才陸續到達戰場，而是在D日即能夠發生作用，則聯軍的立足點即可能無法站穩。在他們的灘頭陣地尚未連接和鞏固之前，很可能被趕下海去。但是由於在德軍指揮部中，對於聯軍可能侵入的地點以及如何應付的方法，意見都不能一致，所以也就使任何這一類強烈而立即的反擊變得不可能。

在事前，就判斷聯軍登陸地點而言，希特勒的直覺被證明出來是較優於其將軍們的計算。

但是在聯軍登陸之後，他那種經常干涉和硬性控制卻又剝奪了他們挽救情況的機會，終於造成慘敗。

西戰場德軍總司令倫德斯特元帥相信侵入的來臨將在海峽較狹窄部分，即在加萊（Calais）與第厄普（Dieppe）之間。他這種看法的基礎是他深信對於聯軍而言，採取這條路線是最合於戰略的原則。但這也是由於缺乏情報之故。因為當侵入軍正在集結時，英國方面連一點重要情報都不曾洩漏。

倫德斯特的參謀長布勒孟楚特將軍（General Blumentritt）以後在接受詢問時，曾經說明德國的情報工作是如何的差勁：

從英國傳出的可靠消息極為稀少，情報組織只告訴我們英美的大軍大致正在英國南部集結——有極少數德國間諜潛伏在英國用無線電報告他們所觀察的事實。[1]但他們所發現的除了這一點概括的情況以外就無其他的資料……沒有任何的東西可以使我們對於侵入將實際來臨的地點獲得一點具體的線索。

不過希特勒對於諾曼第卻具有一種「靈感」（hunch）。自從三月以後，他就曾一再的警告其將領們，要他們注意在岡城與瑟堡之間登陸的可能性。這個結論後來被證明是正確的，但他在當時又是如何得到這個結論的呢？[1]當時在希特勒大本營中充任高級幕僚的華里蒙特將軍（General Warlimont）認為他的靈感來源是得自聯軍在英國的一般部署地點上面——美軍是位置在西南部地區——同時他又相信聯軍一定希望能盡快的占領一個大港，而瑟堡很可能即為其目標。他的結論又受到下述情報的支持：有人看到聯軍在得文（Devon）舉行大規模的登陸演習，那裡的海岸線平坦開闊，且和諾曼第地區頗為相似。

負責海峽海岸部隊直接指揮的隆美爾所獲致的結論也與希特勒相同。[2]在最後幾個月內，他拚命的努力在諾曼第增強海岸線的防禦：水底障礙物，能夠抗炸的掩體和雷陣。到六月間，這些雷陣的密度已經比春季要高得多了。但對於聯軍而言，總算是很僥倖，因為隆美爾缺乏時間和資源來把諾曼第的防禦發展到其理想中的程度，至於塞納河以東的情形那就更不用談了。

對於如何應付侵入的方法，隆美爾發現他自己的看法與倫德斯特所見不同。倫德斯特的計畫是想在聯軍已經登陸之後再去作一次強力的反攻。隆美爾卻認為那已經太遲，因為聯軍享有空中優勢，他們有能力阻止德軍集中兵力來發動這樣的反攻。

他認為最好的機會就是在海岸附近將侵入者擊敗，不讓他們在岸上有立足的可能。隆美爾的

1　原註：關於這一點似乎並無證據。

2　譯者註：隆美爾此時的職位為「B」集團軍總司令。

幕僚們說：「非洲的經驗使他深受影響，他總記得在那裡整天被聯軍的飛機釘著不能行動，而當時聯軍的空中兵力還沒有現在他所要面臨的那樣強大。」

實際的計畫終於變成這兩種不同觀念的折衷案——結果也就兩面不討好。而更糟的是希特勒又堅持要從遙遠的貝希特斯加登（Berchtesgaden）來嘗試控制會戰，並且對於預備隊的使用，管制得極為嚴格。

在諾曼第由隆美爾指揮的只有一個裝甲師，而他已經把它配置在緊接著岡城的後方地區中。所以這個師在D日即能在那裡對英軍的前進產生阻力。他曾經要求把第二個裝甲師配置在聖羅（St. Lo）附近，但卻未蒙批准。如果能夠那樣，則就非常接近美軍登陸的灘頭。

在D日那一天，德國方面是辯論不休，而把寶貴的時間都浪費掉了。當時總預備隊中最近可用的一部分即為在巴黎西北的第一ＳＳ裝甲軍。但未經希特勒大本營的批准，倫德斯特是無權調動。布勒孟楚特曾經這樣記載：

> 清晨四時，我代表倫德斯特元帥打電話給他們，要求動用這個軍——來增強隆美爾的打擊力量。但代表希特勒說話的約德爾（Jodl）卻拒絕這樣做。他懷疑諾曼第的登陸只是一種佯攻，並且斷言另一個登陸將會來自塞納河以東。這樣爭論不已，直到下午四時，這個軍才終於被批准可以供我們使用。

在這天還有兩件重要的事實是值得一提的：（一）希特勒本人直到上午很晚的時候，才聽到登陸的消息。（二）隆美爾當時恰好又離開了現場。若非受到這兩個事實的影響，則德軍的行動很可能會比較迅速而強烈。

希特勒，正像邱吉爾一樣，有晚睡的習慣。他總是要在午夜過後很久才入睡。這種習慣使他的幕僚人員變得十分的疲倦。他們早晨不能太晚起床，所以在上午辦公時總是在睡眼惺忪的狀況之中。約德爾因為不敢把正在睡早覺的希特勒喊醒，所以他才自作主張，拒絕布勒孟楚特（代表倫德斯特）要求動用預備隊的申請。

假使隆美爾當時在諾曼第，則這支軍隊的調動也許就不會如此的耽擱。因為隆美爾的作風和倫德斯特完全不同，他會直接打電話給希特勒，而且對於希特勒而言，他的影響力量還是超過其他任何的將軍。但隆美爾卻在前一天離開他的集團軍總部返回德國。因為當時的海峽情況正是風高浪大，似乎敵人在此時侵入的可能性極小，所以隆美爾遂決定乘這個機會前往德國謁見希特勒，向他說明諾曼第地區需要較多裝甲師的理由；同時也準備順便回到其在烏爾門（Ulm）附近的家裡為他的夫人慶祝誕辰。次日上午，當他還沒有驅車去謁見希特勒之前，電話已經來了，告訴他侵入戰已經開始。他直到黃昏時才趕回他的總部——到那個時候，侵入者已經在岸上立定了腳跟。

駐守諾曼第地區的軍團司令也不在——他正在不列塔尼（Britanny）指導一次演習。同時充任預備隊的裝甲軍軍長也正好有事前往比利時。另外還有一個重要的指揮官則在那一夜恰好和女人去幽會。所以艾森豪之決定不顧風濤險惡而繼續進行登陸，結果使聯軍獲得很大的利益。

此後幾個星期之內又有一件奇事：希特勒對於聯軍登陸的地點雖能作正確的猜度，但在聯軍登陸之後，他卻又認為這不過是一個前奏，接著還會有第二個更大的登陸來自塞納河以東的地區。所以他很不願意讓預備隊調往諾曼第地區。為什麼會相信還有第二個登陸的可能呢？主要是由於德國的情報單位對於海峽那一邊聯軍所保留的兵力作了過高的估計，這一部分應歸功於英國人的欺敵計畫，同時也是英國人保密防諜的成功。

當最初的反攻失敗之後，也就明白顯示出德軍已經無法阻止聯軍在灘頭陣地繼續增建其實力，倫德斯特和隆美爾不久即已認清，要想在這個遙遠的西面嘗試堅守任何戰線都是毫無希望的。

關於此種經過，布勒孟楚特曾敘述如下：

> 在絕望中，倫德斯特元帥要求希特勒來法國作一次會談。六月十七日，他和隆美爾一同在斯瓦松（Soissons）與希特勒會晤，並嘗試使他能了解當前的情況……但希特勒卻堅持絕對不許撤退。『你們必須站在原地不動。』甚至於對兵力的調動也都不准許照我們所認為是最好的方式來做，換言之，他給予我們的行動自由是愈來愈少……因為他不肯改變

他的命令，所以部隊也就必須繼續留在已經發生裂口的戰線上。從此已經不再有任何的計畫。我們只是毫無希望的，嘗試遵守希特勒的命令——不惜一切代價來守住岡城——阿夫藍士（Avranches）之線。

希特勒把這兩位元帥的警告置諸腦後，並且向他們保證著說，新的V兵器，即所謂「飛彈」（Flying bomb），不久即可對戰爭產生決定性的效果。於是元帥們就主張，既然這種兵器如此有效，那就應該用來對付灘頭上的侵入軍——若技術上真有困難，則就應該用來攻擊英國南部的港口。希特勒卻堅持認為此種轟炸應集中在倫敦的頭上，以迫使英國人求和。

但是飛彈並未能產生希特勒所希望的效果，而聯軍在諾曼第的壓力卻日益增大。有一天，從希特勒大本營打來的電話問：「我們應該怎樣辦呢？」倫德斯特直率的回答：「結束戰爭！你還有什麼其他的路好走。」於是希特勒把倫德斯特免職，從東線把克魯格調來接替他的職位。

根據布勒孟楚特的記載：「克魯格元帥是一種粗豪型的軍人。剛剛來的時候他表現得非常的樂觀和自信——所有新上任的官都是這樣……在幾天之內他就變得非常的冷靜和沉默。希特勒對於其報告中語氣的改變很不高興。」

七月十七日，由於隆美爾的座車在路上受到聯軍飛機的攻擊，以致座車翻覆，使隆美爾受到重傷。接著在三天之後，即七月二十日，在東普魯士大本營中發生謀刺希特勒的事件。陰謀者的

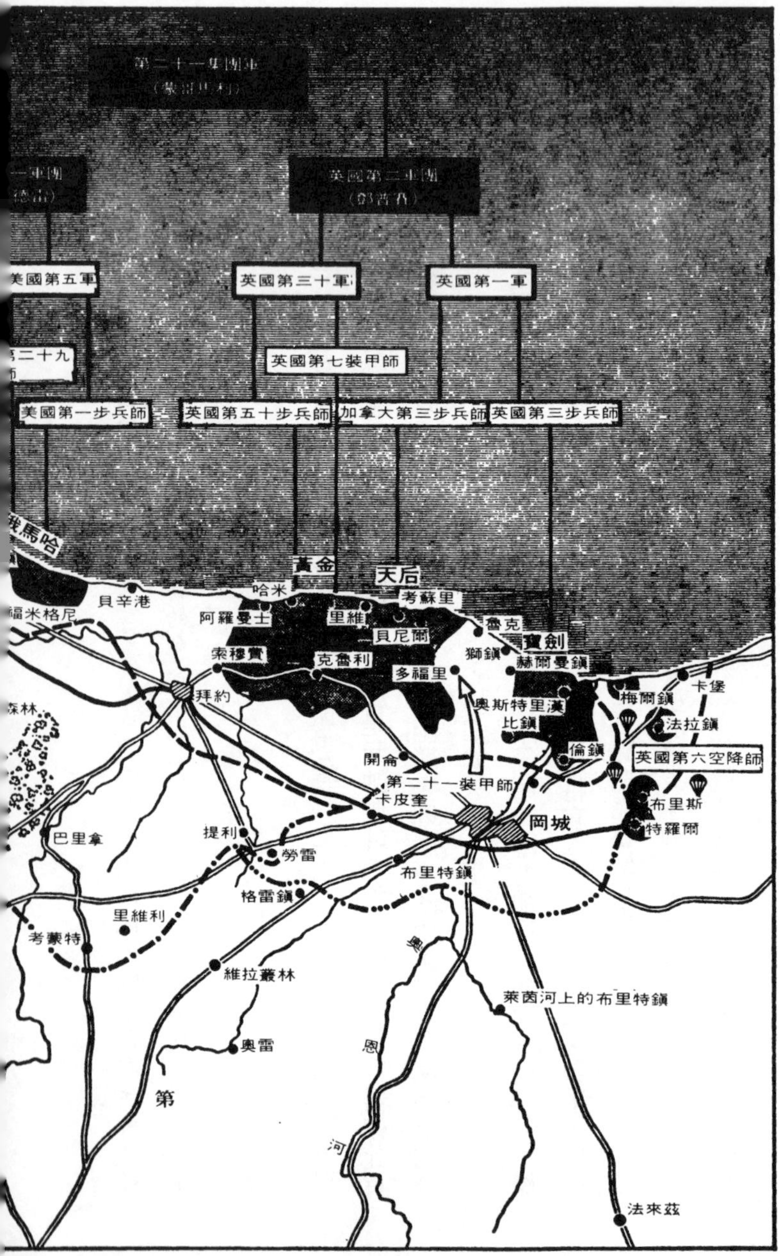
第二十一集團軍
英國第二軍團
美國第五軍
英國第三十軍
英國第一軍
英國第七裝甲師
美國第一步兵師
英國第五十步兵師
加拿大第三步兵師
英國第三步兵師
黃金
天后
寶劍
哈米
貝辛港
阿羅曼士
里維
考蘇里
貝尼爾
魯克
獅鎮
赫爾曼鎮
索穆實
克魯利
多福里
拜約
奧斯特里漢
比鎮
梅爾鎮
卡堡
法拉鎮
倫鎮
英國第六空降師
開侖
第二十一裝甲師
卡皮奎
布里斯
岡城
特羅爾
巴里拿
提利
勞雷
布里特鎮
格雷鎮
里維利
考蒙特
維拉叢林
萊茵河上的布里特鎮
奧雷
法來茲

奧德鎮
6月30日
6月21日
瑟堡
柯
法侖斯
蒙特堡
騰
聖米爾艾
艾格里斯
馬德蘭
猶他
美國第82空降師
美國第101空降師
卡特里
波特貝爾
哈依
丁
卡雲坦
陶
聖賀
里賽
皮里斯
特
河
蘭
馬里格尼
考坦斯
諾
到阿夫藍士20哩
諾曼第登陸
1944年6月6日至7月25日
黃金　突擊灘頭
6月6日黃昏時聯軍灘頭
D日目標線
6月7日的戰線
6月25日的戰線
7月25日的戰線
德軍的反攻
0 哩 10
0 公里 16

炸彈沒有能夠炸中其主要目標，但其「餘波」在這個緊急關頭卻對於西戰場的戰況產生極嚴重的影響。布勒孟楚特曾經追述如下：

> 當蓋世太保調查這個陰謀時……他們在文件中發現克魯格元帥的姓名曾被提及，所以他也就開始受到最嚴重的懷疑。於是又有另外一個意外事件發生使情形變得更糟。當巴頓的軍隊從諾曼第突破之後，在阿夫藍士的決定性會戰正在進行之際，克魯格元帥突然和他的總部失去聯絡超過十二小時之久。其原因是他正在前線上，陷入敵人的重大砲擊地區之內，斷絕了一切的聯絡……此時，我們在司令部中的人員也正受到後方的「砲擊」。由於這位元帥的長期『失蹤』，遂更加深了希特勒對他的猜疑……希特勒認為克魯格到最前線上去的目的是想和聯軍發生接觸，並作投降的談判。儘管克魯格最後回來了，但希特勒卻並未因此而息怒。從那一天起，希特勒所給予他的命令措詞都變得非常不客氣，甚至於帶有侮辱的意味。這位元帥開始感到非常煩惱。他害怕隨時都有被捕的可能——同時他也逐漸認清了他不可能用任何戰場上的成就來證明他的效忠。

所有這一切的發展對於任何尚足以阻止聯軍突破的機會也就發生了非常惡劣的影響。在這個危機四伏的日子裡，克魯格元帥對於前方的戰況有心不在焉的趨勢。他總是在回頭向後面看——害怕希特勒對他有不利的行動。

由於受到謀刺希特勒陰謀的牽連而陷入煩惱中的將軍不僅只是克魯格一人而已。在此後的幾個星期和幾個月之內，德軍的較高級指揮系統由於受到這種恐懼心理的影響而發生了癱瘓現象。

七月二十五日，美國第一軍團發動一個代字為「眼鏡蛇」（Cobra）的新攻勢，而新近登陸的巴頓第三軍團即準備跟蹤前進。三十一日，美軍的矛頭已在阿夫藍士突破德軍的戰線。德軍的最後預備隊都已經用來阻止英軍的前進。所以巴頓的戰車一衝出這個缺口之後，就長驅直入，如入無人之境。在希特勒命令之下，德軍裝甲部隊的殘部被集結在一起，用來作一次切斷阿夫藍士瓶頸的最後努力，這個努力終於還是失敗了——希特勒很刻薄的說：「因為克魯根根本就不想成功，所以才會失敗。」現在所有剩下來的德軍殘餘部隊都在嘗試逃出陷阱——假使不是希特勒禁止作任何適合時機的撤退，則他們也就不至於被關入這個陷阱。大部分德軍都被裝入所謂「法來茲口袋」，而勉強越過塞納河逃出的倖存者，也把大部分的重裝備放棄了。

克魯格於是被免職。在他返回德國的途中，被發現已經死在車上，他已經服毒自殺——照他的參謀長的解釋是，「他相信一旦回國之後就會立即受到蓋世太保的拘捕。」

在高級指揮部之內彼此互相傾軋和指控的情形也並不僅限於德國方面。不過對於同盟國方面而言，又總算很僥倖的，它們對於問題或個人都不曾產生嚴重的後果，儘管他們所留下來的芥蒂到後來還是有惡劣的影響。

在美軍實際上從阿夫藍士突破德軍防線之前的兩個星期，英軍也幾乎已經達到突破的目的。而在此時幕後也就發生了極大的風潮。這次英軍的攻擊是由鄧普賽所率領的第二軍團來負責執行，其攻擊重點指向岡城以東對方側翼的頂端。

這是整個戰役中最大的一次戰車攻擊，由密集在一起的三個裝甲師來執行。他們曾經偷偷地集結在奧恩河（Orne）上的一個小型橋頭陣地之內。七月十八日上午，在二千架重型和中型轟炸機作了兩小時的大規模地毯式轟炸之後，這些戰車才從那個橋頭陣地中像水一樣的奔流而出。在那個地區中的德軍都已經嚇呆了，大多數被收容的戰俘都已被爆炸的聲音震聾，至少要在二十四小時之後才能接受訊問。

但是德軍防禦部署的縱深卻超過英國情報人員所能想像的程度。

隆美爾早就料想到有這個攻擊的可能，所以在他遭受英國飛機攻擊負傷之前，一直都在趕緊加深這一方面的防禦，並調集增援部隊。此外當英國裝甲部隊在夜間向東行駛準備出擊時，德軍也可以聽到其巨大的音響。德方的軍長狄特里希（Dietrich）曾經說過，即令有各種不同的噪音混雜在一起，但他把耳朵貼近地面時，還是可以聽到四哩以外的戰車運動的聲音——這是他在俄國所學會的祕訣。

在通過敵方防線的外圍之後，開始時的優勢希望不久即趨於暗淡。領先的裝甲師已被糾纏在外圍防禦後方的村落據點之間——而並不曾對它們作迂迴的通過。其他兩個裝甲師則由於衝出橋頭陣地時發生交通上的擠塞，因而行動上受到延誤。於是在他們尚未能趕到現場之前，矛頭部隊只好停止不前。到那天下午，偌大的機會隨即逝去。

這次執行的失敗曾經長期隱藏在神祕之中。艾森豪在其報告書中曾經說那是有「突破」（breakthrough）的意圖，是一個「準備向塞納河盆地和巴黎方向擴張的行動」。但所有的英國歷史學家在戰後的著作中都宣稱並無那種遠大的目標，而且甚至於說根本上即不曾考慮到這個側翼企圖「突破」。

他們所根據的即為蒙哥馬利本人的記載，他堅持說這次作戰只不過是一個「陣地會戰」，其設計是為了製造一種「威脅」，以協助美軍即將發動的突破攻勢，此外還有第二個目的，就是想占穩一個基地，使主要部隊（英軍）可以準備向南和東南出擊，以便與東進的美軍相會合。

艾森豪在其戰後回憶錄中避免再提及這次會戰，於是也就把這件輕描淡寫的一筆帶過。而邱吉爾對於它也僅只略微提了一下而已。

但當時任何在幕後的人都還記得那次事件所引起的軒然風波。空軍將領們更是異常的憤怒，尤以泰德為甚。艾森豪的海軍副官布契爾上校（Captain Butcher）在他的日記中曾經這樣的記載：「在黃昏時，泰德用電話告訴艾森豪說蒙哥馬利實際上已經命令他的裝甲部隊不再前進，艾森豪不禁大感震怒。」根據布契爾的記載，次日泰德又從倫敦和艾森豪通電話，告訴他說，如果他提出要求，則英國參謀首長們準備撤換蒙哥馬利。戰後泰德本人寫回憶錄時，對於這一點曾經加以否認。

在蒙哥馬利這一邊，對於這一切的怨言，最自然的立即反應即為宣稱他根本就不曾考慮在這一方面實行突破的觀念。這種掩飾之詞不久也就變成大家所確信的事實，直到今天為止，一切軍事史的記載也都毫無疑問的予以採信。這次攻擊的代字定為「佳林作戰」（Operation Goodwood），這是英國賽馬遊戲中的一項專用名詞，實寓有深長的意味，但可惜不為一般人所知道。[3]假使不是想要奪得錦標，則何必採用這種具有暗示意義的代字。同樣的，蒙哥馬利在七月十八日對其攻擊發表第一次聲明時，也曾明白的用到「突破」字樣。此外，既然他說他對於第一天的進展「深感滿意」，那麼在第二天不再作類似規模的努力，似乎是很難自圓其說。在另一方面，空軍將領們的憤怒也是很自然的，因為假使他們不是相信「佳林作戰」的目的為大規模的突破，則他們將不會同意把重轟炸機部隊也調來協助這一次地面作戰。

蒙哥馬利事後的聲明只有一半是真的，而且對於他自己也是不公正的。誠然，他並不曾計畫在這個側翼上突破，而且也並不想對它寄予太大的希望。但若說他根本上不曾想到在這種巨大攻擊之下，德軍將有崩潰的可能，而且在那時也就應加以擴張，那才真是不通之論——蒙哥馬利似乎不會愚蠢到那樣的程度。

當時指揮第二軍團的鄧普賽相信德軍的迅速崩潰是有可能的，於是他自己進到裝甲軍的指揮所裡，以便隨時可以擴張這種機會。他說：「當時我心裡所想的就是從岡城到阿戎頓（Argentan），把奧恩河上的一切渡口都占據了。」——這樣就可以在德軍的後方建立一道封鎖線，那要比美軍在西翼方面所作的任何突破，都更能有效的將德軍關入陷阱之中。鄧普賽所希望的完全突破在七月十八日中午時幾乎已經成為事實。從他對於其內心的想法所作的說明上看來，又有一件事很值得注意，許多的聲明中都不曾提到嘗試達到法來茲的觀念——實際上，鄧普賽的理想目標阿戎頓，要比法來茲遠了差不多一倍的距離。

鄧普賽是一位極為聰明的人，他能夠認清其希望雖未達到，但卻很可能在其他方面獲得補償性的利益。當新聞界對於「佳林作戰」的失敗加以批評時，其幕僚勸他提出抗議。他回答說：「不必為此而感到煩惱——那可以幫助我們達到目的，那也正是最好的掩蔽計畫。」因為敵人的注意力都為岡城附近的突破威脅所吸引著，所以美軍在另一個側翼上的突破也就深蒙其利。

但是因為阿夫藍士的位置過分偏西，所以在那裡突破，並不能立即帶來切斷德軍的機會。其成功的希望是寄託在下述兩點上：（一）美軍能夠迅速的向東前進；（二）或是德軍死守在其陣地上不退，直到被包圍時為止。

3 譯者註：「佳林」為英國佳林公園附近所舉行的賽馬會，自一八〇二年來每年都舉行，為英國著名的大賽，勝利者可獲「佳林獎杯」。

事實上，當七月三十一日，美軍在阿夫藍士突破時，在那一點與羅亞爾河之間寬達九十哩的走廊地帶內，德軍一共只有幾個營的兵力散布在那裡，所以美軍的矛頭如果在此時向東挺進，幾乎是不會遭遇到任何的抵抗。但聯軍的統帥部卻自動放棄擴張此一偉大機會的最佳時機，它仍然墨守其已經不合時宜的（侵入前所依據的）舊計畫，決定下一個步驟仍應該是向西行動，以攻占不列塔尼地區的港口為目的。[4]

想要攻占不列塔尼港口的企圖並不曾帶來任何的利益。因為在布勒斯特的德軍一直守到九月九日才投降——是在巴頓過早宣布已經攻占該城之後的四十四天。至於羅隆和聖那晒（St. Nazaire）則直到戰爭結束時都還留在德國人的手中。

過了兩個星期的時間，美軍才向東進到阿戎頓，並大致與英軍的左翼看齊——後者此時剛剛越過岡城一地而仍然受阻。這又引起新的摩擦。當上級告訴巴頓不要向北行動以求縮短差距和封鎖德軍退路，因為害怕他會和英國人發生衝突，他就在電話中喊叫著說：「讓我進到法來茲；我們可以再來一次敦克爾克，把英國人都趕下海去。」

若非希特勒的頑固和愚蠢，不准他的部隊撤退，否則很明顯的，德軍應有充分的時間撤回到塞納河之線，並在那裡建立一道堅強的防線。所以希特勒的愚行和聯軍的愚行恰好互相抵銷，遂使他們重獲已經喪失的機會，而能在秋季中達成解放法國的任務。

這一場戰爭在一九四四年九月是可以很容易的結束。在西線上德軍兵力的大部分都已投入諾曼第戰場，並且由於希特勒的「不准撤退」，所以使他們坐困在那裡直到最後崩潰時為止。其中的一大部分已經被關入陷阱；而逃出的殘部目前也已經喪失再作抵抗的能力，而在他們退卻時——大部分都是徒步的——所以不久即被英美兩軍的機械化縱隊所趕上。當聯軍從諾曼第衝出，於九月初接近德國國境時，已經沒有任何有組織的抵抗能夠阻止他們直搗德國的心臟。[5]

---

4 原註：在阿夫藍士突破的兵力為吳德（John. S. Wood）所指揮的美國第四裝甲師，在侵入戰尚未發動之前，他曾經和我在一起度過兩天的時間，我所獲得的印象是他對於深入擴張的可能性以及速度的重要性，都比其他任何人具有較深刻的認識。甚至於在那個時候，當巴頓和我進行討論時，他也還是響應當時在聯軍高階層中流行的說法，即認為應回到一九一八年的老方法，並相信古德林和隆美爾在一九四〇年所用的方法已經不可能再用了。事後，吳德曾經把美軍突破之後的情形講給我聽。他說：「我們那些大官們的心中，對於裝甲部隊的深入挺進根本毫無觀念，而且也不支持這種行動。我當時還是屬於第一軍團，而它根本就不能夠作迅速的反應。等到開始反應時，它的命令是要把兩個側面上的裝甲師抽回，面對著主要的敵軍作一個一百八十度的旋轉，要他們去對羅隆（Lorient）和布勒斯特（Brest）進行圍城戰。八月四日即為這個『黑暗日子』，我提出冗長的、高聲的和激烈的抗議——並且未奉命令即擅自把我的戰車縱隊推進到沙托布連（Chateaubriant），把我的裝甲騎兵推進到翁熱（Angers）的郊外和羅亞爾河的沿岸，並準備向東進到沙特爾（Chartres）。在兩天之內我應該可以進入這個重鎮。但結果是一切都行不通！我們被迫照原定計畫行事——而當時卻只有裝甲部隊可以立即用來把敵人輾成碎片。這可以算是戰爭中最荒謬的決定之一。」

5 原註：在戰爭剛剛結束之後，我曾經就這一點對有關的德國主要將領提出詢問。西線總部的參謀長布勒孟楚特將軍，曾經對當時的情況用一句話綜述如下：「在萊茵河的後面已經沒有德國部隊的存在，而在八月底我們的戰線可以說是門戶洞開。」

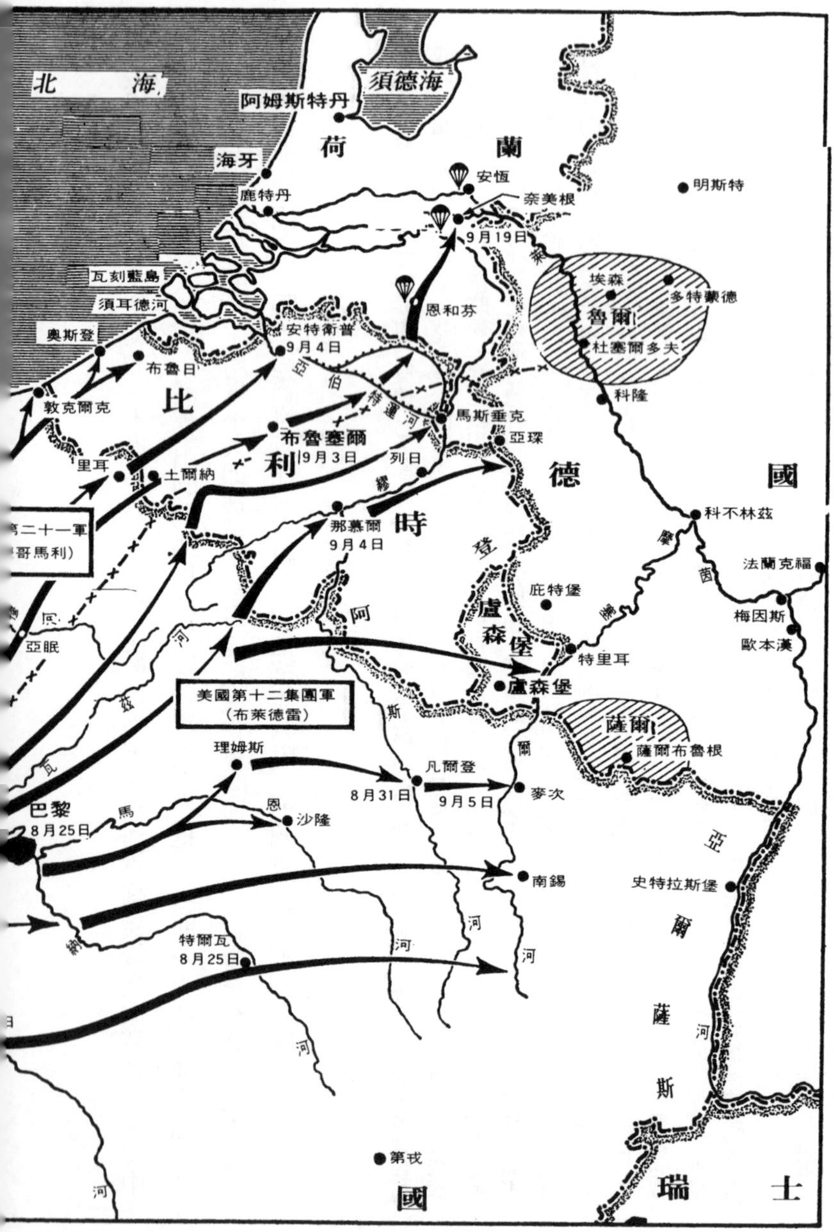
北　海
須德海
阿姆斯特丹
荷　蘭
海牙
安恆
鹿特丹
奈美根
9月19日
明斯特
瓦刻藍島
須耳德河
恩和芬
埃森
多特蒙德
魯爾
杜塞爾多夫
奧斯登
安特衛普
9月4日
布魯日
亞伯特運河
科隆
敦克爾克
比
馬斯垂克
布魯塞爾
9月3日
亞琛
里耳
土爾納
利
列日
德
國
第二十一軍
哥馬利)
那慕爾
9月4日
時
科不林茲
法蘭克福
庇特堡
盧森堡
梅因斯
歐本漢
亞眠
特里耳
盧森堡
美國第十二集團軍
(布萊德雷)
薩爾
薩爾布魯根
理姆斯
凡爾登
8月31日
9月5日
麥次
巴黎
8月25日
沙隆
南錫
史特拉斯堡
特爾瓦
8月25日
第戎
國
瑞
士

從岡城到萊茵河
7月25日聯軍所據守的地區
8月1日的德軍戰線
9月17日聯軍空降着陸
8月16日的德軍戰線
0 哩 50 100 150
0 公里 100 200
英格蘭
倫敦
多佛
南安普敦
英吉利海峽
第厄普
9月1日
7月18日「佳林」
英國第二軍團
瑟堡
美軍
英軍
哈佛爾
9月12日
英國第二軍團
(鄧普賽)
岡城
7月25日
「眼鏡蛇」
美國第一軍團
奧恩河
法來茲
阿戎頓
布勒斯特9月19日
阿夫藍士
7月31日
亞倫孫
不列塔尼
勒恩
羅隆
馬恩
沙托布連
美國第三軍團
(巴頓)
翁熱
都爾
聖那晒
德軍守至戰爭結束時爲止
南特
法

九月三日，英國第二軍團的一個矛頭，近衛裝甲師，進入布魯塞爾——其上午的出發點尚在法國北部，在比利時境內奔馳七十五哩之後，才達到目的地。第二天，與它立於並列地位的第十一裝甲師，又向安特衛普前進，在受到奇襲的德軍基地單位尚未來得及作任何爆破行動之前，即完整無缺的攻占了那裡的巨大艦塢設施。

同一天，美國第一軍團的矛頭也攻占在繆斯河（Meuse）上的那慕爾（Namur）。

四天以前，即八月三十一日，巴頓所率領的美國第三軍團，其矛頭也已在南面一百哩以外的凡爾登（Verdun）渡過繆斯河。次日，其搜索部隊曾經挺進到麥次（Metz）附近的摩塞爾（Moselle）河上，而未遇到任何抵抗——即又東進了三十五哩。從那裡到德國國境上的薩爾（Saar）大工業區僅三十哩，而到萊茵河岸也不及一百哩。不過巴頓軍團的主力卻未能立即跟隨前進到摩塞爾河上，因為他們的汽油已經用完，所以直到九月五日，才進達該河之上。

到那時，敵人已經拼湊了五個脆弱的師，配有極少量的戰防砲，來據守摩塞爾河。作為巴頓攻擊矛頭的部隊則為六個強大的美國師。

此時，英軍也已經進入安特衛普，那裡到萊茵河流入德國最大工業區魯爾（Ruhr）之處也不及一百哩。假使魯爾地區被攻占，則希特勒即無法再維持這個戰爭。

在這一翼上，現在有一個巨大的缺口——寬一百哩——面對著英軍。在德軍手邊根本就沒有兵力可以用來填塞它。在任何戰爭中都很難遇到這種良好的機會。

當這個緊急的消息傳達到希特勒那邊時，他正在東線方面的遙遠大本營內，九月四日的下午，他和當時正在柏林的傘兵部隊司令司徒登將軍接通了電話。司徒登奉命防守這個開啟的側翼，從安特衛普到馬斯垂克（Maastricht），並利用從荷蘭境內所能抽調的若干駐防部隊，在亞伯特運河（Albert Canal）上組成一道防線。同時目前正在德國各地受訓的傘兵部隊也都被火車運往該線。這些新編成的部隊都是走下火車時才接受他們的裝備，並立即開往前線。但所有這些傘兵部隊的總數也不過一萬八千人——還不到聯軍的一個師。

這些七拼八湊的部隊被命名為「第一傘兵軍團」——這樣一個響噹噹的番號可以掩飾它的許多缺點。為了幫助補充其缺額，警察、水兵、正在休養中的傷患，以及十六歲的男孩都被征召充員。兵器非常的缺乏，尤其是亞伯特運河本來就不準備在北岸上設防的；那裡沒有要塞、據點和塹壕等一切可用的設施。

戰後，司徒登將軍曾經這樣回憶著說：

英國戰車部隊的突然衝入安特衛普，使元首大本營內大起恐慌。那個時候在西線上或在我們國內都已無可供調用的預備隊。我在九月四日接管西線右翼的指揮權。此時我所有的僅為一些新兵和休養單位，以及一個來自荷蘭的海岸防禦師。以後才加上一個裝甲支隊——僅有二十五輛戰車和自走砲。

在那個時候，根據所俘獲的記錄顯示，德軍在整個西線上只有一百輛可用的戰車，而聯軍的矛頭部分即有戰車二千輛以上。德國人一共只有五百七十架飛機可供支援作戰之用，而英美聯軍在西線上的作戰飛機總數則已超過一萬四千架。所以聯軍在戰車方面的有效優勢為二十比一，而在飛機方面則為二十五比一。

但正當完全勝利似乎是伸手可及之時，聯軍的衝力卻已成強弩之末。在以後兩個星期之內，即直到九月十七日為止，他們都殊少進展。

英軍的矛頭，在停下來「整頓、加油和休息」之後，於九月七日又繼續前進，不久即在安特衛普以東，占據了亞伯特運河上的一個渡口。但在以後的幾天內，卻只向繆斯—艾斯考特運河（Meuse-Escaut Canal）之線推進了十八哩。在這一小段沼澤荒野地區中溪流遍布，而德國傘兵部隊以驚人的勇氣作殊死的戰鬥，其抵抗力之強與其數量之少簡直完全不成比例。

美國第一軍團也已推進到與英軍平頭的地位，卻不曾再深入。它的主力衝入了環繞著亞琛（Aachen）古城的要塞城區和煤礦地區——在歷史上，這也是進入日耳曼的著名「門戶」，但他們卻在此受阻不前。美軍在那裡最初是被糾纏著，然後遂被坑陷著，而坐看良機失去。因為當他們達到德國邊境時，在亞琛地區與麥次地區之間長達八十哩的地段，一共只有八個營的掩護部隊——包括山陵起伏和森林密布的阿登地區在內。當一九四〇年，德軍向法國發動裝甲部隊的奇襲時，即曾對於這一個險阻的地區作最有效的利用。現在因為想採取似乎是比較容易的路線進入德國，結果反而使聯軍遭遇到更大的困難。

在南面的情形也和北面如出一轍。因為巴頓的第三軍團早在九月五日即已開始渡過摩塞爾河，但在以後兩個星期之內，卻幾乎可以說是少有進展——甚至於在兩個月以後也仍然如此。美軍因為攻擊麥次的要塞化城市和其鄰近據點而受阻——因為德軍集中在那裡的兵力遠比任何其他地方都要多。

到九月中旬，德軍已經沿著全線加線他們的防禦實力，而尤其以最北的地段為然——那是通至魯爾地區的門戶，而且過去也正是一個最大的缺口。尤其不幸的是蒙哥馬利現在又想要在那裡發動另一次大規模的攻勢。他準備在九月十七日，攻向安恆（Arnhem）的萊茵河岸。在這次攻擊中他計畫要把新近成立的第一聯合空降軍團投擲下去，替英國第二軍團掃清進路。

這次攻擊在尚未達到目標之前即為敵軍所擊退，而投在安恆的英軍第一空降師的大部分都被切斷退路，他們在苦撐待援無望之餘終於被迫投降，雖然其英勇事蹟實在是可歌可泣。在以後的一個月當中，美國第一軍團把全部時間都消磨在對亞琛城的攻擊上，而蒙哥馬利則調動加拿大第一軍團去肅清兩處被圍困的德軍部隊——在布魯日（Bruges）以東的海岸上，和在須耳德河口附近的瓦刻藍島（Walcheren）上——這些地區支配著從須耳德河口到安特衛普之間的水道，所以在安恆作戰時也使這個港口無法加以利用。肅清這些德軍殘餘部隊被證明出來是一種非常困難而遲緩的步驟，一直到十一月初才全部完成。

當此之時，儘管在物質資源方面德國人是居於劣勢，但他們沿著萊茵河之線對防禦力量的增加，卻比聯軍兵力的增強要遠較迅速。十一月中旬，聯軍的六個軍團又在西線發動一次全面攻勢。結果是付出了重大代價，而收穫之小卻令人感到大失所望。僅在最南端的亞爾薩斯（Alsace）聯軍的確已經進抵萊茵河岸，但卻並無太大的重要性。在北面他們距離掩護著魯爾要害地區的那一段河道還有三十哩之遙，直到一九四五年的春季才到達那裡。

由於在九月初錯失良機，結果遂使聯軍付出非常重大的代價。他們在解放西歐的戰役中，一共損失了七十五萬人，其中的五十萬都是在九月攻勢受阻之後才損失的。對於整個世界而言，其成本更為巨大——由於戰爭的延長使數以百萬計的男女死於軍事行動中和德國的集中營內。而從更遠大的觀點來看，在九月間俄國的軍隊也還不曾進入中歐。

其後果是如此的嚴重，那麼這種機會的喪失，原因又是什麼呢？英國人曾經責備美國人，美國人也曾經責備英國人。在八月中旬，對於聯軍越過塞納河之後所應採取的路線，他們之間確曾發生過激烈的辯論。

由於增援的湧到，從八月一日起，在諾曼第的聯軍即被分為兩個集團軍，每個集團軍都轄有兩個軍團。在蒙哥馬利之下的第二十一集團軍只保留英國和加拿大的部隊；而美軍則另組成第十二集團軍，由布萊德雷升任集團軍總司令。不過最高統帥身分的艾森豪卻作了下述的安排：在他自己的統帥部尚未進駐歐陸和直接控制作戰之前——到九月一日他才這樣做——仍由蒙哥馬利繼續負責作戰的管制，以及兩個集團軍之間的「戰術協調」。此種過渡性的安排是空泛而微妙的，足以顯示艾森豪所具有的寬宏大度，因為他一方面不願傷害蒙哥馬利的感情，而另一方面也尊重他的經驗。但是這種用意頗佳的折衷辦法結果卻反而製造摩擦——天下事往往如此。

八月十七日，蒙哥馬利曾向布萊德雷建議：「在越過塞納河之後，第十二和第二十一兩個集團軍應集中在一起，把四十個師的兵力變成一塊堅固的質量，有了這樣的強度便不必害怕任何東西。這支大軍應向北推進，直趨安特衛普和亞琛，而把它的右翼放在阿登之上。」

從此種建議所用的字句看來，即可以證明蒙哥馬利尚不曾認清敵軍的崩潰程度，同時他也不知道要使這樣一塊「堅固的質量」獲得不斷的補給將是如何的困難——除非它只用極緩慢的速度向前推進。

此時，布萊德雷又正在和巴頓討論另一種不同的構想：越過薩爾地區向東進攻，俾在法蘭克福（Frankfurt）之南到達萊茵河岸。布萊德雷希望以此為主攻方向，並且把兩個美國軍團的兵力都用在這一線上。這也就等於是把北面的攻擊降到次要的地位，所以自然不為蒙哥馬利所喜，而且這一條路線也不能直接到達魯爾區。

因為他的兩員大將爭持不下，所以艾森豪也就感到左右為難。八月二十二日，他對於雙方的意見作了一番考慮，次日他又與蒙哥馬利作了一次討論。當時後者向他說明集中攻擊的重要，並要求把補給的極大部分用來支援它。那也就是說應該停止巴頓的東進，而巴頓現在卻正在以最高的速度向前奔馳。艾森豪嘗試指出政治上的困難。他說：「美國輿論絕對不會同意。」英軍現在還沒有到達塞納河的下游，而巴頓的向東前進早已超過他們一百哩，並且距離萊茵河也已經不到二百哩。

面對這些互相衝突的辯論，艾森豪還是採取一種折衷的解決辦法。目前蒙哥馬利向比利時的北進是應該給予優先，依照蒙哥馬利的要求，美國第一軍團也暫時隨著英軍北進，以便掩護其右側翼並增加其成功的機會。在這個階段內，一切可用的補給和運輸工具也都應盡量集中，用來維持這個北面的攻勢，而不惜以巴頓為犧牲。但一旦英軍到達安特衛普之後，就應立即恢復在侵入之前所擬的計畫，即聯軍應採取寬廣的正面，分別從阿登南北兩面向萊茵河前進。

艾森豪手下的大將們對於此種折衷的解決辦法沒有一個人表示滿意，不過在當時他們反對的呼聲卻沒有像後來那樣的高。以後他們感覺到他們之所以未能獲得勝利，就是由於此種決定所致，所以隊更憤憤不平且溢於言表。巴頓曾經認為這是「戰爭中一個最大的錯誤」。

在艾森豪的命令之下，巴頓第三軍團的補給每天只限於二千噸，而霍奇（Hodges）的第一軍團卻可以獲得五千噸。布萊德雷說巴頓到他的司令部中來「狂吼如牛」，他怒喊著說：「霍奇和蒙特真是罪該萬死。只要你們讓第三軍團繼續前進，我們就可以替你們贏得這個倒霉的戰爭——。」

由於不願意接受這種補給限制，巴頓告訴他的領先部隊仍繼續前進直到燃料用完為止。他說「然後就下車徒步前進好了」。八月三十一日，在戰車的油還沒有用完之前，他們達到了繆斯河。在前一天巴頓軍團只收到三萬二千加侖燃料，而最近的正常每日需要量卻是四十萬加侖——並且還告訴他在九月三日之前不可能獲得任何較多的數量。九月二日，他在沙特爾和艾森豪會晤，巴頓發脾氣的說：「我的人員可以吃他們的皮帶，但我的戰車卻不能沒有汽油。」

在九月四日安特衛普被攻占之後，巴頓所分得的補給在比例上又和第一軍團相等。但當他再向萊茵河前進時，所遭遇到的抵抗卻已經變得遠較堅強，於是不久即在摩塞爾河上受到阻擋。於是這也就使他埋怨得更厲害——在八月間最緊要的最後一個星期中，因為幫助蒙哥馬利前進，遂減少他的汽油配量，所以才有這樣的結果。他感覺到「艾克」是重視和諧遠過於戰略，為了想安撫「蒙特的永不滿足的胃口」，遂不惜犧牲提早獲得勝利的最佳機會。

反之，蒙哥馬利則認為艾森豪採取「廣正面」向萊茵河前進的觀念根本就是錯誤的。當他自己在北面的進攻勝負未決之際，根本上就反對分散補給去支援巴頓的東進。當他自己對安恆的攻擊失敗而未能實現其希望之後，蒙哥馬利的怨言也自然變得更強烈。他感覺到巴頓拉著布萊德雷，布萊德雷又拉著艾森豪，所以也就決定了這一場「拔河」的勝敗，而斷送了其自己計畫的成功機會。

這是很容易了解的，任何努力只要對他自己沒有直接的貢獻，則都不會獲得蒙哥馬利的讚許。他對於艾森豪兩路進攻的決定所發出的怨言，從表面上看來未嘗沒有道理，而且也為大多數英國評論家所採納。他們似乎真的相信此即為斷送勝利的主因。但若加以較深入的分析，即可以了解此種決定對蒙哥馬利方面的影響實在是很小。

事實上，在九月的前半月當中，巴頓平均每天只獲得二千五百噸的補給——比他的軍團擱淺不動時只多了五百噸而已。這一點少許的增加只夠多維持一個師的活動，若與在北面作戰的各軍團所獲得的總數量相比較，那真是微乎其微。所以我們對於蒙哥馬利失敗的原因必須要作更深入的檢討，而不可人云亦云。

第一個重大的障礙是出自想把大量空降部隊投擲在布魯塞爾以南（比利時邊境上）的土爾納（Tournai）附近，以協助向北攻擊的計畫，這個計畫是預定在九月三日執行，但在此以前地面部隊即早已達到土爾納，於是遂又被撤銷。但是為了準備這次空降作戰，所有的空軍運輸機都被撤回，也就對前進中的陸軍停止了六天的空運補給，這也就使他們犧牲了五千噸的補給。若以燃料而論，則就相當於一百五十萬加侖——當敵人正在混亂之中，這個數量也就足夠把兩個軍團一口氣不停的送到萊茵河上。

這個半途而廢的空降作戰計畫，其所花費的成本是如此的高昂，究竟應由誰負責，那是一項很難確定的問題。很奇怪的，在他們的戰後回憶錄中，艾森豪和蒙哥馬利都承認這個主意是出自他本人。艾森豪說：「照我看來，在布魯塞爾地區已經出現發動一次有利空降攻擊的良好機會，雖然對於應否抽回擔負補給任務的飛機的問題卻有不同的意見……我決定不應放過這個機會。」但蒙哥馬利卻說：「我早已準備在土爾納地區執行空降的計畫」，並且說明那是「我的理想」。

相反的，布萊德雷卻又這樣說：「我要求艾克放棄這個計畫，並留下運輸補給的飛機。……我告訴他：『在你發動作戰之前我們將早已到了那裡。』」這倒是事實。

第二個因素是對於向北攻擊的補給數量中有高度比例為彈藥，那實在是不需要的。當敵人已經陷於崩潰狀態時，打硬仗的機會是很少的，也就不需要大量彈藥的補充。反之，當時所最需要的卻是燃料。有了充分的燃料補充，即可以拚命窮追，而不讓敵人有喘息的機會。

第三個發現是在這個緊要關頭上，一千四百輛的英製三噸卡車，以及一切同型的補給車，都在汽缸活塞上出了毛病，於是遂使向北運送的補給流量受到嚴重的減少。假使這些卡車能夠使用，則第二軍團每天即可以多獲得八百噸的補給——也就足夠多維持兩個師。

第四點的意義尤其深遠，那就是英美兩國的補給分量實在是太奢侈。聯軍計畫作為所根據的算法是每個師一天要消耗七百噸的補給，而其中五百二十噸是前進地區所要求的。反之，德國人就經濟得多了，他們每一個師一天大約只需要二百噸的補給。而且他們還經常得防備空軍和游擊隊的襲擊——聯軍卻可以完全不受到這兩種阻礙。

聯軍部隊的浪費行為更增加補給的需要量，而成為一種自作自受的障礙。一個最顯著的例證即為車輛上的預備油箱，那是對燃料補充有很大的重要性。自從聯軍六月間在法國登陸以來，一共送去一千七百五十萬個預備油箱，而到了秋季尚在使用中的只剩下二百五十萬個！

造成北面進攻失敗的另一重大因素是美國第一軍團被吸入了亞琛附近的要塞和煤礦防禦網中

——這種戰略「糾纏」實際上變成一個巨型的「拘留營」，正像第一次世界大戰時聯軍在薩羅尼加（Salonika）的情形一樣。美軍補給噸數的四分之三都是給予第一軍團，而使巴頓蒙受不利的犧牲，但是該軍團的攻擊卻完全白費氣力——歸根溯源這又是出於蒙哥馬利的要求，因為他認為這個軍團的主力應用在阿登以北，以便掩護他的右翼。在他自己的前進線與阿登地區之間的空間是如此的狹窄，所以美國第一軍團殊少有迂迴的餘地，或繞過亞琛的機會。

這個被糾纏得很緊的美國軍團，在第二階段，即當蒙哥馬利向安恆發動其九月中旬的攻擊時，也還是不能給予以任何援助。不過在這裡，英軍由於一種非常奇怪的疏忽，也付出了極大的代價。當第十一裝甲師於九月四日衝入安特衛普時，雖然迅速攻占船塢使其未受破壞，但卻不曾努力去占領在亞伯特運河上的橋梁（那是位置在近郊的）。等到兩天之後企圖再去越過該河時，那些橋梁均已被炸毀——這個師此時正向東移動。這位師長在進占安特衛普時，根本上即不曾想到立即奪占這些橋梁，而其上級也沒有任何人想到應該命令他這樣做。這是一個嚴重的失誤——從蒙哥馬利以下，一共有四位指揮官，他們通常都很仔細，對於這種細節是應特別注意的。

此外，在安特衛普北面僅二十哩即為比維蘭（Beveland）半島的出口，那是一個只有幾百碼寬的瓶頸。在九月的第二和第三兩個星期中，在海峽海岸上被切斷的德國第十五軍團殘部被允許向北逃脫。他們渡過須耳德河口與比維蘭瓶頸逃走。這樣一共有三個師趕在蒙哥馬利向安恆發動攻勢之前，加強了德軍在荷蘭的微薄防禦，並阻止英軍的前進。

德方對於聯軍所應採取的最佳路線又作如何的看法呢？在接受詢問時，布勒孟楚特是贊成蒙哥馬利的理論：即隻中全力向北突破，以期先後到達魯爾和柏林。他說：

> 誰控制德國北部，誰就控制了整個德國。這樣一個突破，加上制空權，即可以把脆弱的德軍戰線撕成碎片並結束戰爭。於是也可以趕在俄國人的前面占領柏林和布拉格。

布勒孟楚特認為聯軍的兵力分散得太廣，而且也分布得太平均。他尤其批評對麥次的攻擊：

> 對麥次的直接攻擊是沒有必要的。麥次要塞地區只要加以監視即可。反之，若向北從盧森堡和庇特堡（Bitburg）的方向進攻，也許可獲得較大的成功，並促使德軍第一軍團的右翼和第七軍團先後崩潰。這樣一個側進可以直趨整個第七軍團的北面，而切斷其退往萊茵河後方的路線。

從九月五日起，接替布勒孟楚特充任西線德軍總部參謀長的魏斯特伐將軍，則認為在當時的環境之下，選擇攻擊點的問題還是次要的，最重要的關鍵即為無論向何方進攻時，都必須作集中的努力。他在所著《西戰場中的德國陸軍》（*The German Army in the West*）一書中指出：

西線上的全盤情況已經嚴重到了極點。沿著全線上幾乎到處都是空隙，無論在何處打一個敗仗，只要敵人善於擴張他的機會，即足以造成一個災難。一個特殊的危險來源是在萊茵河上幾乎沒有一座橋梁已經完成爆破的準備，這個疏忽要花好幾個星期的時間才能完成其補救……直到十月中旬為止，敵人在任何點上幾乎都可以輕易的突破，然後大搖大擺的越過萊茵河再向德國作深入的前進。

魏斯特伐說在九月間，整個西線上最易毀的部分為盧森堡地段，從那裡可以在科不林茲（Coblenz）達到萊茵河。他的說法與布勒孟楚特的說法大致相同，後者曾經指出在麥次與亞琛之間的阿登地段是防禦力量最薄弱的一段。

基於以上的分析，又可以獲得一些什麼主要結論呢？

艾森豪的以「廣正面」向萊茵河前進的計畫是在諾曼第登陸之前所擬定的。假使所面對的還是一個尚未被擊敗的強敵，那也許不失為一種摧毀敵方抵抗力的良好方法。但對於當時的實際情況而言，卻實在是太不適合，因為敵人早已崩潰，現在的問題是如何對於他們的崩潰作迅速和深入的擴張，而不讓其有死灰復燃的機會。這就必須要作不停的追擊。

在這樣的環境之中，蒙哥馬利所主張的「單刀直入」方式就原則而言似乎是遠較有利。不過對於事實加以深入研究之後，即可以發現其向北攻擊的失敗，並非像一般人所假想的，是由於把補給分給巴頓所致。其原因是很複雜的，但大體都是屬於蒙哥馬利自己所應負責的範圍之內——（一）安特衛普在開放時間上的延誤；（二）為了準備不切實際的空降作戰，而停止空運補給達六天之久；（三）對於彈藥和其他的補給供給得太多，而減少了可以用來運輸燃料的運輸工具；（四）一千四百輛發生故障的英國卡車；（五）把在他側翼上的美國第一軍團送入一條走不通的「死巷」；（六）沒有能夠在敵人爆破之前占領亞伯特運河上的橋梁，和在敵人設防之前占領那些渡口。

最足以斷送達到萊茵河機會的事情莫過於在進入布魯塞爾和安特衛普之後，聯軍就在那裡從九月四日休息到九月七日。這與蒙哥馬利自己所宣布的目標也實在是很難配合。當他從塞納河上前進時，他曾經這樣的宣布著說：「我們的目的就是要使敵人一直都在疲於奔命，然後我們將乘勝躍過萊茵河不讓他們有重組戰線的機會。」在任何深入的突破或追擊時，繼續不斷的前進和壓迫即為其成功的鎖鑰，甚至於休息一天也都足以喪失成功的機會。

但是自從進入比利時之後，聯軍上上下下都已經有了普遍的鬆懈趨勢。這是發源於上級的。艾森豪的情報單位告訴他德國人已經不可能產生足夠的兵力來守住其國境防線——同時也已向新聞界保證「我們可以長驅直入」。艾森豪也就把這種過分樂觀的心理傳達給他的部下。甚至於遲到九月十五日，他還寫信給蒙哥馬利說：「我們不久即將攻占魯爾、薩爾和法蘭克福等地區，所以我很希望知道你對於我們次一步行動的意見。」在所有各級司令部中也都是充滿著一片樂觀的態度。在解釋為什麼不曾占領亞伯特運河橋梁的理由時，那位充任矛頭的軍長，何洛克斯將軍（General Horrocks）坦白的說：「當時我並不認為在亞伯特運河上有遭遇到任何嚴重抵抗的可能。照我們看來，德軍似乎是已經完全瓦解了。」

諾斯（John North）在其以官方資料為基礎而撰寫的《第二十一集團軍戰史》中，對於此種情況也有很適當的綜述：「全軍上下在內心裡都以為戰爭是已經勝利了。」所以在這個九月間最重要的十四天當中，指揮官們都已經喪失其緊急感，而所有的人員都不再想拚命，只想早一點平安回家。

在八月最後的一個星期內，當巴頓的戰車把汽油都用完了的時候，可能使戰爭迅速結束的最佳機會即已經喪失。那時他們距離萊茵河及其橋梁是要比英國人近了一百哩。

在聯軍方面巴頓要比任何人都更能了解窮追不捨的重要性。他是準備向任何方向擴張——事實上，他在八月二十三日曾經建議他那個軍團應向北進而不必向東進。他事後所作的評論是頗有道理：「一個人不可能先計畫然後再來嘗試使環境適應其計畫。而必須嘗試使計畫來適應環境。我認為在高級指揮方面的成敗，其主要關鍵就是此種適應能力的有無。」

但在這個機會最好的時候，所有聯軍方面一切困難的主要根源即為其高級計畫者當中沒有一個人曾經預料到敵人在八月間會完全崩潰。所以他們在心理上和物質上都毫無準備，因此也就不能用乘勝追擊的方式來擴張此種機會。

第三十二章　俄國的解放

一九四四年東線戰役是受到下述事實的控制：當俄軍前進時，正面的寬廣一如過去，而德國人的兵力卻正在縮小——因此，其自然的結果即為俄軍繼續不斷的前進，除了自己的補給問題以外，幾乎很少受到其他的阻礙。此過程是一種最明顯的證明，足以顯示空間與兵力比例的重要性。此外，在進展中的停頓也是由俄軍補給線所要推進的距離來決定。

主要作戰是由兩次俄軍大攻勢所組成，分別在兩翼，彼此交替，每次攻勢之後都要繼之以一段長時間的休息。在南翼延長線上所發展的輔助性作戰，其休息的間隔比較短——原因是因為德軍在這一方面的兵力對空間而言，其密度比主戰場上還要稀薄，所以當俄軍突破德軍的每一道防線之後，也就不需要太多的時間來集結其次一個行動所需要的兵力。

冬季攻勢的開始行動與秋季攻勢非常類似，而其所產生的效果也大致相同，其原因並非由於德國人的失算，而是因為他們已經力不從心。一九四三年十二月，柯涅夫已經發起一個新迂迴攻勢前進，以克服當他第一次企圖切斷頓河灣時德軍在克利福洛所作的阻擋。這次他從克勒曼楚的橋頭陣地向西攻擊，而不再向南攻擊，他幾乎穿透到基羅夫格勒，但在那裡又開始被阻不能前進。但是這一個推進，再加上另一個從車卡夕（Cherkassy）橋頭陣地配所作的向心攻擊，已經把德軍微弱的預備隊誘致了相當的部分。曼斯坦現在也就處於左右為難的情況，因為希特勒禁止他採取戰略所要求的退後一大步的行動，所以他只好把兵力切碎，用來填塞在聶伯河灣與基輔之間這一長段戰線上所發生的裂口，但這樣下去也就使他能夠把范屠亭的部隊限制在基輔突出地區之內的機會日益減低。在這個突出地區之內，俄軍的兵力就好像是由水壩所擋著的洪水一樣，只要堤防一潰，其氾濫之勢即將不可收拾。

范屠亭的新攻勢是在聖誕節前夕發動的，在一層濃厚的晨霧掩護之下——幾乎是像第一次世界大戰末期每一個成功的攻擊時一樣。在霧幕幫助之下，俄軍第一天即攻入德軍的陣地，一經突破之後，其部隊便開始席捲，其範圍是如此的寬廣，使一切對抗措施都發生不了效力。在一星期之內，俄軍已經收復息托密爾（Zhitomir）和科羅斯登（Korosten），並同時向南發展，包圍過去所從未觸及的貝底契夫（Berdichev）和貝拉亞·柴爾可夫（Byelaya Tserkov）等德軍據點。

一九四四年一月三日，俄軍機動部隊向西前進，攻占科羅斯登五十哩以外的諾維格勒·弗侖斯克（Novigrad Volynsk）道路交匯點。次日即越過了戰前波蘭的國境。在南翼方面，德軍現在自動放棄貝底契夫和貝拉亞·柴爾可夫兩個據點，退向維尼沙（Vinnitsa）和布格河（Bug）上

——以掩護從奧得薩（Odessa）到華沙之間主要橫行的鐵路線。在這裡曼斯坦調集了一些預備隊，企圖作另一次反擊，但因為後援不繼，而且范屠亭對於如何應付也已準備，所以雖能暫時阻止俄軍向布格河前進，但結果卻不免顧此失彼，反而使俄軍在側面上的前進一路暢通無阻。他們從貝底契夫和息托密爾向西推進，繞過德軍在瑟柏托夫卡（Shepetovka）的一處阻塞陣地，而於二月五日攻占重要的波蘭交通中心羅夫諾（Rovno）。同一天，另一個迂迴運動攻占了魯克（Luck），那是在羅夫諾西北約五十哩，已經超過俄國邊界一百哩。

洪流向南氾濫所產生的結果更具有迫切的危險性。因為在這裡，范屠亭的左翼正在和柯涅夫的右翼相會合，而使受到希特勒「不准撤退」命令所限制，尚留在俄國基輔和車卡夕兩個橋頭陣地之間地帶中的德軍有受到包圍的危險。這些部隊仍緊抓著聶伯河附近的前進陣地不放手，所以也就無異於坐待敵人的包圍而不准躲避。當一月二十八日俄軍的鉗頭在他們的後方夾攏時，有六個師的部隊遂被關入了口袋。由於第三和第四十七裝甲軍的努力，他們的突圍行動終於獲得成功。但在科爾森（Korsun）包圍圈內的六萬人，雖然有三萬人被救出，卻已經把裝備丟光，另外一萬八千人不是被俘便是負傷。第十一軍的軍長斯特麥曼（Stemmermann）也是戰死者中的一人。

為了救出被圍的部隊，德軍遂又不能不在聶伯河灣內放棄較南端的陣地。當馬林諾夫斯基向德軍尼科波耳（Nikopol）突出地的底線進攻時，德國人也就無法抵擋。於是尼科波耳在二月八日被迫放棄，雖然大多數守軍都能安全撤出，但他們卻從此不能再利用這個重要的錳礦來源。他們在克利福洛還繼續守了十四天，然後才在大包圍的威脅之下撤出。

在普里皮特沼澤與黑海之間，俄軍在南線上已經造成許多深入的突出地區，結果也就使德軍所需要掩護的正面大為延長，而希特勒的僵硬原則卻不准他們作適合時機的撤退以拉直和縮短戰線。損失的增加，尤其是在科爾森突圍時為然，已經留下太多的缺口，使他們現在根本無法填補。希特勒的原則所付出的代價使得現在必須要作比兩個月以前所要求的更大規模的撤退。

兵力的減弱和空間的增大使德軍部隊產生一種無可奈何的感覺。俄軍數量的巨大，尤其是他們幾乎沒有補給問題的困擾，也就更增強了德軍的畏懼心理。他們像洪水一樣的奔流氾濫，又像遊牧民族一樣滿山遍野的衝殺過來。在任何西方軍隊都要餓死的情況之下，俄國人還能繼續活命；在任何人都會坐下來等待已毀的交通線修復的環境中，他們卻仍能繼續前進。德軍機動部隊經常嘗試攻擊俄軍的交通線以阻止其前進，但卻發現很少有補給縱隊可以作為攻擊的目標。曼陶菲爾為德軍著名勇將之一，他對於俄軍的印象特別深刻，他曾經這樣生動的描寫如下：

俄軍的前進是西方人很難想像的一種情況。在戰車矛頭的後面就跟著一大群烏合之眾，大部分都是騎馬的。士兵們背上馱著一個口袋，裡面裝的是乾硬的麵包和一路走一路隨手撿來的蔬菜。馬就吃屋頂上的稻草——除此以外幾乎就沒有什麼可吃的。俄國人慣於過這種最原始的生活，他們可以這樣的前進達三個星期之久。

又因為曼斯坦由於眼疾之故已被免職，所以要想力挽狂瀾的機會也就更形減少。實際上這不過是一個掩飾的理由，真正的原因是他與希特勒的衝突——曼斯坦認為希特勒的戰略簡直是胡鬧，而他用來和希特勒爭論的語調也已經使後者無法容忍。所以自此以後，這位被德國軍人所一致推崇的最佳戰略家即再無出頭的機會。經過了一次手術之後，曼斯坦的眼疾固然已經痊癒，但他卻只能坐在家裡看地點，並眼看著德軍被盲目的引入失敗的深淵。

一九四四年三月初，俄軍又發動一個更大規模的分進合擊。首先引起德軍注意的是一個在布格河源頭附近，指向加里西亞東南角的攻擊。這是由朱可夫元帥來執行，他已經代替范屠亭指揮基輔以西的俄軍，因為後者受到反共游擊隊的阻擊而傷重殞命。從瑟柏托夫卡出擊，朱可夫的部隊一天之內突進了三十哩，在三月七日即已在塔諾普（Tarnopol）切斷奧得薩與華沙之間的橫行鐵路線。這個攻勢迂迴了在布格河上的德軍防線，使他們已經不可能再退守該線。

在南線的另一端，馬林諾夫斯基早已利用德軍在聶伯河灣較下游部分的不穩形勢——使用其在尼科波耳和克利福洛附近新近獲得的地位來發動一個鉗形運動。三月十三日他攻占聶伯河口的克森（Khersen）港，並圍困在這個地區的一部分德軍。同時，其從北面進攻的部隊也正接近在布格河口的尼科拉夫（Nikolayev）——不過那裡的抵抗相當的頑強，直到三月二十八日才將其克服。但在此以前，夾在朱可夫和馬林諾夫斯基兩個方面軍之間的中央地段內，卻早已有很激烈的發展，足以使這兩方面的成就都顯得自愧不如。

在兩端都有掩護的情況之下，柯涅夫開始向烏曼（Uman）方向出擊，並於三月十二日到達布格河，很快就占穩了渡口。他的裝甲部隊一點也不耽擱，直趨聶斯特河（Dniester）——在這個地區中，兩河之間的距離不過七十哩。現在堅冰已經解凍，聶斯特河的水流湍急，兩岸陡峻，本來很可以當作一道堅強的防線，但是德軍方面卻缺乏可以用來防守的部隊。俄國裝甲部隊於十八日進抵河岸，緊跟著撤退中的德軍後面，在楊普爾（Yampol）及其附近用浮橋渡河。為什麼會這樣容易呢？其原因是一方面他們前進得非常的迅速，另一方面對方已經混亂不堪。這裡又應歸功於俄國的裝甲兵，他們在羅特米斯托夫將軍（General Rotmistrov）的指導之下，採取一種新的戰術，使對方感到束手無策。他們採取展開形式的前進，使敵人僅能在主要路線上堅守據點，卻不能阻止他們的行動。

俄軍如此深入的突破並沒有什麼危險，因為朱可夫的左翼又從塔諾普向南發動新的攻勢，足以牽制德軍的兵力。這個攻勢在時機上也配合的非常良好，正當德軍在塔諾普附近的反擊為俄國的嚴密防禦擊敗之餘，它就利用德軍的後退作迅速進攻。其目的也是為了配合柯涅夫的攻擊。在迅速前進到聶斯特之線以後，朱可夫的左翼向下直趨東岸，席捲敵軍的側翼，而與柯涅夫的右翼構成合圍之勢。這種分進合擊的方式一方面可以保證防禦的安全，另一方面又可以開拓攻勢的前途。

當這些側面的掃蕩正在擴大缺口和切斷一部分開始撤得太慢的德軍之同時，俄軍的主流卻仍繼續向西推進。在三月底之前，柯涅夫的矛頭已經在雅士（Jassy）附近突穿到普魯特河（Prut）之線，而朱可夫的矛頭也已經攻占科勒密雅（Kolomyja）和切勞提（Cernauti）等重要交通中心——並且從這些地方強渡上普魯特河。這個前進使他們逼近喀爾巴阡（Carpathians）山脈的山麓，而這也就是匈牙利的屏障。

為了對這種威脅作立即的反應，德軍遂占領匈牙利。很明顯的，採取此種步驟的原因就是為了確保喀爾巴阡的山地防線。他們需要維持這一道防線，不僅是為了阻止俄軍衝入中歐平原，而且對於巴爾幹的任何持續防禦這也是一個樞紐。喀爾巴阡山脈，連同向南延伸的外西凡尼亞阿爾卑斯山脈（Transylvanian Alps），構成一道具有偉大天然屏障的防線。從戰略的觀點上來看，其實際的長度是很短的，換言之，要設防的僅限於少數隘道——所以在兵力的部署上可以獲得很大的節約。在黑海與福克沙尼（Focsani）附近的山角之間有一段一百二十哩寬的平原，但其東面的一半卻受到多瑙河三角洲和一連串湖沼的阻塞，所以危險地區也就只剩下一個三十哩寬的加拉茲缺口（Galatz Gap）。

四月初德國人似乎是馬上就必須撤到這一道後方防線，而且在西北角上連它也都早已受到威脅，因為朱可夫的部隊正從塔諾普和切勞提之間切入，直趨雅布羅尼卡隘道（Yablonica Pass）——又名韃靼隘道（Tartar Pass），這是一個比較出名的名稱。朱可夫似乎可以與直搗布達佩斯的速不台（Subedei Bahadur）媲美。後者曾率領蒙古西征的騎兵——近代裝甲部隊的先驅者——在

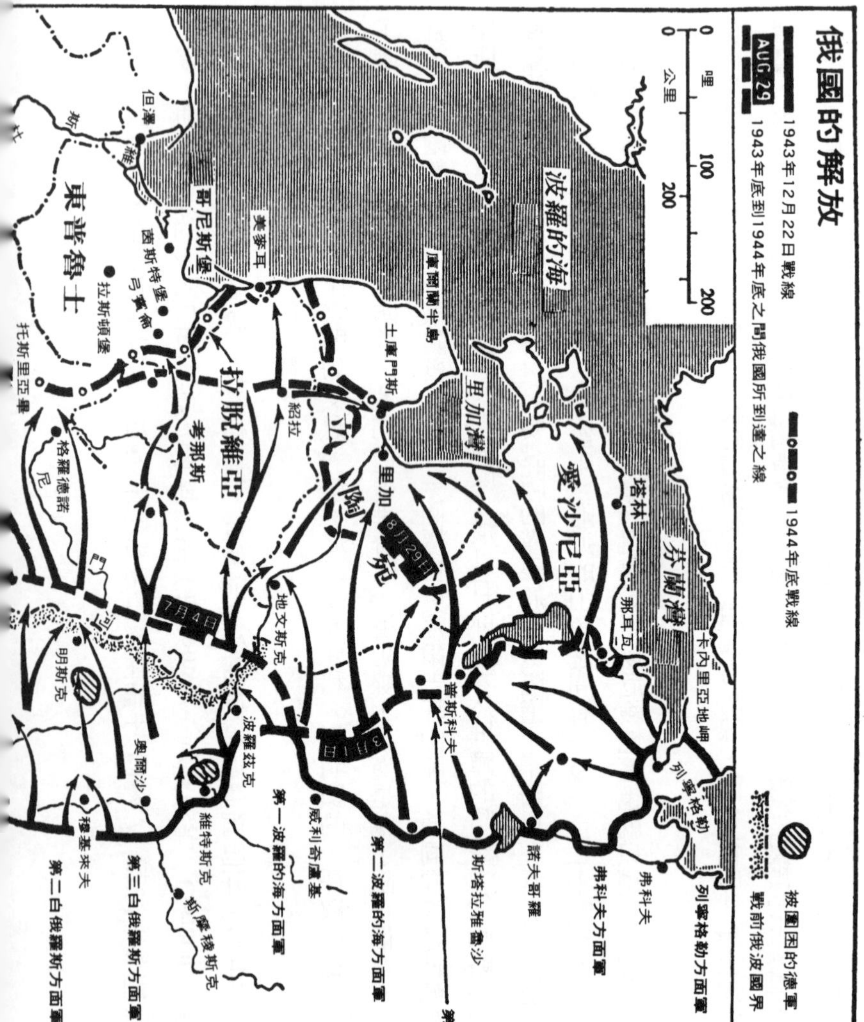
俄國的解放
1943年12月22日戰線
1943年底到1944年底之間俄國所到達之線
1944年底戰線
被圍困的德軍
戰前俄波國界
AUG 29
哩
公里
0
100
200
200
波羅的海
芬蘭灣
塔林
那耳瓦
卡內里亞地峽
列寧格勒
愛沙尼亞
里加灣
里加
土庫門斯
庫爾蘭半島
美麥耳
拉脫維亞
哥尼斯堡
東普魯士
茵斯特堡
拉斯頓堡
托斯里亞車
格羅德諾
考那斯
紹拉
立陶宛
地文斯克
普斯科夫
波羅茲克
維特斯克
奧爾沙
明斯克
莫斯科
8月29日
7月4日
斯摩稜斯克
威利奇盧基
諾夫哥羅
斯塔拉雅盧沙
弗科夫
列寧格勒方面軍
弗科夫方面軍
第二波羅的海方面軍
第一波羅的海方面軍
第三波羅的海方面軍
第三白俄羅斯方面軍
第二白俄羅斯方面軍
穆基來夫

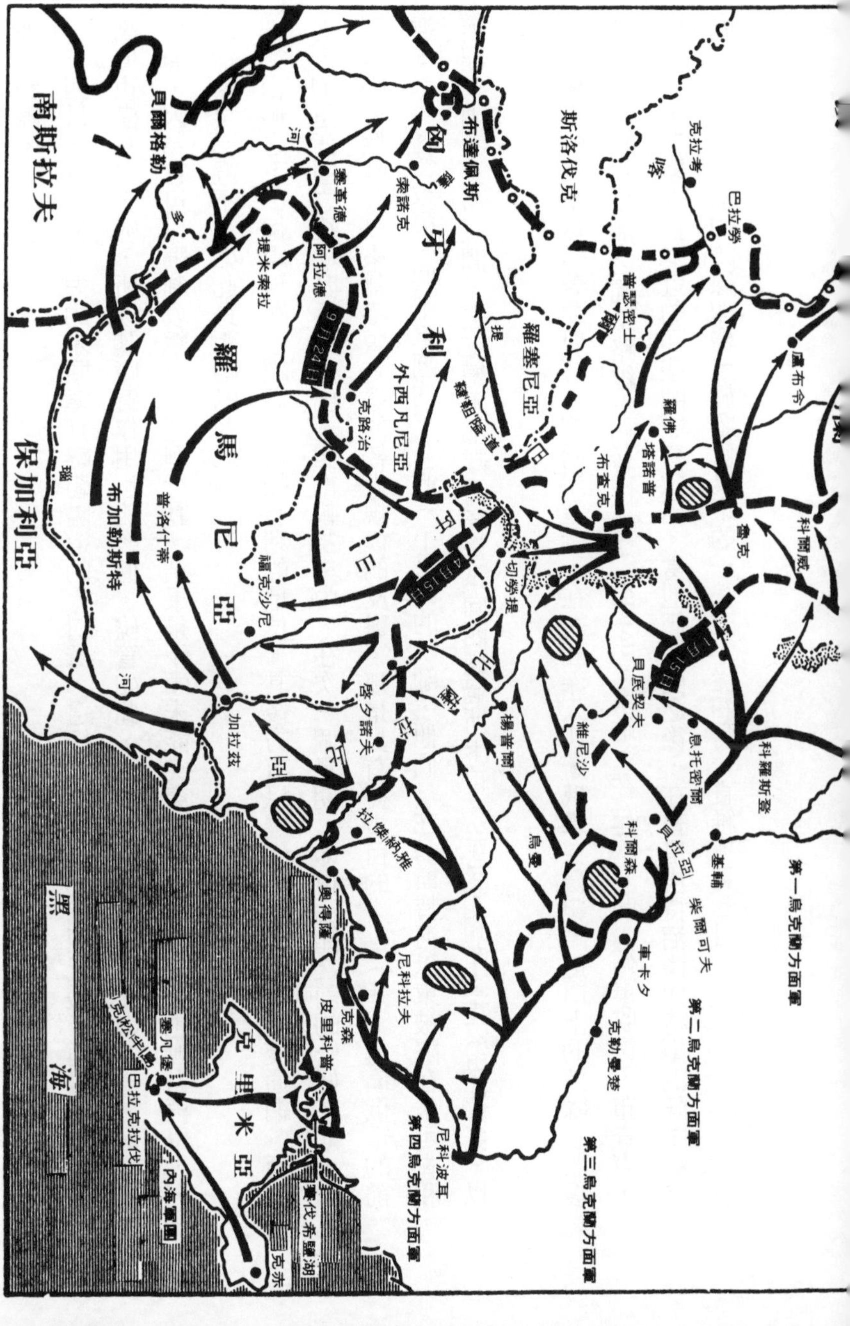
第一烏克蘭方面軍
第二烏克蘭方面軍
第三烏克蘭方面軍
第四烏克蘭方面軍
斯洛伐克
克拉考
巴拉努
普瑟密士
盧布令
羅佛
塔諾普
布查克
科爾威
科羅斯登
息托密爾
貝底契夫
基輔
柴爾可夫
車卡夕
克勒曼楚
科爾森
貝拉亞
烏曼
維尼沙
楊普爾
切勞提
3月15日
4月15日
9月24日
羅塞尼亞
布達佩斯
匈
牙
利
索諾克
塞革德
阿拉德
提米索拉
外西凡尼亞
克路治
羅
馬
尼
亞
福克沙尼
普洛什蒂
布加勒斯特
加拉茲
啓夕諾夫
拉傑納雅
奧得薩
尼科拉夫
克森
皮里科普
尼科波耳
南斯拉夫
貝爾格勒
保加利亞
黑
海
克
里
米
亞
塞凡堡
巴拉克拉伐
克松半島
內海艦隊
索伐希鹽湖
克赤

一二四一年三月，橫掃匈牙利平原，從喀爾巴阡山脈直達多瑙河——在三天之內前進了一百八十哩的距離。

四月一日，朱可夫的矛頭達到韃靼隘道的入口處。這裡的山地遠比南面低緩，而隘道本身的高度也僅為二千呎，所以其障礙作用也比較低。儘管如此，若能有頑強的防禦，則隘道還是很難打通，因為它可以限制攻擊者的迂迴行動。結果是矛頭未能突穿，而且後援不繼也無力再舉，因為補給早已趕不上如此長距離的前進。

相形之下，德軍現在已經居於比較有利的地位。其後方有以羅佛為輻射中心的交通網，而當退入加里西亞之後，其兵力也已經變得較為集中。在次一個星期，即復活節之前的一個星期，德軍發動一個許久以來都不曾有過的較大規模的反擊。那是具有雙重目的——（一）癱瘓俄軍的前進；（二）營救第一裝甲軍團的十八個（不足額的）師，他們是在聶斯特河以東被陷在朱可夫和柯涅夫兩大兵力之間。這支德軍部隊正在嘗試向西經過斯卡拉（Skala）和布查克（Buczacz）以達羅佛。

德軍的反擊是沿著聶斯特河的兩岸進行，在右面深入切斷俄軍在韃靼隘道口上的部隊，收復從科勒密雅到隘道之間鐵路線上的狄拉敦（Delatyn）車站。在左翼方面，德軍收復了布查克，使被圍困在斯卡拉附近的那些師能夠撤出。當他們撤出之後，在普里皮特沼澤與喀爾巴阡山脈之間，波蘭東南部的防線即穩定於羅佛以東的一線上，從四月一直維持到七月。

柯湼夫越過普魯特河——這道河也構成羅馬尼亞的國界——的攻勢也是剛剛一過河就被阻止。他並不曾突入雅士，那是在普魯特河以西只有十哩之處；不過再往北進一點，他卻到達了希里特河（Sereth）。但在此時，柯湼夫又另有一個重要目的。他的左翼現在向南旋迴，沿著聶斯特河指向黑海附近德軍的後方——那裡大部分都是羅馬尼亞的部隊。柯湼夫這支側進的部隊又與馬林諾夫斯基從尼科拉夫向西直趨奧得薩的前進相配合。

此種聯合的威脅對於舒奈爾（Schosner）和摩德爾（Model）形成一種非常困難的問題。前者已經代替克萊斯特出任前「A」集團軍總司令（現在已改名為南烏克蘭集團軍）。後者則已代替曼斯坦接任北烏克蘭集團軍總司令（這個集團軍本名為頓河集團軍，以後曾改名為南面集團軍）。其後方交通的惡劣和缺乏尤其增加了舒奈爾的困難。因為自從俄軍進至喀爾巴阡山脈之後，他與在波蘭的德軍已經被隔開，現在必須依賴通過巴爾幹和匈牙利的迂迴交通線。

同時，聯軍的重轟炸機也從義大利起飛對於主要的鐵路瓶頸發動一連串的攻擊，在四月的第一個星期內，對布達佩斯、布加勒斯特和普洛什蒂（Ploesti）的轟炸為攻擊的開端。此種後方的威脅雖不能產生立即的效果，但卻獲得阻滯的作用。

四月五日，馬林諾夫斯基的部隊達到拉傑納雅（Razdelnaya），切斷以奧得薩為終點的唯一一條未被切斷的鐵路線。四月十日，他們占領了這個大港。但大部分的敵軍還是被逃脫。他們只後退了一段短距離——到下聶伯河之線，戰線就向雅士方面折回。因為柯湼夫的南向攻擊已在啟夕諾夫（Kishinev）地區受到阻礙。

在五月的第一個星期中，柯涅夫在雅士以西發動一次大型的攻擊，沿著希里特河的兩岸南下，並使用新型的「史達林」式戰車。在這種戰車的協力之下，俄軍造成一個突破，不過舒奈爾手中卻保有一支相當強大的裝甲預備隊，是在曼陶菲爾指揮之下。憑藉判斷正確的防禦戰術，德軍擊敗俄軍突破後的擴張行動。此種戰術的基礎是基於反擊的天然優點及對機動性作巧妙的運用，以抵銷俄軍在裝甲和兵器上的優勢。這是一次大規模的戰車會戰，雙方所使用的戰車總數約達五百輛之多，結果是俄軍被擊敗，而使戰線再度趨於穩定。

這次的成功在三個月之後還是害了德國人。因為它鼓勵著希特勒堅持應維持他們已經守住的地區，不僅是在雅士附近，而且還包括夾在普魯特河與聶斯特河之間的比薩拉比亞（Bessarabia）地區的南部在內。換言之，那是在喀爾巴阡山脈和卡拉茲缺口以東，德軍仍將繼續留在暴露地位上相當長久的時間。在這個中間階段，由於羅馬尼亞人民的厭戰求和，所以其後方日益趨於不穩。

四月間俄軍收復了克里米亞。在克里米亞的占領軍，德國和羅馬尼亞的部隊各占一半，由於從海上的撤退，現在兵力已逐漸減少，但對於攻擊者而言，問題還是相當困難，因為在兩個狹窄的入口處並不需要太多的兵力即可以維持一種極堅強的防禦。要想收復克里米亞，則俄軍必須發動一次大規模而有慎密準備的攻擊。當俄軍的狂潮在大陸已前進了很遠的時候，希特勒卻仍繼續命令其部隊堅守這個半島不許撤退。比起其他地區所作的類似決定，他這一次卻應該說是比較有道理，因為這一部分少數兵力的犧牲，在這個緊要階段中，的確是牽制全部俄軍中的大部分兵力。

四月八日，托布金（Tolbukhin）開始發動對克里米亞的主力攻擊，在此以前曾發動一次前奏攻擊，其目的為使德軍暴露其砲兵陣地的位置。當俄軍對皮里科普（Perekop）地岬發動正面攻擊時，另外一個部隊則越過其側翼上的賽伐希鹽湖（Sivash Lagoon）以求達到德軍防禦陣地的後方。當這個內外夾擊的行動打開了克里米亞的北方門戶之後，艾門科的部隊也立即從克赤東端頂點上所占據的立足點發動配合攻擊。到了四月十七日，兩支部隊在塞凡堡的郊外會合，並俘獲了三萬七千名德軍。被俘人數如此之多，主要是因德軍犯了重大的錯誤，他們遵照希特勒的僵硬原則，嘗試在皮里科普地岬以南的防線上作固守的努力，而不立即撤退到塞凡堡。這樣才使托布金有機會使用其戰車在這一道臨時拼湊的防線上打開一個缺口——這是一道太長的防線，使德軍無法加以固守——並切斷大部分德軍部隊的退路使其不能夠退回塞凡堡。

為了要把重砲兵運來，所以俄軍停了一段時間才開始對這個要塞發動攻擊——但守軍兵力已經不足，所以始終無法使防禦達到合理的密度。儘管如此，希特勒卻仍堅持應不惜一切犧牲據守塞凡堡。俄軍於五月六日的夜間發動最後的攻擊，很快的就在東南方面，茵克曼（Inkerman）和巴拉克拉伐（Balaclava）之間的地段內，完成一個決定性的突破。直到五月九日，希特勒才收回他的成命，准許用船隻將那些守軍撤出，但已經太遲。五月十日，守軍放棄塞凡堡，退入克松半島（Khersonese Peninsula）。五月十三日差不多有三萬人都在那裡向俄軍投降，只有極少數人能夠從海上撤出。大多數的戰俘都是德國人。在攻勢開始之前，德軍指揮官決定寧願讓羅馬尼亞部隊先從海上撤走，因為他們知道只有自己的部隊是可靠的。假使不是防禦計畫具有致命的硬性規定，則這個政策也許能夠延長防禦的時間。

在東戰場的另一翼（北翼）上，俄軍在一九四四年初的幾個月內，也頗有收穫，儘管其成就不足與南面的相比擬。在這一年開始時，德軍仍嚴密的包圍著列寧格勒。他們的戰線延伸過這個城市達到其東面約六十哩的一點，再轉向南面，沿著弗科夫河（Volkhov River）到伊耳曼湖（Lake Ilmen）；在那個大湖的兩邊他們都據守著一個要塞城鎮，即諾夫哥羅和斯塔拉雅・魯沙（Staraya Russa）。在一月中旬，俄軍開始發展他們期待已久的攻勢以期擊破敵人對列寧格勒的包圍。攻勢從該城正西面的湖岸上發動，高弗羅夫（Govorov）的部隊向德軍突出地區的左側面上打開一個缺口，而梅里茨柯（Meretskov）的攻擊則在諾夫哥羅附近對敵軍右翼作更深入的突破。最初給人一種熟悉的印象似乎是德軍已經被包圍，但他們卻能作有秩序的分段撤退，到達其突出地區的底線。此種過分誇大的期望使俄國人不免失望，因此反而遮掩了他們已經獲得的實利——即解放列寧格勒，打通其與莫斯科之間的鐵路線，並孤立芬蘭。

在德軍撤退結束時，其所占住的一條防線是從那耳瓦（Narva）附近的芬蘭灣起到普斯柯夫

（Pskov）為止。由於戰線的拉直和縮短，遂使德軍的情況暫時獲得很大的改善，尤其是實際上所縮短的防線長度要比地圖上所測量出來的還大。因為海岸與新的要塞城鎮普斯柯夫之間的防線雖長達一百二十哩，但其間卻夾著兩個大湖，即貝普斯湖（Peipus）和普斯柯夫湖。二月底高弗羅夫發動一次突擊，在海岸與貝普斯湖之間的那瓦河上攻占了一個橋頭陣地，但卻被封鎖在那裡而未能突破。在兩個大湖的南面，俄軍的前進將要達到普斯柯夫時（距離斯塔拉雅．魯沙一百二十哩）也受到阻止不能再前進。這對於紅軍而言是相當的失望，因為他們都希望收復普斯柯夫，為該城建城二十六週年紀念慶祝——這個城市是在一九一八年二月二十三日在對德國人的戰爭中所誕生的。

在北面，這次冬季攻勢的軍事結果沒有其政治影響那樣重要。因為受到其孤立感的動搖，芬蘭政府在二月中旬開始與俄國談判休戰。在當時的環境之下，俄國人的條件是相當的寬厚——即以恢復一九四〇年的基地和疆界為原則——但芬蘭人卻害怕在執行時又會節外生枝，所以要求俄國人能給予較明白的保證。此外，芬蘭人又聲明他們沒有能力解除在芬蘭北部德軍的武裝，而且又不願意允許俄軍入境來完成此項工作。雖然這個談判在三月間破裂，但很明顯的那不過是多拖延一點時間而已。芬蘭率先打開和平談判之門，也就鼓勵著其他的德國附庸國家都紛紛起而效尤，儘管他們所採取的方式是比較祕密的。至於羅馬尼亞之所以採取此項行動，又多少受到史達林聲明的刺激——因為他說他主張應該把外西凡尼亞歸還給羅馬尼亞。

所以在五月間，德軍雖能使東線暫時獲得穩定，但他們的情況改善卻只是表面上的。他們兵力的消耗已經太厲害，所以雖能爭取到一段時間，但對於他們而言，卻已無太多的價值。反之，俄國人也正需要時間來準備發動下一個巨大的攻勢，而談判者則更需要時間來完成其和平努力——只有獨裁者才能在一夜之間改變他的方向。此時，由於聯軍在巴爾幹的轟炸攻擊正在日益增強，所以也增大了對敵方交通線的壓力，並促使那些國家急於想要謀和。六月二日所謂「穿梭勤務」（Shuttle-Service）的辦法開始實行，美國的「飛行堡壘」在俄國境內新近準備的基地上降落，在加油裝彈之後，又飛回他們自己的地中海基地，並於返航途中作第二次的攻擊。六月二十一日，在英俄兩國之間也採取這種類似的安排，美國轟炸機在其飛行的全程中，又都受到長程戰鬥機的保護。

俄國人對於猶豫不決的芬蘭人最初只不過是加以空中的壓力，但到六月十日，即開始通過在拉多加湖（Lake Ladoga）與芬蘭灣之間的卡內里亞地岬（Karelian Isthmus）作一個陸上的進攻以增強對該國的壓力。在突破一連串的陣地之後，高弗羅夫元帥的部隊在六月二十日攻占維普利（Viipuri），於是也就獲得了地岬的出口。到此時，芬蘭人才表示願意接受其原先已經拒絕的俄方休戰條件。但史達林現在卻又要求芬蘭應舉行一次象徵性的投降儀式，而芬蘭人則表示拒絕。正當此時，李賓特洛甫（德國外長）已經匆匆趕到赫爾辛基，利用芬蘭的畏懼情緒，表示願意給以德軍的增援。俄軍自從進入一九四〇年國境後方的湖沼地帶之後，其前進就逐漸喪失衝力。這個事實對於李賓特洛甫任務的完成也頗有幫助。儘管戰鬥已經接近尾聲，而俄芬之間的戰爭遂又繼續延長下去，當時的後果為：（一）美國政府現在也對芬蘭斷絕外交關係，這種關係曾一直都維持不斷達如此長久的時間；（二）在這個時候，德軍自己的防線上到處都迫切需要預備隊，但他們卻不得不繼續抽調兵力送往芬蘭增援。

對於這種少量的利益，俄國人仍有理由感到滿足。他們自己對德軍的夏季攻勢已在六月二十三日發動——到這個時候，英美聯軍已在諾曼第站定了他們的腳跟。再加上聯軍已經越過羅馬向北推進，一切都足以使德軍在俄軍尚未發動攻勢之前，已經在多方面感到嚴重的壓迫。不過，最使俄軍獲利的還是希特勒仍繼續堅持其硬性的防禦觀念，而不肯採取任何彈性的措施。

雖然俄國人在表面上是沿著全線——從喀爾巴阡山到波羅的海——都在作發動攻勢的準備，但其注意力的焦點卻放在普里皮特沼澤以南的地段上。因為在這裡俄軍早已深入到波蘭境內，其春季攻勢曾經使他們迫近羅佛城，並曾一度攻入科威爾（Kovel），所以在這一方面再度進攻似乎是很自然的。三個月的休息已經使朱可夫有充分的時間恢復其巨大突出地區後方的鐵路交通。

不過，俄國人卻選擇其戰線上最退後的「梯次」為發動攻勢的起點——正像一九四二年德軍統帥部所採取的辦法完全一樣。他們在普里皮特沼澤以北的白俄羅斯地區中首先發動攻勢——在那裡德軍在俄國的領土上還占有一大片土地。

他們這種選擇也是具有良好的計算。因為在北區中俄軍戰線的位置是最退後的，所以其交通也就最便利，足以容許對攻勢提供最初的衝力。又因為這個地段在一九四三年曾經證明其防禦力量極為頑強，所以德軍似乎也就不可能再從其他地段抽調兵力來增援，尤其是在科威爾與喀爾巴阡山脈之間的陣地顯然是更危險也更重要。雖然這個北面的主要地段在前一個秋季和冬季裡曾經阻止所有一切的攻擊，但俄軍在其兩個側面上，即在維特斯克（Vitebsk）和茲羅賓（Zholbin）的附近，曾經分別插入了兩塊楔子。對於其再發動新攻勢時，也就可以構成一種有價值的發起點。進而言之，假使他們一旦能使敵人開始撤退，則他們從科威爾附近較南面的突出地區還可以發動更大的側擊。因為那裡正是把德軍分開的沼澤地帶的西端。

在攻勢發動之前，俄軍對於夾在波羅的海與普里皮特沼澤之間的戰線曾加以改組和增強。它現在由七個較小型的集團軍，或「方面軍」（front）所據守著。最右端為高弗羅夫的「列寧格勒方面軍」，接著是馬斯侖尼可夫（Maslennikov）的「第三波羅的海方軍面」，和艾門科的「第二波羅的海方面軍」。這三個方面軍目前都是處於休息的態勢。其他四個方面軍則正在進行攻勢，他們從北到南，為巴格朗揚（Bagramyan）的「第一波羅的海方面軍」，他過去曾在維特斯克的北面造成那個楔子；「第三白俄羅斯方面軍」其總司令為齊恩雅霍夫斯基（Chernyakhovsky）只有三十六歲，為俄軍高級將領中最年輕的一位；在查哈羅夫（Zakharov）指揮之下的「第二白俄羅斯方面軍」；和由羅柯索夫斯基所指揮的「第一白俄羅斯方面軍」，在茲羅賓附近的楔子就是由他插入的。這四個方面軍一共包括著大約一百六十六個師。[1]

俄軍攻勢的重量是落在德國中央集團軍的頭上，現在的總司令為布西（Busch），他是在克魯格於一次車禍中受了重傷後才接替這個職務的。雖然俄軍在冬季中的攻擊未能擊破這個地段內的防禦，但布西和他的主要部下都知道勝敗之機簡直是間不容髮。所以他們對於夏季來臨之後，俄軍再發動攻勢時，是否仍能抵抗得住，深感沒有把握，因為一切的條件都會變得對敵人更為有利。有期待對方攻擊時，他們希望能夠撤到具有歷史意義的柏利及那河（Beresina）之線，那是在現在戰線後方九十哩的位置。若能採取這樣一個適時的後退，則可以使俄軍的攻勢脫節。但那卻違反希特勒的原則，而且無論如何辯論也都不可能改變他的決定。

已經接替黑利奇（Heinrici）充任德國第四軍團司令的提培希克赫（Tippelskirch）曾經在掩飾之下作一個短距離撤退，從其前進陣地上退到上聶伯河之線，這樣對於俄軍的攻擊多少可以產生一點緩衝作用。但由於俄軍的計畫是集中全力以擴張兩面側翼上的楔子，所以這種利益也就受到抵銷。

在北面側翼上，巴格朗揚的部隊從波羅茨克（Polotsk）與維特斯克之間進攻，齊恩雅霍夫斯基的部隊從維特斯克與奧爾沙（Orsha）之間進攻，在如此夾擊之下，維特斯克遂被夾碎。在攻勢發動後的第四天，維特斯克即宣告失陷，於是在第三裝甲軍團的戰線上被撕開了一個巨大的缺

1　譯者註：俄軍的一個師平均比較小，而且編制人數也無一定標準，其情形與戰爭後期的德軍差不多。

口。俄軍從此向南挺進，切斷莫斯科—明斯克公路，並威脅第四軍團的後方，該軍團正在抵抗查哈羅夫的正面壓力。羅柯索夫斯基在另外一個側翼上的攻擊更增強其所面臨的危險，後者是在普里皮特沼澤的正北面，向德國第九軍團進攻。茲羅賓也是在第四天被攻陷，羅柯索夫斯基從其附近突破，越過柏利及那河，並繞過德軍在波布魯斯克（Bobruisk）可能已經建立的阻塞陣地。七月二日他的機動部隊到達斯托布特希（Stolbtsy），那是在較大交通中心明斯克以西約四十哩之處，於是也就切斷由那裡通往華沙的鐵路及公路線。

在俄軍日益增大的機動能力之下，空間的運用已經使德軍的一切阻止企圖都變得無效——自從突破以來，俄軍在一個星期之內已經推進了一百五十哩的距離。美援的價值由此也可以顯示出來，因為現在俄軍方面已有大量的摩托化步兵，乘坐著美國的卡車，緊跟著戰車後面前進。此時齊恩雅霍夫斯基的部隊已經從北面趨向明斯克，同時也威脅通到維爾拿（Vilna）的道路。在這個分叉之間，一支由羅特米斯托夫（Rotmistrov）所率領的裝甲預備隊，沿著莫斯科—明斯克公路前進，於七月三日進入明斯克——這支部隊在最後兩天之內推進了約八十哩的距離。

此種巨大的鉗形運動與德軍在三年前所使用的極為類似，只不過是方向相反而已。也像那次一樣，被包圍的部隊中只有一部分能夠逃出陷阱。在第一個星期之內，俄軍在北面俘獲約三萬人，在南面則為二萬四千人。在明斯克被圍的人數大約是十萬人，雖然從明斯克向西的主要退路早已被切斷，但第四軍團的一部分仍從南面採取一條次要的道路勉強撤出——這一條路線過去是曾當作主要補給線使用，由於俄國游擊隊的活動才被放棄。德國的中央集團軍現在可以說實際上已被毀滅，損失總數超過二十萬人。

在明斯克以西，撤退中的德軍曾經暫時停頓一下，但已無天險可守，而他們已經減弱的兵力也無法掩護如此巨大的空間——當俄軍的突出地區愈深入，戰線也就變得愈長。俄軍幾乎總是有辦法繞過德軍所堅守的城鎮，並從其間的空隙中穿過。在他們前進時，其矛頭分指若干目標，好像構成一個半圓形——包括地文斯克（Dvinsk）、維爾拿、格羅德諾（Grodno）、畢亞里斯托和布勒斯特·里多夫斯克都在內。俄軍於七月九日進抵維爾拿，在俄國機動部隊從其兩側繞過之後，該城也於七月十三日陷落。同一天另一支矛頭也到達格羅德諾。

到七月中旬，俄軍不僅已經把德軍趕出白俄羅斯，而且也占領波蘭東北部一半的地區。其最西面的部隊已經深入到立陶宛（Lithuania），距離東普魯士的邊界已經沒有多遠。他們在這裡已經超越德軍北面集團軍的側翼約二百哩——這個集團軍在弗里斯勒（Friessner）指揮下，仍在掩護著進入波羅的海國家的前門。巴格朗揚的矛頭現在正向地文斯克進攻，距德軍設在里加（Riga）基地的距離是要比弗里斯勒的前線還近。齊恩雅霍夫斯基，已經越過維爾拿進抵尼門河（Niemen）上，所以他距離波羅的海的海岸也是一樣的接近——若沿著一條比較偏西的直線去測量的話。所以在弗里斯勒尚未撤退之前，俄軍似乎即已可能在其後方建立兩道阻塞線。俄軍又向北對普斯科夫地區繼續發動攻勢，因此也就使他的情況更為困難——在那一方面馬斯侖尼可夫的

「第三波羅的海方軍面」與艾門科的「第二波羅的海方軍面」正在作會師的攻擊。

同時，一個更大的發展又使整個德軍所受到的壓力日益倍增。因為在七月十四日，俄軍在普里皮特沼澤以南，介於塔諾普和科威爾之間的地區中，又開始發動期待已久的大攻勢。其右翼部隊越過布格河直趨盧布令（Lublin）和維斯杜拉河，並與羅柯索夫斯基在沼澤北面的攻擊相會合——後者現在正繞過布勒斯特・里多夫斯克的南面。其左翼部隊則從魯克附近穿過敵軍的戰線，並從北面迂迴羅佛。

這個名城於七月二十七日陷落在柯湼夫的手中，到這個時候他的矛頭早已越過羅佛西面七十哩的桑河（San）。下述事實可以戲劇化的表示俄軍攻勢努力的範圍是如何的巨大：位置在喀爾巴阡山麓上的斯坦斯拉夫（Stanislav）；在波蘭北部的畢亞里斯托；在拉脫維亞（Latvia）的地文斯克；在從里加到東普魯士之間鐵路線上的紹拉（Siauliai）交點——都是同一天被俄軍所攻占。上述最後一個攻擊，是巴格朗揚手下的一支裝甲縱隊的傑作，那幾乎註定了德國在北面全部兵力的命運。

但是比起俄軍在中央方面所作的深入前進，以及其所帶來的危險，則這個突擊只不過是小巫見大巫。因為在三天以前，七月二十四日，羅柯索夫斯基的左翼已經攻入盧布令，那裡到維斯杜拉河僅有三十哩，而到華沙也只有一百哩。在這次攻擊中，他曾經利用普里皮特河把德軍分割成兩部分，以及在其南面進攻所造成的混亂情況。二十六日羅柯索夫斯基的幾支機動縱隊到達維斯杜拉河，而其他的部隊則向北旋迴，直趨華沙。次日，德軍放棄布勒斯特・里多夫斯克，而在同一天，俄軍的一支縱隊又早已繞過該城到達瑟德耳策（Siedlce），在該城以西約五十哩處，距離華沙不過四十哩。

在瑟德耳策德軍使俄軍的進展暫時受到頓挫。而在維斯杜拉河上，德軍的抵抗也有加強的趨勢，雖然羅柯索夫斯基的部隊在二十九日夜間曾在該河上占據了五個渡口，但在次日上午卻被德軍消滅了四個。

但在七月三十日，德軍在迂迴壓力之下又被迫撤出瑟德耳策，而羅柯索夫斯基的一支縱隊已經到達布拉加（Praga）的郊外。布拉加也就是華沙在維斯杜拉河東岸的郊區。次日上午，德軍開始越過橋梁退入城內；而在此時波蘭的地下組織領袖們也受到鼓勵，被呼籲發動起義的行動。

同一天在波羅的海附近也有驚人的發展。在巴格朗揚的前線，由阿布霍夫（Obukhov）將軍所率領的一支裝甲縱隊，一夜之間經過五十哩的推進，到達里加灣（Gulf of Riga）上的土庫門斯（Tukkums），於是切斷了德國北面集團軍的退路。齊恩雅霍夫斯基占領立陶宛的首都考那斯（Kaunas），而他的前峰卻早已在茵斯特堡（Insterburg）附近直趨東普魯士的邊境。八月二日，柯涅夫的部隊已在華沙以南一百三十哩，靠近巴拉勞（Baranow）的地方（也就是在桑河流入維斯杜拉河之點以上），在維斯杜拉河上建立一個新的巨大橋頭陣地。

對於德國人來說，這個時候到處都發生了危機。在西線方面，他們的諾曼第防線正在崩潰，而巴頓的戰車也正從阿夫藍士缺口中衝出。在德軍前線的後方已經發生一次政治性的地震，其震動的餘波還正在向各處傳播。七月二十日謀刺希特勒和推翻納粹政權的行動不幸失敗，而許多德軍將領卻受到牽連，最初是對於這種陰謀的結果感到不安，以後則是害怕自身難保，所以在許多司令部中都因此而產生了癱瘓性的混亂。

當炸彈在希特勒大本營中爆炸之後——那是位置在東普魯士的拉斯頓堡（Rastenburg）——立即就有電報從那裡發出，告訴潛伏在各個集團軍總部中的陰謀分子，說希特勒已被殺害。但德國無線電廣播的報導卻恰好相反，所以也就使人對於先前的電報感到懷疑，對於事實的真相自然也就感到困惑不解。此外，陰謀者對弗里斯勒總部所發來的電報，又附帶著一個明確的訓示，要他們把在北面的部隊立即撤出不得延誤，以免重蹈史達林格勒的覆轍。在這裡，也像在西線一樣，七月二十日事變是曾經產生了非常重大的影響作用。

但在中央集團軍方面，其影響則非常的有限。其主要原因是摩德爾最近已經接充這個集團軍的總司令——在俄軍一突破之後，他就代替了布西，而後者則因為承受不了俄國人在前和希特勒在後的雙重壓力，而精神崩潰。當一九四一年德軍發動侵俄戰爭時，摩德爾還不過是一個裝甲師的師長，他現在也只有五十四歲，比大多數德軍高級將領差不多要年輕十歲。[2]在他一帆風順的升遷過程中，他始終能夠維持其在裝甲師師長任內所表現出來的精力和勇氣。他也是少數敢和希特勒爭辯的將領之一，而希特勒喜歡他的那種粗豪氣質，而不喜歡曼斯坦的譏刺態度，所以也比較願意容許他有較大的行動自由。憑藉希特勒所少有的容忍態度，摩德爾常能根據其自己的判斷從惡劣地位上撤出，並且時常不理會其所受到的指示。他之所以能夠救出危難中的部隊，與其歸功他對於撤退行動指導的高明，則毋寧歸功他這種攻於不服從而自作主張的勇氣。同時，他的地位再加上希特勒對於他的寵信，也就自然的提高他對於希特勒在誓言之下的效忠意識。在七月二十日事變之後，在軍事領袖中公開譴責陰謀和表示陸軍繼續效忠者，摩德爾是第一人。以後軍事情況的發展更足以顯示希特勒對於他的信任是一點都沒有錯。

從八月初起，德軍的情況似乎又略有起色，而俄軍一直遲到來年才進入華沙。在八月一日入夜時，華沙全城的大部分都已落入波蘭人民的手中。但當他們正在期待著俄軍越過維斯杜拉河來援救他們的時候，砲聲卻逐漸消失，於是在這種預兆著不祥的沉寂中，感到徬徨無主。到了八月十日，此種沉寂又再度為空中和地面的巨大爆炸聲所打破，這也就是德軍企圖恢復控制的開始。城市之內的波蘭地下軍，在波爾將軍（General Bor）領導之下，戰鬥極為英勇，但不久他們即被孤立在三個狹小的地區中，而在河的那一面卻始終不見有援兵到來。

很自然的，他們應該會感覺到俄國人是故意坐視不救。那也是很容易了解的，蘇俄政府並不希望看到波蘭自己從德國人手中解放他們的首部，因為那將足以鼓勵他們採取一種比較獨立的態

2 譯者註：他在一九四一年是古德林的部下。古德林是第二裝甲軍團司令，而摩德爾則為第三裝甲師的中將師長。

度。雖然事實真相如何很難獲得一種肯定的結論，不過俄軍在此時到處都已受到阻止，似乎又足以暗示軍事因素也許比政治考慮更具有決定性。[3]

在華沙的前線上，最足以改變形勢的因素為三個相當強大的黨軍裝甲師的介入，他們是在七月二十九日才到達——兩個師來自南線，一個師來自義大利。他們從北面側翼上發動一個反擊，切入俄軍的突出陣地並迫使其撤退。同時，俄軍又企圖從維斯杜拉河上的橋頭陣地前進，但也被從德國調來的一些援兵所阻止。所以到八月第一個星期結束時，俄軍除了在喀爾巴阡山麓和立陶宛兩地點有進展以外，其他各地都已停止不前。俄軍此時已成強弩之末，當他們在最後階段的前進中，所憑藉的就僅為機動部隊的分批進攻。於是摩德爾運用其少量的預備隊，在選擇適當的地形之後，也就能夠阻止他們的突進。在五個星期中前進了四百五十哩之後——這是他們過去所從未有過的最遠和最快的前進——俄軍也開始感到交通線拉得過長的自然影響，而必須要向那一條戰略定律低頭。他們在維斯杜拉河上差不多停過留達六個月之久，才準備就緒，開始發動另一次大規模攻勢。

八月的第二個星期內在許多點上都發生了激戰，一面是德軍猛烈的攻擊，而一面是俄軍在尋找新的空隙，但雙方都不曾獲得顯著的戰果。於是維斯杜拉河之線終於被穩定下來。在東普魯士方面，俄軍向茵斯特堡缺口的前進受到曼陶菲爾的阻止，他這個師剛從羅馬尼亞方面調回，即能把俄軍從維爾卡維吉斯（Vilkaviskis）道路中心上逐退。於是沿著充滿湖泊和沼澤的戰線上又恢復了僵持的局面。接著曼陶菲爾又被送往北方，在八月的下旬，他從陶羅根（Tauroggen）進到里加灣上的土庫門斯，替北面集團軍打開一條退路。

如此一支小型裝甲部隊能夠獲得如此輝煌的戰果，即可以充分顯示情況的流動性，以及補給困難已經是如此限制俄軍鞏固其收穫的能力。在這樣的情況之下，一小群裝甲部隊要比一大堆步兵具有更大的重量，而戰役的演變也就決定於雙方有無在緊急點上產生這種小兵力的能力。大衛與哥利亞（David and Goliath）的故事曾經以其近代化的形式作了多次的重演。

在喀爾巴阡山脈與波羅的海之間，主戰線的穩定雖曾使德國人可以略事喘息，但沿著較間接化的路線，又有一個較大的威脅正在發展，並足以產生抵銷的作用。這就是在羅馬尼亞方面，跟著政治行動已經幫助開路之後，俄軍又開始發動新的攻勢。

八月二十日，現在由馬林諾夫斯基所指揮的「第二烏克蘭方面軍」從雅士向南沿著希里特河兩岸，向加拉茲的方向進攻。德軍此時還有一大塊舌形地區突入比薩拉比亞的南部，所以此一行動也就恰好威脅其側翼和後方。現在由托布金所指揮的「第三烏克蘭方面軍」則負責直接的攻

3　原註：俄國人拒絕允許從西歐起飛的美國轟炸機在把補給空投給華沙的波蘭人之後，再降落在俄國的飛機場上。關於這一點始終不曾有滿意的解釋。英國和波蘭的駕駛員從義大利起飛，在執行這種任務之後，只好再飛回原有的基地。因為航程太遠，所以儘管他們是英勇烈嘉，但卻很難對局勢發生真正的影響作用。

擊，從聶斯特河下游向西前進。在開始時他們遭遇到激烈的抵抗，敵軍只緩慢的撤退，但不久步調即逐漸加速。

八月二十三日，羅馬尼亞的無線電臺廣播宣稱羅馬尼亞已經和同盟國媾和，並開始對德國作戰。安東尼斯古元帥（Marshal Antonescu）已經被捕，其後任已經接受俄國的條件，包括立即參加作戰在內。

利用這種全面混亂的情況，俄軍於二十七日攻入加拉茲，於三十日占領普洛什蒂大油田，並於次日進入布加勒斯特（Bucharest）。蘇俄的戰車在十二天之內已經越過二百五十哩的距離。在以後六天之內，他們再度前進了二百餘哩，在多瑙河上的土努—塞威林（Turmu-Severin）到達南斯拉夫的邊境。一大部分德軍在比薩拉比亞突出地帶中受到圍困，或是在逃走的途中被俄軍所追及。第六軍團的全部，總計二十個師，都損失殆盡。這次失敗之慘幾乎可與史達林格勒相提並論。[4]

羅馬尼亞的投降遂又刺激保加利亞政府向英美兩國求和。雖然該國並不曾參加侵俄的行動，但它卻有理由相信俄國是不會尊重其中立地位。這種畏懼是完全合理的。由於保加利亞寧願向西方同盟國投降，遂使蘇俄政府大感不滿。它立即向保加利亞宣戰，並接著從東北兩個方向侵入該國。這種侵入簡直是像閱兵一樣，因為保加利亞政府命令其部隊不作抵抗，並加速宣布對德宣戰。

俄軍現在可以任意利用這個開放的側面，其寬度是近代戰爭中所空前未有的。此種迂迴運動主要的只是一個後勤問題，支配因素是運輸和補給而不是敵人的抵抗。在羅馬尼亞的陷阱中，已有十萬名以上的德軍被俘，由於西線的情況已十分緊急，所以這種空缺也就永無填補的可能。到九月底，在各個不同方面上被俘的德軍總數已經超過五十萬人。

在這個秋天裡，所看見的是俄軍的左翼，通過東南歐和中歐的巨大空間，逐漸發展成為一個巨大的車輪。德國人所能做到的就是在它的上面加裝一個煞車而已，其方式即為盡量堅守一連串的交通中心，時間愈長愈好，而當被迫撤退時，則盡可能破壞一切的交通工具和路線。比起所要掩護的空間，他們所能運用的兵力實在是太微小，但所幸的是在這個區域中交通線也是同樣的稀少，而天然障礙物卻到處都是。所以威脅的逼進還是很慢，而德軍則利用這段時間來撤出其在希臘和南斯拉夫境內的部隊。

若非俄軍乘著羅馬尼亞發生混亂之際，已經衝入該國的西北角，否則德軍所能產生的遲滯作用一定還要更大。環繞著山地的南側前進，俄軍的一支機械化部隊已經進入羅馬尼亞的這一塊突出地帶，於九月十九日占領提米索拉（Temesoara），又於二十二日占領阿拉德（Arad）。這也就

4　譯者註：自從包拉斯的第六軍團在史達林格勒全軍覆沒之後，希特勒為了重振聲威起見，又組成一個新的第六軍團，即為此次所再度損失者。

使俄軍越過一些從貝爾格勒往北的道路，並接近匈牙利的南疆，而距離布達佩斯只有一百哩。僅當對方已經沒有反擊的實力時，然後才能冒險作這樣勇敢的前進。儘管如此，還須等到在楔子之內已經集結足夠的巨大兵力時，才能從事擴張的行動。這也是一種很慢的步驟，但卻比通過山地進入外西凡尼亞的直接前進還是要快一些。

直到十月十一日，德軍才被逐出了克路治（Cluj），也就是外西凡尼亞的首府，要比阿拉德再向東前進一百三十哩。但此時，馬林諾夫斯基已在楔子之內增建其兵力，開始越過摩勒斯河（Mures）進入匈牙利平原，並越過從外西凡尼亞進入匈牙利的道路。當其右翼部隊攻陷克路治時，其左翼方面的先頭縱隊則進到該城西面一百七十哩處，距離布達佩斯只有六十哩。這條間接路線現在已經獲得巨大的利益。

在次一個星期內又有了下述的進展：新改組的「第四烏克蘭方面軍」，在皮特羅夫（Petrov）率領之下，從北面衝過喀爾巴阡山脈中的隘道，進入羅塞尼亞（Ruthenia）——所經過的地區自韃靼隘道到盧普可夫（Lupkov）之間，那也就是匈牙利第一軍團所據守的地區。皮特羅夫於是再向西旋轉，進入斯洛伐克（Slovakia）。在那個星期之內，南斯拉夫的首都貝爾格勒也已獲得解放——這是托布金從楔子的南面渡過多瑙河前進，並與狄托元帥（Marshal Tito）的游擊隊取得會合的結果。德國守軍曾作頑強的抵抗，但在十月二十日終於被逐出。這支部隊能支持那麼長久的時間是足以令人感到驚異的，而更奇怪的事實是還有相當數量的德軍仍留在希臘的境內，並謹遵希特勒的不准撤退原則。直到十一月的第一個星期，他們才開始離開希臘，企圖通過長達六百哩的荒涼而具有敵意的地區以作一次色羅奉式（Xenophon-like）的撤退。[5]

貝爾格勒的解放和俄軍的進入匈牙利平原要算是這個大迂迴的第一階段的完成。

從索諾克（Szolnok）北面到塞革德（Szeged）之間八十哩寬的正面上，俄軍已經逼近提薩河（Tisa）之線，於是馬林諾夫斯基在十月三十日對布達佩斯發動一個強大的攻勢。他現在已經集結超過四十六個師的兵力，包括羅馬尼亞的軍隊在內。他的部隊只要前進五十哩即可達目的地。俄軍的部分縱隊把德國和匈牙利的部隊逐步向後推送，十一月四日時已到達布達佩斯的近郊。他們本想乘敵方防禦尚未鞏固之前，一鼓作氣衝入該城，但由於受到惡劣氣候的阻礙而未能如願。像所有其他已有頑強防禦的城市一樣，布達佩斯被證明出來是一顆非常難於夾碎的胡桃。一直到月底，俄軍仍然還是頓兵於堅城之下，而迂迴側翼的努力也同樣少有進展。

皮特羅夫本擬從羅塞尼亞進入斯洛伐克，以援助那個地區中的游擊隊，但也受到阻止。斯洛伐克的險惡地形和走廊形狀足以限制其兵力的運用。

由於在布達佩斯受阻，俄軍遂又開始在大輪迴中發展一個小輪迴。托布金所指揮的全部兵力

5　譯者註：色羅奉為希臘的傭兵將領，曾在波斯服務，由於政變之故，親率其部下退回希臘，即所謂「萬人大撤退」。他本人在自傳中曾作詳細的記載，時間是在公元前四〇一年。

約三十五個師從南斯拉夫調來，在十一月的最後一個星期，從布達佩斯南面約一百三十哩處的多瑙河與德拉瓦河（Drava）會合點附近的一個橋頭陣地中躍出，開始發動一個大迂迴運動。十二月四日，他們到達匈牙利首都後方側面上的巴拉頓湖（Lake Balaton）。同時馬林諾夫斯基也重新發動攻勢，一方面指向布達佩斯的北面，另一方面則直撲該城。但這些聯合努力又都未能生效，所以直到一九四四年底，布達佩斯城仍屹立無恙。甚至於在聖誕節俄軍再度發動包圍攻擊之後，它還是繼續屹立不移——直到二月中旬為止。

在東線的那一端，即波羅的海方面，秋季戰役的發展過程也大致類似——以崩潰為開始而以阻止為結束。德國在夏季中的失敗曾經使芬蘭不得不向無可避免的現實低頭——幾乎是與羅馬尼亞和保加利亞同時——芬蘭於九月初接受俄軍的休戰條件。其內容包括到九月十五日為止，任何德國部隊若尚未退出芬蘭領土，則芬蘭將對其採取行動的規定在內。當德國人企圖在芬蘭灣內的何格蘭（Hogland）島上登陸之後，芬蘭即宣布已與德國居於交戰狀態中。

芬蘭的投降使俄軍現在可以集中全力來解決德國的北面集團軍——其總司令一職已由舒奈爾接充。高弗羅夫和馬斯侖尼可夫的兩個方面軍進攻舒奈爾的正面，艾門科迂迴其翼側，而巴格朗揚則威脅其後方。德軍要想從那樣深的瓶底上逃出似乎真不是一件容易的事，尤其是那個瓶頸又是那樣的狹窄。但在一星期之內，他們就退後約二百哩，到達里加防線的庇護之下，而並未受到太大的損失，巴格朗揚的部隊切斷瓶頸的努力並未能成功。這又是一次例證，可以證明當守軍享有適當的密度時，在狹窄正面上的攻擊是如何的困難。

為了挽回這個機會，俄軍統帥部又給予巴格朗揚方面軍以強大的增援，命令他在立陶宛的中部從紹拉的方向，向里加以南的波羅的海海岸進攻。這個新攻勢是在十月五日發動的。利用寬廣的正面，和敵軍僅集中在里加附近的事實，俄軍於十月十一日，在美麥耳（Memel）的南北兩側到達海岸線。兩天之後，舒奈爾放棄了里加，並退往庫爾蘭（Courland）——拉脫維亞的「半島」省區。在那裡這一支孤軍成功的作了長期的抵抗。在美麥耳被圍的守軍也是如此。不過俄軍現在所剩餘的兵力，可以用來圍困這兩處陣地而不至於影響其他方面的主要作戰。他們的問題現在只有兩個，即補給的能力和運動的空間。

在肅清波羅的海側翼之後，俄軍現在就要解決東普魯士，他們在十月中旬發動一個強大的攻勢。但是由於正面狹窄，而前進路線又受到湖泊和沼澤的限制，所以直接攻擊很易為防禦者所擊退。俄軍攻擊的主力是指向茵斯特堡的缺口，但他們在弓賓侖（Gumbinnen）附近的一場大規模戰車戰鬥中卻受到挫折——這也就是一九一四年俄軍首次獲得勝利而終於遭到慘敗的場所。[6]在鄰近地段中的攻擊都不能作深入的突穿，所以不足以使防禦者發生動搖。到十月底攻勢遂成尾聲，雙方之間又恢復僵持之局。

6　譯者註：此處即指坦能堡（Tannenburg）會戰而言。

德國人在東西兩面，以及中歐地區都已經暫時穩定其地位，這是由於他們的戰線縮短和攻擊者交通線拉長的聯合效果——此外，同盟國的「無條件投降」政策也幫助希特勒增強德國的抵抗能力。進一步說，秋季作戰的經過也可以顯示出來，彈性防禦若能作適當的運用，則很可以盡量的爭取時間，以等待德國新兵器的準備完成。但希特勒仍執迷不悟，並不肯放棄其硬性防禦的原則。

在這種固執的信念之下，他不僅拒絕允許其在西線方面的指揮官們從阿登突出地帶作適時的撤退；而且還採取行動來增強布達佩斯的防禦，甚至於因此而使其東線兵力受到致命的減弱也都在所不惜。

第三十三章　轟炸的逐漸增強

戰略空中攻擊的理論和思想是在第一次世界大戰結束時，以及戰後的歲月中，發展於英國。一九一八年四月一日，也就是在那次戰爭的最後一年，英國陸海兩軍的航空部隊聯合起來組成一個獨立軍種，即所謂「皇家空軍」（Royal Air Force）——這也是世界上的第一個獨立空軍。此種理論和思想至少一部分是獨立空軍創立的結果，甚至於也可以說主要的原因即在此。新的第三軍種對於此種理論提倡得最為熱烈，因為它對於皇家空軍的存在和獨立恰好構成一種合理的根據。

很諷刺的，這種理論不久也就獲得滕恰德少將（Major-General Hugh Trenchard）的強烈支持，他過去是英國陸軍航空部隊，即所謂「皇家飛行兵團」（Royal Flying Corps）的指揮官，而當時他在法國，正是以此種身分全力反對第三獨立軍種的創立。在一九一八年一月，他從法國被調回，出任這個新軍種的軍事首長，即第一位空軍參謀總長。但卻幾乎是立即的，他又和新上任的空軍部長羅斯米爾勛爵發生了衝突，於是被迫去職，由另一位空軍的先驅者賽克斯少將

（Major-General Sir Frederick Sykes）接充英國空軍參謀總長。滕恰德本人不久就被派指揮獨立轟炸部隊，這支部隊——是在一九一八年的秋季才成立的，其目的是要轟炸柏林以及其他德國境內的目標，因為自從德國哥德轟炸機（Gotha Bomber）在一九一七年到一九一八年之間空襲倫敦之後，對於士氣和英國軍事領袖們的思想上所產生的影響，遠比其實際造成的損害要大得多。甚至於到一九一八年十一月休戰之時，英國空軍的轟炸機部隊一共還只有九個中隊，而且才剛剛開始行動——事實上，專門設計用來攻擊柏林的大型韓德雷—佩奇式（Handley-Page）轟炸機到那個時候只有三架已經交貨。儘管如此，滕恰德卻已經變成一個獨立戰略轟炸觀念的熱心提倡者。一九一九年，當戰爭結束後，他又被召回倫敦，再去接任空軍參謀總長的職務，這一次就繼續做了十年，直到一九二九年為止。在這個階段中他的態度是很明顯，他對於此種思想的提倡可謂不遺餘力。而在中間階段，空中戰略的理論也已由於格羅弗斯准將（Brigadier-General P. R. C. Groves）的努力而有了相當的發展。他是賽克斯的得力助手，曾任空軍參謀本部中的飛行作戰署長（Director of Flying Operations）。

美國方面，在一九二〇年代，此種思想曾受到米契爾准將（Brigadier-General William Mitchell）的熱烈提倡，但不久他的過分熱心就受到了陸海兩軍的反對，而終被免職。於是又過了許多年，才有新的一代當權，到那時美國才開始變成一個主要的空權，和戰略空中攻擊的擁護者。

較晚一輩的史學家曾經把這種理論的創立歸功於一位義大利的將軍，那就是杜黑（Giulio

Douhet），他在一九二一年曾經寫過一本有關空中戰爭前途的書籍。他的著作，雖然就事後研究而言頗有興趣，但在那個萌芽的時代，至少在歐洲幾乎可以說是毫無影響作用可言。[1]

在韋伯斯特（Sir Charles Webster）和弗南克蘭（Dr. Noble Frankland）二人合著的英國官方戰史《對德國的戰略空中攻擊》（*The Strategic Air Offensive against Germany*）一書中，對於英國空軍參謀本部的理論和思想曾綜述如下：

> 戰略空中攻擊是一種對敵國作直接攻擊的手段，其目的是想剝奪其持續戰爭的工具和意志。它本身即可能為勝利的工具，也可能是一種使其他軍種能夠贏得勝利的工具。它和所有過去任何種類的武裝攻擊都不同，因為只有它才能使敵方的心臟地區受到立即性和直接性的毀滅。所以它的活動範圍不僅是在陸海軍活動範圍之上，而且更超出了它們之外。

---

1 原註：當我在一九三五年訪問巴黎時，曾偶然的看到杜黑所著的《制空論》（*The Command of the Air*）的一本法文譯本。在我回到英國之後，我就曾經向在空軍參謀本部中的幾位朋友提到這一本書，但他們中間卻沒有一個人曾經聽說過有這樣一本書。事實上，早在那個時候以前，英國空軍參謀本部的思想即早已有了遠較完備的發展。杜黑著作的英文譯本直到一九四二年才第一次在美國出現，而在英國則又遲了一年（即一九四三年）。而且它在義大利也沒有什麼影響作用。當我在一九二七年，應義大利軍事當局的邀請訪問該國時，當時的義大利空軍部長巴爾波元帥（Marshal Balbo），以及其他的空軍將領，在談話時甚至於連杜黑的著作都不曾提到，儘管他們的討論都很坦率，並且也對當時在英國已經發展的空中戰略新觀念感到深刻的興趣。

雖然到第一次世界大戰結束之日為止，所獲得的實際經驗還是微不足道，但憑著這種戰略轟炸的觀念，新成立的皇家空軍在兩次大戰之間的時代，才能夠勉強維持其獨立以對抗海陸兩個軍種的侵凌。後者的首長們，尤其是在戰後的第一個十年當中，一直都在不斷的努力想要設法取消獨立的空軍，而使其再度變成他們的附庸。

作為是一種自然的反應，在滕恰德和他的那些忠貞不二的助手們領導之下，這種觀念也就向極端的「親轟炸機」（Pro-bomber）路線發展。他們辯論著說，空軍以及其一切的活動與海陸軍是絕對不同，而且另成一個天地。雖然這種理論幫助增強了搖搖欲墜的空軍獨立地位，但如此忽視空軍行動的戰術方面卻被證明出來是大錯而特錯。第二種理論是從第一點引伸出來的，也就是認為最佳的對空防禦手段即為對敵國心臟地區的轟炸作戰——即令就純理論而言，那也是不免有疑問的，而從實際上來看，由於在一九三〇年代的後期，德國的空軍實力已經享有優勢，所以更是完全不合理。強烈的教條化趨勢引出這樣一種不合理的結論，那也就是當時英國首相鮑德溫（Stanley Baldwin）所欣然接受的一種口號：「轟炸機總是能通過」。這也就是英美兩國空軍所堅持的幻想，直到一九四三年與一九四四年之間受到慘重損失之後，才迫使他們認清制空權實為有效戰略轟炸攻擊的主要先決條件。

戰前的另一種假定是說空中攻擊將在日間實施，並且指向特定的軍事和經濟目標，因為任何其他形式的轟炸都是「不會產生效果」的。滕恰德本人的確也曾強調轟炸對平民人口的「精神」

效力，而且對夜間飛行也曾作過某種限度的實驗，既括的說，英國空軍參謀本部以及大多數英國空軍人員對於作戰的困難都有估計過低的毛病。

因為在兩次世界大戰之間的時代，此種戰略轟炸觀念的提倡是那樣的堅持不懈，所以當後世史學家發現在一九三九年戰爭爆發時，英國空軍居然沒有適當的部隊可供戰略轟炸之用，也就會感到大惑不解。誠然，在一九二〇年代以及一九三〇年代的初期，英國財政困難和政府厲行節約政策，但這卻並非主要的原因。最主要的是英國空軍對於其目標所需要的兵力和飛機，其觀念完全錯誤。甚至於在一九三三年之後，落伍的雙翼式飛機已經開始淘汰時，仍然還有太多的輕轟炸機，那是對於戰略轟炸毫無用處的。同時，較新型式中的大部分——惠特雷（Whitley）、漢普頓（Hampden）、威靈頓（Wellington）——即令以那個時代的標準來說，也都不能算是很好的飛機。在一九三九年可用的一共只有十七個重轟炸機中隊，而其中只有六個中隊是裝備著威靈頓式，那比較算是具有合理的效力。此外，這支部隊——又因為缺乏適當訓練的空勤人員而備受障礙——那是因為對於輕型雙座機的訓練過分重視和時間拖得太長之故——而且又缺乏導航和轟炸的輔助儀器。

滕恰德雖然在一九二九年退休，不再做空軍參謀總長，而榮升了上議院的議員，但在以後的十年間，透過他的那些門徒，他對於英國空軍仍繼續享有很大的影響力量。他和他們，儘管老早知道德國空軍已獲得巨大的優勢，但卻仍繼續把轟炸機列為第一優先。空軍參謀本部在一九三八年初所擬定的「L計畫」，是準備在一九四〇年春季之前，編成七十三個轟炸機中隊，和三十八個戰鬥機中隊——即接近二與一之比，若以飛機的數量計算，則比例還要更大。在一九三八年九月的慕尼黑危機之後，英國空軍參謀本部又修訂了一個「M計畫」，把轟炸機中隊和戰鬥機中隊分別增加到八十五個和五十個——這樣遂使戰鬥機對轟炸機的比例從一比二增加到將近三比五的標準。

雖然這種改變是非常的輕微，但卻仍不為滕恰德所喜，所以他在次年（一九三九）春季上議院的辯論中，仍然堅決主張對於轟炸機和戰鬥機中隊的數字應維持二對一的比例，並且說這是對德國空軍的最佳嚇阻。但那顯然是妄想——因為此時德國轟炸機兵力早已接近英國的一倍，而英國若欲擴大其轟炸機兵力，其所需的時間是比擴大轟炸機兵力要長久得太多。

很僥倖的，此時在英國空軍參謀本部中已有一種比較現實的態度開始形成。早在一九三七年，負責國防協調的閣員英斯基普爵士（Sir Thomas Inskip）即曾表示他的懷疑，他認為在英國上空擊毀一支德國轟炸機部隊，是要比在他們的飛機場上或工廠中去加以炸毀便利得多。一九三九年初，曾在二十年代任職「計畫」部門的青年領導人空軍中將皮克（Air Vice-Marshal Richard Peck），從印度調回空軍參謀本部接充作戰署長。像許多比較年輕的人一樣，他能夠根據實際的情況來修改自己的觀點。所以在開戰不久以後，他就說服了當時的空軍參謀總長尼華爾爵士（Sir Cyril Newall），使其認清最重要的工作即為增加戰鬥機的數量。他的理論又恰好受到下述事實的增強——由於雷達的發展，和新型高速戰鬥機的出現（颶風式及噴火式），已使空中防禦的效力大為改進。所以在十月間英國當局遂命令增編十八個戰鬥機中隊以供不列顛防禦之用。由於這個決定能夠迅速的執行，到一年以後的不列顛之戰時（一九四〇年七月到九月），也就顯出它的極大價值。若不是有這樣一個決定，則面對著德國空軍的長期重大攻擊，英國的空防也許會支持不住。

此種較現實觀念的復活，同時也使得英國內閣不得不決定，在一九三九年的環境中，只要德國人不先動手，則英國最好是不要主動的發動戰略性的轟炸。英國空軍參謀本部當然也只好同意，不過也許頗為勉強——無論如何，在其轟炸機兵力尚未能大事增強；和戰鬥機兵力尚未能達到較佳的比例之前，是不宜輕舉妄動。

這種情況對空軍計畫作為的諷刺，可以從官方戰史的評論中體會得到：

> 自從一九一八年以來，他們的戰略都是以下述的觀念為基礎，即相信若無戰略轟炸則決不可能贏得下次戰爭，但當戰爭爆發之後，英國轟炸機部隊所能給予敵人的損害卻真是微乎其微。

因為上述的這些理由，所以在波蘭戰役時，以及隨後的「假戰爭」（Phoney War）階段，英國空軍除了非常有限的行動以外，可以說是一事無成——僅在德國境內散發傳單，和偶然的攻擊海軍目標而已。此外，法國人因為害怕轟炸的報復，故反對英國轟炸機從法國基地上起飛作戰。至於他們自己，也像德國人一樣，只相信轟炸機的戰術價值，即與陸軍的協同為主。德國人，是恰好和英國人成一對比，因此相信第一次大戰時「哥德」（Gotha）式飛機的空襲在所有各方面都是失敗的，所以他們在計畫作為中實際上是已經放棄一切的戰略轟炸觀念。[2]

雖然英國空軍參謀本部曾經計畫對魯爾地區的德國工業中心發動空中攻擊，但他們卻不曾獲得照計畫執行的批准。這也許是很幸運的，因為他們轟炸機的飛行速度既慢而又缺乏自衛能力，並且攻擊又是在日間實施，所以必然會受到極大的損失。魯德羅—希維特空軍上將（Air Chief Marshal Sir Edgar Ludlow-Hewitt）從一九三七年到一九四〇年都是英國轟炸機部隊的總司令，他自己也認為這樣的攻擊只會帶來無謂的損失，而所能獲得的結果，其價值是頗有疑問的。在一九三九年十二月間，儘管德國戰鬥機只獲有一種原始化雷達的幫助，但英國的威靈頓式轟炸機在日間攻擊德國海軍目標時，仍然受到慘重的損失，並未能獲得有效的轟炸成果。反之，效率較差的惠特雷式機則僅在夜間用來投擲傳單，但他們從十一月中旬到三月中旬，在所有一切的作戰中都不曾受到任何的損失。由於這種對比經驗的結果，從一九四〇年四月以後，英國轟炸機的空襲就限於夜間。這可以證明英國空軍參謀本部戰前想法的荒唐——他們以為日間轟炸不僅是可能，而且也不會受到嚴重的損失。

另外一種錯誤的想法，即認為一個特定目標可以很容易被蒐獲和擊中，但卻過了很長久的時間，西洋鏡才被拆穿——主要是因為在一九四一年以前，對轟炸結果採取照相確認的方法還不曾普遍的使用，所以都是完全依賴乘員的報告，那時常會錯得離譜，而且要到事後才知道。

當一九四〇年四月德軍侵入挪威時，德國空軍的轟炸機和俯衝轟炸機扮演著一種主要的角色，正好像他們在一九三九年九月波蘭戰役中的情形一樣，而他們五月間的西歐侵入戰中，在與裝甲部隊配合作戰時，所扮演的角色是尤為重要。但英國空軍卻仍然厭惡與陸軍協同，並繼續堅持其戰略轟炸的教條。所以英國的轟炸機部隊對於這些重大戰役的成敗可以說毫無貢獻——甚至於連可能做到的事情也都沒有做。英國遠征軍的空軍配屬部隊曾對於前進中的德軍作過一些零星的攻擊，尤其是以繆斯河上的橋梁為目標，但結果付出了很大的代價而收效甚微。一直到五月十五日，才由以邱吉爾為首揆的戰時內閣批准使用轟炸機部隊攻擊萊茵河以東地區的行動。在那天夜裡，九十九架英國轟炸機被派往攻擊在魯爾地區中的石油和鐵路目標——通常這也被當作是對德國戰略空中攻擊的起點。但英國轟炸機司令部對於這一次以及以後各次戰略轟炸攻擊的結果和效力，都作了過高的估計，而且繼續保持這種壞習慣達很久的時間而不肯更改。

2　譯者註：「哥德」式為德國人在第一次大戰時所使用的一種大型轟炸機。

雖然空軍參謀本部仍計畫是要繼續攻擊德國的石油目標，但從七月以後，德國空軍對英國的攻擊已經構成迫切的威脅，所以這個計畫遂被擱置。而在這個「不列顛之戰」的階段中，轟炸機部隊曾奉命攻擊敵方的港口、船隻和集中的駁船等，以及製造飛機和引擎的工廠——其目的是為了阻止德軍的侵入，並減弱其成功的機會。

此時，德軍在五月十四日對鹿特丹的轟炸，以及此後對其他城市的攻擊，開始改變英國輿論的態度，並減低對無限制轟炸觀念的反感。尤其是在八月二十四日，德軍的炸彈又誤投在倫敦，所以更加速這種情感上的改變。實際上，這一切都是出於誤會——而那卻又是非常自然的——因為德國空軍在作戰時仍繼續遵守古老傳統的規則，至於偶然的犯規，則都是由於領航錯誤的緣故。但這卻促使英國人想要對德國城市作報復性的攻擊，而且是無限制的。由於認清在最近的將來，轟炸機已成英國人手中的唯一攻擊武器，所以也就更加深這種直覺和願望。在邱吉爾先生的態度中尤其可以發現此種直覺和願望。

不過在空軍參謀本部的心理上，此種觀念和態度的改變，大部分還是發源於作戰因素。在他們於一九四〇年十月三十日所頒發的訓令中，曾規定在天氣清明的夜間攻擊石油目標，而在其他的夜間則攻擊城市——由此即可以顯示他們對於作戰的現實和邱吉爾的壓力勢必低頭。這也非常明白的表示，他們已經接受無限制或「區域轟炸」的觀念。

但這種目標和觀念卻又表現得過分的樂觀。以一九四〇年的那種粗劣的轟炸工具，而希望能夠擊中德國境內的小型煉油工廠，或是希望對城市的轟炸能夠打擊德國人民的精神，和動搖納粹統治的基礎，那才真正是毫無意義的笑話。

實際證據的累積，使得英國空軍參謀本部不得不承認其對特定目標的攻擊是毫無效果可言。甚至於在一九四一年四月，理論性的平均投彈誤差還是被假定為一千碼——那也就無異於說小型石油工廠通常都是不曾被觸及。不過由於一九四一年「大西洋之戰」正處於危機四伏的狀態，因此又必須分散轟炸機的兵力去攻擊德國的海軍基地和潛艇基地，所以這種爭論遂暫被擱置。英國轟炸機司令部對於此種海上危機的應付，很不願意予以協助，這是由於眼光短視和教條僵硬二者的結合所致。

在一九四一年七月以後，英國轟炸機司令部企圖攻擊「半精確性」的目標，例如德國的鐵路系統。這可以表示其對原有立場的緩慢修改和逐漸讓步。當天氣不好的時候——則以大工業區來代替這一類目標。甚至於此種已經改變的觀念在實行時也還是毫無效果。一九四一年八月的「布特」（Butt）報告，經過詳細的調查之後，指出在對魯爾地區的空襲時，轟炸機當中只有十分之一曾經到達距離其指定目標五哩半徑之內的位置，所以理論上的一千碼是早已不必再提。因此非常明顯的，領航技術已經成為轟炸機部隊的一個主要問題。作戰的困難，加上外來的壓力，終於迫使英國空軍參謀本部承認：「夜間攻擊部隊唯一能夠造成有效損害的目標即為整個的德國城市。」

由於英國空軍轟炸的不準確已經逐漸成為人所共知的事實，所以英國空軍當局也就開始日益強調其攻擊對於平民士氣有影響的目標——一言以蔽之，即為恐怖行動。粉碎敵方人民戰鬥意志變得比毀滅敵方武力與戰鬥工具遠為重要。

邱吉爾對於空軍參謀本部所繼續表現的樂觀態度已經日益感到不滿，尤其是他們在一九四一年九月二日的計畫中，又大言不慚的說，只要把轟炸機兵力擴充到四千架，即能夠擊敗德國，並且還深信在六個月之內可以達到這個目標。由於受到「布特」報告以及其他方面的影響，邱吉爾遂指出若能在精確度上有所改進，則轟炸的效力可以增加四倍，而且這也是一種遠較經濟的辦法。他同時對於空軍當局在德國的士氣和防禦等方面所表示的樂觀意見也都深表懷疑。他曾經向當時充擔空軍參謀總長的波塔爾爵士（Sir Charles Portal）這樣的指出：

> 在當前的戰爭中，轟炸本身能否成為一個決定性因素，那實在是大有疑問。反之，自從開戰以來，我們已經學會的教訓都一致證明其效力，無論為物質的或精神的，都未免過分的誇大。

邱吉爾同時又正確的強調，德國人的防禦是「非常可能」已經有了改進。

像預言一樣，邱吉爾在寫給波塔爾的便箋中曾經這樣的指出：「假使能夠把敵方空軍減弱到相當的程度，使對工廠的重大精確日間轟炸變得可以執行，則情況也許即可完全改觀。」這種政策到一九四四年才付諸實行，而那還是由美國人來帶頭的。

就德國對空防禦的加強和改進而言，邱吉爾的憂懼和警告不久即被兌現。十一月間英國轟炸機部隊受到慘重的損失，尤其是在十一月七日，當四百架轟炸機發動多目標的攻擊時，其空襲柏林的一百六十九架飛機，有百分之十二點五不曾回來，儘管對於距離較近目標的攻擊，損失並沒有那樣的嚴重。

自從戰爭爆發以來，所有經驗的累積已經證明出英國空軍參謀本部和轟炸機司令部的傳統觀念是錯誤得太厲害。在戰爭的前兩年當中，他們的轟炸結果已經是令人感到異常失望。

英國轟炸機部隊的低潮一直持續到一九四二年三月為止。在冬季作戰中，主要的目標是停留在布勒斯特港內的德國巡洋戰艦「香霍斯特」號和「格耐森勞」號——兩艦曾經被擊中數次。當美國於一九四一年十二月投入戰爭時，對當時的影響反而有害：本來還可以希望從美國工廠中獲得少量轟炸機的補充，現在卻變得沒有了，因為美國人自己要用。此外，由於德軍在六月間發動侵俄戰爭之後，六個月之內已在俄國的冬季攻勢中受到頓挫，所以現在想憑藉轟炸機贏得戰爭的觀念，其需要和價值都不免要發生疑問。

當「布勒斯特」問題由於德國巡洋戰艦闖過英吉利海峽返回其本國之後獲得解決時，在二月中旬遂又開始恢復對德國的轟炸作戰。到這個時候，許多英國轟炸機都正在裝置一種叫作「吉」

（Gee）的無線電儀器，可以幫助領航和辨識目標。一九四二年二月十四日，英國轟炸機部隊所奉到的新訓令曾經強調現在的轟炸作戰是「以敵方平民人口的士氣為焦點，而尤其是工廠作業人員的士氣」定為「主要目標」。於是恐怖主義毫無保留的變成英國政府的既定政策，雖然在國會答覆詢問時，還繼續在掩飾其說詞。

這個新的命令是對於作戰可行性的一種承認。波塔爾在此以前，即一九四一年七月四日，就曾對這種正占優勢的思想加以說明如下：「從經濟的觀點來看雖為適當的目標，但除非在戰術上可以達到，否則還是不值得加以追求。」

當哈里斯（Air Marshal A. T. Harris）——以後封為亞瑟爵士——在一九四二年二月二十二日接任轟炸機部隊總司令時，此種命令遂成為定案——他的前任貝爾斯（Sir Richard Peirse）在日本投入戰爭不久之後，即被調往遠東充任那裡的同盟空軍總司令。哈里斯是一個具有堅強個性的人，他對於轟炸機部隊的人員和組織提供一種有刺激性的領導，但事後看來，卻可以發現他的許多觀點和決定都犯了錯誤。

在困難和失望的時候，又來了另外一個支援和鼓勵，那就是邱吉爾私人的科學顧問，齊威爾勛爵（Lord Cherwell）——即林德邁教授——在三月底所提出的一份備忘錄。他指出在三月初對巴黎附近比蘭考特（Billancourt）的雷諾（Renault）工廠所作的一次大規模轟炸中，二百三十五架轟炸機只損失了一架。這也是使用照明彈作為指示工具的第一次大規模試驗。他的看法增強了邱吉爾的信心。

在那個月內，又對波羅的海海岸方面的盧比克（Lubeck）城作了次「成功」的攻擊，在那裡密集在一起的城市中心被燃燒彈燒成廢墟。四月間對於羅斯托克城（Rostock）又曾作了四次同樣的攻擊——但所炸毀的大部分都是市中心具有歷史價值的古屋，而並非其附近的工廠。這些城市實際上是已經超出「吉」的有效距離之外，但由於它們很容易被發現，所以也就被炸中。這種事實產生誇大的鼓勵作用——當時的報告認為自從裝置「吉」以後，就有百分之四十的轟炸機能夠找到其目標。儘管如此，英國轟炸機部隊在盧比克的上空還是損失很重。而在這兩個月之內，對埃森（Essen）曾作過八次空襲，由於遇到較堅強的防禦，和比較不利的天候，所以效力也就大為減低。

在德國方面，防禦能力正在迅速的增強——不僅已經建立一個雷達體系來指揮高射砲和探照燈，而且夜間戰鬥機的數量也正在日益增多。在一九四二年初，損失於夜間戰鬥機的轟炸機僅占總數的百分之一，但到夏季，儘管已經盡量使用各種分散敵人注意力的方法，而損失率還是增到百分之三點五。

「所有這些計畫都是假定在夜間能夠成功的躲過敵方的空軍。」這是始終留在轟炸機司令部和空軍參謀本部心裡的一項基本錯覺。他們漠視了經驗的基本教訓：一架轟炸機，不管其保護是如何的良好（事實上，英國轟炸機根本上即無良好的保護），但對於一種專門設計用來擊毀它的飛機，總還是具有易毀性的。閃避的戰術，以及一切用來幫助它們的技術工具，都不能夠使轟炸機對於實力日益增強的德國防空體系獲得安全的保障——除非英國空軍能夠取得制空權。

在一九四一年初即早已開始採取的所謂「馬戲班」作戰也就是此種目的的預兆——在一九四二年也曾繼續實施。那就是聯合使用轟炸機和戰鬥機，以對歐陸沿海地區作日間的穿透，其目的是想要引誘德國空軍升空迎戰，以便讓戰鬥機部隊的噴火式機在空中將他們擊滅。這種「馬戲班」的作戰曾經獲得若干成功，但由於英國戰鬥機的航程相當短而受到嚴重的限制，當日間作戰的範圍愈向前延伸時，所遭到的抵抗也就愈強烈，而損失也就愈重大，甚至於已經有了性能優異的蘭卡斯特（Lancaster）轟炸機之後也還是如此。雖然有其弱點，此種「馬戲班」作戰的主要效果即為沿著法國的北海岸，展開同盟國的空中優勢爭奪戰，對於爾後的侵入目的也是有很大貢獻的。

一九四二年，主要的新發展即為宣傳已久的「千機大空襲」。哈里斯希望用集中的數量以減少損失和產生較大的效果。雖然在一九四二年五月，英國轟炸機部隊的第一線兵力只有飛機四百一十六架，但利用第二線兵力以及訓練用的中隊，終於在五月三十日的夜間，勉強派出轟炸機一千零四十六架向科隆城（Cologne）作了一次空前未有的大空襲。在這次攻擊中，一共在該城內炸毀六百英畝的地區——比以前九個月內對科隆城所作的一千三百四十六架次攻擊一共造成的損毀還要大。其代價為四十架轟炸機的損失——即百分之三點八。六月一日，英國人又集中全部可用的轟炸機九百五十六架，用來攻擊一個遠較困難的目標埃森——但由於雲霧的掩蔽使該城得免受嚴重的損害——一共損失三十一架飛機，占總數的百分之三點二。此後「千架轟炸機」的部隊遂被解散，但哈里斯卻仍繼續計畫作類似的空襲。於是在六月二十六日，他又集中九百零四架轟炸機，其中包括海岸部隊所參加的一百零二架在內，向不來梅（Bremen）大港以及福凱—吳爾夫（Focke-Wulf）飛機工廠發動一次攻擊。這次由於雲層太厚，所以只能造成相當輕微的損害，而英國空軍的損失卻接近百分之五，大部分都是在訓練中隊方面。此後一直到一九四四年為止，都不曾再作「千機」的空襲。

這些特別擴大的空襲，利用其所產生的宣傳效果，的確曾經給予哈里斯很大的幫助，使轟炸機部隊爭取優先的努力獲得成功，並獲准將作戰兵力增加到五十個中隊。一九四二年八月又創立一種導航部隊（Pathfinder Force），而在十二月和一月（一九四三年）又先後採用名稱分別為「阿波」（Oboe）及「H 2 S」的兩種新式導航工具，也都使哈里斯獲益不少——但很諷刺的，他曾反對導航部隊的建立。

不過事後所發現的證據卻仍然表現出英國轟炸的效果未免過分誇張，而德國工業所受的損害仍很輕微，事實上在一九四二年，德國軍備生產還是增加了大約百分之五十。石油本是德國的最大弱點，但幾乎完全不曾被觸及，而其飛機的產量還大有增加。德國空軍在西歐的日間戰鬥機實力在那一年內由二百九十二架增到四百五十三架，夜間戰鬥機實力則由一百六十二架增到三百四十九架。相反的，英國轟炸機的損失在一九四二年卻已經升到一千四百零四架。

一九四三年一月的卡薩布蘭加會議曾經確定，作為一個陸上侵入的先驅，戰略轟炸只具有次要性。於是給予同盟國空軍的命令有如下述：「逐漸毀滅和破壞德國的軍事、工業和經濟體系，並打擊德國人民的士氣，使其到達足以使武裝抵抗能力受到嚴重減弱的程度。」這個訓令使哈里斯和美國陸軍第八航空軍（8th U.S.A.A.F.）司令依克爾中將（Lieutenant-General Eaker）都感到滿意。前者所強調的是命令的第二段，而後者所強調的則為其第一段。雖然命令對於目標的優先次序曾作概括的列舉，但戰術性的選擇卻還是委之於空軍指揮官。所以，雖然英國人行夜間轟炸，而美國人擔任日間轟炸，但除了概括的意義以外，他們的攻擊卻並非彼此互相配合。

雖然如此，一九四三年五月的華盛頓會議還是強調兩國轟炸機部隊合作的必要——實際上，也的確常能合作。此外，這次會議又強調他們的共同危險來源即為德國的轟炸機，到此時已成為很明顯的事實了。所以在代字為「零距離」（Point-blank）的聯合轟炸攻勢中，第一個目的即為毀滅德國的空軍和航空工業，因為「當我們要進一步攻擊敵方戰爭潛力的其他來源時，這是一個必要的先決條件」。就長期的觀點來看，其對於英國轟炸機部隊的重要性是並不亞於對美國人的。即令如此，由於文件的措詞是如此的空泛，所以遂又容許哈里斯仍能繼續去對德國城市作那種概括性的區域轟炸，而避免面對現實——換言之，轟炸機和「大君主作戰」的前途都是有賴於德國空軍的毀滅，而他們在一九四三年一月到八月之間，實力已經又增加一倍。但是由於英國轟炸機部隊在對魯爾和漢堡的空襲中都能獲得巨大的成功，遂使此種危險又有被忽視的趨勢。

雖然導航部隊已經逐漸的建立，而「阿波」和H_2S兩種新裝備也已在使用，但一九四三年的最初幾個月，比之一九四二年，對於英國轟炸機部隊而言，似乎要算是一個相當平靜的階段。這也就使他們的人員獲得機會去矯正新裝備的某些缺點，以及使他們能夠適應新型飛機的性能——由於用來代替舊式轟炸機的「蘭卡斯特」和「蚊」式（Mosquito）機在數量上正在日益增多。一般作戰實力也正在增加，由一九四三年一月的五百一十五架，增為一九四四年三月的九百四十七架。因為不列顛國協國家已經在推行大規模的人員訓練計畫，而尤以在加拿大為最大，同時在一九四二年又已經取消了飛機上第二駕駛員的設置，所以乘員的問題也能順利的獲得解決。

所有這些因素對於所謂「魯爾之戰」（Battle of the Ruhr）也都有很大的貢獻——那是在一九四三年三月到七月之間，所作的一連串四十三次大規模空襲，其範圍是南到司徒加（Stuttgart），北到亞琛，主要的焦點則放在魯爾之上。其開始是在三月五日，由四百四十二架轟炸機進襲埃森——那是一個有堅強防禦的地區，因為克魯伯（Krupp）工廠就位置於此。由於有導航隊用「阿波」指示目標，所以這次埃森被炸的損害程度遠超過過去任何一次，同時一共只損失了十四架轟炸機。以後埃森又還被猛烈的炸過四次，而在以後幾個月之內，魯爾的其他重要中心也都曾一再的受到攻擊。主要的損害都是燒夷彈所造成，但所使用的高爆炸彈也曾有重達八千磅者。由於有了新的「阿波」指示系統，所以杜易斯堡（Duisburg）、多特蒙德（Dortmund）、杜塞爾多夫（Dusseldorf）、波庫（Bochum）和亞琛等地都曾遭到慘重的損害，而在五月二十九日一夜的攻擊中，巴門—伍帕塔（Barmen-Wuppertal）的百分之九十也已化為廢墟。雖然也常常受到天候的干擾，但很顯然的，英國轟炸部隊的精確度的確已大有改進——所以也就使哈里斯在有關兵力使用方式的辯論中立於比較有力的地位。

即令如此，英國轟炸部隊在夜間還是不能夠作精密的轟炸——除了五月十六日夜間在魯爾地區對摩尼（Mohne）和艾德（Eder）兩處水壩的攻擊為例外。那是由吉布森上校（Wing Commander Guy Gibson）所領導的一個受過特別訓練的第六一七中隊負責執行的——號稱「水壩剋星」（Dambusters）。儘管這次對水壩的攻擊曾經獲得卓越的成功，但所使用的十九架蘭卡斯特轟炸機還是損失了八架之多。

總而言之，誠如官方戰史所載，「在魯爾之戰中所顯示出來轟炸技術的革命性進步，已經使英國轟炸機部隊變成一支有效的大棒（Bludgeon），……但卻還不能使其發展出一支輕劍（Rapier）所具有的潛力。」此外，雖然「阿波」是一個重要因素，但任何目標只要超出其有效距離之外，轟炸結果即不那樣合於理想。

自從第一次對埃森的攻擊之後，損失即迅速的增高，在整個作戰中平均是百分之四點七，即一共損失了飛機八百七十二架。僅由於乘員的士氣高昂，和補充源源不斷，才使英國轟炸機部隊能勉強「支持」這樣的損失，那是已經接近危險的水平線。

值得重視的為「蚊」式機，其較快的速度和較高的爬升高度幾乎使它們可以完全不害怕德國的戰鬥機和高射砲，所以損失非常的輕微。若沒有這種高飛的飛機則「阿波」也就無法工作，於是作為主力的蘭卡斯特轟炸機也就會難於炸中目標。

使用一種叫作「理想戰鬥機」（Beaufighters）的夜間護航機並無用處，因為這種飛機的速度太慢。同時，正當英國的技術進步到能替轟炸機把夜間變成日間的趨勢時，德國方面的對抗措施也同樣的有發展——所以看來不久轟炸機在夜間也就會像在日間一樣的易毀了。

在「魯爾之戰」以後接著即為「漢堡之戰」——在一九四三年七月到十一月之間，英國轟炸機一共出擊一萬七千架次，對該城及其他目標作了三十三次大規模攻擊。其開始為七月二十四日的大空襲，共使用轟炸機七百九十一架——其中包括著三百七十一架蘭卡斯特。應該感謝新的導航工具、晴朗的好天氣和良好的瞄準，巨量的燒夷彈和爆炸彈都能命中漢堡的中心地區——而又應感謝一種叫作「窗」（Window）的新型雷達干擾器（Radar-distracting），所以一共只損失十二架轟炸機。此外，美國陸軍第八航空軍也參加了七月二十四日和二十六日的兩次攻擊，而「蚊」式機（它們本身也有四千磅的炸彈酬載量）在那兩夜裡也使該城的防禦應接不暇。七月二十七日的夜間，英國轟炸機七百八十七架又再作同樣的猛烈攻擊，一共只損失十七架。二十九日，七百七十七架轟炸機再進襲該城，雖然命中率較差，但英國人的損失卻增到三十三架，因為德國人已經開始能夠應付「窗」的擾亂。惡劣天候使八月二日的第四次攻擊未能獲得成功。總而言之，這個城市還是受到慘重的破壞，而英國轟炸機的損失雖然每次都增高，但平均卻仍僅為百分之二點八。此外，在七月二十五日和三十日——即在「漢堡之戰」的階段中，英國轟炸機部隊又痛擊勒姆什特（Remscheid）和在埃森的克魯伯工廠。在以後的幾個月內，其攻擊曾遍及曼漢（Mannheim）、法蘭克福（Frankfurt）、漢諾福（Hannover）和卡塞爾（Kassel）等地，使這些城市都受到重大的損害。同時在八月十七日的夜間，又對波羅的海海岸上的皮尼穆德（Peenemunde）飛彈研究試驗中心作過一次著名的攻擊。這次攻擊是由五百九十七架四引擊轟炸機來執行的，其中有四十架墜毀，三十二架負傷，而效果卻並不像在倫敦所想像的那樣巨大。

在這個階段內對於柏林攻擊的效力還要更差——由於惡劣的天候，在那樣的航程不能使用「阿波」，以及城市太大影響到H2S的效力。在這種來回達一千一百五十哩的長途飛行中，德國夜間戰鬥機也獲有充分的攻擊機會。他們更受到雷達站的指導，這些雷達站現在對於「窗」的干擾已能作適當的應付，他們雖然還不能辨別個別的轟炸機，但已能發現攻擊的主力。在三次對柏林的攻擊中，一共損失轟炸機一百二十三架，其中約有八十架是被夜間戰鬥機所擊落。這也就是即將來臨的「柏林之戰」（Battle of Berlin）先嘗到的苦果。

這次作戰是起自一九四三年十一月，到一九四四年三月為止，曾受到邱吉爾的鼓勵——因為對柏林的空襲可以使史達林感到開心。除了對德國首都作了十六次大規模的攻擊以外，另外還攻擊了十二個其他的主要目標，包括司徒加、法蘭克福和萊比錫（Leipzig）等在內，一共飛行二萬架次以上。

這次大型攻勢的結果與哈里斯等人所預測的完全不同。不僅德國不曾因此而屈膝，而且柏林也屹立無恙。反之，英國人的損失卻極為慘重，並迫使他們非放棄這次作戰不可。損失率增到百分之五點二，而所造成的損害還趕不上在漢堡或埃森的程度。英國轟炸機部隊的士氣發生了動搖，這也是不足為怪的，因為除了損失一千零四十七架以外，另外一千六百八十一架被擊傷。德國夜間戰鬥機的出現與否，通常也就構成一個主要因素。舉例來說，在應付十月七日的慕尼黑攻擊時，由於德國戰鬥機受到錯誤的指導，所以那次英國轟炸機部隊的損失僅為百分之一點二。通常德國夜間戰鬥機都能立即出動，而且非常的活躍——因此逐漸迫使英國人只好把目標向南移動，並使用較大部分的兵力以分散敵人攻擊的注意力。一九四四年三月二十日對於紐倫堡（Nuremberg）的一次空襲達到了損失的最高頂點——在七百九十五架轟炸機當中，損失了九十四架，另外還被擊傷了七十一架。

反對哈里斯戰略的勢力早已在增長之中，現在英國空軍參謀本部也開始認清了選擇性轟炸（Selective Bombing）的政策（即指對於選定的工業，例如石油、飛機等，所作的攻擊而言）更能適合卡薩布蘭加會議的觀念——那也就是說必須對西北歐作一個陸上的侵入戰，而這又必須在確實獲得制空權之後才能發動。

當德國的防空力量和生產日益增加時，哈里斯的觀念也就愈顯得有問題。他所最關心的事情就是想使美國人參加其對柏林的攻擊——但那卻是不可能的，因為美國人對於夜間的轟炸缺乏訓練，直到一九四三年的年底為止，日間攻擊其實無異於自殺。到一九四四年開始時，儘管哈里斯仍大言不慚的說僅憑蘭卡斯特的轟炸，到四月間即可迫使德國屈服，但空軍參謀本部卻拒絕接受他那一套理論，而堅決要求應對德國工業作有選擇的攻擊，例如士文福（Schweinfurt）的滾珠軸承工廠。

在哈里斯的勉強同意之下，這些工廠在二月二十五日才受到攻擊，這也許要算是聯合轟炸攻擊的第一個真正例證。由於德國空軍實力日益增長，對於轟炸的努力和「大君主」的前途都開始構成威脅，這也就是促使哈里斯觀念失敗的主因，至於「柏林之戰」的失敗只不過是此種趨勢的一項證明而已。哈里斯本人也已明白的承認這個失敗，因為他在四月間即已經要求對於他的轟炸機應提供夜間戰鬥機的掩護——而美國人則早已在尋求長程戰鬥機以支援他們的日間轟炸作戰。

當英國轟炸機部隊的整個前途都已發生疑問時，很僥倖的在四月間，照預定計畫，其作戰目標已經有了轉移——即改變為攻擊法國境內的鐵路網以便為即將發動的渡海侵入戰作開路的工作，不僅減輕了他們的任務，而且也遮掩了他們在對德國進行直接攻擊時所遭受的慘重失敗。而尤其幸運的，是在「大君主」侵入之後，情況遂又變得對同盟國方面有決定性的利益。

自從一九四二年以後，英國的戰略空中攻擊即已變成聯合努力的一部分，而不再像過去那樣的獨立不羈。在華盛頓會議時，美國陸軍航空軍總司令阿諾德將軍（General H. H. Arnold）所提出的計畫是要在不列顛建立一支巨型的轟炸部隊。這當然使邱吉爾和英國三軍參謀首長都大為高興，於是也就促使他們不敢批評美國的日間轟炸政策。美國人深信假使轟炸機有良好的武器和裝甲，飛得夠高而且採取密集隊形，則他們即能夠作日間的轟炸而不至於遭受重大的損失。這也被證明出來是一種幻想，正像英國空軍相信在夜間作戰即能躲避敵方空軍的干擾是一樣的荒唐。

在一九四二年，美國人最初所作的空襲都是規模太小，所以不能提供任何明確的證據，但等到一九四三年，規模擴大和航程伸長之後，損失不久就隨之而升高。在四月十七日對不來梅的攻擊中，一共出動轟炸機一百一十五架，就損失了十六架，另有四十四架被擊傷。在六月十三日對基爾（Kiel）的空襲中，六十六架B-17飛行堡壘損失了二十二架。七月間對漢諾福的一次空襲中，九十二架損失了二十四架；七月二十八日對柏林的空襲中，一百二十架損失了二十二架。美國人試用其D-47雷霆式（Thunderbolt）戰鬥機加裝副油箱用作護航工具，但它們的航程還是不夠長。到秋季裡，由於對法蘭克福以東的士文福軸承工廠發動一連串的攻擊，所以也就更顯得應有較適當護航機的需要。

在十月十四日的一次損失慘重的空襲中，一支由二百九十一架飛行堡壘所組成的部隊，在強大的雷霆式機群護送之下出發，但他們的航程卻不能超過亞琛地區，等到他們撤退之後，B-17即開始受到德國戰鬥機一波又一波的攻擊，一直追到海峽海岸為止。當美國部隊返回基地時，一共有六十架轟炸機被擊落，此外還有一百三十八架負傷。在這個恐怖的一週中，這是一個最高潮，美國第八航空軍因為超越其戰鬥機護航極限而企圖突破德國的防禦，四次的結果一共損失轟炸機一百四十八架。如此高度的損失率是不可能持久的，所以美國的陸航軍首長們也就被迫承認需要一種真正長程的護航戰鬥機——此種需要在過去是被輕視，或是被認為技術上不可能。

很幸運的，合用的工具是現成的，那就是北美佬公司的P-51「野馬」（Mustang）式戰鬥機。英國人在一九四〇年曾經訂購，而美國人卻拒絕採用，自從它改裝英國「勞斯萊斯—馬林」（Rolls-Royce Merlin）引擎之後，其性能又大有改進。在一九四二年秋季，試用一種「巴卡德—馬林」（Packard-Merlin）引擎，結果使P-51B「野馬」式機在任何的高度，都比同時期所有德國戰鬥機要快，而且也具有優越的靈活性。加上副油箱，它可以達到接近一千五百哩的航程，這樣也就使轟炸機受到保護的距離可以超過六百哩——事實上可以達到德國的東面國境線。自從在士文福受到慘重損失之後，便立刻開始趕工生產「野馬」式戰鬥機，其第一批在一九四三年十二月參加美國第八航空軍的作戰。到歐洲戰爭在一九四五年五月結束時，一共生產了一萬四千架。

在一九四三年到一九四四年之間的冬季裡，對於美國第八航空軍而言，要算是一個相當平靜的階段，因為其轟炸都暫時限於短程目標的攻擊。十二月間的損失率僅為百分之三點四，而十月間則高達百分之九點一。以義大利為基地，美國人另成立一個第十五航空軍，這是美國計畫摧毀德國戰爭經濟的另一步驟。史巴茲將軍（General Carl Spaatz）奉派統一指揮這兩支部隊。

在一九四四年年初，「野馬」式的數量日益增多，而他們的航程也日益伸長。此外，他們也到處搜尋德國戰鬥機來向其挑戰，而並不僅只被束縛在護航的任務上——其目的為贏得全面的制空權，而不僅限於轟炸機附近的天空。這樣他們就迫使德國戰鬥機必須迎戰，於是也使後者所受到的損失日益增加。到三月間，德國戰鬥機遂開始不願意起飛和「野馬」拚鬥。此種積極主動的行動不僅使美國轟炸機得以繼續進行其日間攻擊——由於德國戰鬥機的干擾減少，因此他們的損失也隨之而減少——而且也替「大君主」做了開路的工作。

很諷刺的，它同時還有助於英國轟炸機部隊對德國的夜間攻擊。正當德國空軍在夜間變成空中主人之時，它卻把日間的制空權讓給美國人。當英國轟炸機部隊在完成其對諾曼第侵入戰的支援任務之後，再度向德國發動其戰略性攻擊時，德國的夜間戰鬥機部隊也就變得非常的缺乏燃料，同時又因為在法國境內的早期警報雷達系統的喪失而受到很大的妨礙——反之，英國轟炸機部隊現在由於能在歐陸上設立雷達發射因而獲得很多的便利。

此種改變可以從損失數字上反映出來。在一九四四年五月間，英國轟炸機部隊曾對德國作過少數幾次空襲，其損失率還是很高——在六月間攻擊石油目標時，更升高到百分之十一。因此，在八、九月間，英國人對德國的空襲遂開始大約有一半是在日間行之，其損失就遠較輕微。但到此時，甚至於夜間攻擊的代價也已經變得較低——分別為百分之三點七（夜）和百分之二點二（日）。一九四四年九月間，英國轟炸機部隊用於夜襲的飛機數量要比六月間多出三倍，但損失卻僅約為三分之二。

由於英國轟炸機部隊也採用長程夜間戰鬥機來擔負護航的任務，所以對於此種趨勢自然不無幫助，但那卻絕非主要因素，因為所用的飛機速度太慢，而此種任務對於他們也未免太困難。在一九四三年十二月到一九四四年四月之間的階段內，被擊落的德國夜間戰鬥機一共只有三十一架；甚至於在已有更多和更好的飛機之後，在一九四三年十二月到一九四五年四月之間，所擊毀的總數也不過二百五十七架——平均每個月僅為十五架。所以夜間戰鬥機也好，新的雷達和無線電干擾技術也好，其對於德國空軍所造成的損害，是遠不如對德國石油、領土和日間制空權的喪失那樣重大。

在一九四三年全年當中，投在德國境內的炸彈總數約為二十萬噸——比之一九四二年幾乎多了五倍。但德國的生產力卻反而升到新的高峰，這大部分應歸功於斯皮爾所作改組的努力，他是主管德國戰時生產的閣員；此外「空襲預防」的措施，和德國人的迅速恢復能力，也足以使士氣和生產都不至於發生任何危機。飛機、火砲、戰車、潛艇的產量都有所增加，使一九四三年的全面軍備生產數量增到百分之五十的程度。

德國人對於英國轟炸機部隊的大規模攻擊也的確是曾經感到憂懼，因為那是自從開戰以來的第一次，據說在一九四三年七月漢堡大空襲之後，斯皮爾曾經悲觀的說，像這樣的空襲再來六次，即足以使德國屈膝。但所幸在那一年的下半年內，此種區域性的轟炸所產生的物質和精神效果都並不那樣的可怕，而斯皮爾對於德國工業的卓越疏散活動也就打消了其當初的憂慮。

美國人所作的選擇性精確轟炸曾經收效於一時，到一九四三年八月，曾經使德國戰鬥機的生產減低到大約百分之二十五，但自從十月間使美國第八航空軍受到慘重失敗之後，其產量遂再度增高，而在一九四四年初達到新的高峰。雖然對所造成的損害能作相當精確的估計，但同盟國對於德國的生產能力卻未免估計過低，當德國空軍實力日益增強時，遂誤以為那是由於把東線的飛機調回西線之所致。

對於英國轟炸機部隊而言，在這個階段的最重要成就即為夜間精密轟炸技術的發展。最先是在水壩攻擊成功之後，利用第六一七中隊作為一種特種「標示部隊」（Marking Force）。以後逐漸有了全面的改進，例如導航指示系統，新的投彈瞄準器，以及一萬二千磅號稱「高腳衣櫥」（Tallboy）的地震炸彈（Earthquake Bomb）——接著又有二萬二千磅號稱「大滿貫」（Grand Slam）的同類炸彈。

英美聯合轟炸作戰的最重要效果是最後把相當大量的德國戰鬥機和高射砲部隊從東線吸引到西線方面來，於是的確幫助了俄軍的前進。同時由於在日間已經改得制空權，所以也就使「大君主作戰」得以順利的進行，而幾乎完全不受德國空軍的干擾。

在戰爭的最後一年間，即自一九四四年四月到一九四五年五月，聯軍的確掌握著制空權，那主要應歸功於美國人在一九四四年二月到四月之間作戰的努力。但是由於「大君主」的要求，對於德國目標的聯合轟炸攻擊必須暫停，因為在諾曼第登陸的前後，所有的飛機都必須用來對同盟國陸軍作直接的支援。

哈里斯以及其他單純的熱心轟炸之徒對於這種政策自然是不願意接受，但波塔爾以及空軍參謀本部中的人員卻具有比較平衡的觀點，並且也認清轟炸機在同盟戰略中所扮演的不過只是一個配角而已，因為戰略轟炸部隊現在是需要用來支援戰術部隊，所以從四月中旬起，其全部的指導也就交由泰德爵士（Sit Arthur Tedder）負責。他現在已經被指派出任艾森豪的副帥。泰德過去曾在中東指揮空軍，並且在那裡有優異的表現。他認為轟炸部隊對於「大君主作戰」之主要而立即的貢獻就是應使德國的運輸系統發生癱瘓。這個計畫實際上是在一九四四年三月二十五日獲得各方面的同意，儘管邱吉爾對於法國平民的損失頗感憂慮，而史巴茲則仍認為石油目標不應放棄——這也是波塔爾所同樣主張的。

史巴茲的決心集中攻擊石油目標，結果使美國第八航空軍在一九四四年春季仍繼續其對德國的攻擊，而英國轟炸機部隊在四月到六月之間，則以法國的鐵路網為主要攻擊目標（在六月間，其投在德國目標上的炸彈僅為其總量的百分之八）。到六月間，超過了六萬五千噸的炸彈已經投在敵方的運輸系統之上。此外，海岸砲台，火箭發射基地和類似的目標也都曾受到攻擊。事後看來，泰德癱瘓敵方運輸（或交通）系統的行動，對於諾曼第侵入戰的成功，實為一大貢獻。哈里斯所持的反對理由之一是說英國轟炸機部隊不能達到所需要的精確標準，但早在三月間，他們對於法國鐵路調車場進行攻擊時的效率即足以否定哈里斯的說法。

此種成為大家批評對象的目標轉移，實際上是對於英國轟炸機部隊大為有利，那不僅緩和了他們的緊張情緒，而且也更刺激轟炸技術的改進。而且在法國上空所遭遇到的德國戰鬥機的抵抗，是遠比在「柏林之戰」中，以及攻擊德國境內其他目標時都要輕微得多。

齊希爾上校（Wing Commander Leonard Cheshire）所新發明的技術，即利用「蚊」式機在低空指示目標，對於轟炸的命中率大有改進。四月間首先在法國試用，結果使許多目標都連續被炸毀，失誤的炸彈很少，並不曾像邱吉爾所害怕的對於法國平民造成重大的殺傷。在三月間平均的轟炸差誤已減到六百八十碼，而到五月間則更減至二百八十五碼。

在D日之前對「交通」攻擊的成功增強了泰德的信心，他遂強烈主張此種作戰應向德國境內延伸，並應給予最高優先。他認為德國鐵路系統的崩潰，不僅足以阻止其部隊的調動（那也是俄國人最歡迎的），而且也等於使其經濟總崩潰。所以是應該用以代替哈里斯的普遍區域轟炸和史巴茲的石油作戰。毫無疑問的，那對於德國的陸軍和空軍是可以比普遍區域轟炸產生遠較迅速的效力。

在聯軍渡過海峽侵入歐陸之後的階段中，轟炸機曾經攻擊各種不同的目標。在這幾個月之內，美國人還是以石油和飛機工業為其主要目標，至於英國轟炸機部隊在這個階段所一共投擲的十八萬一千噸炸彈總量中，卻只有三萬二千噸是投在德國境內的目標上。

放棄區域轟炸的趨勢已經變得非常顯著。英國陸軍第十五航空軍已從義大利起飛去進攻羅馬尼亞的普洛什蒂油田。五月十二日，第八航空軍也從英國開始攻擊德國境內的石油目標。雖然有四百架德國戰鬥機起而迎擊九百三十五架美國轟炸機，但他們卻為一千架美國戰鬥機所擊敗。他們損失六十五架，而美國轟炸機也損失四十六架。

在D日之後，這種作戰也就日益擴大。六月間英國參謀本部認為英國轟炸機夜間精密轟炸技術已有進步，遂命令對石油目標發動攻擊。七月九日夜間對吉生克欽（Gelsenkirchen）的空襲要算是相當成功，不過代價仍然很高。但其他的空襲，則由於受到天候的影響，效力都很差，而損失卻很慘重——在三夜之間，派出轟炸機八百三十二架中損失了九十三架，主要都是被夜間戰鬥機所擊落。

美國人仍然傾全力進攻，六月十六日使用一千多架轟炸機，由八百架戰鬥機掩護，在二十日那一天，戰鬥機總數更多至一千三百六十一架。次日除柏林受到攻擊之外，另一支部隊在攻擊石油工廠以後就飛往俄國降落。（由於他們（俄國人）的冷淡對待，所以此種試驗遂不再進行。）美國人的損失頗重，但被炸毀而不堪使用的石油工廠數量也隨之而增加，結果使德國空軍的燃料補給受到嚴重的影響。在九月間，這個補給量被減到一萬噸，但實際上，每月最低需要量為十六萬噸。到七月間，幾乎德國境內的一切重要石油工廠都已被擊中，所以儘管由於斯皮爾的努力，德國已經生產了大量的新飛機和戰車，但由於缺乏燃料，實際上都已毫無用處。

當德國的飛機有效數字日益減少之際，同盟國的空軍實力則正在日益增強。英國轟炸機部隊的第一線兵力在一九四四年四月為一千零二十三架，到十二月增為一千五百一十三架，而到一九四五年四月，則更增達一千六百零九架。美國第八航空軍的轟炸機實力在四月間為一千零四十九架，到十二月為一千八百二十六架，而到一九四五年四月則已達二千零八十五架之多。

此時，英國轟炸機部隊也已經第一次採取大規模日間轟炸的戰術。哈里斯對於這一決定本來深表疑懼，但由於在日間所遇到德國空軍的抵抗，反而比夜間遠較輕微，才使他感到放心。第一次大規模的日間空襲是在六月中間，以哈佛爾（Le Havre）為目標，也像以後的每次一樣，是由「噴火」式機來護航。到八月底，英國轟炸機已經在向魯爾地區作日間空襲，並發現德國的抵抗已十分微弱。

這樣的新情況遂引誘英國轟炸機部隊繼續對德國的石油工廠作夜間的攻擊。與過去相比，這些攻擊顯示出來效力較大而損失較低。八月二十九日對非常遙遠的目標哥尼斯堡（Konigsberg），曾作一次極為成功的空襲。雖然它本身並非石油目標，但卻足以顯示全國的進步。

從一九四四年十月到一九四五年五月，可以算是轟炸機日正當中的時代，在一九四四年最後三個月內，英國轟炸機部隊所投擲的炸彈比一九四三年全年的數量還要多。在這幾個月內，僅以魯爾地區而言便曾受到六萬噸高爆炸彈的轟炸。此外，誠如官方戰史所載，在這個時候轟炸機的作戰幾乎是無所不能的。在這樣的攻擊之下，德國人的抵抗力日益消沉，其戰時經濟也已被絞殺。

既然已經有了此種新的精密轟炸能力，而抵抗又是如此的微弱，所以當英國轟炸機部隊在這個階段仍繼續把其炸彈的百分之五十三用來濫炸城市地區，而用在石油目標上的僅為百分之十四，用在運輸目標的也僅為百分之十五，無論從作戰或道德的觀點上來看，那是否為明智之舉，實大有疑問（一九四五年一月到五月之間的相對數字分別為百分之三六點六，百分之二六點二，和百分之一五點四——這種比例雖較平均，但仍然頗有疑問。）美國人在目標上的比例與此完全不同。他們的想法比較合理，他們認為應盡量打擊德國的已知弱點，而不應敷衍塞責，以為只要每顆炸彈都能炸中一點什麼東西就夠了。哈里斯的政策日益引起道義上的譴責，而美國人的政策卻可避免此種譴責。

因為未能維持最佳的優先次序，所以最後階段更是吃虧不淺。在一九四四年九月二十五日的一項訓令中，曾規定石油為第一優先，而其次則為運輸。這也就足以帶來縮短戰爭的良好機會，因為英國轟炸機部隊從十月起也同時正在集中攻擊德國境內的目標——在那裡投了炸彈五萬一千噸，而所受損失則僅在百分之一以下。但是十月間空襲中卻有三分之二還是普遍區域性的轟炸，而投在石油和交通目標上的炸彈卻反而很少。於是在一九四四年十一月一日，指揮官們又接到新的訓令，明確規定石油為第一優先，交通列為第二，沒有任何東西可以混亂這種選擇。這兩種目標，現在都已經變得相當容易達到，而且也必然的可以比區域轟炸更能加速德國的崩潰。

但是由於哈里斯的頑固抗命，遂使此種計畫始終未能獲得適切的執行——他甚至於以辭職為要挾來反對這種計畫。

一九四五年開始時，由於德國人在阿登發動反攻，加上他們的噴射戰鬥機和裝置「修諾克」潛艇（Schnorkel）的出現，遂使情況又趨於複雜。這樣也就導致對優先次序的重新檢討。但由於各個權威的意見不一致，結果也就變成一個折衷——而正像大多數的折衷辦法一樣，那總是臨時湊合的和難以令人感到滿意的。

最引起爭論的方面即為故意恢復「恐怖主義」，並以其為主要目標之一。它恢復的主要目的是為了取悅俄國人。一九四五年一月二十七日，哈里斯又奉到命令要他執行這樣的攻擊——現在在優先次序上列為第二，僅次於石油目標，而超過交通以及其他的目標。因此，在二月中旬，連遙遠的城市德勒斯登（Dresden）也都受到毀滅性的攻擊。那是含有平民人口和難民中間製造恐怖的顯然意圖，因為所攻擊的是城市中心，而不是工廠或鐵路。

到四月間，值得一炸的目標是已經太少了，所以區域轟炸和精密戰略轟炸都被放棄，而改以對陸軍的直接支援為其主要任務。

戰略轟炸攻擊效果的比較

雖然在一九四四年夏季之後，炸彈開始像雨點一般的落下，使得德國的生產減退，但是斯皮爾在工廠疏散和各種克難工作上所作的偉大努力對於轟炸的實質效果仍然能夠產生相當的抵銷作用。士氣同時也能維持不墜，直到一九四五年二月對德勒斯登的攻擊之後為止。

石油目標的攻擊

由於在羅馬尼亞的遙遠油田能夠長久的不受到攻擊，而在德國國內的石化工廠又在不斷的增建，所以德國石油的儲量在一九四四年五月實際上達到了最高峰，僅在以後才開始減少。石油的三分之二以上都是由七所工廠集中生產的，它們的易毀性是極為明顯，又因為煉油廠也是易毀的，所以在一九四四年夏季，當轟炸機集中攻擊這些設施之後，其效果也就很快的開始表現出來。六月間車輛燃料的產量僅為四月間的一半，而到九月則又已減至四分之一。飛機燃料的產量在九月間減到一萬噸，而目標數字也僅為三萬噸——但德國空軍每月的最低要求卻是十六萬噸。航空燃料中的百分之九十左右都是來自貝爾古斯（Bergius）氫化工廠，那也是一切需要中的最重要者。

為了要應付「大君主作戰」和俄軍在東線上的前進，德國的油料消費量遂隨之而增加，於是情況也就變得日益嚴重——從五月起，消費始終超過生產。經過斯皮爾的努力，情況略有改善，所以在十二月中旬阿登反攻發動之前，燃料的儲量居然開始增加，但那卻不過是曇花一現而已。

拉得太長的戰鬥把所有的儲量都消耗完畢，而在十二月和一月（一九四五）聯軍又發動對石油目標的攻擊，兩種效果加在一起，遂使斯皮爾也回天乏力。英國轟炸機部隊的夜間攻擊尤其有效，因為現在蘭卡斯特機已能攜帶巨大的炸彈，而在夜間轟炸時也達到新的精確標準。

對石油目標的攻擊同時也使德國的炸藥和人工橡膠的產量大受影響，而航空燃料的缺乏，也幾乎使空軍的訓練完全停頓，並大量的減少戰鬥飛行的時間。舉例來說，在一九四四年底一次只能使用五十架夜間戰鬥機。雖然德國空軍現在已經正在接收新的噴射戰鬥機，但由於上述這些限制，也就無法發揮其潛在價值和威脅。

交通目標的攻擊

這個目標為戰術性和戰略性的混合物，對於諾曼第的登陸及戰鬥的成功很明顯的具有巨大的重要性。但當聯軍接近萊茵河之時，其效力也變得更難於估計。十一月的計畫是以德國西部的鐵路和水道為焦點，而尤其是以魯爾地區周圍為主——其目的是要切斷煤的補給以使德國工業的主要部分自動癱瘓。此種效果是非常的厲害，並且在一九四四年秋季使斯皮爾感到極大的憂慮，但聯軍領袖們在他們自己所作的研判中，對於此種效果卻反而有低估的趨勢。意見的分歧使此種行動及其效力受到延遲和減低的影響。但在一九四五年二月間，仍有總數約八千到九千架的飛機正在忙於攻擊德國的運輸系統。到三月間，這個系統已經崩潰，而所有的工業也都缺乏燃料。在二月間喪失上西利西亞（Upper Silesia）之後——由於俄軍已經進占該地區——德國遂再無可以替換的煤礦來源。雖然仍有足夠的鐵苗，但其鋼鐵生產卻已經不能應付其最低的彈藥生產需求。到了此時，斯皮爾也認為情況已經絕望，並開始考慮戰爭結束以後的問題。

直接攻擊

此種攻擊的結果日益日顯。一個城市接著另一個城市化為廢墟。德國工業生產自從一九四四年七月達到最高峰之後，即開始走向下坡，而且每況愈下。十月以後，在埃森的克魯伯工廠即已停止生產。造成生產損失的主因常常是由於電力、煤氣和水源等系統的破壞。不過在魯爾地區以外，單純的原料缺乏——那是運輸系統被破壞的結果——實為德國工業在一九四五年最後崩潰的主因。

結論

在開始對德國進行戰略轟炸攻擊時，曾寄予以莫大的希望，但在最初階段，其效力卻非常的渺小——足以顯示過分的信心是超越了常識的限度。足以表現現實感的逐漸發展者，首先為從日間轟炸突然的改變為夜間轟炸，接著就是採行區域轟炸政策——儘管在許多方面，這都是大有疑問的。

直到一九四二年，轟炸對於德國只不過是一種麻煩，而並不能算是危險。它對於英國人也許有一點打氣的作用，雖然連這一點也都是頗有問題。

在一九四三年，應該感謝美國援助的日益增強，於是兩個同盟國轟炸部隊所造成的損害也就開始日益加重——不過事實上，對於德國的生產，或是對於德國人民的士氣，還是不曾發生巨大的效力。

直到一九四四年春季，才有一種真正的和決定性的改變，主要是因為美國人採取適當的長程戰鬥機來護航轟炸機之故。

在替「大君主」作了偉大的服務之後，同盟國的轟炸遂又再來攻擊德國的工業，並且獲得遠較過去巨大的成功。在戰爭的最後九個月當中，他們的成就主要應歸功於在導航和轟炸技術上的新發展以及德國空軍的抵抗力日益微弱。

由於不能痛下決心和意見分歧之故，聯軍在空中的進展，也像在地面上一樣，頗受缺乏集中之害。同盟國空軍的潛力遠比他們的成就要大。尤其是英國人對於區域轟炸簡直可以說是樂此不疲，儘管老早就已無任何的理由或藉口，但他們卻仍然不肯放棄這種不加區別的行動。

有充分的證據足以顯示，若能對於石油和交通目標作較佳的集中攻擊，則戰爭是可以提早結束，也許至少可以提早幾個月。雖然在戰略上有如許的錯誤，而且也忽視了基本的道德觀念，但轟炸作戰仍毫無疑問的在擊敗希特勒德國的戰爭中居於一個主要的地位。

第三十四章　西南太平洋和緬甸的解放

當一九四四年的春季將臨時，太平洋的情況有如下述：由海軍上將斯普勞恩斯所指導的中太平洋部隊，在其上司海軍上將尼米茲的指導之下，已經連續的攻占吉爾貝特群島和馬紹爾群島，同時也從空中痛擊日本在加羅林群島的特魯克基地，於是使日本人所認為必要的最後防線也發生了嚴重的裂痕。此時，在西南太平洋的麥克阿瑟將軍的部隊則已經連續攻占俾斯麥列島中海軍群島的大部分，突入那一個屏障地帶，並有效的中和了在拉布爾的日軍前進基地。同時，麥克阿瑟的部隊在新幾內亞的西向前進也有相當的進展，並準備指向菲律賓的次一步大躍進。

新幾內亞的克服

在新幾內亞作戰的延續，其所表現出來的一項特點即為蛙跳（leap-frogging）方法的發展，那是以前在所羅門群島（Solomon Islands）上所試用過的。在四個月之內，麥克阿瑟的部隊利用這種一連串跳躍，已經前進了一千哩——從馬當（Madang）地區進至新幾內亞西端的弗格柯普（Vogelkop）半島。日軍曾經希望在少數幾個適當的沿岸據點上保持其立足地，以便建築機場。雖然聯軍不能從陸地上迂迴這些據點，卻利用其優勢的海空軍兵力沿著海岸線採取超越行動。

因為日軍海空軍的主力被保留在後方，以準備應付斯普勞恩斯在中太平洋方面的次一前進，故其戰略的態勢遂居於劣勢。在地面上，日軍也是過分分散而缺乏支援。所謂第八方面軍被留在拉布爾聽其自生自滅，而在新幾內亞的北岸上，所謂第十八軍（司令為安達中將）的殘部則被配屬在第二方面軍（司令為阿南上將）的指揮系統之下。該軍駐在維華克，湊起來一共六千人不到的師，要來對抗十五個師的聯軍（美軍八個師，澳洲軍七個師），後者並且享有極大優勢的海空軍支援。

四月間，澳洲第七師，以後又加上第十一師，從馬當沿著海岸線向西推進，而麥克阿瑟則正在發展一個新的躍進（到此時為止這要算是最大的一次），以攻占荷蘭第亞（Hollandia）的重要基地為目的，那是在洪波特灣（Humboldt Bay）上，在維華克以西二百哩距離以外。

在登陸之前以一連串的大轟炸為其先聲，日軍雖然調集了三百五十架飛機以供保衛這個地區之用，但很不幸的，其中大部分都被炸毀在地面上。於是在四月二十二日，聯軍分成兩個兩棲兵團，分別在荷蘭第亞的兩側登陸，另外第三個兵團則在愛塔培（Aitape）登陸——那是至維華克的全程約三分之一的地方——以奪占該處的機場作為一種安全的措施。據聯軍情報的判斷，日軍在荷蘭第亞的兵力為一萬四千人，在愛塔培為三千五百人，麥克阿瑟為確保成功起見，差不多用了五萬人的部隊，主要是艾赫貝格（Eichelberger）所指揮的美國第一軍。實際上，守軍的兵力要比所估計的還要少，而且大部分都是後勤部隊，所以在最初的轟擊之後，沒有作任何認真的抵抗即向內陸逃走。

結果遂使安達在維華克的三個殘破師完全被切斷。安達不願意再向內陸作長程艱苦的撤退，而寧肯選擇沿著海岸線直接突圍的企圖。但當他到七月間採取此一行動時，麥克阿瑟卻早已派遣三個強大的師去增援美軍在愛塔培的據點，所以這些突圍的日本部隊不僅被擊退而且還受到重大的損失。

早在日軍發動這次夭折的反擊之前，美軍已經朝西躍向次一個目標——那是一百二十哩以外的一個沿岸小島，叫作華克德（Wakde），日軍在島上曾修建了一座飛機場。五月中旬，美軍派遣了一支部隊在新幾內亞海岸上的托門（Toem）登陸，然後越過狹窄的海峽進入華克德島——但在那裡的日軍曾作了一段短期而頗為頑強的抵抗，沿著海岸線向沙爾米（Sarmi）的前進所遭遇的抵抗更是長久。儘管如此，從概括的觀點上來看，日軍在新幾內亞的防禦已經接近尾聲。美國的潛艇不僅使從中國大陸前來的運兵船受到慘重的損失，而在中太平洋方面，對馬紹爾群島構成的威脅也使日軍向新幾內亞增援的希望為之幻滅。

僅在攻占荷蘭第亞一個月以後，也就是在托門和華克德登陸六十天之後，麥克阿瑟又在準備其次一步的躍進。這次的目標為攻占比克島（Biak）及島上的機場，那是在荷蘭第亞以西約三百五十哩，而距離華克德則為二百二十哩。這一次的作戰並不很順利。與荷蘭第亞的情形恰好成一對比，這次美軍對於守軍的實力作了過低的判斷，實際上島上守軍已超過一萬一千人。當美軍在五月二十七日登陸時，最初雖然沒有遭遇到抵抗，但當他們向內陸推進占領機場時，情況就完全改觀。因為日軍已決定放棄據守灘頭，因為他們知道在那裡會被聯軍海空軍的火力所粉碎，所以他們把守軍的主力配置在俯瞰著機場的高地上，並且都埋伏在岩洞和塹壕陣地之內，而他們使用戰車的反擊曾經一度切斷美國步兵的一部分。雖然麥克阿瑟把大量的援軍投入該島，但肅清的工作還是異常的遲緩而艱苦——直到八月間才完成。它使美國地面部隊付出的代價約近一萬人，不過其中大部分都是由於疾病，而真正戰死的人則不過四百人。這對於他們在九個月以後，即一九四五年二月，在硫磺島（Iwo Jima）登陸所將遭遇到的問題和困難，可算是先嘗了一次苦頭。

日本大本營對於增援比克島的決定最初拖延得太久，而後來又中途打消，否則在該島的日軍抵抗可能還會更為頑強。其最初的決定是集中全力以防守馬里亞納群島，但以後在六月初又決定派一支運兵船團前往比克島增援，並由馬里亞納群島派遣大量的軍艦和飛機來掩護。但這個行動卻又延緩了五天，因為一個錯誤的情報說有一支美國航空母艦部隊正在比克島附近，等到他們第二次出動時，又遭遇到一支美國巡洋艦和驅逐艦所組成的部隊，遂立即中途折回。於是日本當局又決定增強掩護兵力，使其包括「大和」和「武藏」兩艘巨型戰鬥艦在內，但當他們遠到新幾內亞附近的同一天，美國中太平洋部隊的航空母艦群已經開始向馬里亞納群島攻擊——於是日本海軍部隊立即兼程北返，以應付這個較大的威脅。所以美國兩支分別越過太平洋前進的部隊又再度發揮相互呼應以破壞敵軍平衡的功效。

在另一方面，雖然在比克島上的前進已經受阻，但麥克阿瑟並沒浪費時間，他又立即向附近的諾門福（Noemfoor）發動一個交替性的攻擊。在強大的空軍和海軍的轟擊之後，美軍於七月二日登陸，到六日即已占領島上的三個機場。

因為已無餘留的空中部隊，所以在新幾內亞主島上的日軍早已開始撤向弗格柯普半島的極西端。七月三十日，麥克阿瑟又派一個師在桑沙普角（Cape Sansapor）登陸，這次行動連攻擊準備的轟炸或砲擊都不需要，因為已知在這個半島上如此遙遠的地區中並沒有日軍的存在。美軍在那裡迅速的構築一道防線，並在其後方開始建築機場。

現在向菲律賓躍進的道路已經掃清，在新幾內亞西端有三座機場可供支援之用。至於還留在新幾內亞的五個日本師殘部也就可以不必加以理會，留給澳洲人慢慢去掃蕩。

馬里亞納群島的攻占——菲律賓海的會戰

由斯普勞恩斯的中太平洋部隊發動對馬里亞納群島的攻擊，象徵著美軍對日本內防圈的突入。從那裡，美國的轟炸部隊可以攻擊日本的本土，以及菲律賓、臺灣和中國大陸。同時，馬里亞納群島的攻占也使日本與其新近征服的南方帝國之間的交通線將遭到被切斷的威脅。

在馬里亞納群島中，也和其他的地方一樣，最重的島嶼就是那些上面有飛機場的——塞班（Saipan）、泰尼安（Tinian）和關島（Guam）。在這三個島上的日本守軍分別為三萬二千人、九千人和一萬八千人。在這個地區中的日本空軍實力名義上是有一千四百架飛機，但實際上卻遠少於此數，因為有許多已經送往新幾內亞，而另有許多已被密茲契（Admiral Mitscher）的快速航空母艦部隊所擊毀。自從二月以後，其航空母艦群即不斷的向這些基地發動攻擊。即令如此，日本人仍希望若從其他區獲得若干增援，則可有五百架堪用的飛機。他們在這個地區的海軍部隊，在小澤中將的指揮之下，分為三個兵團——四艘戰鬥艦所組成的主力戰鬥艦隊（第二艦隊），加上三艘輕型航空母艦，以及巡洋艦和驅逐艦等，由栗田中將指揮；由三艘艦隊（重型）航空母艦所組成的主力航空母艦部隊，加上一些巡洋艦和驅逐艦，由小澤親自指揮（即第三艦隊）；另有一支預備航空母艦部隊，由城島少將指揮，包括著兩艘重型航空母艦和一艘輕型母艦，加上一艘戰鬥艦，以及巡洋艦和驅逐艦等。

日本人已經準備一個對抗美國海軍越過太平洋進攻的計畫，並希望能把斯普勞恩斯的部隊引入陷阱，而將其航空母艦一網打盡。這個計畫本是在一九四三年八月，由聯合艦隊司令長官古賀大將所擬定，但在一九四四年三月底，當他把司令部從特魯克撤往菲律賓的納卯（Davao）時，他和他的飛艇（水上飛機）不幸失事墜毀，其遺缺遂由豐田大將繼任，後者對於原有的計畫作了一些修改。豐田的希望和目的是想把美國人的航空母艦部隊引到菲律賓以東的水域中，然後再使用小澤的強大航空母艦部隊和從各託管島上基地起飛的飛機，來對它們實施夾擊。

美國進攻馬里亞納群島的侵入艦隊是六月九日從馬紹爾群島出航，計畫在十五日登陸塞班島。兩天之後密茲契的航空母艦即開始對各目標島從事猛烈的轟炸，到十三日，美國的戰鬥艦也向塞班島和泰尼安發動猛烈的砲擊。同時，豐田大將也已下令發動「阿號作戰」（Operation A-Go）——那就是他們計畫已久的對抗行動——這個決定使他們放棄增援比克島和在新幾內亞繼續保持一個據點的企圖，其經過已如前述。

美國的侵入部隊包括三個陸戰隊師，另有一個陸軍師充任預備隊，密切支援的海軍部隊為十二艘護航航空母艦、五艘戰鬥艦和十一艘巡洋艦。在這些部隊的後面即為斯普勞恩斯的第五艦隊，那也是世界上最強大的艦隊，包括著七艘戰鬥艦、二十一艘巡洋艦和六十九艦驅逐艦，另外再加上密茲契所指揮的四個航空母艦群（共有航艦十五艘和飛機九百五十六架）。這個艦隊的任務是要把將近十三萬人的部隊從夏威夷和瓜達康納爾運往馬里亞納群島——其組織和執行都可以

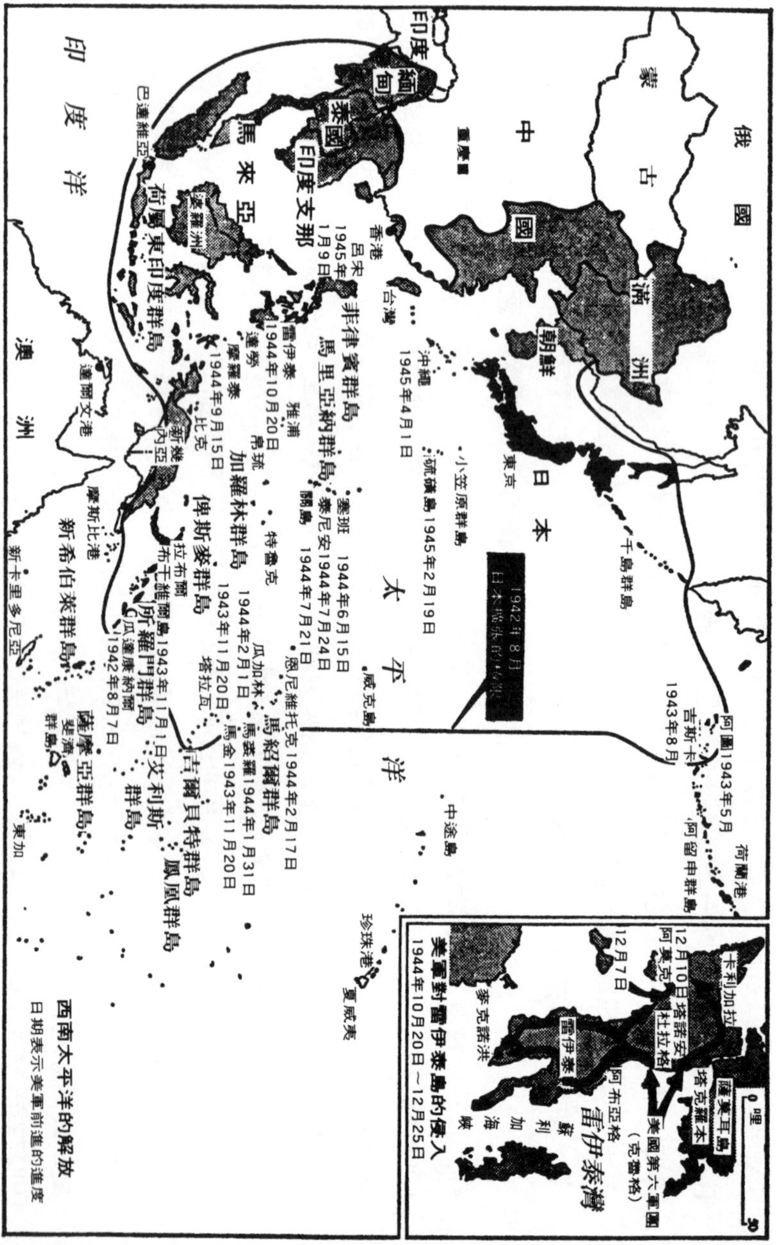
西南太平洋的解放
日期表示美軍前進的進度
美軍對雷伊泰島的侵入
1944年10月20日～12月25日
俄國
蒙古
中國
滿洲
朝鮮
日本
東京
重慶
印度
緬甸
泰國
印度支那
馬來亞
荷屬東印度群島
婆羅洲
印度洋
澳洲
太平洋
香港
台灣
呂宋
1945年1月9日
菲律賓群島
雷伊泰
1944年10月20日
沖繩
1945年4月1日
小笠原群島
硫磺島 1945年2月19日
千島群島
1942年8月
日本擴張的極限
阿圖 1943年5月
吉斯卡 1943年8月
阿留申群島
荷蘭港
中途島
威克島
珍珠港
夏威夷
馬里亞納群島
塞班 1944年6月15日
泰尼安 1944年7月24日
關島 1944年7月21日
雅浦
帛琉
特魯克
加羅林群島
恩尼維托克 1944年2月17日
馬紹爾群島
瓜加林 1944年2月1日
馬久羅 1944年1月31日
馬金 1943年11月20日
塔拉瓦 1943年11月20日
吉爾貝特群島
俾斯麥群島
拉布爾
新幾內亞
比克 1944年9月15日
摩羅泰 1944年9月15日
達爾文港
摩斯比港
布干維爾島 1943年11月1日
所羅門群島
瓜達康納爾 1942年8月7日
艾利斯群島
鳳凰群島
薩摩亞群島
斐濟群島
新希伯萊群島
新卡里多尼亞
東加
巴達維亞
卡利加拉
塔諾安
杜拉格
薩美耳島
塔克羅本
美國第六軍團（克魯格）
阿布亞格
蘇利加海峽
雷伊泰灣
雷伊泰
阿莫克
12月7日
12月10日
麥克諾洋
哩
0
30

說是極為卓越。

十五日上午，在海軍重砲、岸邊砲艇和發射火箭的飛機掩護之下，第一波陸戰隊在塞班島的灘頭上登陸——二十分鐘之內，八千名陸戰隊已被送上海岸，這是他們高度訓練水準的一項證明。但到入夜時，雖然登陸的兵力總數增到二萬人，但仍然都擠在灘頭上而未能向內陸作迅速的推進，因為日軍不僅控制著高地，而且也正在作猛烈的逆襲。

對於侵入部隊而言，一個雖較遙遠但卻更巨大的威脅是來自日本的艦隊，包括戰鬥艦和航空母艦在內——在那天上午被美國潛艦發現時正在向菲律賓海前進。斯普勞恩斯於是決定取消在關島登陸的企圖，把他作為預備隊的陸軍第二十七師也送上塞班島，以求迅速攻占這個主要的島，並將運輸船隻疏散到較安全的水域中去。第五艦隊本身則集結在泰尼安以西約一百八十哩的位置上，但卻不再向西移動，以防錯過日本艦隊。

這種防禦的位置被證明出來是很聰明的，直到此時為止，豐田的計畫似乎都發展得相當順利，不過有一個重要的差異就是他的鉗頭中有一邊已經不管用——因為密茲契的航空母艦飛機早已將馬里亞納群島上日本的航空部隊掃蕩殆盡。從六月十九日上午八時三十分起，小澤的航空母艦部隊即連續發動四次攻擊——但每次都事先為美國人的雷達所發現，於是都有數以百計的戰鬥機起而迎擊，而密茲契的母艦所載運的轟炸機攻擊島上的日本空軍基地。這次巨大的海空軍會戰，其結果變成一場屠殺，美國人戲稱之為「偉大的馬里亞納火雞射擊」。美國駕駛員對於經驗較差的日本人占了壓倒的優勢，後者損失飛機二百一十八架，卻只擊落美機二十九架。而更糟的是日本艦隊航空母艦中的兩艘，「大鳳」和「翔鶴」，上面都運載著更多的飛機，均被美國潛艇所發射的魚雷所擊沉。

小澤以為他的飛機已經降落在關島之上，所以仍徘徊在戰場的附近，捨不得離去，於是在下午遂被美國偵察機所發現。密茲契遂決定派其母艦上的二百一十六架飛機再去對小澤的部隊發動一次攻擊，雖然明知這些飛機在回船時將在天黑以後。在發現日軍的三小時之後，他的飛機已在執行攻擊，結果又擊沉一艘和擊傷兩艘艦隊航空母艦，另加兩艘輕型航空母艦、一艘戰鬥艦和一艘重巡洋艦，此外還擊毀其飛機六十五架。而美軍在戰鬥中總共損失飛機二十架，但在長夜的返航途中卻損失或撞毀了八十架。不過其乘員中的大部分都已獲救，因為小澤的艦隻早已逃出戰場，駛向日本南方琉球群島中的沖繩島。

到此時，日本人在這次會戰中所損失的飛機總數約達四百八十架之多，已超過其原有總數的四分之三，而他們乘員中的大多數也都死亡。日本的飛機和母艦受到如此高度比例的毀滅，實為一種非常嚴重的損失——不過到秋季時，其飛機和母艦已經大致補充起來。但更嚴重的卻是損失許多的駕駛員，那是一時無法補充的。這也就是說在最近的將來，若再發生任何的戰鬥，則日本艦隊將會受到嚴重的妨礙，被迫必須依賴其較傳統化的兵器了。

所以菲律賓海的會戰結果使日本人受到一次非常嚴重的失敗——美國海軍歷史學家莫里遜少

將（Admiral S. E. Morison）認為要比十月間的「雷伊泰灣會戰」（Battle of Leyte Gulf）甚至於還更重要。到菲律賓的道路現在已經暢通無阻，而在馬里亞納群島上的陸上戰鬥也就有了成功的確實保證。

在這一場海空會戰之後，馬里亞納群島的征服已經毋庸置疑，雖然陸上的抵抗仍然異常頑強。在塞班島南端登陸的三個師，在強大的空軍和海軍的支援之下，繼續不斷的向北推進，到六月二十五日已攻占具瞰制作用的高地塔波巧山（Mount Tapotchau）。七月六日，在塞班島上的兩位日本最高指揮官，海軍中將南雲（即襲擊珍珠港的航空母艦艦隊司令）和陸軍中將齋藤（第四十三師師長）同時自殺，以鼓勵其部隊作最後的攻擊。次日，殘存的三千名日軍向美軍戰線發動一次自殺式的衝鋒，幾乎全部作了無益的犧牲。這一個會戰中，日軍所付出的代價超過了二萬六千人，而美國人的損失則為死亡三千五百人，傷病一萬三千人。

七月二十三日，在塞班島上的兩師陸戰隊被送往泰尼安島，在一星期之內即已攻占該島，不過掃蕩的行動卻花了較長的時間。在泰尼安登陸的前兩天，原已分配用來侵入關島的部隊，也回來執行其任務，並且又獲得另一個陸軍師的加強——他們是因為避免小澤艦隊的威脅，而暫時撤退到安全水域中去的。雖然日軍的抵抗還是很頑強，而且得到隱藏的岩穴防禦網的幫助，但到八月十二日該島即告完全肅清。

馬里亞納群島的陷落，加上以後日本海軍的慘敗，足以明白的顯示出日本的情況已經岌岌可危，儘管驕傲的日本人仍然不肯面對現實。不過非常重要的卻是在這些戲劇化的演變之後，接著即為七月十六日東條內閣的總辭職。

四天之後，由小磯國昭出組新閣，其任務為對於美國的進攻尋求一較好的防禦對策。[1]雖然在中國大陸上的作戰仍須繼續下去，但主要的問題卻是菲律賓的防禦——其理由是認為這一個群島一旦喪失，則從東印度群島運來的石油補給即將被完全切斷，於是日本軍隊也就居於必敗之地。

即以目前而論，日本早因燃料的缺乏而感到難於應付。美國潛艇集中全力來擊沉日本的油輪，遂構成一個最重要的戰略因素。由於運回日本的油量日益減少，遂使其飛行人員的訓練計畫受到嚴重的影響。同時也迫使日本人將其艦隊留駐在新加坡，因為那裡比較接近石油補給來源——而等到需要運用這個艦隊時，必須從那裡讓它兼程趕赴戰場，並且也無法攜帶足夠返回基地的燃料。

戰爭進行到這個階段，美國部隊實在可以越過菲律賓，而直接跳向臺灣，或是跳向硫磺島和沖繩——金恩海軍上將（海軍軍令部長）以及其他的若干海軍將領都曾作這樣的主張。但是政治上的考慮，以及麥克阿瑟想要凱旋返回菲律賓的宿願，卻推翻了這些主張。

有幾個小目標是應該先行攻占的，因為那被認為對菲律賓的侵入足以構成必要的基礎。原定的計畫是首先攻占新幾內亞以西的哈馬后拉群島（Halmaheras）附近的摩羅泰（Morotai）

島，接著就是帛琉（Palau）群島、雅浦（Yap）島、達勞（Talaud）群島，然後才是民答那峨（Mindanao）——菲律賓群島南端的大島——在這些島上一路建立前進的空軍和海軍基地，以幫助對菲律賓的主力攻擊。不過在九月初，海爾賽（Admiral Halsey）的第三艦隊（該艦隊由斯普勞恩斯指揮時，稱為第五艦隊）發現菲律賓的海岸防禦是異常脆弱，於是他遂建議那些中間攻略的步驟可以完全取消。不過原定計畫的最初部分還是仍被保留下來，因為那是早已在進行中，而且被認為是一種額外的安全措施。

九月十五日，麥克阿瑟部隊中的一個支隊在摩羅泰登陸，幾乎沒有遭遇抵抗，到十月四日，美國的飛機已開始從那裡新建的空軍基地上起飛作戰。九月十五日，帛琉群島也受到海爾賽的中太平洋部隊的侵入，在幾天之內，即占領該群島的大部分。這使美軍的前進機場到民答那峨只有五百哩的距離，比關島近了一半以上。

麥克阿瑟和尼米茲的兩條越過太平洋的主要前進路線現在已經會合在一起，彼此位置在可以互相直接支援的距離之內——期能一舉收復菲律賓。

日本人對於菲律賓防禦所擬的計畫稱為「捷一號」（SHO-1），那是分為兩個方面。在陸上，是由山下奉文大將（馬來亞的征服者）所指揮的第十四方面軍來負責。他有九個步兵師、一個裝

1　譯者註：小磯為預備役陸軍上將，此時正在朝鮮任總督。

甲師和三個獨立旅，另外加上第四航空軍。此外，在馬尼拉附近的海軍部隊也由他指揮，並可以抽調二萬五千人參加陸上的戰鬥。不過這個計畫的主要部分是其企圖中的海上行動——日本最高統帥部現在準備在這裡作孤注一擲。一旦發現美軍登陸的位置之後，日本的航空母艦部隊就應引誘美國艦隊北上，而美國的登陸部隊則由山下奉文將其拘束，然後再由日本海軍的兩個戰鬥艦群來對其發動「鉗形」攻擊而將其殲滅。豐田的計算是相信美國人最重視航空母艦，認為它們的價值高於一切，所以只要一發現對方的航空母艦，就一定會捨命窮追，因為他們自己經常是用戰鬥艦來當作誘敵的香餌，而以航空母艦為打擊部隊。

這個計畫一方面受到日本航空實力日益減弱的影響，而另一方面又受到對戰鬥艦繼續信賴心理的鼓勵。由於兩艘巨無霸式戰鬥艦的完成，使日本海軍將領的自負和自信都提高了不少——「大和」和「武藏」要算是世界上最大的兩艘戰艦。兩艦的排水量超過七萬噸，裝有九門十八吋砲——在全世界上的軍艦中只有它們曾經裝有這樣多的十八吋砲。反之，日本人對於他們的航空母艦部隊及其所需要的飛機，卻不太注意，幾乎毫無新的發展。這也正是歷史上所常見的慣例，儘管他們在戰爭開始時是曾經獲得偉大的成功，但他們對於其教訓的應用卻遠較對方遲緩。

美國人比預定計畫提早了兩個月，在十月間即開始對菲律賓作次一步的大躍進。這些島嶼延伸達一千哩——從南面的民答那峨起，到北面的呂宋島為止：前者和愛爾蘭一樣大；後者則幾乎和英格蘭一樣大。第一個突擊是針對著雷伊泰島，那是中部小島中的一個島，這樣也就可以突破敵人的防線。麥克阿瑟的部隊——屬於第六軍團的四個師，由克羅格中將指揮——於十月二十日開始在那裡登陸。護送和支援他們的是金開德（Admiral Kinkaid）的第七艦隊——只包括舊戰鬥艦和小型的護航航空母艦。作為其後盾和掩護者又有海爾賽的第三艦隊——分為三個群，位於菲律賓偏東的水域，正在嚴陣以待。這是美國的主力艦隊，包含有較新的戰鬥艦和大型的航空母艦，而且都是快速的。

從十月十日起，屬於第三艦隊的密茲契航空母艦部隊開始發動空中攻擊，作為侵入的前奏，這樣持續了一星期之久，最主要的目標為臺灣，其次則為呂宋和沖繩。這些攻擊造成很大的毀滅效果，並且證明出來對於爾後的戰局發展具有非常重大的影響。在另一方面，日本的駕駛員對於戰果作了過分擴大的報告，使其政府在公報和廣播中竟然宣布已經擊沉十一艘航空母艦、兩艘戰鬥艦和三艘巡洋艦。實際上，這些美國航空母艦的攻勢已經擊滅五百多架日本飛機，自己只損失了七十九架——而且沒有一艘軍艦曾像日本人所宣稱的那樣被炸沉。因為暫時不明真相，遂使日本帝國大本營在得意之餘，命令所有其餘的部隊都向前推進以發動「捷一號」作戰。海軍部隊不久即發現這種捷報的荒謬並立即撤回，但是陸軍的計畫卻受到永久性的改變——鈴木（第三十五軍司令）的四個師當中的三個師奉命留守在菲律賓的南部，而未能照山下奉文的意圖，準備將他們轉用於北部的呂宋島上。

上文中已經說過，日本當局的計畫是要乘美軍登陸之際，集中一切可用的海軍隊來加以迎頭痛擊。在美軍登陸雷伊泰灣的前兩天，有一位美軍將領曾發了一份明碼的電文，遂使日本人獲得他們所需要的重要情報資料，作為反擊的指導。

豐田明知道這是一場賭博，但日本海軍的燃料完全仰仗於東印度群島，所以假使美國人攻占了菲律賓，則生命線也就會被切斷。戰後在接受詢問時，豐田對於他的計算曾作如下的解釋：

> 假使不幸賭敗，則我們可能會喪失整個艦隊，但我感覺到這個機會仍不應放過。……假使我們在菲律賓作戰中失敗，即令留下這支艦隊，而通往南方的航路已完全被切斷，那麼當它要想返回日本水域時，就不可能獲得燃料的補給。假使它若再繼續留在南方水域中，則也不能獲得彈藥和裝備的補給。所以若犧牲菲律賓以求保留艦隊實屬毫無意義。

用來誘敵的為小澤的部隊，它從日本南下。它包括四艘堪用的航空母艦，以及兩艘改裝作航空母艦之用的戰鬥艦[2]，這支部隊除了誘敵以外也無其他的價值，因為其飛機總數已經低於一百架，而大多數的駕駛員也都缺乏經驗。

所以在這一次生死關頭的大賭博中，日本人所依賴的即為一個舊式的艦隊——共有七艘戰鬥艦、十三艘巡洋艦和三艘輕型航空母艦——從新加坡地區前來。其指揮官栗田中將，派遣一個支隊從西南方經過蘇利加海峽（Surigao Strait）進入雷伊泰灣，而他本人則親率主力從西北方經過聖貝爾納地諾海峽（San Bernardino Strait）前進。他希望能夠把麥克阿瑟的運輸船團和護航軍艦夾在他的兩道牙床之間加以咬碎。

他相信「大和」和「武藏」用它們的十八吋砲能夠輕鬆的擊沉那些較老式的美國戰鬥艦，並且也相信它們是永遠不會沉沒的，因為它們有裝甲的甲板和許多水密隔艙。而且海爾賽的航空母艦部隊若被引離現場，則空中攻擊也就不會太嚴重。當栗田突入雷伊泰灣之時——這個攻擊是預定在十月二十五日發動——日本人希望美國的航空母艦是應該早已被引走了。

但是誘敵之計並沒有發生作用。二十三日夜間，栗田的部隊碰上了兩艘美國潛艇，「標魚」號（Darter）和「鰷魚」號（Dace），它們正在婆羅洲沿岸水域中巡弋。這兩艘潛艇立即加速北返，利用黑暗的掩護，浮出水面以全速急駛，所以始終能夠趕在日本艦隊的前面。等到天一亮時，它們就潛入到潛望鏡的深度，等候日本艦隊的到來，然後在近接的射程發射魚雷——這樣擊沉了兩艘日本巡洋艦，並擊傷了另一艘。栗田本人正在這艘領先的巡洋艦上，雖然在船隻沉沒時他已被救起——以後移駐「大和」艦上——但那卻是一次驚心動魄的經驗。同時，美國的海軍將領現在已經知道敵人的到來和他們的實力有多大。

當小澤聽到栗田與潛艇衝突的消息時，他趕緊設法使敵人知道他已經從北面來了，他一再發

2 譯註：即伊勢和日向。

出明碼的電報以期吸引海爾賽的注意。但美國人卻並未收聽到他的電訊，同時他也未被任何美國偵察機所發現，因為那些飛機都已派往西面監視栗田的部隊去了！

不久海爾賽的航空母艦就出動他們的轟炸機和魚雷轟炸機，一波又一波的向栗田的艦隊發動攻擊。僅當日本陸上基地的飛機（從島嶼上起飛）和小澤航空母艦上的飛機發動救援攻擊時，美國人的攻擊才間斷。這些攻擊的日本飛機均被擊退，被擊落的飛機超過總數的百分之五十，不過美國航空母艦「普林斯頓」號也遭重創而被迫放棄。

在攻擊栗田的艦隊時，美國海軍飛機曾獲得較大的成功。因為巨無霸式的「武藏」號在受到第五次攻擊之後，終於傾斜而沉沒——一共中了十九顆魚雷和十七顆炸彈。雖然美國駕駛員的報告說還有另外三艘戰鬥艦和三艘重巡洋艦也被擊重傷，實際上卻只有一艘重巡洋艦因為受創太重而不能繼續前進。不過在第五次攻擊和「武藏」號被擊沉之後，日本艦隊遂開始轉過頭來向西行駛。

從空中觀察員方面獲得這個報告之後，海爾賽認為栗田已經在撤退。由於事實上在栗田部隊的各部分之內都不曾發現有航空母艦，遂促使海爾賽派出其偵察機去作較廣泛的搜索，結果大約在下午五時，才發現小澤的部隊正在向南行駛。於是海爾賽遂即決定向北加速前進，以便於拂曉時對其作迎頭痛擊。他的格言一向就是：「要做什麼就要趕快。」為了要想確實殲滅小澤的部隊起見，他把他所有的艦隊都一齊帶走，而不留下任何部隊來看守聖貝爾納地諾海峽。

在他向金開德發出一個電訊，宣布其決心之後僅僅一刻鐘工夫，就從一架夜間偵察機上接獲一項新的報告，說栗田的部隊已經回頭，又以高速向海峽行駛。海爾賽對於這個報告置之不理。他一向喜歡作大膽冒險的行動，現在感覺到機會來了而不可放過，而不考慮其他的可能性。在戰爭初期由於他這樣盲目的衝動，曾經使他獲得一個很適當的綽號——「蠻牛」（The Bull）。

栗田的撤退只不過是暫時躲避空中攻擊而已，他的企圖是準備利用夜間的掩護再捲土重來。除了「武藏」號被擊沉以外，他的其他較大軍艦都沒有一艘曾經受到嚴重的損害——這與美國駕駛員的樂觀報告完全相反。

下午十一時，海爾賽已經向北行駛一百六十哩，而偵察機又再度發現栗田的艦隊——仍繼續向聖貝爾納地諾海峽行駛，只差四十哩的距離。海爾賽現在已經不能漠視栗田的這個前進了，但他卻仍然不承認這個威脅的嚴重性。他認為這種再度的前進只不過是一種犧牲性的努力，每當一支日本艦隊受到重大的損失之後，往往會採取這種傳統性的自殺路線。所以他仍然繼續北進，並很有信心的假定金開德的艦隊能夠輕鬆的擊退這一個被他認為實力早已嚴重減弱的攻擊者。

所以日本人的香餌，雖然並不曾在預定的時間發生作用，但最後卻還是被美國人吞下了。

金開德艦隊的情況是極為危險，因為他犯了雙重的錯誤。由於栗田的南面支隊的出現，並正在向蘇利加海峽前進，遂使金開德的注意力完全集中到那一方面去了，於是他就集中其部隊的大部分來應付這個威脅。他又假定海爾賽戰鬥艦隊的一部分仍在繼續掩護著聖貝爾納地諾海峽的北端出口，因為海爾賽並不曾明白的告訴他其全部艦隊都已離開。更糟的是金開德也不曾採取警戒措施，即不曾派遣任何偵察機去看一看有無敵人從那個方向前來。

經過一場激烈的夜戰，日軍南面支隊的攻擊終被擊敗——大部分應感謝美國雷達所供給的「夜間瞄準」，那是遠比日本海軍的為優。日本人的另一個不利形勢為他們的船隻在通過狹窄的蘇利加海峽時必須成一線行駛，於是也就暴露在奧登多夫（Admiral Oldendorf）的戰鬥艦群橫T隊的集中火力之下，兩艘日本戰鬥艦被擊沉，使這支攻擊部隊幾乎全軍覆沒。當天亮時，海峽中除了漂浮的廢材和油漬以外，已經完全不見敵人的蹤影了。

但在金開德發出其祝捷的電報幾分鐘之後，又送來另一個電報，上面說有一支遠較強大的日本部隊——即栗田的主力艦隊——已經從西北方下來，通過聖貝爾納地諾海峽，已經進到薩莫耳島（Samar）東岸附近，正在攻擊金開德艦隊留在那裡的一個較小部分——這一部分是掩護麥克阿瑟在雷伊泰的各登陸點。

這支用來支援陸軍侵入部隊的小型海軍部隊包括六艘護航航空母艦——用商船改造的——和少數的驅逐艦。在巨無霸式的「大和」號和其他三艘日本戰鬥艦的重砲威脅之下，他們匆匆的向南逃走。

在獲得此項驚人的消息之後，金開德在上午八時三十分，發出一個急電給海爾賽，其內容為：「緊急需要快速戰鬥艦立即駛向雷伊泰灣」。上午九時金開德又發出另一份緊急求援的電報，這一次用的是明碼而不是密碼。但海爾賽卻仍繼續向北行駛，一心要達到其毀滅小澤航空母艦部隊的目的。儘管金開德的一再求援，他卻發了牛性，堅持不肯改變他的航向——並以為金開德的航空母艦飛機能夠阻止栗田的攻擊，以等待金開德艦隊的主力（包括其六艘戰鬥艦在內）回師救援。不過，他卻也曾命令此時還留在加羅林群島的另一支由麥坎少將（Admiral McCain）所率領的小型航空母艦和巡洋艦支隊，迅速前往援助金開德，但這支部隊卻遠在四百哩以外——比他自己的位置還要遠五十哩。

此時，由於那幾艘美國驅逐艦以及那些仍可使用的飛機的英勇努力，已使栗田的南下衝力略為減低——他們是正在拚死掩護六艘護航航空母艦作撤退的行動。有一艘護航航空母艦和三艘驅逐艦被擊沉，但其餘的儘管受到很大的創傷卻都安全逃脫。

剛剛過了上午九時，栗田停止追擊然後轉向雷伊泰灣行駛。在那裡有大批的美國運輸船和登陸艇正在等候他去攻擊。他距離進口處已不到三十哩。

但在進行攻擊之前，他卻必須稍事休息以來集中他的船隻，因為在追擊戰鬥中，它們已經分散得很遠。這種旋轉和停頓又使美國人誤以為栗田是在他們的飛機和驅逐艦攻擊壓力之下，而準備自動撤退。但不久他們就知道這又是幻想，於是金開德遂再向海爾賽發出緊急求援的呼籲：「情況又非常嚴重。護航母艦再度受到敵方水面部隊的威脅。急需援助。護航母艦正向雷伊泰灣撤退。」

這一次海爾賽對於呼籲有了反應。到現在（上午十一時十五分），他的飛機已使小澤的部隊受到重創，雖然他所熱望的用他的戰鬥艦來擊沉那些日本航艦的目的尚未達到，不過他現在卻已經決定克制他的願望，並立即率領他的六艘快速戰鬥艦和三個航空母艦群中的一個群加速回航。但由於追趕小澤，他已經向北走得太遠，所以在次日上午以前他是不可能到達雷伊泰灣。甚至於連麥坎的航空母艦部隊也都隔得太遠，還要再過幾個小時才能使他的飛機投入戰鬥。所以當中午栗田的艦隊正要進入灣內時，雷伊泰的情況實在是已經非常危殆。

但栗田卻突然北返——這一次是真的走了。其原因安在呢？他所截獲的敵方通信對於他的心理產生了累積的效果。這是一個無線電的通報，要所有美國護航母艦上的飛機降落在雷伊泰島上，這本是一種緊急措施，以避免他們與航空母艦同歸於盡。栗田卻誤以為美國人是準備從陸上基地對他的船隻發動較集中的攻擊。幾分鐘之後，他又截獲了金開德在上午九時發給海爾賽的明碼求援電報。根據這份電報他反作了一個錯誤的結論，以為海爾賽早已向南急駛超過三小時之久，因為栗田早已與小澤喪失聯絡，所以他不知道海爾賽已經向北走了多遠。同時，他對他自己的缺乏空中掩護也深感憂慮。

這種混亂的通信竊聽所產生的最嚴重效果，是使栗田誤認為已有一部分美國援兵正在他的北面，距離已在七十哩之內，並且也已接近其通過聖貝爾納地諾海峽的退卻線。所以他遂決定放棄對雷伊泰灣的攻擊，並迅速北返以應這個想像中的威脅——否則等到敵軍獲得增援之後，他的退卻線即有被切斷之虞。

這是歷史上許多例證之一，足以顯示決定會戰勝負的因素往往是幻想多於事實。在指揮官心理上所造成的印象往往比任何實際攻擊及其物質效果更有分量。

當栗田達到聖貝爾納地諾海峽時，他發現那裡並無敵人，於是就從那裡溜過而向西退卻。雖然由於沿途躲避空中攻擊而一再延遲，當他到達那些瓶頸時已經快至下午十時——但是兼程南返的海爾賽部隊卻還要再過三個小時才能到達那裡。

日本戰鬥艦的成就是如此的渺小，不過總算是逃脫了，但是日本四艘航空母艦的全軍覆沒，卻還是得不償失——其中的第一艘「千歲」號，約在上午九時三十分，被密茲契的第一次攻擊所擊沉，而其餘的三艘（千代田、瑞鶴、瑞鳳）則是在下午，當海爾賽已經親率其主力南返之後才先後沉沒的。

雖然是四個分別的和獨立的行動，但被總稱為「雷伊泰灣會戰」——它要算是有史以來最大規模的海戰。全部參加的軍艦為二百八十二艘，另外還加上飛機數百架，而一九一六年的「日德蘭會戰」則只有二百五十艘軍艦參加，另加五架水上飛機而已。假使說六月間的「菲律賓海上會戰」具有較多的決定性，因為它曾使日本海軍航空實力受到嚴重的打擊，那麼這個四合一的「雷伊泰灣會戰」卻是能夠收穫戰果和解決問題的。在這一次會戰中，日本人的損失為四艘航空母艦、三艘戰鬥艦、六艘重巡洋艦、三艘輕巡洋艦，和八艘驅逐艦——而美國人則僅損失一艘輕航空母艦、兩艘護航航空母艦，和三艘驅逐艦。

值得一提的，在這次會戰中同時也看到一種新戰術的首次被使用——那是很難對抗的。在栗田「中央部隊」的強大壓倒性攻擊之下，金開德第七艦隊的護航航空母艦雖能倖免於難，但在栗田撤退之後，他們卻又遭受到第一次有組織的「神風」攻擊——那是由一群志願犧牲的駕駛員來執行的。他們在執行自殺任務時是決心以他們的飛機與敵方的船隻碰撞，以使其起火燃燒和發生爆炸。不過在他們第一次試用時，只擊沉一艘護航航空母艦，和擊傷另外的幾艘。

這次會戰的主要價值是擊沉小澤的四艘航空母艦。若無任何航艦的支援，六艘殘餘的日本戰鬥艦也就變得孤掌難鳴，所以此後它們對於戰爭即再未發生任何積極的作用。雖然海爾賽的向北追擊曾經使其餘的美軍部隊暴露在嚴重的危險之下，結果卻反而證明他並沒有錯。此外它也揭穿有關戰鬥艦神話的虛偽，並證明出來把信心寄託在此種過時落伍的巨大怪物身上實在是愚不可及。他們在第二次世界大戰中的唯一重要價值即為對海岸的轟擊——很夠諷刺的，這種任務在過去的時代是被認為不適當的，和對其本身具有太大的易毀性。

日本人是決定為雷伊泰而戰，並且以此為他們對菲律賓防作戰的核心，但這個決定卻來得太遲，遂使從呂宋調來的援軍（約近三個師）未能趕在美軍擴大其立足點之前達到該島。美軍首先從他們的登陸點出擊，攻占在東岸附近的杜拉格（Dulag）和塔克羅本（Tacloban）兩個機場。接著又從兩翼延伸，他們於十一月二日到達北岸上的卡利加拉灣（Carigara Bay），以及從東岸下來一半距離的阿布亞格（Abuyog）。這種擴張的努力不僅攻占下五個日本飛機場的全部，使這個島上原有的一個師敵軍發生混亂，並且也破壞了鈴木（第三十五軍）想把其增援各師兵力集中在卡利加拉平原上的計畫。

克羅格的次一企圖為繞過該島山脊的兩端，作一個兩面的迂迴，以攻占在西岸上阿莫克（Ormoc）的日軍主要基地。但是大雨妨礙了美軍修建所占的機場以支援此一向心攻擊的工程，日軍乘著這個空隙，以兩師援兵於十一月九日在阿莫克登陸。雖然運輸和護航的船隻損失極為嚴重，但日軍的增援還是源源不斷的投入。到十二月初，日本人已經把他們在雷伊泰島上的兵力從一萬五千人增到六萬人。不過到此時，克羅格的兵力已經增到十八萬人以上。為了要想加速進度，他把一師生力軍送到西岸上，就在阿莫克的正南方登陸，這樣也就突破了敵人的防線，並於三天後（即十二月十日）進占那個基地港口，並未遭到太多的抵抗。此後，日本的飢餓軍隊即迅速崩潰，到聖誕節時，一切有組織的抵抗都已結束。所以，山下奉文遂不得已仍舊回到他的原有觀念，即集中全力據守呂宋本島，但現在環境卻已變得較前惡劣，而兵力也已較前減少。

在這幾個緊要的星期當中，海爾賽第三艦隊的三個快速航空母艦群，都停留在菲律賓群島的附近，不顧日益激烈的「神風」特攻隊，繼續不斷的對麥克阿瑟所部提供支援。日軍的「神風」特攻隊曾經造成很大的損害，有兩艘航空母艦遭受重創而必須撤回大修——不過直到十一月最後一個星期，這些航艦才被放走。

麥克阿瑟雖以呂宋為其主要目標，但作為一個預備步驟，他決定先攻占中間的明多羅（Mindoro）島，以便替他的航空母艦部隊美國陸軍第五航空軍，在那裡建立基地，以掩護海運部隊向呂宋的進路。這是一個冒險的行動，因為明多羅距離雷伊泰灣差不多有三百哩，而它對日本人在呂宋的機場，尤其是在馬尼拉附近的機場群，是遠較接近。但是在明多羅日軍駐軍只有一百人，所以在十二月十五日美軍登陸之後，在幾個小時內，四個被日本人所放棄的機場遂被占領——並且立即加以擴建，其工程進度是如此的迅速，所以在月底以前，美國的陸軍飛機即可從那裡起飛作戰。在這個過程中，海爾賽的快速航空母艦部隊也不斷的轟炸呂宋的機場，並在上空構成一把戰鬥機掩護傘，以阻止日本轟炸機起飛攻擊明多羅和它的沿海水域。故其功勞實不可沒。

一月三日，美國海運部隊從雷伊泰灣出發——一共有一百六十四艘船艦，包括六艘戰鬥艦和十七艘護航航空母艦——在金開德和奧登多夫指揮之下。一月九日，到達仁牙因灣（在馬尼拉以北一百一十哩）——四年前日軍就是從這裡開始侵入菲律賓。一月十日上午，克羅格的第六軍團就有四個師開始登陸——另有兩個師跟在他們的後面。

海爾賽艦隊的快速航空母艦部隊曾經提供極大的協助，尤其是以對抗「神風」攻擊為然，現在更足以對船隻造成日益嚴重的損毀。在掩護仁牙因灣登陸之後，這支航空部隊又向中國海作一次深入的突擊——在印度支那、華南、香港、臺灣和沖繩的日本基地和船隻都曾受到普遍的攻擊。這就證明出來日本南方帝國的脆弱性。

此時，克羅格的部隊正從仁牙因灣向南推進，面對著強烈的抵抗，以馬尼拉為目標。為了幫助他們的加速前進，並阻止日軍退入巴丹半島，麥克阿瑟又於一月二十九日派了另外一個軍在接近那個半島的地區登陸。兩天之後，一個空降師又在馬尼拉南面約四十哩的納蘇布（Nasugbu）著陸，並未遭遇抵抗。此時，克羅格的部隊也已經到達馬尼拉市的郊外，山下奉文的部隊已經向山地撤退。

不過，海軍基地指揮官岩淵少將卻仍在繼續據守馬尼拉。雖然山下奉文已經下令把馬尼拉當作一個開放城市，但他卻拒絕服從，並瘋狂的在城內實行激烈的巷戰，延續達一個月之久——使這個城市受到嚴重的破壞。直到三月四日，馬尼拉才完全肅清。在這個階段內，巴丹半島已經收復，而柯里幾多（Corregidor）這個要塞島嶼上的日軍於堅守了十天之後也為美軍所收復。到三月中旬，馬尼拉港已經可供美國船隻的使用，不過在呂宋山地中，在民答那峨以及某些南部小島上卻仍有日軍負隅頑抗，其掃蕩的過程還要很久才能結束。

對硫磺島的攻擊

自從在菲律賓群島上的要點被攻占之後，美國人開始熱烈的希望迅速前進，和攻擊日本的本土，而不再想採取麥克阿瑟的原有觀念——先攻占臺灣或中國沿海的一部分，作為攻擊日本的空軍基地。但參謀首長聯席會議卻還是一致同意認為有首先攻占硫磺島（Iwo Jima）和沖繩（Okinawa）作為戰略踏腳石之必要。前者屬於小笠原（Bonin）群島，位置在塞班島與東京之間的中點上；後者屬於琉球群島（Ryukyu Islands），位置在日本西南端與臺灣之間的中點上。占領了這兩個接近的島嶼基地，有助於對日本的空中轟炸。

硫磺島被認為是一個比較容易的行動，所以也就決定先動手。此外由於B-29超級空中堡壘自十一月底起即已從馬里亞納群島起飛轟炸東京，所以很需要這個島作為緊急降落之地，而且護送他們的戰鬥機也需要這樣一個基地——因為還沒有任何的戰鬥機能夠飛完這個全程。

硫磺島是一個火山島，只有四哩長，島上除了駐軍以外便無其他的居民。在九月以前，駐軍還不多，所以也就不能作太大的抵抗，但此後不久，守軍人數即已增加到大約二萬五千人，而其指揮官栗林中將已經把防線發展成為一個岩穴網，不僅有良好的掩護，而且更有深入的隧道連接其間。他的目的就是盡可能堅守下去，由於美國人擁有巨大的海空軍優勢，也就明知沒有增援的可能。他所依賴的就是其陣地的單純防禦力量，並避免那種代價高昂的日本傳統式反擊。

對硫磺島的攻擊，尼米茲把任務托付給斯普勞恩斯上將，他在一九四五年一月底，從海爾賽手中接管第三艦隊的指揮權——而這支艦隊從這個時候起又再度改名為第五艦隊，另外配屬給他三個陸戰師作為登陸部隊。空中和海上的準備射擊是太平洋戰爭中空前長久的一次：從十二月八日起每天加以空中攻擊，從一月三日起又改為日夜轟炸，而最後三天則加上更猛烈的海軍砲擊。

但令人感到失望的是這些火力對於深入地下的日軍防禦工事幾乎不曾發生任何的效力。當美國海軍陸戰隊在二月十九日上午登陸時，他們立即遭遇到猛烈的迫擊砲和一般火砲的射擊，長時間被釘在灘頭上不能活動，在登陸的三萬人當中，第一天就損失了二千五百人。

在以後的若干日內，陸戰隊幾乎是一碼又一碼的慢慢地前進，並且從空中和海上獲得足夠的和經常的火力支援。當密茲契的快速航空母艦部隊在東京作了他們的大規模空襲之後，也被召回增援，於是火力更形增強。經過五個多星期的苦戰，直到三月二十六日，這個小島才算被征服，美國陸戰隊的戰鬥傷亡到此時已增加到大約二萬六千人——約為全部登陸兵力的百分之三十。日軍的抵抗是如此的頑強，結果是戰死了二萬一千人，而被俘者則僅為二百人。零星日軍的掃蕩花費兩個多月的時間才結束，結果使被殺死的日軍總數增到二萬五千人以上，而被俘總數僅不過一千人而已。在三月底以前，三個飛機場即已準備就緒，直到戰爭結束之日為止，B-29轟炸機一共曾在那裡作過大約二千四百次的著陸。

緬甸戰役：從英法爾到一九四五年五月仰光的克復

雖然一九四四年春季日軍攻勢在英法爾的受阻要算是一次嚴重的挫敗，但其程度並不足以動搖其對於緬甸的控制。一切就要看英軍能否作有效的追擊，而為了這個目的，英國人的補給系統也就必須有更充分的發展。

六月三日（一九四四年）英美聯合參謀首長會議所給予蒙巴頓的訓令曾規定其任務為利用已經分配給他的兵力，去擴大對中國的空中聯絡，並設法打通一條陸上交通線。雖然並未特別提到，但緬甸的收復已為意料中事。被考慮的主要計畫有兩個：（一）「首都作戰」（Operation Capital）為一個陸上的攻擊，以收復緬甸北部及中部為目的；（二）「吸血鬼作戰」（Operation Dracula）為一個兩棲作戰，以收復緬甸南部為目的。後者有產生較大效果的希望，但必須依賴外來的補給。在當時的環境中，史林將軍（Gen. Slim）和美國人都寧願採取陸上進攻的計畫。所以，雖然兩個計畫都在奉命準備，而重點卻是放在「首都作戰」方面。

雖然印度已經發展成為一個主要的基地，而從印度到緬甸的交通也大為改進，但是要使對緬甸的侵入行動真正迅速有效，則還有許多事情要做，從根本上來說，主要問題都是後勤性的而不是戰術性的。儘管陸上交通和內陸水運都已有了改進，但史林的第十四軍團仍舊要依賴空運補給，而這又必須有賴於美國運輸機的適當援助。

一九四四年的下半年主要就是花在這些發展之上，以及對於指揮機構的改組。最重要的特點即為把空運補給系統放在一個叫作「戰鬥物資特遣隊」（Combat Cargo Task Force）的統一司令部之下。此外，情報機構也已經加以協調，而「特種部隊」單位則已被解散。十月間，史迪威因為性情頑固，由於蔣委員長的堅持而被調走，代替他出任蔣委員長參謀長和指揮中國軍隊的人為魏德邁將軍（General A. C. Wedemeyer），於是改組的工作也就獲得很多的便利。十一月間，原在義大利指揮第八軍團的李斯將軍，被派充任東南亞聯軍陸上部隊總司令，位在蒙巴頓之下。

十月中旬，當季風雨停止之後，地面也就轉趨乾燥，史林遂開始發動「首都作戰」，首先在中央方面推進。他集中斯托福（Stopford）的第三十三軍，在開巴（Kabaw）河谷的南端上，以攻占卡侖約（Kalemyo）和卡里瓦（Kalewa）為目的（後者在英法爾以南一百三十哩），然後於十二月中旬左右在卡里瓦渡過更的宛江並建立一個橋頭陣地，此時再由梅賽費（General Messervy）所率領的第四軍前來增援，並繼續朝東南前進，以攻占孟瓦（Monywa）和瓦城（Mandalay）為目的（距離卡里瓦一百六十哩）。

在另一方面，日本統帥部正面對一個較大和較近的威脅，即美軍對菲律賓的攻擊，所以已無餘力來對緬甸方面作任何的增援，但它卻告訴其司令木村中將必須盡量堅守以阻止敵軍重開滇緬公路，或進向馬來亞。日軍達成此種防禦任務的希望是很微弱的，因為他們自己所發動的長期英法爾攻勢已經把兵力消耗得太多。在中央戰線上，日本第十五軍只有四個不足額的師，總數一共只有二萬一千人，而面對著的敵人卻有八個或九個強大的師，而其唯一的增援就是來自緬甸南部的兵力——這支兵力一經調動之後，仰光也就會處於暴露的地位。雖然史林的部隊有一部分被保留著，俾供發動「吸血鬼作戰」之用，但他仍然享有數量的優勢。他不僅有數目較多的師，而且所有的師都比日本的師要強大得多，此外也還有較強大的裝甲支援，以及明顯的制空權。基於這些鐵硬的事實，日本人也就承認他們可能必須撤出緬甸北部，但卻仍然希望守住一條類似掩護瓦城和仁安羌油田的防線（即向南撤退一百四十哩，直達伊洛瓦底江之線）。

當英軍在中央戰線上的攻勢正在發展之際，在阿拉干和緬甸北部兩個地區的輔助作戰也都得到成功而結束。

當季風一經停止之後，克里斯狄生（Christison）的第十五軍所要達到的目的即為肅清阿拉干，奪占阿恰布島以作其空軍基地，然後再抽出部隊來參加主要作戰。為了達成他的任務，克里斯狄森手上有三個強大的師，其所面對的日軍號稱第二十八軍，司令為櫻井中將，但卻只有兩個微弱的師。英軍於十二月十一日開始前進，並於二十三日迅速攻克在半島頂端的頓貝克（Donbaik），一星期之後，又克復馬由河東岸上的拉特道（Rathedaung）。此時克里斯狄森的第三個師已向內陸深入，正在肅清卡拉丹（Kaladan）河谷。為什麼缺乏抵抗的原因是由於日軍正在從阿拉干地區撤退。這也就加速攻占阿恰布計畫的執行——當英軍於一月四日占領該島時，發現它已被日軍放棄。

由於還需要更進一步的空軍基地，遂使克里斯狄生又計畫攻占蘭里（Ramree）島，那是向南還要再前進七十哩，並且也於一月二十一日很輕易的占領——因為日軍現在最關心的即為扼守通往伊洛瓦底江下游的山地隘道，以防英軍突入緬甸中部。日軍的後衛堅守這些隘道到四月底為止，這樣才使櫻井的殘軍有安全撤出阿拉干地區的機會。不過他們那種艱苦的防禦戰之所以能夠成功，下述事實也是主要因素之一——克里斯狄森現在正忙於準備「吸血鬼作戰」，因此一大部分部隊都已經抽回。

在中國大陸方面，一九四四年的作戰進行並不順利。於是這也使「三叉戟會議」（Trident Conference）有關飛越「駝峰」（Hump）的空運補給優先次序的決定不能不有所改變。現在的重點是放在對中國陸軍的增強方面，而美國在中國的戰略空軍反在其次。

在緬甸北部戰線上，史迪威的部隊（大部分都是中國軍隊）在春季裡對著本田的第三十三軍（共有三個微弱的師），企圖通過密支那前進，以達滇緬公路的北側面，但卻沒有太多的進展。不過在秋季裡，由於久戰兵疲的「擒敵」（Chindits）部隊已由第三十六印英師所替換，情況始稍有改善。

在魏德邁接替史迪威之後，情況遂又獲得更進一步的改善。在他之下，另一位新來的美軍將領蘇坦將軍（General Sultan）也接管「北部戰鬥地區指揮部」（Northern Combat Area Command），簡稱NCAC。

十二月間，蘇坦的部隊，連同其所餘留下來的兩個中國師，已作較迅速的進展，本田的殘兵被迫朝東南退向瓦城。二月中旬，滇緬公路的西中段已無敵蹤，到四月間，其全程從瓦城到中國均已再度打通。

一九四四年十一月中旬，斯托福的第三十三軍已經在更的宛江上建立一處橋頭陣地，而梅賽費的第四軍則向東攻入稅布—瓦城（Shwebo-Mandalay）平原，並在班毛克（Bannauk）與費斯丁（Festing）的第三十六師取得聯繫，後者此時已經在伊洛瓦底江上，向南挺進到了印道和開泰（Katha）。由於未曾遭遇抵抗，可以證明日本人是正從稅布平原撤退，並退向瓦城附近伊洛瓦底江上的陣地，這樣也就使史林大感失望，他本來希望能在這個比較開闊的平原上，使用其優勢的裝甲、砲兵和飛機以圍殲敵軍的。於是史林遂修訂他的計畫。當斯托福的第三十三軍（相當於三個師的兵力）從北面繼續向瓦城迫進，並在伊洛瓦底江上獲得渡口時，第四軍（也相當於三個師的兵力）從卡侖約向正南前進以達米塔（Myittha）江的河谷，其行動以盡量保密為原則，然後從甘高（Gangaw）向東南移動，以求在薄哥（Pakokku）附近的伊洛瓦底江上獲得一個渡口，其目的是要在扼守瓦城的日軍後方，即在密特拉（Meiktila）的附近，建立一道戰略性的阻塞線——以期切斷他們向南的退路，同時也使他們無法從仰光獲得補給。這個中央方面的全部包圍計畫，其成敗的關鍵繫於後勤問題的解決，而尤其是適當的空運補給。

到一九四五年初，當第四軍仍在準備其深入的側面迂迴運動時，斯托福的第三十三軍遂繼續向南面的瓦城推進。一月十日占領稅布，二十二日又到達在更的宛江上的孟瓦，他的另一個師則早在瓦城以北五十到七十哩的地方，獲得伊洛瓦底江上的渡口——這就構成三路進兵的威脅。除了在瓦城的對岸邊有一支外圍部隊以外，其他的日軍都已退至伊洛瓦底江的東岸上。

史林新的計畫的執行幾乎是完全合於理想。梅賽費於二月十日攻占薄哥附近的康拉

（Kahnla）即為行動開始的訊號。二月十四日，他領先的那個師在薄哥以南的揚古（Nyaunga）附近，建立了一個橋頭陣地，那個地段是由所謂印度國民軍的部隊來防守的，所以很容易就將其擊潰。梅賽費的打擊部隊是由柯萬將軍（General Cowan）指揮，包括特別摩托化的第十七師，另外加上一個戰車旅。這支部隊通過這個橋頭陣地，於二十四日攻占陶泰（Taungtha），並於二十八日到達密特拉的郊外。當一支日軍又重占陶泰時，其交通線曾暫時被切斷，但空運仍能使其獲得有效的補給，於是經過兩天的戰鬥之後，又終於在三月三日攻克密特拉。柯萬在此時是盡量設法保持他的主動，他使用小型的步兵縱隊附以戰車，分別朝著不同的方向作一連串富有積極精神的突襲，以使日軍莫知所措。

日軍是處於一種危殆的情況——在瓦城周圍正遭受重大的壓力，而其後方交通線又已感受威脅；此外在地面上的數量遠居劣勢，而在空中則幾乎毫無掩護。儘管如此，他們卻還是拚命的苦戰不退。英軍曾對他們在瓦城方面的據點杜福寧堡（Fort Dufferin）一再發動猛攻，但均被擊退。同時，日軍也在密特拉地區中發動一個死裡求生的反擊，以期打通其交通線。兩個師從南向北進攻，另一個師則從瓦城南下夾擊。所有這些部隊現在都由本田的第三十三軍指揮（它是從北面和滇緬公路上撤回的）。在三月中旬，這一場戰鬥已經發展到了緊急階段，但到三月底，日軍的反擊已完全被擊敗，並被迫放棄其企圖。此時，斯托福終於在三月二十日先後攻占杜福寧堡和瓦城。在認清大勢已去之後，日本第十五軍才放棄其堅守瓦城的企圖而向南撤退。於是緬甸中

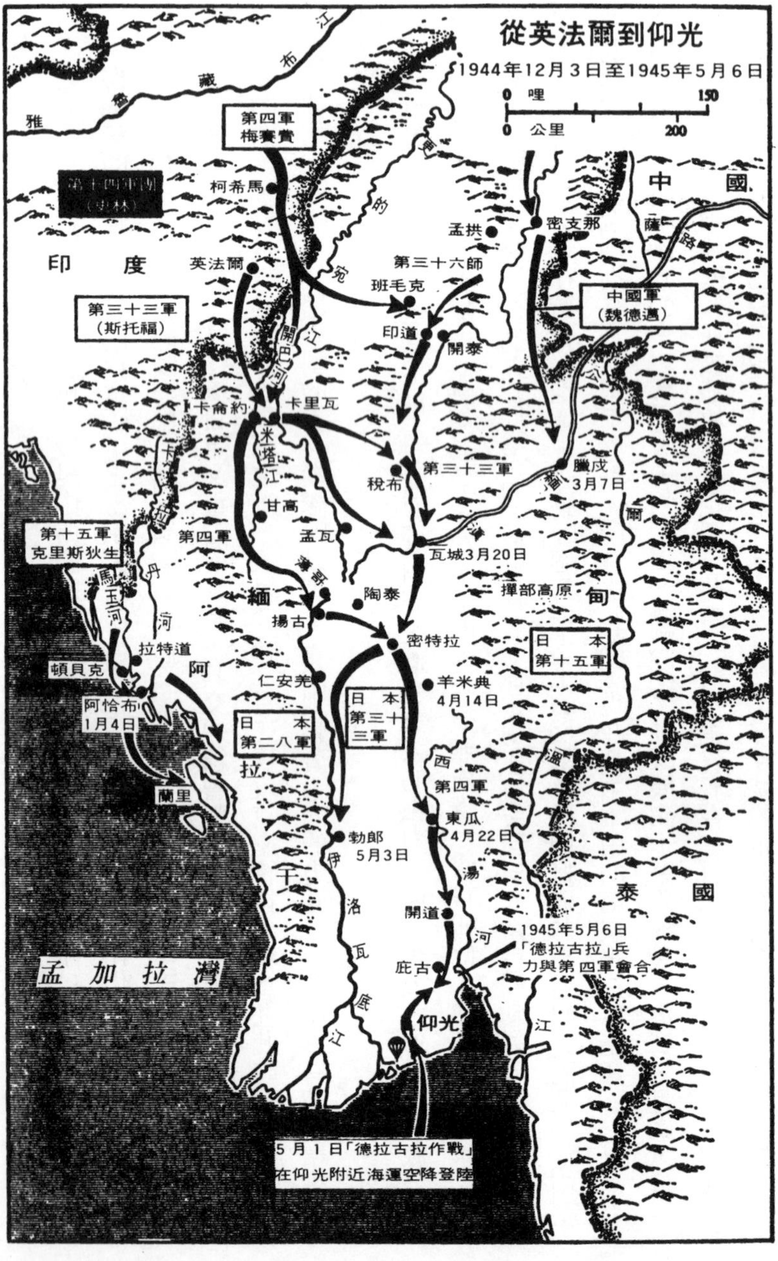
從英法爾到仰光
1944年12月3日至1945年5月6日
0 哩 150
0 公里 200
雅 魯 藏 布 江
第四軍
梅賽責
第十四軍團
(史林)
柯希馬
印 度
英法爾
第三十三軍
(斯托福)
中 國
密支那
孟拱
薩 爾 溫
第三十六師
班毛克
中國軍
(魏德邁)
印道
開泰
開巴河
卡侖約
卡里瓦
米塔江
稅布
第三十三軍
臘戍
3月7日
甘高
孟瓦
第十五軍
克里斯狄生
第四軍
瓦城3月20日
撣部高原
馬玉河
丹 河
陶泰
揚古
密特拉
日 本
第十五軍
拉特道
頓貝克
仁安羌
羊米典
4月14日
阿恰布
1月4日
日 本
第二八軍
日 本
第三十
三軍
西
第四軍
蘭里
東瓜
4月22日
勃郎
5月3日
伊 洛 瓦 底 江
泰 國
開道
1945年5月6日
「德拉古拉」兵
力與第四軍會合
孟 加 拉 灣
庇古
仰光
5 月 1 日「德拉古拉作戰」
在仰光附近海運空降登陸

部就完全落入英軍的手中，而到仰光的道路也已暢通無阻。在這幾個星期的苦戰中，兩個英國軍的損失約達一萬人，但日軍的損失卻遠較重大——幾乎相當於其全部已經殘破兵力總數的三分之一。尤其更糟的是當他們採取長途迂迴路線向東撤入撣部高原（Shan Hills）時，又喪失了許多裝備，遂更減弱爾後的抵抗能力。

雖然現在仰光已經唾手可得，但英軍卻必須趕快進入該城，因為季風就要來臨，而在六月初，所有在緬甸戰場上的美國運輸機也都要撤走，以便用來幫助中國人作戰。仰光距離密特拉在三百哩以上，若不事先在緬甸南部獲得一個海港，以彌補美國運輸機的轉移，並使史林獲得一條可借替換的海運補給路線，則早已過分拉長的第十四軍團補給系統就可能全部崩潰。所以在四月三日，蒙巴頓決定在五月初執行「吸血鬼作戰」，作為史林軍團若不能如期達到仰光時的安全保證。執行這個作戰的部隊為來自第十五軍的一個師，另加一個中型戰車團，和一個廓爾喀傘兵營。

史林從瓦城和密特拉南進的計畫是：梅賽費的第四軍沿著主要的公路和鐵路線南下，而斯托福的第三十三軍則沿著伊洛瓦底江的兩岸前進——後者的補給是將依賴內陸水運，而前者則仍繼續仰賴空運。

日本人希望用從阿拉干撤出的第二十八軍殘部來扼守伊洛瓦底江，而其他兩個軍的殘部則應能阻止梅賽費的前進。但這卻被證明出來完全是幻想，因為那些殘部已經沒有再戰的能力。此時，原來充任史林軍團預備隊的第五師已經前進，到四月十四日即已攻占密特拉南面約四十哩的羊米典（Yamethin）。斯托福的第三十三軍也沿著伊洛瓦底江岸前進，其先頭師於五月三日達到勃郎（Prome），也就是到仰光全程的中點，而日本第二十八軍則被圍困在伊洛瓦底江的西岸上。梅賽費的先頭雖然起步較遲，但沿著主要道路的推進反而較快，在四月二十二日，即已到達與勃郎平行的東瓜（Toungoo）——這樣也就阻止住了從撣部高原撤退出來的日本第十五軍殘部的先頭部分。在那時，其他的日軍殘部卻還留在一百哩以後。一星期之後，梅賽費的先頭到達開道（Kadok），那裡距東瓜九十哩，距仰光則僅七十哩。在這裡英軍遭遇較堅強的抵抗，因為日本人想向東繼續保持一條通過泰國的聯絡線。在幾天之內，抵抗即被克服，但這一個短時間的頓挫還是使梅賽費的部隊未能獲得首先進入仰光的榮譽。

在五月一日，「吸血鬼作戰」已經發動——傘兵在仰光江口空降，而兩棲部隊則在其兩岸上登陸。因為聽到日本人早已撤出仰光，於是全部兵力又再度上船，溯江而上，次日進入該城。五月六日清晨，他們與從開道和庇古（Pagu）南下的梅賽費先頭部隊會師。緬甸的解放遂終於完成。

在戰役的後期之所以缺乏抵抗，主要是因為日本人已經把他們的空軍和海軍的大部分撤走，以應付在太平洋方面的較大的威脅。面對著聯軍的八百架作戰用飛機（轟炸機六百五十架，戰鬥機一百七十七架），他們只能湊足五十架落伍的飛機來對抗。此外，就整個戰役而言，美國運輸機對補給的維持，實為英軍成功的主要因素。

第三十五章　希特勒的阿登反攻

一九四四年十二月十五日，蒙哥馬利寫了一封信給艾森豪，說他願意在下次對萊茵河大攻勢發動之前在家裡度過聖誕節。他又附上一張五鎊的賬單以示向艾森豪索取賭債，因為在一年以前，艾森豪曾經賭過戰爭將在一九四四年聖誕節以前結束。這個玩笑開得並不漂亮，因為僅僅在十四天以前，他曾經寫過一封使艾森豪心裡非常不舒服的信——在那封信中他刻薄的批評艾森豪的戰略，以及他未能解決德國人，甚至於還暗示艾森豪應該交出他的指揮權。

艾森豪除表現驚人的忍耐力外，卻故意把蒙哥馬利的第二封信當作是一種玩笑而不是譏刺。他在十二月十六日回信時曾這樣的寫著說：「我還有九天的時間，雖然你似乎是贏定了，但你必須要到聖誕節那一天才可以得到那五鎊的意外之財。」

他們兩人，以及他們下面的各級指揮官，都不認為敵人還有干預他們執行攻擊計畫的可能性。在這一天，蒙哥馬利所頒發給其第二十一集團軍所屬各部的最近情況判斷中是如此有信心的說：「敵人目前在所有各戰線上都在打防禦性的仗，其情況即為他不能夠發動大規模的攻勢作戰。」指揮第十二集團軍的布萊德雷也有此同感。

但就在這一天（十二月十六日）的上午，敵人發動一個巨大的攻勢，使聯軍指揮官的一切計畫都受到破壞。這個打擊是對著美國第一軍團在阿登地區的戰線，因為這是一個丘陵起伏、林木厚密的地區，所以美軍的兵力曾經故意的減少，以便抽調並集中較多的兵力於較平坦的地區中。由於認為阿登對於他們的攻擊是一個不適宜的地區，於是聯軍方面也就忽視了其作為敵方攻擊路線的可能性。但是四年之前，德國人就是選擇這個地區來發動他們的閃擊，結果造成一九四〇年的西線總崩潰。所以在一九四四年，聯軍指揮官們的盲目實在令人感到驚異，因為他們似乎應該想到希特勒會在同一地區重施故技的可能性。

德軍攻勢的消息很慢才傳到後方的司令部，而他們認清其威脅的嚴重性則又更遲。直到下午很晚的時候，這些消息才到達艾森豪設在凡爾賽的歐洲聯軍總部。當時他正在和布萊德雷討論美軍下一個攻勢中所應採取的步驟。布萊德雷很坦白的說，他認為德軍的攻勢只不過是一種「擾亂性的攻擊」，其目的在阻止聯軍的攻勢。艾森豪卻說，他立即認清這並非一個局部性的攻擊，不過值得注意的事實是他們保留作為總預備隊的兩個師，直到次日（十七日）黃昏時才奉命開往現場。[1]

到那個時候單薄的阿登戰線——由米德頓將軍（General Middleton）第八軍所屬四個師據守

全長八十哩的地段——早已被德軍衝破一個大洞。德軍的攻擊兵力共為二十個師，其中七個是裝甲師，集中了一千輛戰車及裝甲突擊砲。當布萊德雷回到其在盧森堡的戰術指揮所時，發現他的參謀長正以困惑的兩眼瞪著作戰室內的大地圖，口出粗話的驚呼著說：「這個混蛋是從哪裡搞來這樣多的部隊？」實際情況遠比其指揮所中所知道的還要壞。德軍的裝甲矛頭早已突入達二十哩的深度，其中一部分已經達到斯塔費羅（Stavelot）。直到此時為止，美國第一軍團司令霍奇，還不重視德軍的攻擊，而一心還在堅持要想繼續推動其自己向北進攻羅爾水壩（Roer Dam）的作戰。僅僅在十八日的上午，他才開始感到威脅的嚴重，因為他發現德軍已越過斯塔費羅前進，向他自己設在斯巴（Spa）的軍團司令部接近——於是他立即匆忙的退向一個較安全的地區。

聯軍高級司令部對於情況的了解為什麼會這樣的遲緩呢？一部分是因為消息到達他們那裡的時候已經太遲。這又應歸功於德國的突擊隊，他們化裝美軍混進後方，切斷許多電話線，並且還到處製造混亂。

不過這還不能解釋為什麼較高級司令部對於德軍在阿登地區發動反攻的可能性會如此盲目不加考慮的理由。聯軍的情報單位自從十月間起就知道德軍裝甲師正從前線撤出，並開始整補以供新的作戰之用，這些師也已經組成一個新的第六黨軍（SS）裝甲軍團。到十二月初又獲得第五

1 原註：以上所云均見艾森豪所著《歐洲十字軍》和布萊德雷所著《一個軍人的故事》。

裝甲軍團司令部已從科隆以西的羅爾河地區移往科不林茲以南的情報。此外，又曾發現戰車部隊正在向阿登地區行駛，並且在戰線上也有新成立的步兵師出現。在十二月十二日和十三日，又有報告說兩個特別著名的「閃擊」師，大德意志師（Gross-Deutschland）和第一一六裝甲師，都已到達這個「安靜」地區。十四日又發現架橋裝備已經拖到奧爾河（River Our）上，這一道河川正掩護著美軍在阿登戰線的南半段。早在十二月四日，一個在這個地區內被俘的德國兵也曾透露有一個大攻勢正在那裡準備中，以後又曾俘獲許多其他的人員，他們也都一再證實他的供詞是真實的。他們同時還說攻勢預定在聖誕節之前的那個星期發動。

為什麼這樣多的情報都不曾受到聯軍當局的注意呢？第一軍團的情報處長與作戰處長彼此間頗不友善，而他和集團軍總部的情報處長關係也不好，他們都認為他是輕事重報，像一個喊「狼來了」的牧羊兒。而且甚至他不曾對於其所已搜集的資料作成一種明確研判的結論。反之，直接感受威脅的第八軍卻曾作成一個錯到底的判斷，他們說：在前線上敵軍兵力的調動只不過是敵人想使新成立的師先獲得一點戰鬥經驗，然後再送往其他地區去使用，而這也正可表示敵人希望讓這個地段維持「平靜」和「靜止」的狀況。

除了未能從情報方面對於這次攻勢實力獲得一種明確的認識以外，聯軍高級指揮官的失算似乎又是由於下述的四個因素。（一）他們一直都在採取攻勢，所以也就變得很難於想到敵人也會採取主動的行動。（二）他們把「攻擊就是最好防禦」的教條已經印入了心靈深處，所以遂認為只要他們自己仍在繼續攻擊，則敵人也就不可能發動有效的反攻。（三）他們認為即令敵人是在企圖發動反攻，那也不過是對於他們自己向科隆和魯爾工業中心直接前進的直接反應。（四）由於希特勒已再度任命七十歲的老將倫德斯特元帥充任西線總司令，所以他們也就更以為敵方的行動是會如此的正規和慎重。

在上述四方面他們都是完全錯誤的，而尤其最後一點錯得最厲害，因為它足以增強前三者的效力。雖然聯軍稱這次作戰為「倫德斯特攻勢」（The Rundstedt Offensive），實際上，他除徒擁虛名以外，可以說與這次反攻行動毫無關係。他根本上討厭這一件事，所以也就徹底不管，而讓他的部下去自由作主，他的總司令部對希特勒的命令只不過是一個轉遞信件的郵局而已。

一切的觀念、決定和戰略計畫都完全出於希特勒本人。那的確是一個卓越的構想，假使他仍然具有足夠的資源和兵力，也可能是一次卓越的成功。當一開始反攻時即獲得驚人的成功，這一部分應歸功於年輕的曼陶菲爾將軍所發展的新戰術——當時他只有四十七歲，希特勒最近才把他從師長升到軍團司令。不過，希特勒的另一種新發明所產生的廣泛癱瘓效力也是重要因素之一——他的目的是準備對於少數幾百人作大膽的使用，來面對著幾百萬的聯軍開闢一條達到勝利的道路。在執行時他又起用他所發現的另一位奇才，三十六歲的斯可塞尼（Otto Skorzeny）——在一年前他曾奉希特勒之命，利用滑翔機的突襲，從一座山頂上的監獄中救出墨索里尼。

希特勒的這個最新發明被給予一個代字叫作「麒麟作戰」（Operation Greif）——「麒麟」在

德語中是一種具有神祕意識的動物。這個名稱取得很恰當，因為它曾在聯軍戰線的後方造成非常巨大的驚擾。

照原定計畫，這個作戰被分為兩個部分，可以算是希臘神話中的「木馬屠城計」（Trojan Horse）在近代戰略中的翻版。其第一部分為一連會說英語的突擊部隊，在他們的德軍制服上面套上美軍的野戰夾克，並乘坐美軍的吉普車，乘著美軍戰線被突破的機會，即分成小群趕在撤退中美軍的前面向其後方地區到處滲透——他們切斷電話線，移動路牌使守軍的預備隊走錯方向，懸掛紅布條以表示道路上已經布雷——總之，使用他們所可能使用的一切手段來製造混亂。第二部分為一整個裝甲旅，準備加以美式偽裝，然後用它去長驅直入以奪取繆斯河上的橋梁。

這第二部分始終不曾付諸實施。集團軍總部所能供給的美國戰車和卡車，其數量尚不及所需要的零頭，於是不足之數也就必須以偽裝的德國車輛來充數。這樣勉強的偽裝也就必須行動小心，而在這個旅待命的地區中又始終不曾作成明確的突破，因此其前進遂一再的延緩，而終於完全被放棄。

但是第一部分則獲得驚人的成功——甚至於超過所意料的程度。差不多有四十輛吉普車混入美軍的後方，並到處執行其製造混亂的任務——其中除八輛以外，也居然都能安全回來。而那少數落在美軍手中的人員所造成的紛擾尤其嚴重——因為他們立即造成一種印象，好像不知道有多少這樣的破壞隊在美軍後方活動。其結果之一就是到處攔截車輛來實施檢查，有數以百計的美國軍人因為在答覆問題時使人感到懷疑而被拘押，連身為集團軍總司令的布萊德雷都曾經這樣的說過：

……五十萬美軍大兵每逢在路上互相遭遇時，都會彼此懷疑對方是敵人。任何的官階、證件和抗議都不能使旅行者在經過一個叉道時得以免受嚴格的查詢。我個人曾經三次被慎重的士兵要求證明身分。第一次考問的是美國地理，第二次考問的是足球規則，第三次考問的問題為一位明星的現任丈夫是誰。這個問題雖然把我考住了，但這個哨兵在得意之餘，還是把我放行了。

對於英軍的聯絡官和前來訪問的參謀人員而言，尤其傷透腦筋，因為他們根本回答不出來那些純粹是美國文化的考題。

於是在十九日有一個被俘的突擊隊人員在接受訊問時供稱，他們中間有一批人是負有刺殺艾森豪和其他高級指揮官的任務。這本是一項無稽之謠言，當他們還沒有知道實際任務之前，就早已在這些突擊隊的訓練營中流傳。但是現在，此種謠言即開始在聯軍的各級司令部中流傳時，使聯軍當局採取一種癱瘓性的安全措施，其範圍一直遠達後方的巴黎——就這樣的瞎忙了十天之久。

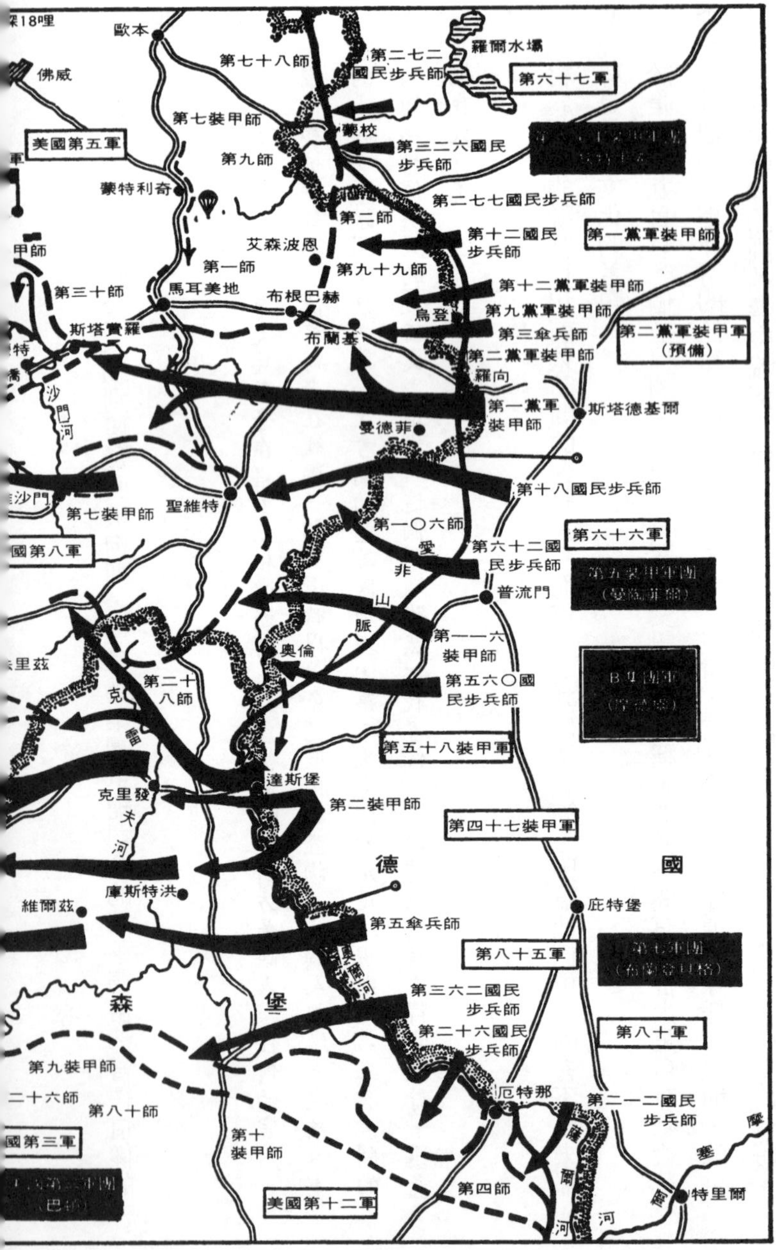
深18哩
歐本
佛威
第七十八師
第二七二
國民步兵師
羅爾水壩
第六十七軍
第七裝甲師
美國第五軍
蒙校
第三二六國民
步兵師
第九師
蒙特利奇
第二七七國民步兵師
第二師
第一黨軍裝甲師
艾森波恩
第十二國民
步兵師
甲師
第一師
第九十九師
第三十師
馬耳美地
布根巴赫
第十二黨軍裝甲師
第九黨軍裝甲師
烏登
斯塔費羅
布蘭基
第三傘兵師
第二黨軍裝甲軍
（預備）
第二黨軍裝甲師
羅向
沙
門
河
第一黨軍
裝甲師
斯塔德基爾
曼德菲
第十八國民步兵師
聖維特
第七裝甲師
第一〇六師
第六十六軍
國第八軍
愛
第六十二國
民步兵師
非
普流門
山
脈
第一一六
裝甲師
奧倫
第二十
八師
克
第五六〇國
民步兵師
雷
第五十八裝甲軍
達斯堡
克里發
第二裝甲師
夫
第四十七裝甲軍
河
德
國
庫斯特洪
庇特堡
維爾茲
第五傘兵師
奧
爾
河
第八十五軍
第三六二國民
步兵師
森
堡
第二十六國民
步兵師
第八十軍
第九裝甲師
二十六師
厄特那
第二一二國民
步兵師
第八十師
摩
國第三軍
第十
裝甲師
薩
塞
爾
第四師
爾
美國第十二軍
特里爾
河
河

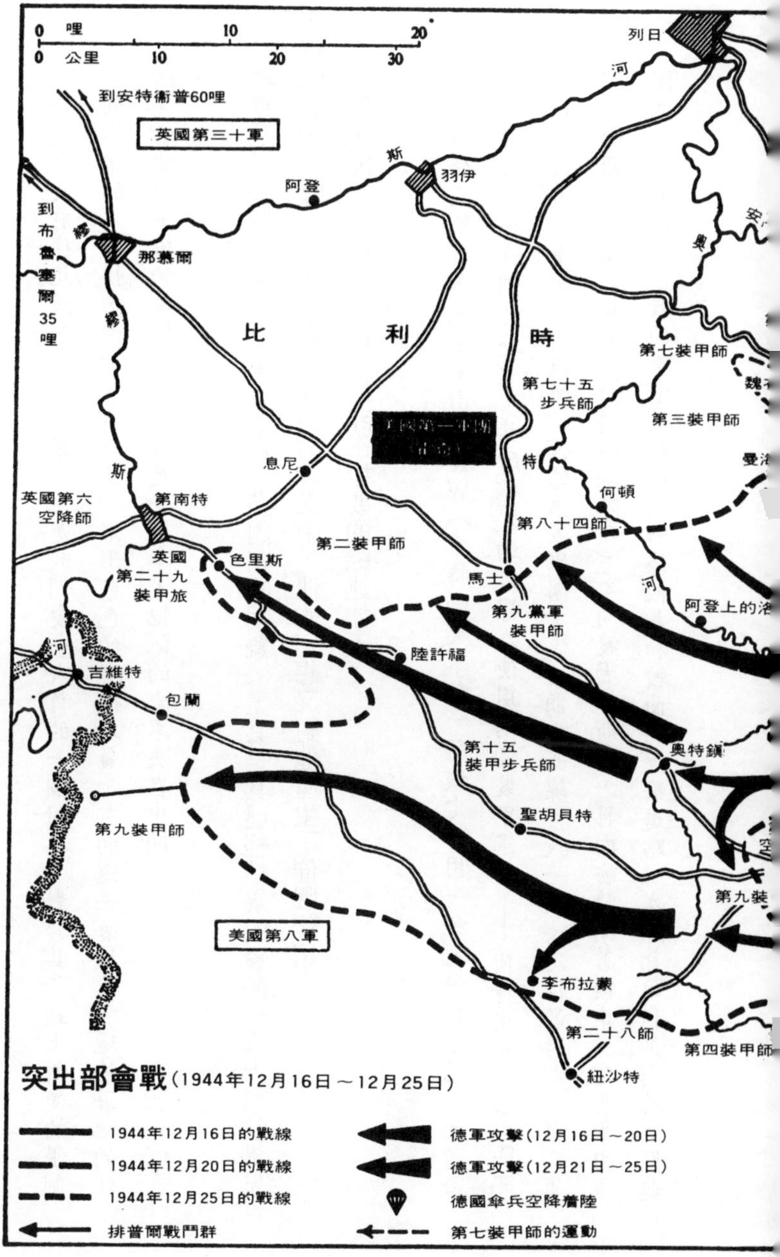

突出部會戰（1944年12月16日～12月25日）

艾森豪的海軍助理布契爾上校（Captain Butcher），於二十三日那一天在日記上曾經這樣的寫著說：

我今天前往凡爾賽看見艾克。他是我們安全人員的一個囚犯，對於其行動上所受的限制感到異常的不愉快，但卻毫無辦法。形形色色的警衛人員，有的還帶著機槍，環繞著他的住所。當他上下班的時候，前後都是警衛車，把他的坐車夾在中間。

總算是很僥倖，德國人本身也有許多內在的困難，尤其是其已經枯竭的資源根本上無法滿足希特勒的過分野心。在這樣大規模的計畫中，他的幻想又對他產生了催眠作用。曼陶菲爾對於這個計畫曾作非常扼要的綜述如下：

阿登攻擊計畫完全是由OKW（希特勒大本營）所擬定，用一種乾淨俐落的『元首命令』形式送達我們的手中。其所確定的目標為使用兩個裝甲軍團——狄特里希（Dietrich）所指揮的第六軍團，和我所指揮的第五軍團——以期在西線獲致一次決定性的勝利。第六軍團應向西北攻擊，在列日與羽伊（Huy）之間渡過繆斯河，再向安特衛普挺進。它是主力軍團並負主要任務。我的軍團則將採取一條較長和較曲的攻擊進路，在那慕爾和第南特之間越過繆斯河，然後指向布魯塞爾——以掩護它的側翼……整個攻勢的目的為切斷英軍與其補給基地之間的交通線，並迫使它撤出歐陸。[2]

希特勒所幻想的是假若他能造成這樣一個第二次敦克爾克，則英國人實際上也就會被迫退出戰爭，於是他就可以獲得喘息的機會，以阻止俄軍並在東線造成一種僵局。

在十月底，這個計畫才送到西線德軍總司令倫德斯特元帥和執行計畫的集團軍總司令摩德爾元帥的手中。在說明他的反應時，倫德斯特曾經這樣的說：

我感到非常的躊躇，希特勒事先並不曾和我討論此種計畫的可能性。照我看來，對於這樣一個具有極大雄心的計畫，我們所能動用的兵力實在是太渺小。摩德爾也和我有同感。事實上，沒有一位軍人會相信到達安特衛普的目的是真正實際可能的。但我知道到現在還和希特勒去爭論任何事情的可能性，那只是徒費口舌而已。所以在與摩德爾和曼陶菲爾商量之後，我遂感覺到唯一可能希望使希特勒放棄其荒謬目標的辦法，即為另外提出一個也許可以

2　原註：在戰爭結束不久之後，我曾經和一些德軍高級將領在地圖上詳細討論這次會戰的經過；在以後又曾用其他的證據來加以核對，我認為他們所說的話有一部分是可以在此加以引用的。

> 使他感到欣賞卻又比較具有實際可能性的計畫。這就是一種有限度的攻勢並以切斷聯軍在亞琛附近的突出地區為目標。

但希特勒卻拒絕採納這個遠較溫和的計畫，並堅持其原來的計畫。一切準備都是以盡可能保密為原則，曼陶菲爾這樣的說：

> 我自己的第五裝甲軍團所屬各師都已集結在特里爾（Trier）和克里費德（Krefeld）之間，但其間卻保持著寬廣的空間——所以間諜和平民應該是不知道有關企圖的任何暗示。對於部隊只告訴他們是準備迎擊聯軍對科隆的攻擊。只有非常有限的幾名參謀軍官得知實際計畫的內容。

第六黨軍（SS）裝甲軍團所集結的位置還要往後，即在漢諾福與威悉河（Weser）之間的地區中。其各師都是從前線上抽出，然後加以整補和換裝。很奇怪的是負責執行的軍團司令狄特里希，直到最後階段才知道他的任務是什麼，事先也從未徵詢其對於計畫的意見。大多數的師長都是在前幾天才獲得命令。在曼陶菲爾的第五裝甲軍團方面，進入攻擊發起線的行動是在三個夜晚完成的。

此種戰略的偽裝固足以幫助奇襲，但過度的內部保密也付出了很大的代價——尤其是在第六裝甲軍團方面為最。指揮官接獲命令的時間太遲，所以也就沒有足夠的時間來研究他自己的問題，偵察地形，和進行一切的準備，結果使許多事情都被忽視，等到攻擊一開始之後遂到處都感到脫節。希特勒坐在他自己的大本營裡和約德爾一起，把計畫的一切細節都完全擬定，並似乎相信這樣即可以保證順利的執行。他絲毫不曾注意局部的條件或是每個執行者的個別問題。對於所需要的兵力和資源，他也同樣的抱著樂觀的看法。

倫德斯特的說法是這樣的：「沒有適當的增援，也沒有適當的彈藥補給，雖然裝甲師的數量很高，但他們在戰車方面的實力卻很低——大部分都是紙面上的實力。」[3]

最嚴重的缺乏還是燃料。曼陶菲爾說：

> 約德爾向我們保證能有足夠的燃料供我們發揮威力並跑完全程。這種保證被證明出來是完全不實的。一部分原因是OKW對於一個師行一百公里需要多少燃料，所採用的一種刻板的數學計算公式。憑我在俄國的經驗早已體認在戰場上的條件之下，所真正需要的數量是應

3　原註：柯爾博士（Dr. Hugh Cole）所寫的美國官方戰史也可以提供佐證。他指出每個德國裝甲師的戰車實力約為九十輛到一百輛——僅相當於美國標準的一半。當時，聯軍的公報是以師的個數為標準來計算，所以說這是戰爭中所僅見的最強大的戰車集中兵力，實際上是未免言過其實。

比這個標準多一倍。約德爾對於這一點是根本不了解。

在一個像阿登這樣艱險的地區中作冬季的戰鬥會遭遇到許多額外的困難，所以我曾經親自告訴希特勒所應準備的燃料必須比標準數字超過五倍。但到實際發動攻勢時，卻只不過是比這個標準超過一倍半而已。尤其更壞的是大部分的燃料又都保持在太後方的位置上，用大卡車縱隊載運著，還留在萊茵河的東岸上。一旦有霧的天氣晴朗之後，聯軍的飛機即開始活動，於是向前線輸送燃料也就受到嚴重的阻撓。

德軍部隊，因為不知道所有這些內在的弱點，所以對於希特勒及其對勝利的保證仍能保持一種顯著的信心。倫德斯特說：「當攻勢開始時，參加的部隊其士氣之高昂實足令人感到驚異。他們真正相信勝利是可能的——不像較高級的指揮官，他們才知道事實的真相。」

自從希特勒拒絕接受那個「較小」的計畫之後，倫德斯特即自甘退居幕後，而讓摩德爾和曼陶菲爾（他們兩個人對於希特勒比較具有影響力）去作有關技術性改變的奮鬥，那也就是希特勒所願意考慮的最大限度。十二月十二日在倫德斯特的總部中舉行最後一次會議，他的參加只不過是奉行故事而已。希特勒本人也親臨參加，並控制一切的議程。

至於技術性的改變，和戰術性的改進，在曼陶菲爾的記載中曾有極生動的描寫——並與其他文件和證詞所說的也都符合。他說：

當我看見希特勒的攻勢命令中是連攻勢的方法和時間都已有詳細的規定，所以也就使我感到很大的驚異。砲兵是預定在上午七時三十分開火；而步兵的突擊則定在上午十一時發動。在這中間的幾個小時之內，德國空軍將轟炸敵方的司令部和交通線。在步兵未能達成突破任務以前，裝甲師將不執行攻擊。所有的砲兵是平均分布在整個攻擊正面上。

照我看來在某些方面實在是愚不可及，所以我立即提出一種不同的方法，並向摩德爾加以解釋。摩德爾表示同意，但他卻很諷刺的說：「你得自己去和元首爭辯。」我回答說：「好的，假使你願意和我一同去，那我可以去和他爭論。」所以在十二月二日，我們二人一同去柏林謁見希特勒。

我開始這樣的說：「我們誰都不知道發動攻擊的那一天是怎樣一種天氣——面對著聯軍的空中優勢，誰敢斷言德國空軍能完成它的任務？」我又提醒希特勒過去在佛日山（Vosges）地區曾經有兩次經驗都足以證明出裝甲師在日間是很不可能行動的。於是我又接著說：「我們所有的砲兵都在上午七時三十分開火，那無異於喚醒美國人——因此在我們突擊來臨之前，他們也就可以有三個半鐘頭的時間來組織其對抗措施。」同時，我又指出現在德國的一航步兵已經不像過去那樣的良好，所以極不可能達成我們所要求如此深入的突穿，尤其在此種困難的地區中為然。因為美軍的防線通常都是前面有一條由一連串防禦據點所構成的前哨，而其主抵抗線則位置在很遠的後方——因此也就很難突穿。

我建議希特勒作下述幾點改變。第一是突擊應在上午五點三十分開始，並利用黑暗的掩護。當然，這會限制砲兵所能射擊的目標數量，但也可以使它集中火力在少數重要目標之上——例如敵方砲兵陣地、彈藥庫，和司令部等——那是可以確定其位置的。

其次，我建議從每一個步兵師內抽一個「突擊營」，由最有經驗的官兵來組成（我曾經親自挑選軍官）。這些「突擊營」應於上午五時三十分，不用任何砲火的掩護，在黑暗中前進，並從美軍前線防禦據點之間滲透進去。他們應盡可能避免戰鬥直到已經深入敵陣時為止。

由高射砲單位所提供的探照燈可以替「突擊部隊」的前進照明，其方法是把光線射在雲層，然後由上反射下來。我在不久之前曾經看過這樣一次表演並曾獲得深刻的印象，感覺到這是能在日出以前作迅速滲透的重要關鍵之一。

在把我的建議向希特勒說明之後，我就作了一個結論說，只有採取這種方式才能獲得合理的成功機會。我更強調：「在下午四時，天就要黑了，所以假使定在上午十一時發動突擊，那麼就只有五個小時的時間來供達到突破的目的。能否準時辦到也似乎大有疑問。假使採納我的建議，那麼就可以多出五個半小時的時間來達到這個目的。於是等到黑夜將至時，我們就可以出動戰車。他們將在黑夜裡，從我們步兵中間超越前進，到了次日拂曉時，他們也就可以沿著一條已經掃清的進路向敵人的主陣地發動他們自己的攻擊。」

依照曼陶菲爾的記載，希特勒是一點囉嗦都沒有就欣然接受了這些建議。這是很值得注意的。對於他所信任的少數將領所作的建議，希特勒似乎還是很願意接受——除了曼陶菲爾以外，摩德爾也是其中的一個——但他對於大多數的資深將領卻具有一種直覺性的不信任心理；另一方面他雖然信賴其自己的直屬幕僚，但他卻又深知他們那些人缺乏戰場上的實際經驗。

雖然這些戰術性的改變的確是足以增加攻勢成功的希望，但由於兵力減少遂又產生抵銷作用。那些負責執行的指揮官們不久就獲得令人喪氣的消息——由於東線吃緊之故，所以本來允諾給他們的兵力已有一部分不能兌現了。

其結果是原來預定由第十五軍團——現在是由布勒孟楚特指揮——向馬斯垂克所發動的牽制攻擊現在就必須取消，這樣也就讓聯軍可以自由從北面抽調預備隊。此外，本應負責前進以掩護攻勢南翼的第七軍團，現在也只留下幾個師的兵力，而且沒有一個是裝甲師。

說到這個計畫作為的本身，有幾個要點是值得注意的，尤其在敘述這次阿登會戰的全部過程時是必須經常記在心裡。第一個要點是有霧的天氣對於德軍計畫的重要性。德國領袖們都深知聯軍在必要時，能夠把五千架以上的轟炸機投入戰鬥，而戈林對於空中支援所作的承諾只是一千架各種不同形式的飛機而已。希特勒對於戈林的承諾也早已不敢相信，所以當他把計畫交給倫德斯特時，遂又把這個數字減為八到九百架。事實上，他這種估計只有一天曾經達到，而那時地面戰鬥卻早已決定勝負了。

第二個要點是，在七月政變之後，就沒有一位將領敢於反對希特勒的計畫，不管那是如何的愚蠢，他們所能做到的最多不過是說服他接受若干技術性及戰術性的修改而已。而且即令如此，他也只肯接受其所最親信的將領們所作的建議。

其他的要點則可以列舉如下：（一）原已允許撥配的兵力之被削減，和原已指定由兩側軍團所擔負的任務之被取消；（二）十一月間美軍在亞琛周圍所作的攻擊曾吸引住一部分原已指定參加反攻行動的德軍兵力；（三）反攻發動之期從十一月延至十二月，後者的條件比前者較不適當；（四）若與一九四〇年相比，則這次一九四四年的閃擊戰在本質上有很多不利的差異。

最重要的關鍵即為狄特里希的第六黨軍裝甲軍團應作迅速的前進，因為它最接近繆斯河上的重要地段。空降部隊用來在這裡開始將是最有價值的，但他們卻早已在地面上的防禦戰鬥中被消耗殆盡，故一共只搜括到一千名傘兵，僅在攻勢發動前的一個星期，才在海德上校（Colonel von der Heydte）領導之下，組成一個傘兵營。在和空軍當局協調之後，海德發現所分配給他的飛機乘員中有一半以上都沒有空降作戰的經驗，而且必要的裝備也都感到缺乏。

最後指定給傘兵部隊的任務，不是在裝甲兵前進的先頭攻占某困難的隘道，而是降落在馬耳美地—佛威（Malmedy-Eupen-Verviers）交叉路口附近的蒙特利奇（Mont Rigi），以構成一個側面的阻塞陣地，俾使從地面來的聯軍援兵在行動上受到遲滯。但在預定發動空降突擊的前夕，約定到達機場接運傘兵的運輸機並沒有來，於是空降遂順延到次日夜間——到那時地面的攻擊早已開始。只有三分之一的飛機勉強到達正確的空投區，因為海德一共只能集中二百個人，所以他無法攻占交叉路口和建立阻塞陣地。一連幾天，他都使用小型的突擊隊來擾亂道路上的交通，但卻始終不見狄特里希的部隊前來與他會師，所以他就嘗試向東推進去迎接他們，不幸在途中即被對方所俘。

狄特里希的右翼部隊很早就因為美軍在蒙校（Monschau）的頑強抵抗而無法前進。其左翼部隊卻能突破敵軍陣線，繞過馬耳美地，於十二月十八日，在超過斯塔費羅的安布里維（Ambleve）河上獲得一個渡口——從攻擊發起線到這裡已經前進了三十哩。但是在這個狹窄的隘道中，卻開始受到阻止，然後又遭遇到美軍的反擊。再一次新的努力仍然失敗了，因為預備隊已匆匆趕到，所以美軍的兵力正在不斷的增強，結果德國第六裝甲軍團的攻擊就此虎頭蛇尾地告一結束。

在曼陶菲爾這一方面，攻勢也有良好的開始，照他本人的說法是這樣的：

> 我的突擊營迅速的滲入美國的陣線——像雨點一樣。下午四時戰車開始前進，在黑暗中利用「人工月光」的照明不斷向前壓迫。

但渡過奧爾河之後，他們在克雷夫河（Clerf）上的克里發（Clervaux）又必須通過另一個險惡的隘道。加上冬季的氣候，遂造成延誤。曼陶菲爾說：「當大批戰車到達時，美軍的抵抗即有軟化的趨勢，但是在這個最初階段，運動的困難卻抵銷了抵抗的微弱。」

十二月十八日，德軍逼近巴斯通（Bastogne）——已經前進將近三十哩。但他們在十九日想衝過這個重要道路中心的企圖卻遭到阻止。[4]

艾森豪的兩個預備師終於投入戰鬥，並在十二月十八日向前線加速前進。當時他們還在理姆斯（Reims），距離前線尚有一百哩——而更糟的，是指定前往巴斯通的第一〇一空降師，又因為參謀作業的差錯，而被送往北面。但應該感謝一次交通阻塞，才引起一位憲兵士官的詢問，於是才發現錯誤而再向南回頭，並終於在十九日上午最緊要的關頭上趕到巴斯通。這個師的僥倖趕到遂穩住岌岌可危的防禦情況。

在此後的兩天內，德軍的連續攻擊均被擊退。所以曼陶菲爾決定繞過巴斯通，繼續向繆斯河上挺進。但到此時，聯軍的預備隊已經集結在所有方面，其兵力之強大遠超過德軍所能投入攻勢的數量。巴頓所指揮的兩個軍已經向北轉進來援救巴斯通，並向通往該城的道路反擊。由於兵力的抽調，遂使曼陶菲爾無力向前推進。

機會是已經過去。曼陶菲爾繞道向繆斯河上的奔馳雖在聯軍總部中引起驚擾，但已經太遲不足以產生真正嚴重的效果。依照計畫，巴斯通是應在第二天攻占的，但到第三天才到達，而到第六天才被繞過。在地圖上看只有一個「小指頭」（small finger）在二十四日曾經伸到第南特附近，距離繆斯河已不到四哩，但這卻是前進的最後極限，而這個指頭不久也就被切斷了。

限制前進的重要因素為泥濘和燃料的缺乏——由於燃料的缺乏，德軍的砲兵只有一半能夠參加戰鬥。最初的幾天，多霧的天氣使聯軍的飛機不能升空，所以對於德軍的滲透頗為有利。但到十二月二十三日，這種霧幕就消蝕了，於是德國空軍的那一點殘餘兵力立即被證明出來不能掩護其地面部隊使他們免受重大的空中攻擊，反而由於時間延誤而使損失變得更大。但是希特勒把主要的任務給予其北翼軍團也是一個大錯。那是因為第六ＳＳ裝甲軍團，是以他所寵信的黨軍（Waffen S. S.）為主力——儘管事實上，那個地區的地形是遠較狹隘，而聯軍的兵力也比較雄厚，預備隊也比較接近。

在第一個星期內，攻勢的進展遠不如所希望的那樣順利，而第二星期開始時的一度加速也只是曇花一現——因為那不過是在主要道路中心之間的空隙內作較深的插入，而那些道路中心現在卻已經穩固的被掌握在美國人的手中。

對於這次作戰作過上述的概括說明之後，現在就應對於某些比較重要的特殊部分加以較詳細

4　原註：這又不完全是由於守軍的努力——因為一位先頭指揮官在戰後的討論中曾經向我坦白的承認，在這個緊要的關頭上，他卻被一位年輕美麗的美國護士小姐所迷住了，他因為要和她在一起歡聚，所以遂在一個村落中逗留了很久而沒有加速前進。決定會戰的因素往往都是軍事教科書上所不曾教授過的！

的分析。

在狄特里希的第六黨軍裝甲軍團方面——那是負有主要任務的，但其正面卻比較狹窄——其計畫是首先使用三個步兵師在烏登布拉特（Udenbrath）的南北兩邊都打開一個缺口，然後轉向西北構成一道面對北面的堅強防線（另加兩個步兵師作為增援），於是四個裝甲師分為兩部，從這缺口中鑽入，共趨列日（那是一個大城兼交通中心）。這支部隊是完全由黨軍所組成——包括第一、第二、第九和第十二共四個黨軍裝甲師，分組為第一和第二兩個黨軍裝甲軍。他們大約有五百輛戰車，包括九十輛六號「虎」型（Mark VI, Tiger）戰車在內。值得一提的為狄特里希本人希望能使用其裝甲師中的兩個來作成突破，但這個構想卻未獲摩德爾的同意——他認為這個地區的地形太壞，戰車不適宜於擔負此種任務。

此一地段是由美國第九十九步兵師防守，它是格魯將軍（General Gerow）的第五軍最南端的一個師，正面寬約二十哩——與其南面第八軍各師的正面相當。對於任何一個師而言，這樣的正面都嫌太寬——可以證明聯軍當局根本上沒有考慮到任何德軍的攻擊。

砲擊是在十月二十六日上午五點三十分開始的，但在這個地段的德國步兵大約到上午七時才開始前進。個別的美軍據點逐一被攻克，但戰鬥卻很慘烈，並使德軍受到重大損失——因此也延誤其裝甲師的前進。雖然在以後兩天內德軍仍能向西推進，但是在重要的貝格—布根巴赫—艾森波恩（Berg-Butgenbach-Elsenborn）地區中，由於美軍的固守，遂使德軍無法依照計畫建立一道向北的防線，並且使這個地區始終保持在美國人的手中以供未來的使用。一天又一天，守軍都在抵抗德軍的重大攻擊。這要算是美國第五軍的一項偉大成就——他們本應參加對亞琛地區的美軍攻勢，現在遂兼程南返，以作緊急的應援。（這次挫敗對於黨軍部隊的信譽大有損失，並使希特勒於十二月二十日，決定把攻勢中的主要任務移交給曼陶菲爾的第五裝甲軍團。）

在曼陶菲爾軍團方面，其右翼部隊——靠近狄特里希的方面——曾經作成一個迅速的突破。這個在愛非山脈（Schnee Eifel）中的地段是由新到的美國第一〇六步兵師，加上第十四騎兵群（Cavalry Group）來防守的。它掩護著通到重要道路中心聖維特（St. Vith）的進路。在此處的顯著特點即為攻擊者缺乏像北面那樣壓倒優勢的兵力——其主要的部隊僅為魯赫特（Lucht）第六十六軍的兩個步兵師，另加一個戰車旅而已。但到十七日，他們即成功的用一個鉗形運動包圍著第一〇六師的兩個團，並且迫使至少有七千人投降，很可能多到八千至九千人。這也就是曼陶菲爾新戰術使用的成果。只有在曼陶菲爾的地段中，是在砲兵射擊之前，突擊隊即早已進入美軍陣地之內。根據美國官方戰史的判斷，愛非山地的戰鬥為一九四四年到一九四五年之間，美軍在歐洲戰場上所遭受到最嚴重的挫敗。

再向南，曼陶菲爾的主力突擊是由克魯格（Kruger）的第五十八裝甲軍（在右）和魯特維茲（Luttwitz）的第四十七裝甲軍（在左）來執行。第五十八軍在渡過奧爾河之後，即趨向豪法里茲（Houffalize），以期在阿登和那慕爾之間的繆斯河上獲得一個橋頭陣地。第四十七軍在渡過奧爾河之後，即應攻占主要道路中心巴斯通，然後再從那慕爾之南渡過繆斯河。

美國第二十八師的前哨陣地雖然曾使德軍渡過奧爾河的行動受到一些遲滯，但卻不能阻止他們的前進。到第二天（十七日）夜間，他們即已迫近豪法里茲和巴斯通，以及在這兩個道路中心之間的橫路——這也是他們所需要的，以便展開其全部兵力並發展其向西的掃蕩。

在極南端，布蘭登貝格（Brandenberger）的第七軍團一共只有四個師的兵力（三個步兵師和一個傘兵師），其任務為採取攻勢以掩護曼陶菲爾前進時的側翼——這個軍團的進攻方向為通過紐沙特（Neufchateau）指向美最耶（Mezieres）。所有各師均渡過奧爾河，其在內（北）側的第五傘兵師曾衝到維爾茲（Wiltz），也就是在三天之內西進了十二哩。但是美國第二十八師的右翼卻敗退得很慢，而美國第八軍的其他兩個師，第九裝甲師和第四師，在敵人前進達三或四哩之後，即阻止了他們的進攻。到了十九日，就可以明白的看出來德軍攻擊正面的左肩部已經完全被控制住。不久，從薩爾河上向北旋轉的巴頓第三軍團更增強了這一方面美軍的兵力，於是從那一天起，德國的第八十軍即開始改取守勢。

曼陶菲爾曾經要求配給第七軍團一個機械化師，以便使它能和他自己的左翼齊頭並進，但卻遭到希特勒的拒絕。這個拒絕也許具有很重大的影響。

在北面，即狄特里希的方面，直到十七日，裝甲突擊才開始發動，號稱精兵的第一黨軍裝甲師，現在由於其進路已經掃清，遂準備從南面對列日作迂迴的攻擊。領先的縱隊，號稱「排普爾戰鬥群」（Battle Group Peipe）——擁有該師一百輛戰車中的大部分——以攻占在羽伊的繆斯河渡口為目的。這支部隊一路長驅直入，幾乎沒有遇到任何的阻擋，而且在路上任意用機槍火力屠殺了幾批無武裝的美國戰俘和比利時平民。（在戰後的審訊時，排普爾宣稱他是執行希特勒的命令，因為他曾經指示應以「恐怖的浪潮」來作為突擊的前奏。不過在整個攻勢行動中，德軍也就只有排普爾這一個單位曾經作過如此野蠻的暴行。）排普爾戰鬥群在斯塔費羅的郊外停止過夜，到繆斯河還有四十二哩——為什麼它不曾占領那裡的重要橋梁，以及其正北面的大油庫（其中儲有油料二百五十萬加侖以上），實在是毫無理由。這兩處要害在當時都只有極微弱的防禦。第一軍團設在斯巴的司令部也可以說是近在咫尺。美國的援軍在一夜之間趕到這個地區，次日排普爾即為一道燃油的火牆所阻，而在三哩之外的特瓦橋（Trois Ponts）也就在他的眼前被炸毀。排普爾遂又嘗試從側面的谷地迂迴，但又在六哩外的斯陶蒙特（Stoumont）再度受阻。到此時，他也已經知道他的前進已被孤立，而且也跑在第六裝甲軍團其餘部隊的更前面。

在南面曼陶菲爾的正面上，德軍正在向聖維特和巴斯通兩個重要道路中心繼續施加壓力——占領這兩個要點即足以決定此次攻勢的前途。十二月十七日德軍對聖維特（距離開始進攻時的戰線約十二哩）發動第一次攻擊，但其實力卻很小。到次日前來增援的美軍第七裝甲師的大部分即已到達這裡。十八日德軍發動猛攻，外圍的村落一一陷落，由於這種壓力才使美軍未能救出被圍的第一〇六師的兩個團。此外，德軍裝甲縱隊也已從南北兩面繞過聖維特並繼續前進，而又有一個德軍戰車旅前來增援這個攻擊。

到十八日，魯特維茲的第四十七裝甲軍已經帶著兩個裝甲師（第二和裝甲訓練師）和第二十六國民步兵師（Volks-grenadier，簡稱VG）接近巴斯通。但美國方面也有援軍到達——第九裝甲師的一個戰鬥群和一個工程營。由於每個村落都必須爭奪，而德軍方面也發生運輸上的混亂，所以遂使其攻擊的進度減緩，因此才讓艾森豪總部的戰略預備隊第一〇一空降師能夠恰好在最危急的關頭十九日的上午，趕到巴斯通。這個師是暫時由麥克奧里夫准將（Brigadier-General Anthony C. McAuliffe）指揮，因為其師長泰勒少將正好在美國度假。在巴斯通的激烈防禦戰中，美國的工兵尤其有最優異的表現，終於使德軍未能衝入該鎮。於是德軍的裝甲縱隊分別從兩側繞過——他們早已在該鎮的北面打開一個缺口——只留下第二十六國民步兵師和一個裝甲戰鬥群去掃清這個道路中心。從十二月二十日，巴斯通遂被切斷。

直到十七日的上午，艾森豪和他手下的高級指揮官們才開始承認德軍已經發動全面的攻勢——而直到十九日，他們才開始感到那是已無懷疑的餘地。布萊德雷命令第十裝甲師北上增援，同時也認可第九軍團司令辛普森中將（Lieutenant-General William Simpson）的主動措施——他首先派第三十步兵師南下，接著又加派第七裝甲師跟著前來。所以，一共有六萬名生力軍正在向感受威脅的地區移動，而在此後八天之內還有十八萬人繼續開到。

第三十師——師長為何布斯少將（Major-General Leland S. Hobbs）——本在亞琛附近休假，

首先奉命進到歐本，然後又移到馬耳美地，接著再向西進以阻止排普爾的裝甲戰鬥群。在戰鬥轟炸機協助之下，收復了斯塔費羅的一部分，於是切斷了排普爾和德國第六裝甲軍團其餘部隊之間的聯絡，而他本人在斯陶蒙特受到的抵抗也正在不斷的增強。到十九日他開始感到燃料非常缺乏，而美國第二十八空降師和一些裝甲增援部隊的到達也使他變得居於絕對的劣勢。而此時，那兩個黨軍裝甲軍的主力卻還在老遠的後方。因為缺乏足夠的道路，使他們大量的戰車和運輸車輛無法前進和展開。排普爾的戰鬥群不僅被圍困而且燃料也已用盡，最後於二十四日徒步撤退，丟下了其所有的戰車和其他的車輛。

在南面，美國第三和第七裝甲師的部隊已經前往阻止德軍從聖維特地區的西進。在曼陶菲爾指導之下，德軍向聖維特鎮發動強烈的攻擊，使守軍受到重大損失之後，終於被迫撤出。對於他們而言可以說是相當幸運，由於嚴重的交通阻塞，遂使德國第六十六軍未能作迅速的擴張，而讓美國第一〇六師和第七裝甲師的殘部退回到較安全的地點。這也就幫助阻止德軍在這個地區中向繆斯河作迅速的前進。

當正面被撕開之後，艾森豪立即在十月二十日命令蒙哥馬利統一指揮在裂口以北的全部軍隊，包括美國第一和第九兩個軍團在內，而蒙哥馬利也已經使用其自己的預備隊，第三十軍（四個師），在防守繆斯河上的橋梁。

蒙哥馬利那種充滿信心的態度固然是一項重大的本錢，假使不那樣盛氣凌人，則其貢獻也許還可以更佳，誠如其自己部下的某一位軍官所云，「他大踏步的走入霍奇的司令部，就好像基督來清掃神廟一樣」。以後在一次記者招待會中，他又令人產生一種印象，好像是全憑他個人對於這次會戰的「調度」，才使美軍得免於崩潰——所以也就引起非常廣泛的反感。他同時又說，使用了「英國集團軍的全部可用實力」，才使戰鬥轉敗為勝。這種說法不僅引起更大的反感，而且也與事實不符。因為在南翼方面，巴頓自十二月二十二日即已開始反擊，而到二十六日即已解除巴斯通之圍，而蒙哥馬利卻堅持必須先穩住自己的陣腳，所以直到一月三日才從北面開始發動反擊，而直到那個時候為止，他都保留著其英軍預備隊不讓它投入戰鬥。

在十二月二十日聯軍戰線重組之日，缺口以北的一邊由柯林斯少將（Major-General J. Lawton Collins）負責指揮，他的美國第七軍在此以前曾參加趨向羅爾河和萊茵河的攻勢。蒙哥馬利特別聲明他需要柯林斯——他的綽號是「閃電」——並認為沒有任何第二個人可以擔當這樣的重任。蒙哥馬利給予他的新任務是集中第二和第三兩個裝甲師的精兵，再加上第七十五和第八十四兩個步兵師，向南對曼陶菲爾前進中的矛頭發動一個反擊。

在巴斯通的情況仍然頗為危急。德軍一再的攻擊並迫使守軍後退，但他們卻始終不曾被壓倒。二十二日魯特維茲派遣軍使攜著「白旗」去要求被圍的守軍作光榮條件的投降，但麥克奧里夫卻只用含意難解的美國土話回答說「發瘋」！（Nuts！）——自此以後這也就變成一個傳奇的故事。當時這個地區的一位低級指揮官，為了嘗試把這個字的意義解釋給德國人聽，但他又還不知道應該怎樣說，所以只好把它解釋為「下地獄」（Go to Hell！）。

次日好天氣開始來臨，於是容許聯軍作第一次的補給空投，而且對於德軍的陣地也作了多次的空中攻擊。同時，巴頓的部隊已經從南向北兼程趕來。即令如此，在聖誕的前夕，十二月二十四日，情況還是很緊急，防禦四周圍已經縮到十六哩。不過魯特維茲的部隊也沒有獲得任何的增援和補給，而且也正受到同盟國空軍日益加重的攻擊。聖誕節那一天，德軍作一次全面的努力，但他們新到達的戰車受到重大的損失，而防線仍屹立無恙。此時巴頓第三軍團的美國第四裝甲師，在賈飛少將（Major-General Hung J. Gaffey）的指揮之下，已經從南面殺開一條血路，在二十六日下午四點四十五分與守軍取得聯絡，於是巴斯通遂告解圍。

雖然德國第七軍團在企圖掩護曼陶菲爾左翼的進攻中最初略有進展，但它自己的弱點卻暴露在南面的反擊之下。到十二月十九日，巴頓即奉到命令要他放棄其自己趨向薩爾地區的攻擊，而集中全力去掃除曼陶菲爾所作成的突出地。巴頓為了達成這個任務遂動用了他的兩個軍。到二十四日，他的第十二軍已經把德國第七軍團的各師逐退，消滅他們所企圖建立的南面「肩部」（shoulder）。

再往西，美國第三軍（第四裝甲師和第二十六與第八十兩個步兵師）則集中全力來援救巴斯通。著名的第四裝甲師真是以「馬不停蹄」的方式，來執行巴頓在二十二日所下的「拚命狂奔」的命令。但是地形卻有利於防禦，而擋著其進路的又是德國的勁旅第五傘兵師。這些頑強的傘兵現在在地面上作步兵式的苦戰，所以幾乎是寸土必爭，每一個村落和每一片森林都必須付出慘重的代價才能獲得通過。不過偵察的結果卻發現在紐沙特—巴斯通道路上的阻力比較脆弱一點，於是在二十五日，美軍的前進遂放棄直接頂衝的方式，而改行採取東北向的軸線。次日，第四裝甲師所殘餘的少數薛曼戰車遂進入了巴斯通南面的防線。

此時，曼陶菲爾的裝甲師，在繞過巴斯通之後，已經在那慕爾以南的地段，正向繆斯河上前進。為了掩護河上的渡口，不僅已有美國生力軍開到，而何洛克斯的英國第三十軍也在吉維特（Givet）和第南特附近分別進駐繆斯河的東西兩岸，至於美國的工兵則在準備爆破河上的橋梁。

希特勒現在已經把他的視線縮短，兩眼只釘在繆斯河上。他從其大本營預備隊中抽出第九裝甲師和第十五裝甲步兵師，來支援曼陶菲爾肅清接近第南特的馬士—色里斯（Marche-Celles）地區，所以雙方都計畫在聖誕節發動攻勢，但卻因為彼此間正在作激烈的纏鬥，遂無法照計畫執行。但是柯林斯卻慢慢地得手；在聖誕節上午，他的部隊（在英國第二十九裝甲旅協助之下）克服色里斯這個村落——那裡距離繆斯河岸和第南特僅有五哩，這也就是德軍前進的最高水平線，以後還有許多孤立的「口袋」或由步兵加以肅清，或由空軍加以掃除，到了二十六日，德軍在白天裡也寸步難移。德國第九裝甲師雖在聖誕節前夕趕到，但卻太遲，未能擊敗美國第二裝甲師的堅強防禦。到二十六日，德軍遂開始後退——並承認繆斯河是可望而不可及的。

狄特里希的第六裝甲軍團也已奉命作一次新的努力以支援曼陶菲爾的攻擊，它雖然也將其裝甲師投入戰鬥，但卻殊少進展，不僅美軍防禦現在已經大事增強，而且又隨時能獲得戰鬥轟炸機的支援。第二黨軍裝甲師在最初突入時雖曾使美軍發生驚擾，但在特瓦橋西南十二哩的曼海村（Manhay）作了一次長時間的戰鬥之後，遂受到慘重的損失而不得不撤退。總之，第六裝甲軍團的攻擊只是徒然損耗兵力而一無所成。

遠在聯軍主力反攻開始之前，德國人即早已放棄其北面的攻擊，而其南面的最後努力也歸失敗，這個努力是在希特勒決定把攻擊重點移到南面，並傾全力以支援第五裝甲軍團的前進之後，但是已經太遲，機會也早已錯過。曼陶菲爾很感慨的說：「直到二十六日，其餘的預備隊才給我——但到此時，他們已經不能行動。因為缺乏汽油之故，他們站在那裡大排長龍——分布的地段長達一百哩——而這正是我最需要他們的時候。」尤其諷刺的，是在十二月十九日那一天，德軍距離斯塔費羅的聯軍大油庫已經不到四分之一哩——那裡儲存著大約二百五十萬加侖的油料——要比他們所實際俘獲的最大儲量多了一百倍。

「當我們剛剛作最後一次新的推進時，聯軍的反攻也立即開始發展。我用電話告訴約德爾，並要求他報告元首說我已經把突出地尖端上的部隊向後撤退……但希特勒卻禁止撤退。結果是不能作適時的撤退，而只能在敵人重壓之下，一步又一步的被逐退，並遭受無謂的犧牲……由於受到希特勒『不准撤退』政策的影響，我們在較後階段的損失遠比以前重大。結果也就造成破產，因為我們已經吃不消這樣的損失了。」

以上是曼陶菲爾所作的判斷，並且也深獲倫德斯特的許可。這位老元帥說：

當這個攻勢顯然已經不可能達到其目的時，我就希望能使它在較早的階段提前結束。但希特勒卻憤然的堅持必須繼續打下去，於是它也就成為第二個史達林格勒。

在阿登會戰開始的時候，聯軍由於忽視其防禦的側面，遂幾乎釀成大禍。但最後還是希特勒把「攻擊就是最佳防禦」的軍事信仰發展到物極必反的程度。它被證明出來是「最壞」的防禦——終於使德國人喪失任何再繼續作認真抵抗的一切機會。

第八篇

終結（一九四五）

第三十六章　從維斯杜拉河到奧得河

史達林早已通知西方同盟國說他要在一日中旬左右從維斯杜拉河之線發動一個新的攻勢，以期與聯軍方面所計畫向萊茵河之線的攻勢相配合——由於德軍在阿登反攻的影響已經延誤了。西方高級當局對於俄軍的攻勢並不寄予太多的期待。俄國人對於天候條件所作的某些保留，對於俄軍實力始終不讓西方獲得適當的資料，而自從七月底俄軍到達維斯杜拉河之後，又一直長期滯留不前——凡此種種都使西方對於俄國人所能做的事情不免有估計過低的趨勢。

一九四四年十二月底以前，在這個最後艱苦階段出任德國陸軍參謀總長的古德林獲得了一個不祥的報告。陸軍情報處中「東線敵情」組的首腦格倫少將（Major-General Gehlen）的報告說，在波羅的海與喀爾巴阡山脈之間的戰線上，已經發現二百二十五個俄國步兵師和二十二個裝甲軍的番號，這些部隊正在集中作攻勢準備。[1]

但當古德林把這份有關俄軍大規模準備的報告送給希特勒時，後者不僅拒絕相信，而且還怒斥著說：「這是自從成吉思汗以來的最大騙局！是誰負責製造這些廢話的？」希特勒是寧願聽信希姆萊（Himmler）和納粹黨情報組織的報告。

希特勒拒絕採納立即停止阿登反攻，並把部隊調往東線的意見，理由是對於他現在在西線所重獲的主動必須要繼續保持。同時，古德林又再度要求把現在孤立在波羅的海國家內的一個集團軍（二十六個師）從海上撤回，以便用來增強防守德國門戶的兵力——但還是遭到希特勒的拒絕。

當古德林回到其自己的總部時，他又發現希特勒曾經趁他不在的時候，已經命令把兩個裝甲師從波蘭調往匈牙利，以援救布達佩斯，這對古德林來說是一個重大的打擊，使他手中只剩下十二個師的機動預備隊，準備支援五十個微弱步兵師去防守長達七百哩的主戰線。

德軍向布達佩斯反攻的消息更增強西方對於蘇俄能力的懷疑。尤其是因為西方同盟國在德軍最近這次反攻中曾經受到很大的震驚，所以對於德軍的潛力更是不敢輕視。在最初幾天之內，德軍指向被圍的布達佩斯城的攻擊頗有進展。從該城西面四十哩的柯摩恩（Komorn）附近為起點，德軍所突入的距離已達全程的一半，然而在那裡遇到堅強的抵抗，終於變為慘重的失敗。

間接的代價還更嚴重。這個新的「刺蝟」所表現出來的抵抗力遂對希特勒一向想要盡量堅持不退的原則產生了鼓勵作用。由於其部隊被圍的結果，他想要避免第二個「史達林格勒」的焦急心理也就促使他採取一種愈陷愈深的步驟。儘管這兩個寶貴的裝甲師，本來是準備用來應付俄軍在波蘭可能發動的冬季攻勢，現在在除夕之夜卻被送往匈牙利充任援救布達佩斯的矛頭。但是希特勒又不准許維斯杜拉河之線在俄軍發動攻勢之前作任何補償性的撤退。這條已被減弱的戰線被迫站在原地不動，準備硬挨俄軍的打擊而不容許作適當的退卻來緩和其衝力。這種不惜任何犧牲堅守不動的政策固然也有其心理價值，但卻一再的被其戰略誤用所沖銷，而終至破產。

俄軍統帥部現在對於如何利用德軍情況的根本弱點已有良好的準備。由於已經認清持續動量的決定重要性，以及交通線過分拉長的障礙作用，所以它一直等到新戰線後方的鐵路線已經完全修復，並從歐陸標準軌道改換為蘇俄特寬軌道之後才動手。大量的物資已經儲積在火車站附近，主要目的為攻占上西利西亞（Upper Silesia），那裡是德國的重要工業區之一，它現在還完好如初，並未受到聯軍轟炸的破壞。為了達到這個目標，俄軍只要從波蘭南部維斯杜拉河上的巴拉諾夫（Baranov）橋頭陣地再前進一百餘哩即可。但史達林和他的參謀長法希里夫斯基

1　譯者註：德國在第二次大戰時雖有三軍統帥部（ＯＫＷ）和陸軍總部（ＯＫＨ）的設立，但二者之間實際上幾乎完全沒有從屬的關係，陸軍總部專門負責東線對俄軍的作戰，其總司令由希特勒自兼，實際日常事務的負責人為陸軍參謀總長，除東戰場以外，其他戰場的作戰，例如西歐和義大利均由ＯＫＷ負責，而ＯＫＨ不得過問。反之，ＯＫＷ也不管東線的事情，此種二元的指揮體系實為希特勒所獨創，其目的為預防軍人的奪權。

（Vasilevsky）在他們所擬定的大計畫中卻包括有較深遠的目的。他們的眼光不僅已經看到奧得河，而且也看到河那一面的柏林——距離他們在華沙附近的陣地還大約有三百哩。在擴大攻勢範圍之後，他們就可以獲得較寬廣的空間以供運動之用。比其接近五對一的數量優勢還更重要的是他們的機動能力也大為增強。美國卡車如潮水一樣的湧到，使他們現在已能使其步兵旅中摩托化的比例大為提高，同時他們自己的戰車產量也正在增加，所以可用來擴張突破的裝甲和機動部隊，其數量也隨之不斷的增加。同時，史達林式戰車數量的增加更足以增強他們的打擊力，這種巨無霸裝有一二二公厘的的火砲，而德國的「虎型」卻還只有八八公厘的火砲。它們的裝甲也比「虎型」較厚，不過還沒有「虎王」（King Tiger）那樣厚。

在戰役的新階段發動之前，蘇俄的「方面軍」已經改組，而蘇俄三位傑出的將領奉命領導攻勢的主流。柯湼夫仍指揮在波蘭南部的「第一烏克蘭方面軍」；在中央地段中，朱可夫從羅柯索夫斯基手裡接管「第一白俄羅斯方面軍」，而後者則調往華沙以北的拉里夫（Narev）河上去指揮「第二白俄羅斯方面軍」。

一九四五年一月十二日上午十時，柯湼夫的部隊從巴拉諾夫的橋頭陣地中（寬深都約為三哩）開始發動攻勢——這就是蘇俄大攻勢的開始。所展開的兵力是十個軍團（包括兩個戰車軍團），共約七十個師，由兩個航空軍團支援。

最初突入的速度很慢，因為霧幕籠罩住戰場，使空軍不能起飛助戰。但是大霧也幫助掩蔽突擊部隊，而大量運用良好的砲兵也不斷的削弱防禦的力量。所以到第三天，攻擊軍即已突破到平左（Pinczow）——距離發起線二十哩——並以廣寬正面渡過尼達河（Nida）。於是擴張的階段也就從此開始。蘇俄的裝甲軍從這個缺口中衝入，像一道氾濫的洪流，淹沒了波蘭平原。在這個時候，裂口的拓寬又比加深更重要。基爾斯（Kielce）在十五日為一支繞過利沙哥拉丘陵地（Lysa Gora Hills）終點向西北迂迴的縱隊所攻占，於是也就足以威脅面對著朱可夫方面軍的德軍後方。

一月十四日，朱可夫從他在馬格紐茲夫（Magnuszev）和普拉威（Pulawy）附近的橋頭陣地中發動其攻勢。他的右翼向北旋轉，直趨華沙的後方，而其左翼則在十六日攻占拉屯（Radom）。在那一天，柯涅夫的先頭部隊越過皮里卡河（Pilica）——到西利西亞的邊境只有三十哩。此時，羅柯索夫斯基的部隊也發動了攻勢。他也是在一月十四日，從他在拉里夫河上的兩個橋頭陣地內衝出，並突破德軍掩護東普魯士南面接近路線的防線。這個缺口已有二百哩寬，一共約有二百個師（包括預備師在內）像洪水一樣的滾滾西流。

一月十七日，華沙落入朱可夫的手裡，他的部隊已經從該城的兩側通過，而他的裝甲矛頭更已向西快要進到洛次（Lodz）。柯涅夫的部隊已經攻占柴斯托科瓦（Czestochowa）城，接近西利西亞的邊境，而在更南面的地方，並已迂迴克拉考的側面。

十九日柯涅夫的右翼已經到達西利西亞的邊境，而他的左翼則使用一個包圍攻擊占領了克拉考。朱可夫攻占洛次，而羅柯索夫斯基也在木拉瓦（Mlawa）附近到達進入東普魯士的門戶。齊恩雅霍夫斯基和皮特羅夫的部隊也分別在兩個側翼上各有進展。所以在第一個星期結束時，俄軍已經深入一百哩，其正面擴寬到約近四百哩。

為了掩護進入西利西亞的路線，希特勒作了一個過遲的努力，七個師的德軍奉命從斯洛伐克方面迅速北調增援。在那一方面的指揮官黑利奇（Heinici）在暴風未起之前，曾經建議他可以抽出一部分兵力作為維斯杜拉河方面的預備隊，卻遭到希特勒的拒絕，因為這與他的「每個人都應站在原地死戰到底」的原則不符合，同時也和他對於戰役作分別指導的習慣不合。在斯洛伐克方面的兵力幾乎已經完全抽調之後，那裡還繼續支持了好幾個星期——由此更可證明那一方面的原有兵力實在超過需要量。現在雖在喀爾巴阡山脈以北已有七個師的援兵到達，但其價值卻遠不如在俄軍尚未發動之前的兩個師。因為缺口是已經太大而難以填補。

波蘭西部的大部分地區都是非常的開闊，所以假使一個攻擊者若是享有數量或機動的優勢，則也就居於一種天然有利的態勢，對於此種開闊空間可以很便利的加以利用。德國人在一九三九年就是這樣的。現在輪到他們自己採取守勢，而且對於數量和機動也均感缺乏。作為是一個機械化戰爭的提倡者，古德林早已認清硬性防禦的無效，並且更認為克制突破的唯一機會即在於裝甲預備隊的反機動。但他卻被迫一方面站在維斯杜拉河不得移動，而另一方面卻眼看其稀少的裝甲部隊之一部分在攻擊前夕被抽調送往布達佩斯。他把剩餘的裝甲部隊投擲在基爾斯附近，結果才獲得一些時間使在維斯杜拉河灣內的被圍部隊得以撤出。所以在攻勢發動後的第一個星期內，俄軍只俘虜了二萬五千人，對於這樣一個巨大的突破而言，這個數字實在可以說是相當渺小。但是在第二個星期德軍被俘人數就差不多增加到三倍——即增至八萬六千人——此一事實即可證明德軍的機動工具是日益缺乏，不能作迅速的撤退。反之，俄軍的繼續大步前進，也同樣可以證明他們的機動性已經大有改進。

從德國國境之內的城鎮中，平民人口都匆匆撤退，這也可以表示俄軍進展之速超過一切的計算，並且迫使德軍不得不放棄其所希望能夠據守的各中間陣地。

一月二十日柯涅夫的部隊突入西利西亞的邊境，並進入德國的領土。更具歷史含義的是羅柯索夫斯基越過東普魯士的南疆，到達坦能堡舊戰場，這一次並非一九一四年的重演，次日他的先頭部隊到達亞倫士廷（Allenstein），切斷東普魯士的鐵路大動脈，而從東面前進的齊恩雅霍夫斯基也攻占了茵斯特堡，並繼續向北推進。羅柯索夫斯基於二十六日到達艾爾丙（Elbing）附近的但澤灣，於是切斷在東普魯士的所有德軍部隊。這些部隊退往哥尼斯堡（Konigsberg），然後即被圍困在那裡。

四天以前，柯涅夫已在上西利西亞工業區以北，以四十哩寬的正面，到達奧得河。到第二個星期結束時，沿著布勒斯勞（Breslau）以南六十哩長的地段，他的右翼已在許多點上越過奧得河上游——距離其攻勢發起線已經二百八十哩。其他的縱隊也從北面包圍這個西利西亞的首府。在這個先頭的後方，其他的部隊則向南旋轉，攻占交通中心格利維斯（Gleiwitz），並切斷上西利西亞工業區。整個區域都有嚴密的防禦準備，到處都是塹壕、鐵絲網、戰防溝和碉堡，可惜卻缺乏據守的兵力。有些援兵雖已趕來，但卻受到難民的壅塞而無法行動。道路上到處都堆滿了損毀車輛和被丟棄的財物。利用這種混亂情況，俄軍縱隊遂從後門進入，儘管前門還是關著的。德國空中偵察的報告曾經生動的形容著說，俄軍的前進好像是一隻大章魚一樣，它的長觸鬚從那些西利西亞的村鎮之間通過。他們又報告看見幾乎是無限長的卡車縱隊，上面滿載著補給和增援，一直向東伸展，看不見尾巴。

威力更猛和效果更大的是朱可夫在中央方面的前進。他採取一種斜行前進的隊形，並且把其裝甲部隊的重量移向右方。他們沿著維斯杜拉河與華爾塔河（Warta）之間的走廊地帶前進，利用這個意想不到的轉向，在走廊的最狹窄部分乘著敵人尚未來得及設防之前，穿過格尼茲諾（Gniezno）以東的湖泊地帶。他們的前進使他們切斷維斯杜拉河上著名要塞士倫（Torun）的後路，並於二十三日進入拜哥士（Bydgoszcz）——即布倫堡（Bromberg）。其他的裝甲縱隊則正在迫近更大的交通中心波茲蘭（Poznan）。在這裡他們遭遇比較激烈的抵抗。繞過這個要塞，他們分向西和西北繼續前進；到這個星期結束時，他們到達勃蘭登堡（Brandenburg）和波美拉尼亞（Pomerania）的邊境——距離華沙已二百二十哩，而到柏林則僅為一百哩。同時朱可夫的左翼，在越過華爾塔河之後，已經攻占卡利士（Kalisz），並和柯涅夫的右翼立於平頭的地位。

第三個星期開始時，柯涅夫的左翼占領卡托維治（Katovice）以及在上西利西亞的其他大工業城鎮；而他的右翼則在布勒斯勞西北四十哩的斯坦勞（Steinau），又在奧得河上獲得一個新的橋頭陣地。朱可夫的部隊在三十日越過勃蘭登堡和波美拉尼亞的邊境，並擊敗德軍據守奧得河（那是已經封凍）之線的部隊。三十一日又已攻占蘭芝堡（Landsberg），於是朱可夫的裝甲矛頭越過它前進，在庫斯特寧（Kustrin）附近到達奧得河下游——距離柏林郊外僅四十哩。現在俄軍與其西方同盟軍的最前線只相隔三百八十哩。

但是過分伸展的定律現在終於開始給予德國人以幫助，它一方面減低俄軍在奧得河上的壓力，另一方面增強德國正規軍與防衛軍混合守軍的抵抗力。波茲蘭的堅守幫助阻塞俄軍的交通線，使其前進部隊不能獲得增援和補給。二月初的解凍對德軍也大有幫助，一方面使道路變得泥濘不堪，妨礙了俄軍的行動，另一方面使奧得河在解凍之後，增加其作為障礙物的價值。雖然朱可夫部隊在二月第一個星期終了時，已經以廣正面接近該河，並且也已在庫斯特寧和法蘭克福（此為奧得河上的法蘭克福，與萊茵河上者同名）渡河，但卻未能加以擴張而只局限在很淺的橋頭陣地之內。

柯涅夫現在企圖從側面進襲柏林。於擴大其在布勒斯勞以北的橋頭陣地之後，他的部隊於二月九日向西突擊，然後再轉向西北以廣正面掃過奧得河的左岸。二月十三日他們達到索美費德（Sommerfled），那裡距離柏林僅八十哩。（在這同一天布達佩斯也終於陷落，德軍被俘人數共達十一萬人。）兩天之後，又前進二十哩，他們在萊希河（Neisse）與奧得河會合點附近到達萊希

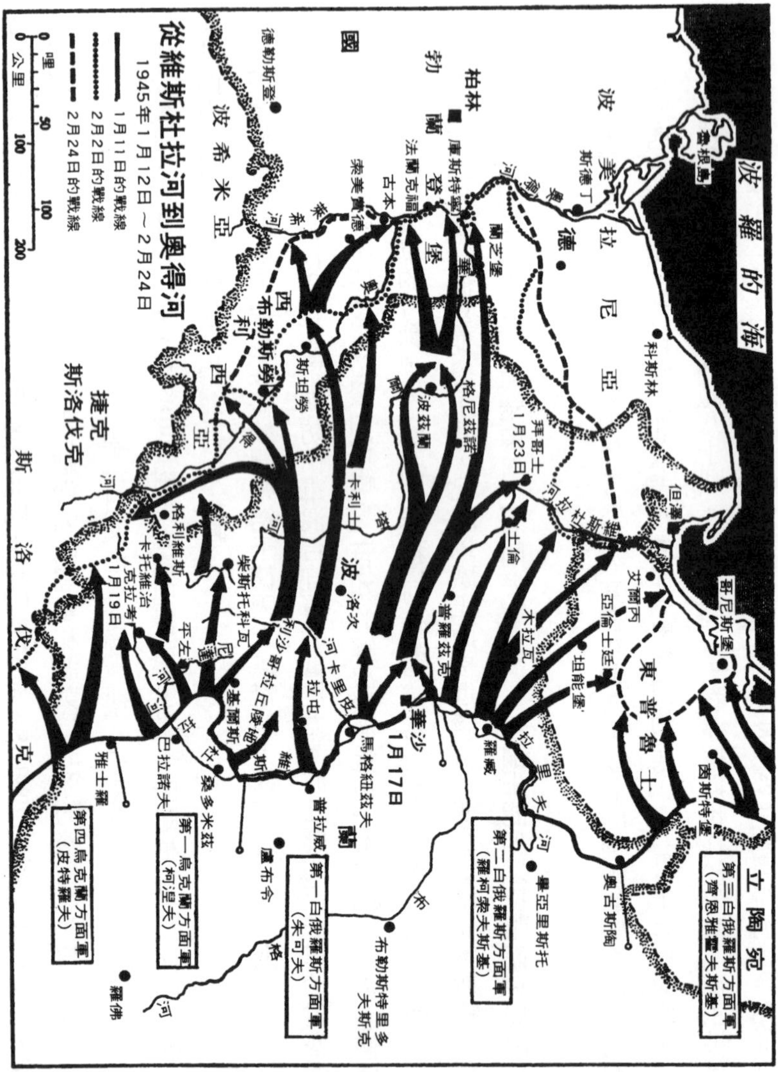
從維斯杜拉河到奧得河
1945年1月12日～2月24日
1月11日的戰線
2月2日的戰線
2月24日的戰線
哩 0 50 100
公里 0 100 200
波羅的海
波美拉尼亞
德國
柏林
勃蘭登堡
庫斯特琳
法蘭克福
古本
索美爾德
德勒斯登
波希米亞
西利西亞
布勒斯勞
斯坦勞
捷克斯洛伐克
斯洛伐克
格利維斯
卡托維治
克拉考
1月19日
平左
基爾斯
桑多米茲
巴拉諾夫
雅士羅
第四烏克蘭方面軍（皮特羅夫）
第一烏克蘭方面軍（柯涅夫）
利沙哥拉丘陵地
柴斯托科瓦
波蘭
洛次
卡里士
波茲蘭
格尼茲諾
拜哥士
1月23日
維斯杜拉河
但澤
哥尼斯堡
東普魯士
立陶宛
第三白俄羅斯方面軍（齊恩雅霍夫斯基）
亞倫士廷
木拉瓦
坦能堡
土倫
普羅茲克
華沙
1月17日
羅藏
第二白俄羅斯方面軍（羅柯索夫斯基）
畢亞里斯托
奧古斯陶
馬格紐茲夫
普拉威
盧布令
布勒斯特里多夫斯克
第一白俄羅斯方面軍（朱可夫）
羅佛
科斯林
斯德丁
蘭芝堡

河河岸，於是也就和朱可夫的前進部隊立於平頭的地位。

不過由於德軍防線已被縮短和拉直，並由下奧得河和萊希河所構成，所以反而在防禦上獲得相當的利益。在這一線下，其正面的寬度僅及過去的幾分之一——從波羅的海到波希米亞山地前線，其間的距離尚不及二百哩。這樣巨大的空間縮減足以對於其兵力的損失發生平衡作用，於是遂使他們又得以恢復比較合理的兵力對空間的比例，這是自從情況逆轉以來所從未享有的。在俄軍戰線後方，布勒斯勞仍在堅守之中，所以對於柯涅夫的前進也就足以構成一種牽制——正好像波茲蘭之於朱可夫的部隊一樣（但那個城市卻終於在二十三日陷落）。

柯涅夫在萊希河受阻，而朱可夫的較直接前進則仍在下奧得河上停滯不前。到二月的第三個星期，在從西線和國內所調來的援軍協助之下，德軍的東線遂又暫告穩定。俄軍一直被阻在這一線上，直到萊茵河防線的崩潰決定戰爭的最後勝負時為止。

不過由於俄軍威脅所產生的危機，才使德國人作了一個命運上的決定，為了在奧得河上抵抗俄軍遂不得不犧牲萊茵河上的防禦。比從西線調往東線的實際師數更重要的是那些大量的充員，否則他們即可以用來補充在西線方面的缺額。於是西方聯軍到達並越過萊茵河的前進已經可以暢通無阻了。

第三十七章　希特勒在義大利最後據點的崩潰

雖然德國人在冬季的形勢，從地圖上看來是與前一年的冬季差不多，而且儘管已經向北後退了二百哩，但卻還是像過去一樣的堅強——不過對於聯軍而言，卻又有許多有利的因素出現。到一九四四年底，聯軍已經通過哥德防線，在前途上已經不再有這種天然形勢險要和工事如此良好的陣地存在。同時，對於一九四五年的春季攻勢而言，他們也有遠較良好的「躍出」陣地。此外，還有一些其他重要因素也足以使聯軍變得比過去遠較強大。

在三月間，即他們將要發動春季攻勢之前，聯軍共有十七個師，另加六個義大利戰鬥群。德軍則為二十三個師，另加四個所謂義大利師——這些師是自墨索里尼被德國人救出之後，勉強由他在義大利北部所號召組成的，其實際實力比戰鬥群略大一點。但任何這一類似師數量為標準的印象都是不正確的。此外，聯軍還有六個獨立裝甲旅和四個獨立步兵旅——這也相當於三到四個師的兵力。

若計算人數則比較接近事實。第五和第八兩個軍團共約有五十三萬六千人，外加義大利人七萬名。德國人數約四十九萬一千人，外加義大利人十萬八千名，但德國人之內卻有四萬五千人為警察或防空人員。戰鬥部隊和兵器數字是一種更好的比較方式。舉例來說，當第八軍團在四月間發動攻勢時，比起其當面的敵軍，在戰鬥部隊方面是享有二對一的優勢（即五萬七千人對二萬九千人）；火砲也占有二對一的優勢（即一千二百二十門對六百六十五門）；而裝甲車輛的優勢則超過二對（一千三百二十輛對四百輛）。

此外，聯軍並曾獲得大約六萬名游擊隊的幫助，他們在德軍戰線的後方到處製造混亂，並迫使德軍必須從前線上抽調部隊來制止他們的活動。

更重要的是聯軍現在又享有絕對的制空權。他們的戰略轟炸已經產生如此巨大的癱瘓作用，即令是奉到希特勒的命令，德軍也都很難離開義大利而調往其他的戰場。與此連帶的即為德軍機械化和摩托化部隊盡都痛感燃料的缺乏。因此，他們現在是既不能像過去那樣迅速行動以填塞缺口，又不能在退卻中實施遲滯作戰。但是希特勒甚至於比過去更不願意批准任何戰略性的撤退，即令現在還有作這種企圖的可能性。[1]

自從聯軍結束其秋季攻勢之後，經過三個月的整頓，在部隊的精神和前途上都已帶來了巨大的改變。他們已經看到許多新兵器大量的湧到——兩棲戰車，號稱「袋鼠」（Kangaroo）的裝甲人員運輸車，號稱「扇尾」（Fantail）的履帶登陸車，火砲口徑較大的薛曼和邱吉爾式戰車，火焰噴射戰車，以及戰車推土機（tank dozer）等。此外還有充分的新型架橋裝備，和大量的彈藥儲備。

在德軍方面，凱賽林元帥雖已於一月間傷勢痊癒後返回義大利，但在三月間又奉召前往西線，接替倫德斯特充任那個戰場的總司令。現在魏庭霍夫遂正式代替他接任在義大利的「C」集團軍總司令。防守戰線東段的為第十軍團，現在由赫爾（Herr）指揮，所管轄的為第一傘兵軍（五個師）和第七十六裝甲軍（四個師）。西段則由第十四軍團負責，司令仍為辛格爾。西段是比較寬，因為它包括波隆那（Bologna）地區在內——第五十一山地軍（四個師）據守直趨熱內亞（Genoa）和地中海之線，而第十四裝甲軍（三個師）則掩護波隆那。在集團軍預備隊中只有三個師，其中兩個是位置在亞德里亞海岸側面的後方，其他一個則在熱內亞附近。這三個師目前的主要任務為防止聯軍在後方採取兩棲登陸的行動。

在聯軍方面，第十五集團軍已由克拉克指揮。其右翼，面對著德國第十軍團，是由麥克里的英國第八軍團所構成，其中包括有英國第五軍（四個師）、波蘭軍（兩個師）、英國第十軍（現在只剩下一個空架子，其中僅有兩個義大利戰鬥群、猶太旅和羅瓦特搜索隊〔Lovat Scouts〕而已），和英國第十三軍（實際上只有一個第十印度師）。第六裝甲師則充當軍團預備隊。在其

1 原註：本章在地圖方面請參閱第三十章的地圖。

西面（即左翼）為美國第五軍團，現在是由屈斯考特（Truscott）指揮，所包括的為美國第二軍（四個師）和第四軍（三個師）。另有兩個師充任軍團預備隊，即美國第一裝甲師和南非第六裝甲師。

聯軍計畫作為的目的和主要問題，即為掃除當前的德軍，不讓他們有逃過波河（River Po）的機會。最好的辦法就是在下雷諾（Lower Reno）河和波河之間的一個三十餘哩長的平原上使用裝甲部隊。（在一月初，曾有一度乾燥的天氣，第八軍團利用這個機會已經進到塞尼奧河〔Senio〕附近，那是在亞德里亞海岸附近流入雷諾河的。）聯軍計畫人員希望第八軍團，若能攻占科馬巧湖（Comacchio）以西的巴斯提亞—阿根塔（Bastia-Argenta）地區，即可打開進入這個平原的途徑。第五軍團應略遲數日進攻，向北迫近波隆那。這樣的左右夾攻應能切斷德軍的退路並加以包圍。聯軍的攻勢是預定在四月九日發動。

第八軍團的計畫頗為複雜，但構想和設計都很不錯。聯軍假裝著準備要在波河以北登陸，以分散魏庭霍夫的注意力，並使他把預備隊的大部分都移到那個方向。為了加強這種印象，突擊隊和第二十四近衛旅在四月初攻占隔在科馬巧湖與海岸之間的沙洲，而幾天以後，特種小艇勤務隊（Special Boat Service）又攻占一些在水中央的小島。

主力的攻擊是要渡過塞尼奧河，由英國第五軍和波蘭軍來執行。前者越過塞尼奧河之後，應作較深入的突破，俾使德軍喪失平衡。其一部分向右旋轉直趨科馬巧湖以西，巴斯提亞—阿根塔走廊的側面——這個走廊也一直被稱作阿根塔隘道（Srgenta Gap）。另一部分則向西北直趨波隆那的後方，俾從北面切斷該城。波蘭人則將沿著第九號公路——即所謂艾米里亞大道（The Via Emilia）——前進，直撲波隆那。在右翼（第五軍）上的第五十六師負責進攻阿根塔隘道，其方式是一方面加以直接的突擊，另一方面則利用「扇尾」車輛越過科馬巧湖來作側面迂迴。

第八軍的左翼，由只剩下骨架的第十軍和第十三軍所構成，一開始即通過巴塔吉利亞山地（Monte Battaglia）向北進攻，直到波蘭軍和美軍的前進會師時，才退出第一線；此後第十三軍即應加入第六裝甲師一起，以擴張戰果。

在沙洲上和科馬巧湖上的前奏行動把魏庭霍夫的注意力吸引到海岸方面之後，四月九日下午，聯軍使用大約八百架重轟炸機，一千架中型轟炸機和戰鬥轟炸機來作大規模的轟炸。另外有一千五百門火砲作五次一連串的集中射擊，每次都長達四十二分鐘，其間隔為十分鐘——此即所謂「假警報」（false alarm）式的轟擊，其目的在使敵人無法側知真正的企圖。於是在黃昏時，步兵開始前進，而戰術空軍則仍繼續把德軍釘牢，不讓他們移動。這種像狂風暴雨一樣的炸彈和砲彈已使守軍喪魂落魄，而隨伴著步兵前進的火焰噴射戰車更增加了恐怖的程度。到十二日，凱特萊將軍（General Keightley）的第五軍已經渡過桑特諾河（Santerno）並繼續向前壓迫。雖然德軍從最初的震撼狀況下恢復過來之後，抵抗又逐漸增強，但巴斯提亞橋還是在十四日被攻占，而德軍也來不及爆破。（「扇尾」車輛在科馬巧湖上的表現很令人失望，因為那裡水淺河床鬆軟，但在阿根塔隘道附近的氾濫地區中卻證明出來頗為有效。）即令如此，英軍還是在十八日才通過阿根塔隘道。波蘭人曾經遭遇到更頑強的抵抗，其對手為德國第一傘兵師，不過他們終於擊敗了那支特別精銳的德軍部隊。

由於受到惡劣天候所阻，尤以對於支援飛機不利飛行的天候，美國第五軍團的攻擊遲到四月十四日才開始發動——而它又必須先克服幾個剩餘的山脊，然後才能到達平原和波隆那。十五日聯軍投擲了二千三百噸炸彈以協助它的前進——這也是此一會戰中最高的記錄。但是德國第十四軍團仍繼續作了兩天艱苦的抵抗，直到十七日美國第四軍的第十山地師才造成一個突破口，並衝向重要的第九號橫向公路。於是在兩天之內，德軍的全線均告崩潰，美軍已經進迫波隆那的郊外，而其擴張的部隊則已掃向波河。

魏庭霍夫的部隊都擺在第一線，由於他缺預備隊和燃料，所以無法制止聯軍的突穿。現在已無穩住戰線的可能，只有作長距離的退卻，也許仍有救出其部隊的希望。赫爾將軍以前曾經建議採取彈性防禦的方式，即事先從一道河川向另一道河川作戰術性的撤退，則也許可以緩衝英國第八軍團的攻勢——但卻遭到希特勒的拒絕。四月十四日，即在美軍發動攻勢之前，魏庭霍夫要求准許撤到波河之線，並聲明否則就會太遲。但他的要求仍然遭到拒絕，於是到二十日，他就毅然下令撤退，並負其全責。

但到那時確已太遲。聯軍的三個裝甲師，在兩路掃蕩之下，已經切斷和包圍德軍的大部分。

雖然還有許多德軍用游泳的方法逃過那道大河（波河），卻無法構成一條新的防線。二十七日，英軍已經越過阿第及河（Adige），並穿透掩護威尼斯（Venice）和帕多亞（Padua）的威尼西亞防線（Venetian Line）。

美軍的行動還要快，已在一天以前進占威洛納（Verona）。在前一天，即四月二十五日，義大利游擊隊也發動全面起義，德國人到處都受到他們的攻擊。所有在阿爾卑斯山地中的隘道在四月二十八日都被阻塞——而在同一天，墨索里尼和他的情婦克拉里塔皮塔基（Claretta Petacci）也在科摩湖（Lake Como）附近，為一群游擊隊所捕殺。德軍在各處紛紛投降，自從四月二十五日之後，聯軍的追擊很少遭遇到抵抗。到了二十九日，紐西蘭部隊已經到達威尼斯，五月二日又進入的港——在那裡主要關切的事情已不是德國人而是南斯拉夫人。

事實上，幕後的投降談判早在二月間即已開始，發動的人是納粹黨軍在義大利的頭目吳爾夫將軍（General Karl Wolff），對方的接頭者為杜勒斯（Allen W. Dulles），美國戰略勤務局（Office of Strategic Services，簡稱ＯＳＳ）駐瑞士的負責人——最先是由義大利人和瑞士人在中間傳話，以後才雙方作面對面的談判。吳爾夫的動機似乎是由兩個因素混合而成，一方面他希望能避免在義大利繼續作無謂的犧牲；另一方面他更希望能與西方合作反共——這也是許多德國人所共有的動機。吳爾夫的重要性，是他除了控制納粹黨軍和祕密警察以外，事實上他也負責前線後的一切地區，所以他可以打消希特勒想要在阿爾卑斯山區建立最後抵抗據點的妄想。

在德國方面，由於魏庭霍夫被指派接替凱賽林，遂使談判受到影響和延誤；在聯軍方面，也受到俄國人要求參加的影響。同時在這種幕後談判中，雙方的互相猜疑和慎重也是在所難免的。雖然在三月間的討論頗有進展，但到四月初，吳爾夫的活動卻受到希姆萊的凍結。所以雖然在四月八日，魏庭霍夫也正考慮一種投降的方式，但在時間上還是來不及阻止聯軍的春季攻勢。

不過在四月二十三日的一次會談中，魏庭霍夫和吳爾夫終於同意決定不理會柏林來的繼續抵抗的命令，而談判投降。到二十五日，吳爾夫已經命令其當軍部隊不要抵抗游擊隊的接收——而格拉齊亞尼元帥也表示願意代表義大利的法西斯部隊投降，四月二十九日下午二時，德軍代表簽署了一項文件，同意於五月二日正午十二時（義大利時間為下午二時）無條件投降。儘管凱賽林曾作最後一分鐘的干涉，但投降仍是如期生效——比西線德軍的投降早了六天。雖然軍事的成功已保證聯軍的勝利，但此舉足以使戰爭提早一點結束，並減少生命和財產的損失。

第三十八章　德國的崩潰

希特勒已經把他西線上部隊的戰力剝光，並將其剩餘兵力和資源的主要部分都用來據守奧得河之線以對抗俄軍，因為他相信在他的阿登反擊之後，聯軍已經受到重大的損害，再加上其V型兵器（包括飛彈和火箭）對安特衛普基地的轟擊，足以使西方同盟國無力再繼續進攻。因此一切從德國生產或修理工廠中出來的可用裝備都悉數被送往東線。正當此時，西方同盟國卻早已集結了壓倒性的兵力向萊茵河發動攻勢。在這次大規模的努力中，主要的攻勢任務是指派給蒙哥馬利負責，除了他自己的兩個軍團以外（第一加拿大軍團和第二英國軍團），美國的第九軍團也歸他指揮。此種決定使大多數美國將領都深感不滿，他們感覺到艾森豪對於蒙哥馬利和英國人的要求讓步太多，而不惜犧牲他們自己的前途。

憤怒的心情促使他們在其自己的範圍之內作較積極的努力，以求表現他們的本領。而這些努力居然又獲致驚人的效果，因為他們所保有的兵力，雖然遠比蒙哥馬利一個人所指揮的要小，但比起德國方面所留下來對抗他們的兵力卻還是大得太多。

三月七日，巴頓的美軍第三軍團所屬的戰車在愛非山地（Eifel）——即阿登地區在德國境內的另一端——突破了脆弱的德軍防線。三天之內衝過六十哩之後，又在科不林茲附近到達萊茵河岸。他們暫時在那裡停頓不能前進，因為在他們到達之前，萊茵河上的橋梁已被炸毀。但略向北面，其鄰近的美國第一軍團中的一支小型裝甲部隊卻發現一個缺口而一直衝過，於是迅速的攻占在波昂附近的雷馬根（Remagen）橋。這要算是一項卓越的成就，因為德軍措手不及而未能將該橋炸毀。美軍預備隊迅速趕上並確實占穩了這個極重要的橋頭陣地。

當集團軍總司令布萊德雷將軍獲知這個消息之後，他立即認清這是一個突破敵軍萊茵河防線的良機。他高興的在電話中用美國土話喊叫著說：「熱狗，這一下要把他炸開了。」但是艾森豪的一位作戰參謀官，此時正在布萊德雷總部中視察，當頭澆了他一盆冷水，他說：「你不能夠在雷馬根擅自行動——因為那是與計畫不合的。」次日布萊德雷即接到具體的命令，不准他把任何大部隊投入這個橋頭陣地。

這個限制命令尤其令人引起反感的是在四天以後，當美國第九軍團已在杜塞爾多夫附近到達萊茵河岸時，其軍團司令辛普森（Simpson）中將希望能夠立即渡河，但卻受到蒙哥馬利的制止。對於這種以不得違背計畫為理由的限制，日益使美軍上下都感到非常難以忍耐，因為蒙哥馬利在萊茵河上所要進行的大攻勢，是預定在三月二十四日，也就是三個星期以後才開始發動。

所以巴頓在布萊德雷的熱心支持之下，遂向南旋轉，以席捲在萊茵河西岸上的德軍部隊，並同時尋求一個良好的地點以便能夠早日渡河。三月二十一日，巴頓沿著科不林茲和曼漢之間七十哩長的地段，掃蕩殘敵，切斷他們的退路，不讓他們撤過萊茵河。第二天夜間，巴頓的部隊幾乎如入無人之境，在梅因斯（Mainz）和曼漢之間的歐本漢（Oppenheim）渡過萊茵河。

當這個奇襲的消息傳來時，希特勒立即命令採取對抗措施，但他卻已無兵可調，能夠用去幫助填塞缺口的僅只有在一百哩外一座修理工廠中剛剛修好的幾輛戰車而已。在這種情況之下，美軍越過萊茵河的前進遂勢如破竹。

到這個時候蒙哥馬利也已經完成其大舉進攻的準備，預定的渡河地點是在下游一百五十哩的威塞耳（Wesel）附近。在這裡他已經集中二十五個師的兵力，在西岸上所集結的彈藥和其他軍需品已經達到二十五萬噸之多。他所計畫要攻擊的這一段河岸全長為三十哩，僅由五個已經殘破和疲憊不堪的德國師來負責防守。

在三千多門火砲，和連續不斷的轟炸機所作的猛烈轟擊之後，才在三月二十三日夜間開始發動攻擊。在兩棲戰車支援之下，領先的步兵，幾乎不曾遭遇任何抵抗即已渡過河川並在東岸上建立橋頭陣地。拂曉之後，又有兩個空降師降落在他們的先頭，來替他們開路，而在他們的後面橋梁也已架好，好讓大量的援軍、戰車，和運輸車輛通過。下述的事實即足以顯示抵抗的輕微——美國第九軍團占突擊步兵的一半，但一共只陣亡了四十個人。英軍的損失也是同樣的輕微，只有在某一點上曾遭遇頑強的抵抗，那是在河邊的一個小村里斯（Rees），在那裡一個德國傘兵營曾經堅守達三天之久。

到二十八日，橋頭陣地已經擴張到二十哩以上的深度和三十哩寬的正面。但蒙哥馬利仍畏敵如虎，不肯批准向東作全面的進攻，必須要等到在橋頭陣地中已經集結到二十個師的兵力和戰車一千五百輛之後才動手。

當前進開始時，聯軍部隊發現最嚴重的障礙物即為同盟國空軍在大規模轟炸中所造成的廢墟。它們對於進路的阻塞，其嚴重性遠勝於敵軍。因為現在德國全國的軍民，內心裡都希望英美聯軍趕快前進，盡量迅速的到達柏林，並在俄軍攻破奧得河之線以前，盡可能多占領該國的領土。很少有人願意幫助希特勒採取自我毀滅的手段去阻礙聯軍的前進。

在聯軍越過萊茵河的前夕，希特勒即已公布一項命令，宣布「在戰鬥時應不考慮我們自己人民的一切利益」。他的地區幹部已經奉命毀滅「所有一切的工廠，所有一切主要的發電廠、自來水廠，和煤氣廠」，以及「一切糧食和衣物的儲積」，俾在聯軍的進路上造成一片「沙漠」。

但是他的戰時生產部長斯皮爾，卻立即對於此種瘋狂命令提出抗議。對於此種抗議，希特勒的答覆是：「假使戰爭失敗，日耳曼民族也將同歸於盡。所以根本不必考慮人民的繼續生存問題。」

對於這種謬論斯皮爾大吃一驚，從此他對希特勒的忠誠遂發生動搖。他背著希特勒去和陸軍及工業界領袖們接洽，沒有太多的困難，就說服了他們盡量避免執行希特勒的瘋狂命令。

但當終點快要接近之時，希特勒的幻想也更日益擴大。他一心只想會有某種奇蹟出現，足以使他在最後一刻時獲救。他喜歡讀卡萊爾（Thomas Carlyle）所著的《腓特烈大帝傳》（*History of Frederick the Great*）中的某一章，或者是要旁人讀給他聽。其中所敘述的是腓特烈如何在最黑暗的時候獲救的故事：當他的軍隊已經到了崩潰的邊緣時，俄國女皇突然駕崩，遂使對方的同盟瓦解。希特勒同時也研究星命圖（Horoscopes），其中所預測的是四月間的災難會由於運氣的突變而獲得化解，並在八月間帶來一個滿意的和平。

四月十二日午夜時，希特勒獲知羅斯福總統已經突然逝世的消息。哥培爾在電話中向他說：「我的元首，我向你道賀。命運已經擊敗你的勁敵。上帝並未丟棄我們。」似乎這就是希特勒所日夜等待的那個「奇蹟」——正像十八世紀的七年戰爭一樣，在最緊要的關頭上，俄國女皇突然逝世。所以希特勒開始深信邱吉爾先生所謂的東西權力之間的「大同盟」，現在將會由於彼此利害的衝突而自動瓦解。

但這個希望卻終成泡影，於是在兩個星期之後，希特勒遂被迫自殺，正像腓特烈大帝所準備做的一樣，不過他的「奇蹟」卻的確救了他的國家和生命。

三月初朱可夫已經擴大其在奧得河上的橋頭陣地，但卻仍未能達到突破的目的。俄軍在側面上仍繼續前進，並於四月中旬進入維也納。此時德軍在西面的防線已經崩潰，西方聯軍正從萊茵河上向東前進，一路長驅直入，毫未遭到抵抗。四月十一日他們到達易北河（Elbe）之線，距離柏林還有六十哩，即停止不進。四月十六日，朱可夫才發動攻勢，並與柯湼夫取得聯絡，後者已經強渡萊希河。

這一次俄軍衝出了他們的橋頭陣地，在一星期之內突進到柏林的近郊——希特勒親自留在那裡準備作最後一戰。到四月二十五日，這個城市遂陷於完全孤立，朱可夫和柯湼夫已經完成合圍之勢，而後者的部隊在二十七日又在易北河上與美軍完成會師。但在柏林城內仍在繼續作困獸之鬥的激烈巷戰，直到希特勒自殺，德國無條件投降，戰爭本身已經結束時，才完全停止。

以官方記錄為根據，歐洲的戰爭是在一九四五年五月八日正式結束，但這不過是一個最後的形式上的承認而已，實際上在此以前的一個星期內，戰爭即已分批結束。五月二日，在義大利南戰場中的一切戰鬥都已停止，實際上降書早在三天前即已簽署。五月四日，西北歐德軍的代表於設在呂內堡（Luneberg）的蒙哥馬利總部中也簽訂了一個類似的降書。五月七日，又在理姆斯的艾森豪總部中，再簽訂一個包括全部德國軍隊在內的降書——在這裡曾舉行一個較大的儀式，有美、英、法、俄四國的代表參加。

這些形式上的投降行動都是在希特勒死後加速進行的。四月三十日，在他與其忠貞的情婦依娃布朗（Eva Braun），舉行最後的婚禮之後，即一同在柏林總理府的廢墟中自殺——此時俄軍已經近在呎尺——他們的遺體也依照其遺命在花園中匆匆焚毀。

上述的三個德軍投降行動中以第一個最具有重要的意義，因為義大利方面的休戰條約是在希特勒還未死時即已簽訂，換言之，德軍將領已經不尊重他的權威。尤其是幕後的談判從三月初就已開始，差不多早已祕密進行了兩個月之久。在德國境內的敵方領袖們，因為希特勒還是太接近，所以不敢作這樣的冒險，但他們在私下的談話中卻早已承認有這種迫切的需要。

他們中間有許多人當西方聯軍在諾曼第登陸之後即已失去信心。自從一九四五年二月他們在阿登反擊失敗，而俄軍又攻入東德之後，幾乎所有的人也就更為喪志和失望。他們之所以仍然繼續戰鬥，大部分都是受到恐懼心理的驅使——他們以軍人身分曾對希特勒宣誓效忠，所以害怕違背這種誓言，他們也害怕他發怒，害怕因為不服從而會受到絞刑。此外，聯軍方面又曾威脅著說一旦在德國「無條件投降」之後，他們這些人將會受到嚴厲的懲罰。

在此後的幾個月內，戰爭之所以會延長，幾乎完全是受到希特勒堅定決心的影響。假使西方同盟國對於「無條件投降」的要求若不那樣的堅持，並且對於其在德國人心理上的效果能有較多的注意，則戰爭也許可以提早結束。若能放鬆這種嚴厲的要求，並對於德國人戰後的待遇作合理的保證，則也許可以使前線上的德軍，在較高級將領領導之下大批的投降，於是當前線迅速崩潰時，納粹的統治也就會隨之而瓦解，這樣希特勒也就會喪失其一切堅持到底的權力。

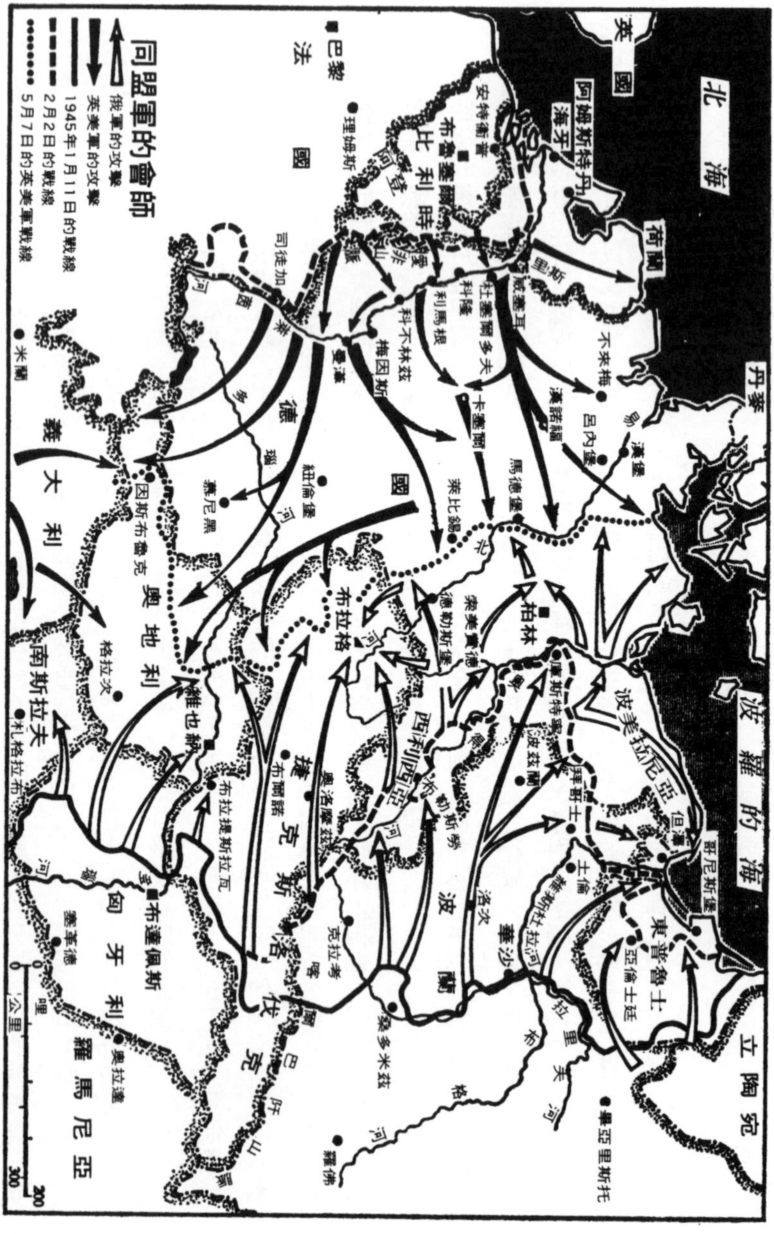

同盟軍的會師
俄軍的攻擊
英美軍的攻擊
1945年1月11日的戰線
2月2日的戰線
5月7日的英美軍戰線
北海
英國
阿姆斯特丹
海牙
荷蘭
安特衛普
布魯塞爾
比利時
理姆斯
巴黎
法國
丹麥
波羅的海
立陶宛
東普魯士
哥尼斯堡
但澤
波美拉尼亞
柏林
漢堡
呂內堡
漢諾福
不來梅
威塞耳
杜塞爾多夫
科隆
科不林茲
梅因斯
卡塞爾
馬德堡
萊比錫
德國
紐倫堡
慕尼黑
司徒加
因斯布魯克
米蘭
義大利
布拉格
西利西亞
波茲蘭
拜哥士
土倫
華沙
波蘭
克拉考
捷克斯洛伐克
奧地利
維也納
格拉次
南斯拉夫
札格拉布
匈牙利
布達佩斯
塞革德
羅馬尼亞
奧拉達
畢亞里斯托
羅佛
桑多米茲
公里
哩
300
200

第三十九章　日本的崩潰

在日本的失敗中，兩個累積因素從性質和效果上來說都是屬於消耗的形式——窒息性的壓力。一是海上的——若說得更精確一點，是從海面下——所施加的壓力；二是空中的。前者首先發生決定性的效果。

日本帝國根本上是一個海洋帝國；甚至於比不列顛帝國還更要依賴海外的補給。它的戰爭能力依賴於大量海外物資的輸入，包括著石油、鐵苗、鐵礬土、焦煤、鎳、錳、鋁、錫、鈷、鉛、磷、石墨、苛性鉀、棉花、食鹽，和橡膠等。此外，為了糧食供應，日本也必須輸入其食糖和黃豆的大部分，以及百分之二十的小麥和百分之十七的大米。

但當日本投入戰爭時，其商船總噸數卻只有六百萬噸——比英國在一九三九年開戰時的數量三分之一都不到（英國當時大約有船隻九千五百艘，總噸數在二千一百萬噸以上）。而且，日本儘管已有兩年歐戰的教訓和其本身的擴張計畫，但對於船運保護的組織卻幾乎是一點都沒有——

沒有護航系統，也沒有護航航空母艦。僅當其船舶已經受到重大損失之後，日本才開始作認真的努力以求彌補這些缺點，但卻已經太遲。

其結果是日本的船隻對美國的潛艇構成一種輕鬆的目標。在太平洋戰爭的初期，由於美國的魚雷有缺點，所以減低了潛艇攻擊的效力；等到這些弱點改良之後，於是潛艇攻擊也就變成一種屠殺。日本潛艇是集中於攻擊軍艦之上——以後又用來運載補給以供應那些被跳過的島嶼上的守軍——但美國潛艇卻以攻擊商船為主。在一九四三年，他們擊沉船隻二百九十六艘，總計一百三十三萬五千噸。在一九四四年，他們在作戰中所造成的損失更大——專以十月而論，就擊沉船隻三十二萬一千噸。又因為他們專以日本油輪為主要目標，所以效力也就變得更大。其結果為：日本的主力艦隊為了接近石油產地之故，而被迫留駐新加坡，至於在國內方面，由於燃料的缺乏，無法獲得適當的訓練飛行，遂使飛機駕駛員的訓練大受影響。

美國潛艇也曾使日本軍艦受到重大損失，約占其被擊沉數字的三分之一。在菲律賓海會戰中，他們擊沉兩艘日本艦隊航空母艦——「大鳳」號和「瑞鶴」號。在一九四四年以後的幾個月之內，他們又擊沉另外三艘航空母艦（或使其永久喪失作戰能力），以及約近四十艘驅逐艦。

等到美國潛艇已能用呂宋島的蘇比克灣（Subic Bay）為作戰基地時，日本商船的大部分都已被消滅，因為良好的目標已經是如此的稀少，所以有一部分潛艇遂被用來營救空襲日本回航途中強迫降落在海上的轟炸機乘員。

總而言之，美國潛艇部隊的貢獻是至為巨大。不僅阻止日本人對其海外被切斷駐軍的增援和補給。而最大的效果是擊沉日本在戰爭中船隻總損失量八百萬噸中的百分之六十。對於日本最後的崩潰而言，這是一個最重要的因素——因為它針對著其經濟的弱點和對海外補給的依賴，所以也就能夠發揮其決定性效果。

沖繩——到日本的內門

對沖繩的兩棲攻擊，其代字為「冰山作戰」（Operation Iceberg），在硫磺島的攻占尚未完成之前即已在作最後的準備，其D日已經定為四月一日——僅在硫磺島登陸後六個星期。沖繩為一個大島，是琉球群島中最大的一個，長六十哩，而平均寬度為八哩——其面積之大足以當作陸海軍基地以供侵入日本之用。它恰好位置在臺灣與日本之間，距離每一端都是三百四十哩，而距離中國海岸則為三百六十哩。所以若在沖繩建立一支軍隊，即可以威脅上述這三個目標，而飛機以那裡為基地即可以控制對此三者的進路。

這個島上偏地多山，森林密布，唯南部例外，那也就是飛機場所在的地方——而且即令在那裡，也還是有石灰石的山脊可以用來挖掘山洞。所以它具有一種天然的防禦力量。駐軍的實力也已大增，有相得益彰之效。牛島中將的第三十二軍，大約有戰鬥部隊七萬七千人，後勤部隊二萬人——總數接近十萬人——擁有大量的輕重火砲，並且配置在良好的岩穴要塞陣地之中。對於日軍的高級幹部而言，他們是決心以全力來保衛沖繩，其所採取的戰術是在內陸行頑強的縱深防禦，像在硫磺島的情形一樣，而不浪費實力來從事於灘頭的戰鬥，因為在那裡日本部隊將會暴露在美國軍艦的強大火力轟擊之下。但對於反攻行動而言，帝國大本營已在日本和臺灣的飛機場上集中二千多架飛機，並計畫對於「神風」戰術作空前未有的大規模使用。

美國軍事當局也認清沖繩是一顆非常難於夾碎的堅硬乾果，所以要求使用巨大優勢的兵力，因此也就引起巨大的後勤問題。計畫在那裡登陸的兵力為最近成立的第十軍團，其司令為巴克勒中將（Lieutenant-General Simon B. Buckner）。在最初的登陸中準備使用五個師，其總人數為十一萬六千，另有兩個師跟隨前進，還有八個師充任預備隊。總計突擊兵力（三個陸戰師和四個陸軍師）共約戰鬥部隊十七萬人，後勤部隊十一萬五千人。除了克服強大的日本守軍以外，還要控制約近五十萬的平民人口。

為了減少對方的空中威脅，密茲契的快速航空母艦群在登陸前一個星期內（三月十八日—二十一日）對日本發動一連串的空襲，大約擊落了一百六十架飛機，並且還把地面上的飛機炸毀了不少——但所付出的代價是有三艘母艦——「胡蜂」、「約克鎮」和「富蘭克林」——都是在「神風」隊攻擊之下而遭受到重傷。在次一個星期內，從關島起飛的B-29超級空中堡壘也暫停其對日本城市的大規模空襲，而改為攻擊在九州（日本最南端的主島）的飛機場。另一個重要的準備步驟為占領沖繩以西十五哩的慶良間島群，以作前進艦隊基地之用——這個觀念是出於屠納將軍（Admiral Kelly Turner）的建議。三月二十七日，一師美軍進占該島群，幾乎沒有遭遇任何的抵抗，次日美國的油輪即開始利用那裡作為碇泊所。在弗拉塞上將（Admiral Sir Bruce Fraser）指揮之下的美國太平洋艦隊（包括兩艘戰鬥艦、四艘航空母艦、六艘巡洋艦，和十五艘驅逐艦）也在三月中旬到達現場，掩護沖繩西南面的水域。

四月一日，也就是感恩節的星期天，由海上及空中作了三小時猛烈的準備炸射之後，美軍於上午八時三十分開始主力的登陸。在同一天，所有一切在沖繩水域中的部隊也都一律由屠納海軍上將統一指揮。登陸點是在南部的西岸上，只要作一個短距離的前進，即可以切斷該島的南端。他們簡直沒有遇到任何的抵抗，到上午十一時，在這個五哩長的登陸地段中的兩個飛機場已被占領。敵人甚至於根本上不曾露面——所以也使侵入者大感驚異。到黃昏時，美軍的灘頭已經擴張到九哩的寬度，並且已有六萬名部隊安全的上了岸。到四月三日，他們已橫越該島，而灘頭陣地也拓寬到十五哩。直到四月四日，當美軍開始向南推進時，他們才遭遇到堅強的抵抗——那是來自駐守南部的兩個半師日軍。

不過在空中方面，日本人一開始即很活躍。從四月六日起，「神風」攻擊就益形加強。

在六、七兩日內，約有七百架飛機被送往沖繩，其中有一半是「神風」特攻隊飛機。他們大多數都被擊落，但美國方面也有十三艘驅逐艦被炸沉或受到重創。

四月六日，日本海軍也作了一次極顯著的「自殺」行動。其巨型的「大和」號戰鬥艦，在少數小型艦延的護衛之下，來到現場——完全沒有空中的掩護，而所攜帶的燃料也只夠單程之用。它的前來很快即被發現，於是美軍遂一方面加以嚴密監視，而另一方面則由密茲契的航空母艦群準備使用二百八十架飛機來發動一次攻擊。四月七日下午十二時三十分，「大和」號受到猛烈的魚雷和炸彈攻擊。在持續的打擊之下掙扎了兩個小時而終於沉沒，生命的損失也極為巨大。正像德國的戰艦「鐵比制」一樣，它從來就沒有獲得向敵方戰鬥艦發射其巨砲的機會，而它的命運對於戰鬥艦時代的沒落也提供進一步的證明。

陸上的會戰比較長久。四月十三日，日軍開始在該島南部發動一個小型的逆襲，但都很輕易的被擊退。此時第六陸戰師也迅速的向北推進，直到抵達岩石遍地和森林密布的本部（Motobu）半島時，才暫時受到阻止。但日軍在這裡的守軍只有兩個營，所以在四月十七日，美軍使用了一個巧計，終於克服了他們堅強的陣地。雖然日軍的零星部隊仍在繼續抵抗，直到五月六日才告結束，但美軍卻居於絕對的優勢。在清點遺屍之後，發現日軍死亡人數約為二千五百人，而美國陸戰隊的損失則尚不及此數的十分之一。四月十三日，一個戰陸支隊也到達該島的北端頂點，沒有遇到任何抵抗。在這個階段內，鄰近的小島也都被攻占，只有在依江島曾經受到少許抵抗。

四月十九日，霍奇將軍（General Hodge）的第二十四軍，以三個陸軍師的兵力，向日軍在沖繩南部所據守的地區發動攻擊。但是從陸、海、空三方面所作的攻擊準備轟炸，對於日軍在洞穴中的防禦工事並不能產生太大的作用。甚至於在第一和第六兩個陸戰師也都被送上第一線時，收穫仍然是很小，而死傷數字卻相當巨大。儘管防禦行動已經證明出來如此的有利，但日本人對於防禦卻具有一種傳統的厭惡心理，所以到五月初，當地的日軍指揮官遂決定發動反擊，並以新的「神風」攻擊相配合。雖然曾在某一點上突穿美軍的戰線，但卻被擊退並受到非常重大的損失——差不多死亡五千人。於是當五月十日，美軍再度進攻時，也就變得比較容易，不過由於苦雨不停，在次一個星期中的進展遂又受到阻止。

在這個空隙中，日軍從掩護著沖繩首府那霸的首里地區撤離，退向南端的山地。六月初，美軍不顧泥濘載道的困難繼續推進，到六月中旬即已把日軍逼到該島的最南端。六月十七日，他們沿著御里山脊所構築的堅強防禦陣地也被突破，大部分都歸功於火焰噴射器的威力。牛島和他的幕僚以及許多其他日軍人員都自殺，但在掃蕩階段自動投降的人數竟不下七千四百人——這是一個很重大的改變。

日軍損失總數估計約為十一萬人，包括日軍所征召的琉球人在內，美國人的損失為四萬九千人（其中死亡人數為一萬二千五百）——在太平洋戰爭中，這是他們的最高作戰損失。

在三個月的沖繩會戰中，日軍飛機一共曾作十次大規模的「神風」攻擊，而其他飛機所作的類似自殺攻擊次數也大致與此相當。一共擊沉三十四艘海軍艦隻，擊傷三百六十八艘，大部分都是「神風」特攻隊的作為。此種痛苦的經驗使美國人對於侵入日本時所可能發生的情況不能不感到憂慮，這也就有助於在七月間對使用原子彈的決定。

太平洋和緬甸的掃蕩

因為採取一種繞過的戰略，所以美軍兩路進兵的步調才獲得很大的加速——在兩條進路上所攻占的地點僅限於下述兩種性質：（一）足以當作到達日本的戰略踏腳石；（二）足以當作對太平洋獲致戰略控制的工具。但當美軍部隊已經迫近日本並準備作最後的躍進時，其參謀首長們遂認為在這個時候著手掃蕩留在後方的殘敵是很合理想的。所以在戰爭的這個倒數第二階段，在不同的各地區中都展開了廣泛的掃蕩作戰。尤其是在史林迅速收復仰光之後，和東南亞總部準備向新加坡和荷屬東印度發動兩棲攻擊之前，緬甸中南部更有先加以肅清的必要。

緬甸

當史林於一九四五年五月初到達仰光時，在他的後方，薩爾溫江以西的地區，還留有日軍約六萬人。英國人必須阻止他們向東逃入泰國境內，或是在緬甸境內製造新的困難。所以梅賽費將軍第四軍的一部分被送回去扼守西湯河上的渡口，而另一部分則前去與正沿伊洛瓦底江南下的斯托福第三十三軍會師。五月間，當櫻井的日本第二十八軍殘部從阿拉干企圖渡過伊洛瓦底江向東逃竄時，曾兩次受到第三十三軍的阻擊，但仍有許多日軍化整為零的逃脫，所以大約已有一萬七千人到達在伊洛瓦底江與西湯河之間的庇古約馬斯地區。本田的日本第三十三軍殘部為了協助他們，曾發動一次牽制性的攻擊，但未獲成功，於是在七月中旬以後，櫻井的殘部遂又採取化整為零的方式，每股約數百人，試圖溜過梅賽費（第四軍軍長）所扼守的警戒線。但他們大部分都被捕獲和被擊潰，能夠到達西湯河東岸的不到六千人，而且都無再戰之力。

新幾內亞──新不列顛──布干維爾

在一九四四年的上半年，當麥克阿瑟沿著新幾內亞北岸蛙跳前進時，他曾經繞過許多日本的守軍，而當美軍開始向菲律賓前進時，留在他們後方的有五個殘破的日本師。在新不列顛和布干維爾（Bougainville）等島上也還留有大量的日軍。七月十二日麥克阿瑟遂頒發一道訓令給澳洲軍總司令布拉梅將軍（General Sir Thomas Blamey），把那些地區中殘敵「繼續中和化」的責任托付給他。布拉梅故意對於這個訓令採取一種攻擊性的解釋──雖然有兩個澳洲師已經預定參加菲律賓作戰，他現在手裡所能用的一共只有四個師，而其中三個師又都是民兵所組成。

第六澳洲師被送往愛塔培（Aitape），準備在十二月間從那裡向東進攻，以擊滅留在維華克

（Wewak）附近日本安達中將（第十八軍司令）所轄的三個師——雖然號稱三個師，但實際上大約只有三萬五千人，而且裝備缺乏、營養不良、疾病叢生，並已處於孤立的地位。在非常艱險的地區中作一百哩遠的前進，使澳洲軍的運輸系統感到難以擔負，而部隊的精神也非常的沮喪，一方面是為疾病所苦，另一方面則由於認清了這次作戰並無真正戰略上的價值，所以進展極為遲緩，到六個月之後，即次年五月，才占領維華克，而直到戰爭在一九四五年八月間結束時，尚有殘餘的日軍在內地負隅頑抗，到那時日軍的數量已減到原有的五分之一；澳洲軍在戰鬥中的損失僅為一千五百人，不過病患的數字卻超過一萬六千人。

第五澳洲師被送往俾斯麥群島中的新不列顛島（New Britain）——其指揮官雷姆賽少將（Major-General A. N. Ramsay）顯得比較有頭腦。當他在十一月間到達那裡時，美軍已經控制這個大島六分之五的地區，但剩餘的部分仍由將近七萬名日軍據守著，大部分都集中在他們盤踞已久的拉布爾基地中。在向該島的頸部作了一個短距離的前進之後，這個澳洲師就以能監視這一條短的警戒線為滿足——而讓大量的日軍去自生自滅。這是一種最低代價的中和化手段，直到敵人在戰爭結束時自動投降為止。

布干維爾位置於所羅門群島的西端，為該島群中的第一大島。賽維基將軍（General Savige）的第二軍被派往該島，他的兵力有第三澳洲師，和另外兩個旅。在這裡也無採取攻勢的真正需要，因為日軍大部分都集中在該島南端布因（Buin）地區附近，忙著種菜捕魚以補充其所缺少的糧食。但賽維基卻還是在一九四五年初發動其攻擊。不僅進展得很慢，而且更促使日軍為了保衛他們的糧食生產地區而不能不作艱苦的戰鬥。六個月之後，由於洪水氾濫，才停止戰鬥。澳洲部隊也像在新幾內亞一樣，毫不表示熱忱，因為那實在是一種畫蛇添足的行動。

婆羅洲

收復婆羅洲的行動，主要是美國人的主張，他們想要切斷日本的石油和橡膠補給來源，同時也讓英國艦隊可以在汶萊灣（Brunei Bay）中有一個前進基地。但英國的參謀首長們卻並不欣賞這個觀念，因為他們希望在菲律賓獲得一處基地——由於英國太平洋艦隊早已參加了沖繩會戰，所以他們自然不再想向南撤回。因此這個作戰遂由澳洲第一軍來負責執行，其軍長為莫希德中將（Lieutenant-General Sir Leslie Morshead），兵力共為兩個師，由美國第七艦隊提供掩護和援助。一九四五年五月一日，攻占東北海岸附近的塔拉干（Tarakan）小島，而在六月十日又進占西岸上的汶萊灣，並未遇到任何嚴重的抵抗。從那裡澳洲部隊即進向沙勞越。七月初，經過長期的轟炸之後，在東南岸上的巴里把板（Balikpapan）石油中心也終被攻占，但曾遭遇到比較激烈的抵抗——這是第二次世界大戰中最後一次大規模的兩棲作戰。

到那個時候，英國人對於收復新加坡的作戰也已準備就緒，但日本在八月間的投降卻使這個行動已無必要，所以當蒙巴頓在九月十二日前往新加坡時，只不過是接受東南亞日軍的總投降而已——其預備協定已於八月二十七日在仰光簽訂。在個地區中投降的日軍共有七十五萬人。

菲律賓

雖然自從美國人於十月間在雷伊泰登陸之後，他們在五個月之內即已獲得菲律賓的戰略控制，但在三月間還有大量日軍留在那裡並未被消滅。即以呂宋而論，以後證明大約還有十七萬人——這個數字遠比美國人在當時所估計的要大得多，最大的集團是在呂宋的北部，由山下本人所控制著，但在馬尼拉附近的山地中，另有五萬人是在橫山中將（第四十一軍司令）指揮之下，他們並控制著該城的水源地，最初企圖驅逐這一部分日軍的行動曾為他們所擊退，而且日軍甚至還向格里渥德（General Griswold）的第十四軍發動攻擊，後者也正負有剿滅他們的任務。三月中旬，哈爾將軍（General Hall）的第十一軍也加入作戰，到五月底才攻占在阿華（Awa）和伊波（Ipo）的兩座主要水壩。到此時橫山的兵力已經減少了一半，主要是由於饑餓和疾病之故，不久即分裂為無組織的小群，到處受到菲律賓游擊隊和美國部隊的追剿。餓死和病死的人要比戰死的多十倍。到戰爭結束時只有七千人還活著投降。

此時，克羅格將軍的部隊已經肅清通過維薩雅（Visayan）海的水道，遂使從雷伊泰到呂宋的航路大為縮短，於是美軍也就立即展開呂宋南部的清剿工作。其他的部隊也開始掃蕩雷伊泰以南的島嶼，並在民答那峨建立一處基地——在這個島上約有日軍四萬餘人，當初日本大本營以為那就是美軍侵入的主要目標。到夏季，所有這些地區中的日軍都已退入山地，然後在那裡由於饑餓和疾病而迅速的自動消滅。

最後的階段為美軍對呂宋北部山下部隊的攻擊。那是在四月二十七日，由三個師的美軍來發動，不久又再加上第四個師，當他們進入山地時即遭遇到日益增大的困難——而山下已集中五萬人以上的兵力來負隅頑抗，那要比美國人所估計的多出一倍以上。當戰爭在八月中旬結束時，他才帶著四萬名殘部出來投降，在呂宋北部其他地區還再多上一萬人。這種代價很高的掃蕩作戰在戰略上是否必要似乎大有疑問。

美國的戰略空軍攻勢

對日本的空中攻勢是直到可以利用馬里亞納群島為基地時，才開始變得真正有效——這個群島的攻占是在一九四四年的夏季，主要也就是為了這種目的。

主要的工具即為B-29超級空中堡壘，那也是第二次世界大戰中最大的轟炸機，它的炸彈酬載量可以達到一萬七千磅（七又三分之二噸），飛行時速接近三百五十哩，昇限超過三萬五千呎，航程超過四千哩，除了良好的裝甲保護以外，機上還裝有十三挺機槍。

一九四四年六月中旬，日本九州島上的八幡鋼鐵工業中心曾受到以中國和印度為基地的五十餘架B-29的轟炸，但這一次以及以後的若干次攻擊所造成的損害都很有限——在一九四四年下半年之內投在日本境內的炸彈一共大約只有八百噸。而第二十轟炸機指揮部要在中國維持其基地，則所需要越過「駝峰」的空中補給量也實在太大，既然是如此的不經濟，所以他們在一九四五年初即撤出中國。

到一九四四年十月底，在馬里亞納的塞班島上，第一條跑道即已完成使用的準備，於是第二十一轟炸部隊的第一個大隊（飛機一百一十二架）即開始進駐該島。一個月之後，十一月二十四日，一百一十一架B-29從那裡起飛去轟炸東京的一個飛機工廠。這是自一九四二年四月杜立德上校空襲東京之後第一次攻擊該城。這代表新攻勢的開始，雖然只有四分之一弱的轟炸機找到他們的目標，但他們一共只損失了兩架——而日本人卻派出一百二十五架戰鬥機來和他們交戰。

在以後三個月之內，B-29根據他們在歐洲的經驗，繼續作他們的日間精密轟炸，但效果卻頗令人感到失望——雖然它已經迫使日本人開始疏散其飛機工廠和其他工業。到一九四五年三月，在馬里亞納的B-29總數已經增加三倍，並由李梅將軍（General Curtis LeMay）負責指揮。於是他決定改用夜間低空地區轟炸的方法——俾利用日本在夜間防禦方面的弱點，容許較大的炸彈酬載量，減輕引擎的壓力，並便於攻擊較多的小型工業目標。

尤其重要的是李梅決定B-29應改用燒夷彈而不再用普通炸彈——每一架B-29可以裝載四十枚燒夷彈，每一枚內含三十八顆，那可以焚燒大約十六畝的面積。這個改變的結果產生了可怕的效力。三月九日，二百七十九架B-29——每一架攜帶六到八噸燒夷彈——轟炸東京。差不多有十六方哩的面積，約占該城總面積的四分之一，都被焚毀，建築物被毀者超過二十六萬七千棟。平民死傷總數約十八萬五千人——而美國攻擊者的損失僅為十四架飛機。在以後九天當中，大阪、神戶，和名古屋等城市都受到類似的毀滅。

到十九日這種攻擊暫時停止，因為美國人已經把他們的燒夷彈都用完了——十天之內，他們已經投擲將近一萬噸之多。

但不久美國人又繼續攻擊，而且愈來愈凶——在七月間所投的噸數比三月間要多三倍。此外，又有數以千計的水雷被投在日本水域中以封鎖其沿海的水上交通。被炸沉的船隻超過一百二十五萬噸，一切水上交通幾乎都已停頓。日本人在空中的抵抗能力也已經接近於零。

這種效果非常的巨大。在東京火襲之後，平民的精神大受打擊，尤其是當李梅又開始散發傳單對他的下一個目標提出警告時，其所產生的心理影響更為巨大。有八百五十萬人從城市逃往鄉村，使戰時生產都為之停頓——而在那個時候，日本的戰時經濟也差不多已經到了奄奄一息的境地。煉製石油的工業產量已經減低百分之八十三，飛機引擎百分之七十五，飛機結構百分之六十，電子裝備百分之七十。由於轟炸而被毀或受到嚴重損傷的主要戰爭工廠多至六百所以上。

尤其是轟炸作戰的事實使得日本人民認清他們的軍隊已經不能再保護他們，於是投降，甚至於無條件的投降，也都無可避免。八月間的原子彈不過是再確實證明大多數日本人民（除了瘋狂的軍國主義者以外）所早已認清的事實而已。

原子彈與日本投降

邱吉爾在他的戰時回憶錄最後一卷中曾經敘述一九四五年七月十四日的往事——當時他正在波茨坦與杜魯門總統和史達林一同出席那次會議。美國的軍政部長史汀生先生（Mr. Stimson），把一張上面寫著密語的紙條給他看，上面寫的是「嬰兒順利出生」。史汀生解釋它的意義——那就是說原子彈的試驗已於前一天獲得成功。邱吉爾說：「美國總統立即邀請我和他作一次會商。和他在一起的還有馬歇爾（General Marshall）和李海（Admiral Leahy）。」

邱吉爾對當時的情況所作的記載具有極為深遠的意義，其主要部分是值得引述如下：

我們似乎是突然的感覺到在東方可以對於屠殺獲得一種仁慈的避免，在歐洲也可以獲得遠較光明的前途。我確信我的美國朋友們在內心裡也有這樣的想法。不管怎樣，對於原子彈是否應該使用的問題，我們是從未作過一分鐘的討論。只須付出少數爆炸的成本即能表現壓倒性的威力，足以避免巨型和無限期的屠殺，結束戰爭，帶給世界以和平，和對於受苦受難的人類伸出撫慰的手來。在我們所已經受過的一切艱苦和危險之後，這簡直似乎是一種解脫的奇蹟。

七月四日，即在這次試驗舉行之前，英國人即已在原則上對於此種兵器的使用表示同意。現在最後的決定就是以杜魯門總統為主，因為他是兵器的主人；但對於這個最後決定將是什麼，我是從未表示懷疑；同時我也絕未懷疑他的決定是否正確。在當時是否應該使用原子彈壓迫日本投降的決定，甚至於可以說根本不成為一個問題。歷史的事實的確是如此，雖然其功過是應留待後人來評判。在當時環繞著我們桌子旁邊的人都是一致、自動、無疑義的表示同意；我沒有聽到有任何人曾作一點我們不應這樣做的暗示。

但以後，邱吉爾本人對於使用原子彈的決定卻開始表示他的懷疑，因為他曾經這樣的說：

若假定日本的命運是由原子彈來決定的，那實在是一種錯誤。在第一顆原子彈投下之前，它的失敗早已成為定局，那是壓倒性的海權所造成的。專憑海權即可能奪占用來發動最後攻擊的海洋基地，並迫使其國內陸軍自動投降。因為它的海上航運早已被摧毀。

邱吉爾同時又提到在原子彈投下之前的三個星期，在波茨坦史達林曾經私下告訴他日本駐莫斯科的大使已向蘇俄表示日本有求和之意——邱吉爾並且又補充著說，當他把這個消息轉告杜魯門總統時，曾建議同盟國的「無條件投降」要求也許應作某種的修改，以便可以減少日本投降的障礙。

但是日本人的這種和平試探發動得還要更早，而且美國當局也早就已經知道。一九四四年聖誕節之前，華盛頓的美國情報機構即已從在日本的一位外交界消息靈通人士方面獲知已有一個主和派正在發展之中。這位人士預測在七月間代替東條組閣的小磯國昭不久即將下台，而接替他的人將是鈴木貫太郎。他在日皇主持之下，將開始進行求和的活動。這個預測在四月間就靈驗了。

四月一日，美軍在沖繩登陸。這個消息傳來使日本國內大感震驚，再加上蘇俄又在此時通知日本廢除其與日本之間的中立條約，所以遂使小磯內閣於四月五日垮台，代替他出任首揆的人即為鈴木。

雖然主和派的領袖現在已經組閣，但他們對於求和的工作卻一時不知道應該如何著手。早在二月間，遵從日皇裕仁的指示，日本政府曾向蘇俄要求，希望它能以「中立國」的地位，來居間作成日本與西方同盟國之間的和平安排。這種要求是透過俄國駐東京的大使，以後又透過日本駐莫斯科的大使。但結果都是毫無下文，俄國人並不曾替他們作傳達的工作。

過了三個月才算有一點暗示。這已經是五月底，霍普金斯以羅斯福總統個人代表的身分，飛往莫斯科與史達林討論未來的問題。在他們第三次會談時，史達林曾提到日本問題。在二月間的雅爾達會議時，他已經同意加入對日本的戰爭，其條件為取得千島群島、庫頁島的全部，和在滿洲的支配地位。史達林現在就告訴霍普金斯他在遠東的兵力到八月八日即可完成進攻日本在滿洲基地的一切部署。他同時又說如果同盟國仍堅持其「無條件投降」的要求，則日本人也就會死戰到底；反之，若能對於這一點加以修改，則也許足以鼓勵他們投降——於是同盟國仍可照樣貫徹其意志，並獲得同意的實質結果。他同時又強調蘇俄希望在對日本的實際占領中也能分得一席地位。就是在這一次談話中，史達林曾透露「日本的某些分子」曾作「和平的試探」——但他卻並不曾說明這是透過大使的正式接觸。

遠在沖繩會戰結束之前，勝負即早已分明。同時這也是可以斷言的，一旦該島被攻占之後，美國人也就更會加強其對於日本本土的空中攻擊，因為在那裡的機場到日本的距離尚不及四百哩——只相當於馬里亞納群島的同樣距離的四分之一。

任何略知戰略的人，都會完全了解情況已經毫無希望，尤其是海軍大將出身的鈴木更不待言，他個人的反戰態度遠在一九三六年曾經使他的生命受到陸軍極端分子的威脅。但是他和他的謀和內閣卻正面臨著一個非常棘手的難題。他們雖然熱切的希望和平，但若接受同盟國的「無條件投降」要求，即似乎是出賣了在戰場上的軍隊；他們都願意死戰到底；而且這些部隊手裡還控制著大量的同盟國平民和戰俘可以當作人質，所以如果條件過分的屈辱，他們也許會拒絕服從

「停火」的命令——尤其最嚴重的，假使同盟國若要求廢除天皇，那又怎能接受呢？在他們心目中，天皇不僅代表主權，而且也就是神的化身。

最後還是由日本天皇本人來打開這種僵局。六月二十日他召開一次御前會議，由最高戰爭指導會議的六位成員參加。日皇親自告訴他們：「你們應考慮盡可能立刻結束戰爭的問題。」所有六位大員對於這一點都表示同意，但是當首相、外相，和海相準備作無條件投降時，其他三個人——陸相和陸海兩軍參謀首長——卻主張繼續抵抗，直到可以獲得比較溫和的條件時為止。最後所決定的即為派遣近衛公爵以特使身分前往莫斯科去嘗試展開和平的談判——而日皇更親自指示他應不惜任何代價以獲致和平。作為一個預備步驟，日本外務省又於七月十三日以正式照會通知莫斯科說「天皇希望和平」。

這個照會到達史林手中時，也正是他準備前往波茨坦的時候。他給予日本人以一個冷峻的答覆，認為照會內容不夠確定，所以他無法採取行動，同時也拒絕接見來使。不過這一次他卻把這件事情大致的告訴邱吉爾，於是邱吉爾才又轉告杜魯門，並附帶加上他認為「無條件投降」的硬性要求似應略加修改的建議。

兩個星期之後，日本政府又向史達林致送一項照會，對於近衛特使的任務作進一步的詳細說明，但所獲得的仍然是一個類似的否定答覆。此時，邱吉爾政府已在英國的大選中被工黨所擊敗，於是艾德禮（Attlee）和貝文（Bevin）代替邱吉爾和艾登前往波茨坦繼續出席會議。那正好是七月二十八日，史達林在那一天曾把日本這次再要求的經過向與會諸人作了簡單的報告。

不過，美國人卻早已知道日本想要結束戰爭的願望，因為他們的情報機構已經截獲日本外務省發給其駐莫斯科大使的密碼電報。

但是杜魯門以及其主要顧問中的大多數——尤其是軍政部長史汀生和陸軍參謀總長馬歇爾——現在卻一心只想使用原子彈以來加速日本的崩潰，正好像史達林之一心想趕在對日戰爭尚未結束之前參加這個戰爭，以求能在遠東獲得一種有利的地位一樣。

還有一些人所感到的懷疑是尤過於邱吉爾。在他們中間有一個人即為海軍上將李海，他是羅斯福和杜魯門兩任美國總統的參謀長[1]，他對於使用這種兵器來對付一般平民的觀念深表厭惡。他說：「我個人的感想是這樣，由於我們第一個使用，也就使我們已經採取一種相當於黑暗時代野蠻人的道德標準。我所受的教育是從未教我這樣的從事戰爭，而毀滅婦孺也不可能贏得戰爭。」一年以前，有人主張使用生物性兵器，李海也曾向羅斯福力表反對的意見。

在原子科學家之間，意見也並不一致。在爭取羅斯福和史汀生對原子兵器的支援時，布希博士（Dr. Vannevar Bush）是居於領導的地位。同樣的，邱吉爾的私人科學顧問，齊威爾勛爵（Lord Cherwell），也是一個主要的提倡者——在未授封爵位之前，他的頭銜為林德邁教授（Professor

---

1 譯者註：約相當於我國的參軍長。

Lindeman）。所以毫不足怪的，當史汀生於一九四五年春季指派一個委員會，由布希領導去考慮對日本使用原子兵器的問題時，這個委員會即強烈的主張原子彈應盡可能立即使用，而且對於它的性質事先不應作任何警告——因為正像史汀生以後所解釋的，害怕那也許是一顆「啞彈」（Dud）。

相反的，另有一群原子科學家，以法蘭克教授（Professor James Franck）為領袖，不久之後，即在六月的下旬，曾聯名上書史汀生，表示不同的結論：「對日本突然使用原子彈固然可以獲得軍事性的利益，和節省美國人的生命，但若在全世界上造成恐怖和反應，則似乎還是得不償失……假使美國首先對於人類使用此種新型無限制毀滅工具，則它將會犧牲全世界輿論的擁護，引起軍備競賽，並妨礙對於此種兵器未能管制達成國際協定的可能性。……我們認為這些考慮足以構成不應對日本提早使用核子武器的理由。」

但是那些與政治家比較接近的科學家所發表的意見通常比較易於受到重視，所以他們這種熱忱的意見也就足以影響決定——他們已經說服政治家認為原子彈是一種結束戰爭的最迅速和最簡易的方法。對於已經生產完成的兩顆原子彈，軍事顧們建議了五個可能的目標，經杜魯門與史汀生研究之後，遂決定選擇廣島和長崎兩個城市，其理由是認為它們既然含有軍事設施，而又有「最易於炸毀的房屋和其他的建築物」。

所以在八月六日，第一顆原子彈遂投在廣島，毀滅該城的大部分，並殺死八萬人左右——約占全城居民的四分之一。三天之後，第二顆原子彈又投在長崎。當杜魯門總統從波茨坦會議結束後由海上回國時，他才聽到原子彈已在廣島投下的消息。依照當時在場的人所報導，他不禁得意高呼著說：「這是歷史上最偉大的事情。」

但是對於日本政府的效果，卻遠不像西方在當時所想像的那樣嚴重。在最高戰爭指導會議中反對無條件投降的那三位大員並未因此而發生動搖，他們仍堅持對於未來必須首先獲得某種保證，然後始可投降，尤其是以「天皇地位」的維持最為重要。至於說到日本的人民，他們是直到戰後才知道在廣島和長崎到底發生了一些什麼事情。

八月八日蘇俄對日本宣戰，次日即進兵滿洲，這對於加速日本的投降，其效力似乎是並不亞於原子彈，但是重要的因素還是天皇的影響作用。八月九日，在另一次御前會議中，日皇親自向出席的六位大員指出，情況的無望已至為明顯，他本人是強烈的主張立即求和。於是那三位反對者才比較有屈服之意，而同意召開一次重臣會議——在那個會議中天皇本人可以作最後的裁定。同時，日本政府也用無線電宣布願意投降，不過其條件為天皇的主權仍受尊重——關於這一點，七月二十六日的同盟國波茨坦宣言是不曾提到的。經過若干的討論，杜魯門總統遂同意接受這「但書」，對於「無條件投降」而言，這要算是一個顯著的修改。

即令到了此時，在八月十四日的重臣會議時，意見還是有很大的分歧，但日皇卻作了最後的裁決，他頗有決斷的說：「若再沒有其他的人發表意見，則朕將表示朕本人的意見。朕要求諸位必須對此表示同意。朕認為日本只有這一條路可以自救。因此朕已痛下決心忍其不能忍，受其所不能受。」於是日本遂用無線電宣布投降。

其實並不真正需要使用原子彈才能產生這樣的結果，誠如邱吉爾所云，當其船隻的十分之九都已沉沒或不能行動，其空中和海上的兵力都已被摧毀，其工業已經被破壞，其人民糧食補給已經日益缺乏——在這樣的情形之下，日本的崩潰實在是早已成為定局。

美國的戰略轟炸調查報告書（U. S. Strategic Bombing Survey）也同樣的強調這一點，不過卻又補充著說：「假使日本的政治結構能夠對於國家政策作比較迅速有效的決定，那麼在軍事已經無能為力與政治承認無可避免的現實之間的時差也許即可以縮短。話雖如此，但似乎還是很顯明，即令不使用原子彈，空中優勢也仍能產生足夠的壓力使日本無條件投降，並取消侵入需要。」美國海軍軍令部長金恩也曾認為，「只要我們願意等待」，則僅憑海軍封鎖即可「餓得日本人非屈服不可」——因為他們缺乏油、米，以及其他各種必需的物資。

李海上將的判斷對原子彈的不需要是更加強調：「在廣島和長崎使用這種野蠻兵器對於我們對日本的戰爭是並無實質的幫助。由於有效的海上封鎖和成功的傳統性轟炸，日本是早已被擊敗並已準備投降。」

然則為什麼要使用原子彈呢？除了希望想迅速減少美英兩軍人命損失的直覺想法以外，是否還有任何其他的強烈動機呢？有兩個原因是已經可以發現出來。其一就是邱吉爾本人所透露的。

在敘述他在七月十八日那一天，聽到原子彈試驗成功之後，和杜魯門總統會商時的情形，他曾經對於當時在座諸公的心情作了下述的分析：

……我們應該可以不再需要俄國人。對日戰爭的結束已經不必再依賴他們陸軍的參加……我們不需要再求他們幫忙。幾天以後，我告訴艾登先生（Mr. Eden）說：「非常明顯的，在目前美國是不願意俄國人參加對日本的戰爭。」

史達林在波茨坦要求分享對於日本的占領，曾經使美國人感到非常為難，而美國政府是十分的希望能夠避免這種情形發生。原子彈也許能夠幫助解決這個問題。俄國人已預定在八月六日加入戰爭——那也就是在兩天之後。

在廣島和長崎用原子彈的第二個理由是由李海上將透露出來的。他說：「科學家和一些其他的人們想要作這次試驗，因為在這個計畫上已經耗費了大量的金錢。」——共計二十億美元。一位和這個代字為「曼哈頓計畫」（Manhattan District Project）的原子作戰具有密切的關係的高級官員曾經對於這一點解釋得更清楚：

這顆原子彈是必須成功——因為在它身上已經用了許多的金錢。假使失敗，我們對於這樣巨大的費用又將怎樣交代呢？想到人們的批評就會令人感到害怕……但時間日益迫近，在華盛頓有某些人曾試圖說服格羅弗斯將軍（General Groves），這個曼哈頓計畫的總監，趕緊急流湧退，以免太遲不得脫身。因為他們知道假使我們失敗，則格羅弗斯將會如何成為眾矢之的。當這顆原子彈完成並投下之後，所有一切有關的人員所感到的安慰真是非常巨大，真有如釋重負之感。

不過，在經過一代之後，現在可以看得更清楚，把原子彈那樣匆匆的投下，對於其餘的人類而言，那才真不是一種安慰。

一九四五年九月二日，日本代表在東京灣中的美國戰鬥艦「密蘇里」號上簽署了降書。於是第二次世界大戰正式結束，距離希特勒發動對波蘭的攻擊是六年又零一天——而在德國投降後的四個月。這不過是個使勝利者感到滿足的一個儀式而已。真正結束是在八月十四日，即日本天皇宣布投降和停戰之日——在第一顆原子彈投下一星期之後。但這個可怕的打擊雖能於毀滅廣島城以後表現此種兵器的威力，但對於投降最多不過是產生若干催生的作用而已。日本投降是早已確定，並不需要使用這種兵器——但自從那時起，世界就一直生活在它的陰影之下。

第九篇

結論

第四十章　結論

主要因素和轉捩點

這場浩劫似的戰爭的結果是開門揖盜，把蘇俄引入歐洲的心臟地區，誠如邱吉爾所云，那實在是一場「不需要的戰爭」（The unnecessary war）。但其起因卻又是為了想要避免戰爭和抑制希特勒。在英法兩國的政策中有一個基本弱點，那就是他們對於戰爭因素缺乏了解。因此他們才會在對他們最不利的時機陷入戰爭，並造成這樣一場本可避免的浩劫——對整個世界也產生了深遠的後果。英國之所以尚能倖存似乎是有賴於奇蹟——但實際上卻是因為希特勒犯了歷史上侵略獨裁者所常犯的同樣錯誤。

重要的戰前階段

事後回顧起來，對於對方而言，第一個致命的步驟很明顯的即為德國人在一九三六年的重入萊茵河地區。對於希特勒來說，這個行動帶來一個雙重的戰略利益——（一）它可以對於德國在魯爾的重要工業區提供安全的掩護；（二）它可以使希特勒獲得一個攻入法國的戰略跳板。

為什麼這個行動不曾受到制止呢？主要的是因為法英兩國正在力求避免任何武裝衝突，害怕它有發展成為戰爭的危險。又因為德國之重入萊茵地區，似乎僅為一種矯正不公正待遇的努力，雖然其所採取的手段是錯誤的，但其用心似乎仍有可原——所以也就更使法英兩國不願意採取制止行動。尤其是英國人，因為他們比較具有政治的素養，所以更有一種把它看作政治性而非軍事性步驟的趨勢——沒有注意到它的戰略涵義。

在其一九三八年的行動中，希特勒又從政治因素中去抽取戰略利益——德奧兩國人民對於合併的願望，以及整個德國對於捷克歧視蘇臺德區日耳曼少數民族的強烈反應；而且西方國家之內又還有許多人認為德國在這兩件事上的行動還是相當的合理。

但是希特勒在三月間進入奧國之後，他也就使捷克斯洛伐克的南面翼側處於暴露的地位——對於希特勒來說，在其東向擴張計畫的發展中，捷克斯洛伐克也正是一大障礙。九月間，他利用戰爭的威脅，獲致慕尼黑協定——這樣不僅收回蘇臺德區，而且也使捷克斯洛伐克陷於戰略性的癱瘓。

一九三九年三月希特勒占領捷克斯洛伐克的其餘部分，也就包圍了波蘭的側面——這是一連串「不流血」行動中的最後一個。在他採取這一個步驟之後，英國政府遂接著採取一項未經思考的致命行動——突然的給予波蘭和羅馬尼亞以保證，這兩個國家都是在戰略上處於孤立的地位。英國採取此項行動時，並未首先從俄國方面獲得任何的保證，而唯一能夠對那兩個國家提供有效支援的國家卻又只有俄國。

從時機的配合上來看，這些保證是注定將會產生挑撥作用；誠如我們所知道的，希特勒在沒有遭遇到此種挑戰姿態之前，並無立即攻擊波蘭的企圖。把這種保證放在英法兩國兵力所不及的那一部分歐洲地區之上，也就幾乎構成一種難以拒抗的誘惑，因此西方國家是自毀其戰略基礎——而這也正是他們現在處於較劣態勢實際上所能夠採取的唯一戰略。他們只應構成一條堅強的戰線來對抗任何在西方的攻擊，但他們卻不這樣，反而讓希特勒有突破一條弱的戰線輕鬆的獲致初期勝利的機會。

現在若欲避免戰爭，則唯一的機會即為確保蘇俄的支援——俄國是唯一能夠直接支援波蘭的國家，所以對希特勒也就足以產生嚇阻作用。但儘管情況是那樣的迫切，英國政府的行動卻還是拖拖拉拉，有氣無力的。但除了英國人的猶豫不決以外，波蘭本身，以及其他東歐小國，也都反對接受俄國的軍事支援——因為他們害怕俄軍的援助其實無異於侵占。

對於英國支持波蘭所產生的新情況，希特勒的反應卻完全不同。英國的強烈反應和加速的軍備努力雖然使他感到震驚，但其效果卻正與英國人所企圖的相反。他的想法是受到他個人對於英國歷史認識的影響。希特勒認為英國人是頭腦冷靜和具有理性的，其感情是受到頭腦的控制，因此他感覺到除非是能夠獲得俄國的支援，否則英國人連做夢也都不會想到投入為波蘭而打仗的戰爭。所以，希特勒遂寧願忍下他對於「布爾什維克主義」（Bolshevism）的仇恨和恐懼，而竭盡心力來和俄國協調，以求能使俄國置身事外。這種轉變要比張伯倫的還更驚人——而其後果則是同樣的致命。

八月二十三日，李賓特洛甫飛往莫斯科，接著德俄條約就簽了字，並附有一項祕密協定作為德俄兩國瓜分波蘭的依據。

在希特勒一連串侵略行動所造成的緊張氣氛之中，這個條約遂使戰爭成為必然之勢。英國人既然已經自己宣稱負責支援波蘭，則他們勢必不能退讓，否則也就會喪失其榮譽，而且也只會替希特勒進一步的征服打開門戶。反之，希特勒對於其在波蘭的目的也決不會撤回，即令他明知那將會引起一場大戰。

所以歐洲文明列車遂從此衝入又長又黑的隧道，整整過了六個艱苦的年頭，才算是重見天日。即令如此，這個勝利的陽光也不過只是迴光返照而已。

戰爭的第一階段

一九三九年九月一日（星期五）德軍侵入波蘭。九月三日（星期日）英國政府為了履行其以前所答應給予波蘭的保證，遂對德國宣戰。六個小時之後，法國雖然是比較感到勉強，但也還是步上了英國的後塵。

不到一個月波蘭即已遭蹂躪。九個月之內，西歐的大部分也都已為戰爭的洪流所淹沒。波蘭能夠守得較久一點嗎？法英兩國對於減輕德國對波蘭的壓力能夠有較好的表現嗎？根據現在所知道的兵力數字，從表面上看來，這兩個問題的答案似乎都應該是肯定的。

在一九三九年，德國陸軍對於戰爭的準備距離完成的標準還差得太遠。波蘭和法國一共擁有相當於一百五十個師的兵力，包括三十五個預備師在內，但其中有一部分兵力是必須保留用來應付法國的海外防務。對方德國的兵力總數共為九十八個師，但有三十六個師是訓練不足的。德國人留下來保衛西疆的兵力為四十個師，其中只有四個是常備師（具有完整的訓練裝備）。但希特勒的戰略使法國所處的地位必須發動迅速的攻擊，始能減輕波蘭所受的壓力——而這種行動卻正是其陸軍所最不適宜的。法國的舊式動員計畫只能緩慢的產生必要的兵力重量，而其攻勢計畫必須依賴大量重砲兵的使用，但那必須要到第十六天才能準備就緒。到那個時候，波蘭陸軍的抵抗早已在崩潰之中。

波蘭的戰略形勢是極為不利的——這個國家好像是一塊「舌頭」夾在德國牙床之間，而波蘭的戰略又使這種形勢變得更為惡劣，因為它把兵力的大部分都配置在舌尖的附近。而且，這些兵力在裝備和用兵思想上又極為落伍，甚至於仍然把信念寄託在大量的乘馬騎兵之上——當他們面對著德軍的戰車時，也就被證明出來是一籌莫展。

德國人在那個時候也只有六個裝甲師四個機械化師已經完成作戰準備，但由於古德林的熱心倡導，加上希特勒的支持，他們對於高速機械化戰爭新觀念的採用，要比任何其他國家的陸軍都更為前進——但早在二十年前，英國的先驅者對於此種新的形式和速度卻早已有了完整的構想。德國人所發展的空軍也比任何其他國家都遠為強大。反之，不僅是波蘭人，法國人也同樣的對於空權感到嚴重的缺乏，甚至於不足以支援和掩護其陸軍。

所以波蘭人是最先看到德國人對於此種新型閃電戰術作第一次成功的表演，而在這個時候，波蘭的西方同盟國卻仍在繼續沿著傳統的路線來進行戰爭的準備。九月十七日，蘇俄紅軍越過波蘭的東疆，這個背面上的一擊也就決定該國的命運，因為它已經沒有留下任何兵力足以對抗這第二次的侵入。

波蘭迅速敗亡之後接著就是六個月的休止——由於表面上的平靜，遂使旁觀者誤稱它為「假的戰爭」（phoney war）。一個比較接近真相的名稱應該是「幻想的冬天」（winter of illusion）。因為在西方國家中，領袖和輿論都把這一段時間花在幻想如何攻擊德國側翼的計畫之上——而且對於它們的談論也未免太公開了。

實際上，以當時的情況而論，專憑法英兩國是根本不可能發展足以克服德國的實力。由於德俄兩國現在已成鄰國，所以對於西方而言，最好的希望即為他們之間由於猜疑而發生摩擦，這樣就可以把希特勒的爆炸力從西方引向東方。這種現象在一年後終於發生，假使西方同盟國若不是那樣沉不住氣（那是民主國家的老毛病），則它也許可能會提早發生。

他們高叫著和威脅著談論攻擊德國的側翼，遂促使希特勒不得不考慮先下手為強。他的第一手即為占領挪威。俘獲的文件指出一九四〇年的初期，希特勒仍然認為，對於德國而言，「維持挪威的中立實為最佳的途徑」。但到二月間他就改變了態度，他開始說：「英國人有意在那裡登陸，而我卻要趕在他們的前面。」四月九日，一支小型德國部隊到達挪威，推翻英國人想控制那個中立地區的計畫——乘著英國海運進入挪威水域而吸引著挪威人的注意之便，德國迅速的攻占其主要港口。

希特勒的第二棒是五月十日打擊在法國和低地國家的頭上。早在前一個秋天他已開始準備，即在波蘭被擊敗之後他向同盟國提出和平呼籲而遭到拒絕之時——他感覺到擊潰法國即能獲得迫使英國同意和平的最好機會。但是惡劣的天候加上其手下將領們的疑懼遂從十一月以後一再的展期。於是在一月十日那一天，一位德國參謀軍官攜帶著有關作戰計畫的文件在飛往波昂的中途，在大風雪中迷失方向並迫降在比利時的境內。這一個意外事件使德軍的攻勢一直延到五月才再發

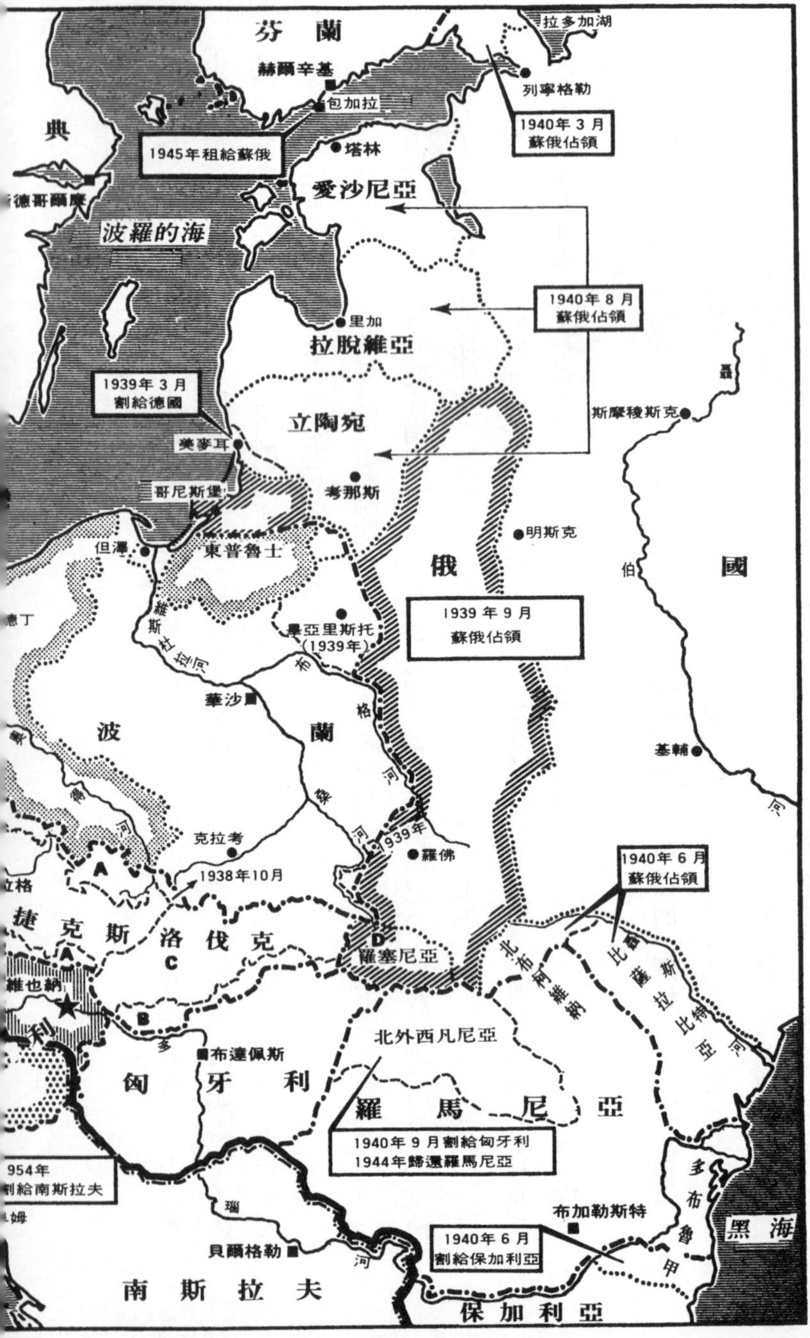

芬蘭
拉多加湖
赫爾辛基
包加拉
列寧格勒
1940年 3 月
蘇俄佔領
典
1945年租給蘇俄
塔林
愛沙尼亞
波羅的海
1940年 8 月
蘇俄佔領
里加
拉脫維亞
1939年 3 月
割給德國
斯摩稜斯克
立陶宛
美麥耳
哥尼斯堡
考那斯
明斯克
但澤
東普魯士
俄
國
伯
1939 年 9 月
蘇俄佔領
畢亞里斯托
(1939年)
維斯杜拉河
布格河
華沙
波
蘭
基輔
克拉考
桑河
1939年
羅佛
1940年 6 月
蘇俄佔領
1938年10月
A
捷克斯洛伐克
D
羅塞尼亞
C
北布科維納
比薩拉比亞
維也納
B
多
布達佩斯
北外西凡尼亞
匈牙利
羅馬尼亞
1940年 9 月割給匈牙利
1944年歸還羅馬尼亞
954年
割給南斯拉夫
瑙河
布加勒斯特
多布魯甲
黑海
貝爾格勒
1940年 6 月
割給保加利亞
南斯拉夫
保加利亞

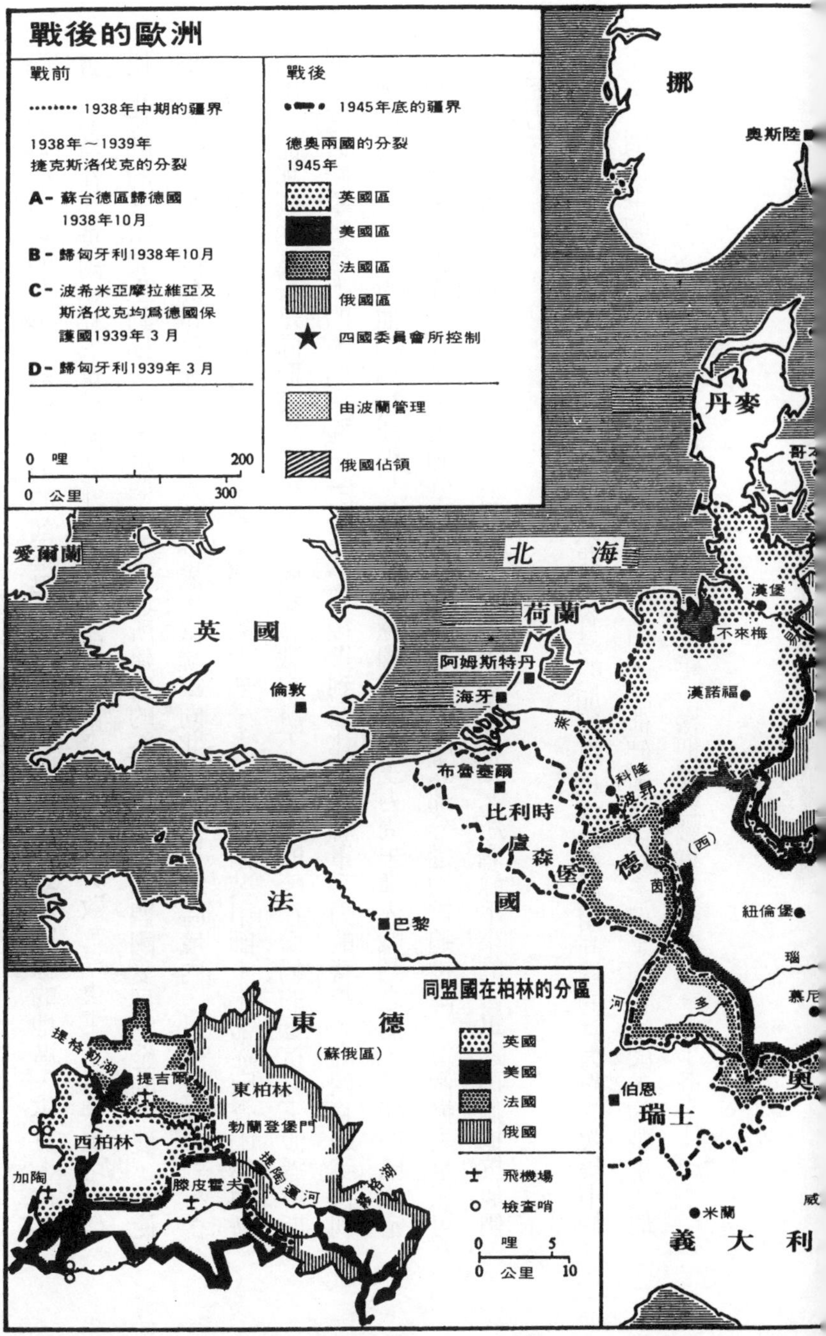
戰後的歐洲
戰前
1938年中期的疆界
1938年～1939年
捷克斯洛伐克的分裂
A－蘇台德區歸德國
1938年10月
B－歸匈牙利1938年10月
C－波希米亞摩拉維亞及
斯洛伐克均爲德國保
護國1939年3月
D－歸匈牙利1939年3月
0 哩 200
0 公里 300
戰後
1945年底的疆界
德奧兩國的分裂
1945年
英國區
美國區
法國區
俄國區
四國委員會所控制
由波蘭管理
俄國佔領
挪
奧斯陸
丹麥
北海
愛爾蘭
英國
倫敦
荷蘭
阿姆斯特丹
海牙
漢堡
不來梅
漢諾福
萊
布魯塞爾
科隆
波昂
比利時
盧森堡
德
國
法
巴黎
(西)
茵
紐倫堡
河
多
慕尼
瑙
奧
伯恩
瑞士
米蘭
義大利
威
同盟國在柏林的分區
東德
(蘇俄區)
提格勒湖
提吉爾
東柏林
勃蘭登堡門
西柏林
加陶
滕皮霍夫
提陡運河
英國
美國
法國
俄國
飛機場
檢查哨
0 哩 5
0 公里 10

動，而在這個中間階段內，一切的計畫遂都作了徹底的改變。其結果對於同盟國非常的不幸，而對於希特勒則可以說是暫時非常的有利，整個戰爭的發展因此而完全改變。

因為依照舊的計畫，德軍主力的前進是要通過比利時中部有運河防線的地區，事實上也就會一頭撞在法英兩國兵力最雄厚的部分之上，所以結果也許會以失敗為結束——這樣也可能會使希特勒的威望發生動搖。但是這個由曼斯坦所建議的新計畫卻使同盟國受到完全的奇襲，並使他們喪失平衡，因此也就產生極重大的效果。當聯軍向北推進到比利時境內，以求在那裡對抗德國向荷比兩國所發動的攻勢時，德軍裝甲部隊的大部分——共七個裝甲師——卻從阿登山林地區衝出，而那個地區正是同盟國高級軍事當局認為戰車所不能通過的。在微弱的抵抗之下渡過繆斯河，突破聯軍戰線上的脆弱「樞紐」部分，然後鑽到在比利時聯軍兵力的背後，向西直趨英吉利海峽的海岸，並切斷他們的交通線。甚至於在德國步兵的主力尚未進入戰鬥之前，這樣即已決定了勝負。英軍從敦克爾克由海上勉強逃出。比軍和法軍的大部分遂均被迫投降。這個損失是無可補救的。接著在敦克爾克以後的一個星期內，德軍移師南指，所剩餘下來的法軍遂再無抵抗他們的能力。

實際上這一次震動世界的慘敗是可以非常容易的加以阻止。只要使用同樣的兵力作一次集中的反擊，則德軍的裝甲突擊即可以迅速的被阻止，而不讓他們衝到海峽。但是儘管法國人的戰車比他們敵人所有的是又多又好，他們卻還是像一九一八年一樣把那些戰車分割成為許多小群來使用。

假使法軍不匆匆的進入比利時以至於使其「樞紐」部分變得那樣的脆弱，又或是能夠迅速的調動預備隊以作為應援，那麼德軍的前進甚至於還可以更早就被阻止在繆斯河上。但法軍統帥部不僅認為阿登地區是戰車所不能通過的，而且也更認為任何在繆斯河上的攻擊是一定仍會採取一九一八年的刻板形式，即當德軍到達那裡之後，必須要有大約一星期的準備時間開始能發動攻擊，所以也就能夠容許法國人有充分的時間去調集預備隊。但是德軍裝甲部隊在五月十三日清晨到達繆斯河上，當天下午即已在作強渡的攻擊。一個「戰車時間」（tank time）的進度擊敗了落伍的「慢動作」（slow-motion）。

僅僅由於同盟國的領袖們不了解此種新技術，和不知道如何的應對，所以此種閃電戰的進度才有可能。假使在其進路上已有良好的雷陣掩護，則德軍甚至於在未達到繆斯河之前就早被阻止了。即令缺乏地雷，也還是有辦法阻止德軍的前進——即使用最簡便的老辦法，沿著通到繆斯河上的森林公路，一路砍倒樹木即可。要清除這些伐木必須花相當的時間，這對於德軍成功的機會即可以產生斷送的效果。[1]

1　原註：我的一位法國朋友，當時正在繆斯河負責某一地段的防務，他曾經要求上級准許採取這樣的措施，但上級卻告訴他道路應保持暢通無阻，以便法國的騎兵可以前進。這些騎兵倒的確曾經進入阿登地區，可惜的是出來比進去還要快。他們在前面拚命的逃跑，而德國戰車也就跟在他們的後面拚命的窮追不捨。

在法國淪陷之後，一般的趨勢都是歸罪於法國人士氣的低落，並認為其淪亡是已無可避免。這實在是一種「倒因為果」的錯誤想法。僅在軍事突破之後，法國人的士氣才隨之而崩潰——但那個突破卻是可以很容易預防或阻止的。到了一九四二年，所有各國的陸軍都已學會如何去阻止一個閃電戰的攻擊——但他們若能在戰前學會這一套，則也就可以挽救不少的東西。

戰爭的第二階段

對於納粹德國，英國現在是唯一剩下來的積極對手。但它卻已經處於非常危殆的情況，軍事方面是已經無能為力，而且又有敵方二千哩長海岸線的包圍威脅。

僅僅由於希特勒所採取的奇怪行動，英軍才能從敦克爾克逃脫而未全部被俘。兩天以前，德軍裝甲部隊距離這個最後逃出的港口早已剩下十哩，而那個港口也幾乎還是在完全無防禦的狀況之下。但是希特勒突然下令停止前進——這個命令的動機極為複雜，包括戈林希望能由空軍來竟全功的狂妄想法在內。

儘管英國陸軍的大部分已經安全脫險，但他們卻喪失其大部分的裝備。當十六個師的殘兵敗將需加以重組之時，英國國內只留有一個裝備適當的師以保衛其國土，至於艦隊則因為害怕德國空軍而躲在遙遠的北方。在法國淪陷後的那一個月內，德軍無論在何時登陸，英國人都很難有抵抗他們的機會。

但希特勒和他的三軍首長對於侵入英國的行動並未作任何的準備——當他們擊敗法國之後，這顯然應該是一個緊接著的步驟，但他們甚至於連任何計畫都沒有。希特勒容許這一個重要的月份輕易的溜過，而一心在期待英國人同意和平，甚至這種幻想已經粉碎之後，德國人的準備也還是毫不熱心。當德國空軍在「不列顛會戰」中未能把英國空軍逐出天空之外的時候，其陸海軍首長卻反而感到很高興，因為這可以對於延擱侵入作戰構成一項好的藉口。但更奇怪的是希特勒本人也很樂意於接受這種藉口。

從他私下談話的記錄上顯示出來，其一部分原因是他不願意毀滅英國和不列顛帝國——他認為對於全世界那是一個安定因素，並希望能使英國人變成他的夥伴。但除此以外又還有一個更新的動機。希特勒的眼光已經轉向東方。這也正是他願意保全英國的主要理由。

假使希特勒決心擊敗英國，則英國的覆亡也就可以指日而待。因為儘管希特勒已經錯過侵入英國的最好機會，但他還是可以憑藉空軍和潛艇的聯合壓力，以使英國由於逐漸的饑餓而走向崩潰。

但希特勒卻認為當俄軍虎視眈眈的站在其東疆之上，足以對德國構成陸上威脅時，他也就不能夠集中其資源以從事於此種海空方面的努力。所以他遂辯論著說：只有擊敗俄國才是唯一唯保德國後方安全的辦法。他對於俄國人的動機是具有強烈的疑忌心理，因為對於俄羅斯式共產主義的仇恨一向是其最深刻的感情。

同時他又自以為只要一旦喪失俄國介入戰爭的希望，則英國也就會同意媾和。他甚至於幻想著若非俄國在鼓勵它繼續打下去，則英國也許早已求和。所以當七月二十一日，希特勒召開其第一次會議討論其匆匆擬定的侵英計畫時，他遂無形中洩漏了他的心事。他說：「史達林正在和英國人暗中勾結，以使他們繼續作戰來牽制我們，其目的是想要爭取時間並奪取他所想要的東西。他知道一旦和平出現之後，他就再沒有這樣的機會。」基於此種想法，所以他即獲得更進一步的結論：「我們的注意應該回過頭來解決俄國問題。」

對俄國作戰的計畫作為於是立即開始，不過直到一九四一年初他才作成最後的決定。侵入戰是在六月二十二日發動——比拿破崙的日期提早一天。德國裝甲部隊迅速擊潰俄國所能立即動用的陸軍部隊，在不到一個月的工夫，即已向俄國境內深入達四百五十哩——在到莫斯科的全程中已經走了四分之三。但德國人卻永遠不曾進入該城。

他們失敗的主要因素是什麼？秋泥冬雪固然是顯著的因素，但更重要的是德國人對於史達林從俄國深處征集預備兵力的能力作了錯誤的計算。他們原先的估計是二百個師，但是八月中旬他們已經擊潰了這樣多的部隊。然而又有一百六十個師出現在戰場之上。等到這些師都被擊敗之後，秋天即已來臨，當德軍在泥濘中繼續向莫斯科推進時，他們又發現另有生力軍擋住他們的進路。另外一個基本因素是儘管在蘇維埃革命之後雖已有許多技術進步，但俄國卻仍然保持它的原始狀態。這不僅是指其軍民具有驚人的忍耐力而言，尤其是其道路的原始狀況。假使俄國的道路系統已經發展到可與西方相比擬的標準，則它可能也早就像法國一樣的迅速受到蹂躪。不過即令如此，假使德國的裝甲部隊在那個夏季裡能夠一直衝向莫斯科，而不去等待步兵的趕上，則這次侵入戰也可能已經成功——當時古德林曾經力主採取這樣的戰略，但這一次卻受到希特勒和陸軍中那些老將們的壓制。

俄羅斯的冬天使德軍大傷元氣——從此他們也就再沒有能夠完全恢復。但甚至於在一九四二年，希特勒還是顯然具有贏得勝利的良好機會，因為紅軍現在嚴重缺乏裝備，由於慘重的失敗，史達林對於它的控制也已經發生動搖。希特勒的新攻勢已經迅速的到達高加索油田的邊緣——那也是蘇俄戰爭機器所仰賴的動力來源。但希特勒卻把他的兵力分散在高加索和史達林格勒兩個目標之上。在這裡他的被阻對於俄國人而言也可以說是非常的僥倖，其機會是非常的小。以後他為了要想攻占這個「史達林城」（City of Stalin），而一再拚命猛攻，使他的兵力受到嚴重的消耗——他是已經沉醉在這種象徵的誘惑中而不能自拔。當冬季來臨之後，他又禁止任何的撤退，結果當俄國的新軍在年底趕上戰場時，他遂使攻擊該城的部隊坐受被圍和被俘的犧牲。

戰略性過分伸展的後果使德軍所受痛苦日益加深——拿破崙就是這樣失敗的。由於墨索里尼想利用法國的崩潰和英國的弱點來撿現成的便宜，所以他貿然的投入戰爭，這樣遂使戰火在一九四〇年延燒到地中海方面——而對德軍增加更多的壓力，並且也在這個海權可以發揮影響作用的地區中給予英國人以一個反攻的機會。邱吉爾能夠迅速的抓著這個機會——但就某些方面來說，是未免太快了。英國在埃及的機械化部隊雖然很少，但不久即擊潰義大利在北非大量落伍的陸軍，此外還征服了義屬東非洲。若非由於想派一支部隊在希臘登陸，英軍才停止前進，否則他們將一直衝入的黎波里——但是在希臘登陸卻是一項不成熟和缺乏準備的行動，所以也就很易於為德國人所擊敗。因為義大利人在北非遭到慘敗，才促使希特勒派隆美爾率兵赴援。不過，由於他的眼光已經固定在俄國，希特勒所派遣的兵力是僅以支持義大利人為限，而從未作較強大的努力以求攻占地中海在東部、中部和西部的三道門戶——蘇彝士、馬爾他和直布羅陀。

所以實際上他只是給德國的實力增加一個新的漏洞，而且最後也抵銷了隆美爾的反擊成功——不管他怎樣努力，也不過把同盟國肅清北非的時間拖長兩年以上而已。現在德國人的兵力是散布在地中海的兩岸上，以及整個的西歐海岸上，而同時也試圖在俄羅斯的深處還維持一個艱難的寬廣正面。

由於日本在一九四一年十二月投入戰爭，遂使此種全面過分伸展的天然效果又暫時獲得緩和，並使戰爭繼續延長。但從長期的觀點來看，日本的投入戰爭對於希特勒的前途是更足以產生致命的效果，因為它把美國的重量帶入戰爭。日本對珍珠港的奇襲攻擊以暫時收獲而言是頗為豐富——重創美國太平洋艦隊，使日軍得以攻占同盟國在西南太平洋的一切根據地——馬來亞、緬甸、菲律賓，和荷屬東印度。但是這樣的迅速擴張，也就超過其能守住所奪獲地區的能力限度以外。因為日本究竟是一個小島國，只有有限的工業能量。

戰爭的第三階段

一旦美國的實力發展，而俄國在倖存之後也開始發展其自己的實力，於是軸心列強——德、義、日——的失敗也就成為定局，因為他們軍事潛力的總和是遠較渺小。唯一不能確定的問題僅為——還要多久的時間，以及其失敗的程度。已經變成守勢的侵略者，現在所希望的最多不過是盡量拖長時間以來獲得較好的和平條件，直到「巨強」（Giants）變得厭倦或開始爭吵時為止。但此種長期抵抗成功的機會又繫於戰線的縮短。但這些軸心國家的領袖們為了死要面子之故，又都不願自動撤退，遂緊抓著一切的地盤不放手直到崩潰時為止。

在這個戰爭的第三階段並無真正的轉捩點，而只有一個逐漸漲起的潮流。這個潮流在俄國和在太平洋是流動得比較容易，因為在這兩個地區，日益增大的兵力優勢與便於運用的廣大空間互相配合而相得益彰。在南歐和西歐，因為空間比較狹小，潮流遂遇到較多的阻礙。

英美兩國軍隊的首次返回歐洲是在一九四三年七月——因為希特勒和墨索里尼為了想堅守北非的灘頭陣地以阻塞聯軍從埃及和阿爾及利亞的兩面夾攻，而把大量的部隊送往突尼西亞，結果反而減少聯軍重返歐洲時的困難。突尼西亞變成一個陷阱，而留在那裡的全部德義兩國軍隊的被俘遂使西西里幾乎完全沒有防禦。當聯軍於一九四三年九月從西西里進入義大利之後，他們沿著那個狹長多山的半島前進時卻變得遲滯而緩慢。

一九四四年三月六日，在英國建立起來的聯軍主力開始在諾曼第登陸。只要他們能在這裡的岸上建立一個夠大的灘頭陣地，足以集結其兵力以突破德軍的阻塞線，則成功即已成定局。因為一旦當他們衝出之後，整個法國的空間都可供其自由運動——聯軍部隊是完全機械化的，而德軍的大部分都不是。

除非能在最初數小時之內把侵入者趕下海去，否則德軍的防禦即注定最後必然崩潰。但當他們臨時調動其裝甲預備隊時，由於同盟國空軍的癱瘓式干涉，也就發生了致命的延誤。在這個戰場上，同盟國空軍比德國空軍差不多享有三十比一的優勢。

甚至於即令對諾曼第的侵入軍能在灘頭上將其逐退，但由於現在聯軍已經享有巨大的空中優勢，可以直接用來攻擊德國，所以它的崩潰也還是無可避免。到一九四四年為止，戰略性空中攻勢都還是有名無實，並不能代替陸上的侵入，其真正的效力是被估計得過高。對於城市的濫炸，既不能嚴重減少軍火的生產，更未能如理想的摧毀對方人民的意志和迫使他們投降。因為就集體而言，他們是受到其暴君的嚴密控制；而就個別來說，他們是無法向天空中的轟炸機投降。但在一九四四年到一九四五年之間，空權卻有了較佳的改進——運用的精確度日益提高，而對於和敵方抵抗力具有重要關係的戰時生產中心也能產生癱瘓作用。在遠東方面，空權也使日本的崩潰成為必然，而並不需要使用任何原子彈。

一旦潮流倒轉之後，在聯軍前途上的主要障礙物也就是他們自己所造成的——他們領袖們對於「無條件投降」所作的不智的和短視的要求。它給予希特勒以最大的幫助，使他得以繼續保持其對德國人民的控制。對於日本的主戰派而言，其貢獻也是一樣。假使同盟國的領袖們夠聰明的話，能對他們的和平條件提出若干保證，則希特勒對於德國人民的控制也許早在一九四五年之前就會自動的鬆弛了。三年以前，在德國境內反納粹運動即已開始廣泛的展開，他們曾派代表向同盟國領袖說明他們推翻希特勒的計畫，並列舉許多準備參加這種行動的高級將領名單，他們所要求的即為希望能對於同盟國的和平條件獲得一些保證。但在那時，以及以後，同盟國對於他們卻始終不曾給予以任何的指示或保證，所以此種運動遂成為「暗中摸索」，也就自然難於獲得廣大的支援了。

於是這個「不需要的戰爭」遂不需要的再延長下去，又有數以百萬計的生命作了不必要的犧牲。而最後的和平適足以產生新的威脅和對於另一次戰爭的恐懼。為了迫使對方「無條件投降」，而使第二次世界大戰作了不必要的延長，其結果只是使史達林坐享其利——開闢道路好讓共產黨支配中歐。

國家圖書館出版品預行編目（CIP）資料

第二次世界大戰戰史／李德哈特（B. H. Liddell Hart）
著；鈕先鍾譯. -- 四版. -- 臺北市：麥田出版：英屬
蓋曼群島商家庭傳媒股份有限公司城邦分公司發行,
2025.07
冊；　公分. --（李德哈特說戰史；1-2）
譯自：History of the second world war
ISBN 978-626-310-890-5（上冊：平裝）. --
ISBN 978-626-310-891-2（下冊：平裝）. --
ISBN 978-626-310-892-9（全套：平裝）
1.CST: 第二次世界大戰　2.CST: 戰史
592.9154　　114005661

李德哈特說戰史 2

第二次世界大戰戰史（下）

History of the Second World War

作者　李德哈特（B. H. Liddell Hart）
譯者　鈕先鍾
責任編輯　呂欣儒
封面設計　兒日設計
印刷　前進彩藝有限公司
內頁排版　李秀菊
國際版權　吳玲緯　楊靜
行銷　闕志勳　吳宇軒　余一霞
業務　李再星　李振東　陳美燕
總經理　巫維珍
編輯總監　劉麗真
事業群總經理　謝至平
發行人　何飛鵬
出版　麥田出版
台北市南港區昆陽街16號4樓
電話：886-2-25000888　傳真：886-2-2500-1951
發行　英屬蓋曼群島商家庭傳媒股份有限公司城邦分公司
台北市南港區昆陽街16號8樓
客服專線：02-25007718；25007719
24小時傳真專線：02-25001990；25001991
服務時間：週一至週五上午09:30-12:00；下午13:30-17:00
劃撥帳號：19863813　戶名：書虫股份有限公司
讀者服務信箱：service@readingclub.com.tw
城邦網址：http://www.cite.com.tw
香港發行所　城邦（香港）出版集團有限公司
香港九龍土瓜灣土瓜灣道86號順聯工業大廈6樓A室
電話：852-25086231　傳真：852-25789337
電子信箱：hkcite@biznetvigator.com
馬新發行所　城邦（馬新）出版集團
Cite（M）Sdn. Bhd.（458372U）
41, Jalan Radin Anum, Bandar Baru Seri Petaling,
57000 Kuala Lumpur, Malaysia.
電話：+6(03)-90563833　傳真：+6(03)-90576622
電子信箱：services@cite.my

初版一刷／1995年1月
二版一刷／2008年5月
三版一刷／2020年9月
四版一刷／2025年7月

ISBN 978-626-310-891-2（紙本書）
ISBN 978-626-310-904-9（EPUB）
全套：ISBN 978-626-310-892-9（紙本書）
ISBN 978-626-310-905-6（EPUB）

售價：台幣600元　港幣200元
（本書如有缺頁、破損、倒裝，請寄回更換）